Het verraad

Van Fiona McIntosh zijn verschenen:

DE BEZIELING:

Eerste boek – Myrrens geschenk

Tweede boek – Bloed en Geheugen

Derde boek – Brug der Zielen

DE BEPROEVING:

Eerste boek – Het verraad

Fiona McIntosh

De Beproeving

EERSTE BOEK

Het verraad

LUITINGH FANTASY

Oorspronkelijke titel: *Betrayal. Trinity, Book One*
Vertaling: Peter Cuijpers
Omslagontwerp: Karel van Laar
Omslagillustratie: John Howe

ISBN 978 90 245 0966 9
NUR 334

www.boekenwereld.com
www.dromen-demonen.nl

Voor de drie die me elke beproeving helpen doorstaan –
Ian, Will en Jack McIntosh

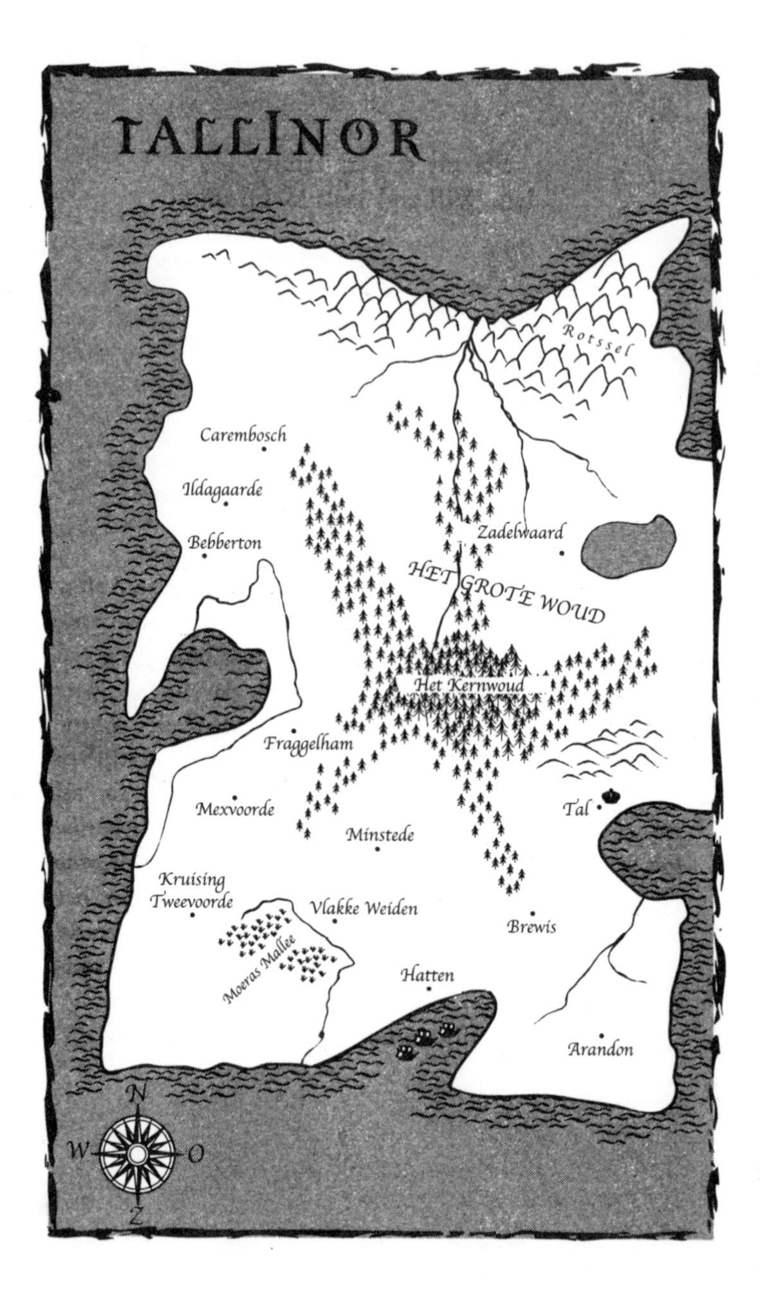
TALLINOR
Rotssel
Carembosch
Ildagaarde
Bebberton
Zadelwaard
HET GROTE WOUD
Het Kernwoud
Fraggelham
Mexvoorde
Minstede
Tal
Kruising Tweevoorde
Vlakke Weiden
Brewis
Moeras Mallee
Hatten
Arandon
N
W
O
Z

Proloog

Niet al te warm, onbewolkt, kalme lucht. Een ideale dag voor een executie. Sallementro keek met een geroutineerde blik naar de menigte die zich verzamelde. Hij verbaasde zich over de neerslachtige stemming. Het middaguur naderde. De gevangene kon elk moment arriveren, dat was althans wat een nabije toeschouwer ongevraagd verkondigde. De mensen knikten, spraken op gedempte toon met elkaar en schuifelden met hun voeten. De menigte leek zich nauwelijks bewust van de clownsvertoning vooraan, waar een ingehuurde lolbroek het volk probeerde op te warmen tot een roes van rechtschapenheid. Veeleer schenen ze er een afkeer van te hebben. Ze negeerden de potsenmakerij en hielden hun gedachten in stilte voor zich.

Allemaal zeer merkwaardig, vond Sallementro.

Hij was pas die morgen in Tal aangekomen, zomaar een reizende minstreel die het oor hoopte te vinden van een rijke edelman die een troubadour nodig had om zijn vrouwe te verleiden of zijn vrienden te imponeren. Misschien, zo mijmerde Sallementro, werd hij zelfs uitgenodigd om aan het koninklijk hof op te treden. Dat zou een klapper zijn.

Maar nu keerde hij terug naar het heden. Hoewel de terechtstelling het gesprek van de dag was in de kroegen en op de markten, was de muzikant tot nu toe helaas weinig wijzer geworden over het aanstaande slachtoffer. Het was zonneklaar dat de jongeman belangrijk was. De koning had immers hoogstpersoonlijk het doodsvonnis uitgesproken en bovendien een antieke manier van executeren bevolen.

Kruisiging en steniging. Sallementro rilde. Het was barbaars, maar het kon een mooie ballade opleveren. De eerste noten daarvan speelden al door zijn hoofd toen hij zich een weg door de menigte baande.

Opgegroeid op het vruchtbare land in het diepe zuiden, had hij zich onttrokken aan wat zijn vader van hem had verlangd. Zijn familie had generaties lang uit boeren bestaan, die op de rijke bodem rond Arandon een benijdenswaardige faam en rijkdom hadden opgebouwd. Hij werd geacht zijn oudste broer steun te bieden en ervoor te zorgen dat het familiebezit bekwaam werd beheerd. Daar had Sallementro tegen ingebracht dat hij als derde zoon best gemist kon worden, maar dat argument had zijn toornige ouders niet overtuigd. Zijn moeder had tijdens de vele ruzies vaak gezegd dat ze hem nog liever een pij zag aantrekken dan dit. Een reizende minstreel! In hun arrogante koppigheid konden ze zich geen lelijker vlek op de goede familienaam voorstellen. Maar Sallementro had nooit iets anders willen zijn.

En dan waren er ook nog de vreemde dromen over een mysterieuze vrouw, die van hem eiste dat hij zijn roeping volgde en die hem opdroeg om zijn kunsten wijd en zijd te vertonen. Deze droomspreekster had het tijdens zijn slaap over een jonge vrouw die hem nodig had – en dan niet zomaar zijn vriendschap, maar echt zijn beschérming.

Raar. Hij was een zanger, geen vechtersbaas. Wie kon hij dan beschermen? Hij kromp al ineen als zijn moeder kwaad op hem was. Een held was hij niet.

De vrouw was echter niet te vermurwen. Tien zomers achtereen was ze in zijn dromen binnengedrongen. En sindsdien zwierf hij ook weer tien jaar door het hele koninkrijk. Daardoor had hij het gevoel dat hij haar al zijn hele leven kende. In feite kende hij echter alleen haar stem en haar wensen. Lys... heette ze zo? Het was erg stom, maar hij kon het zich niet helemaal met zekerheid herinneren.

Sallementro had nooit met iemand over haar gesproken, maar stilzwijgend erkend dat deze geheimzinnige dame een vreemde greep op hem had. Zij was het die hem had aangemoedigd om tegen zijn familie in verzet te komen. Zij had hem door haar gefluister de kracht gegeven om weg te gaan en zanger te worden. Wie was ze?

Zijn mijmeringen werden verbroken toen een dikke hand hem opzijduwde. Hij was al begonnen een stroom van excuses uit te spreken omdat hij de gezette dame op de tenen had getrapt, toen alle hoofden zich dezelfde kant op draaiden. De dame verloor elke belangstelling voor hem en Sallementro keek in de richting waarin haar trillende onderkinnen zich wendden en zag dat iedereen tuurde en wees naar de noordelijke toren.

'Daar is ze!' schreeuwde iemand.

De minstreel hield zijn adem in toen hij de jonge vrouw zag die daar op het balkon was verschenen. Ze werd geflankeerd door twee potige bewakers. De vrouw schudde hun ondersteunende handen van zich af en stak uitdagend haar kin naar voren. Toen ze dat deed werd het licht van de middagzon even in een schittering weerkaatst door een bleek, edelsteenachtig ovaal dat op haar voorhoofd was bevestigd. Er ging een geroezemoes door de menigte.

Bij de aanblik sloeg Sallementro's hart enkele slagen over en in zijn brein hoorde hij al meteen het krachtige refrein van zijn aanstaande ballade. Dit was ze. Zij was het meisje over wie hij al twee decennia had horen spreken. En de droomspreekster had de waarheid gezegd. Sallementro voelde een acute, pijnlijke band met deze mooie vrouw, die waardig, maar met een droeve blik, naar de menigte stond terug te kijken. Eindelijk had hij haar gevonden. En nu moest hij haar beschermen.

De spanning die zich al de hele ochtend had opgehoopt, kwam nu tot ontlading. Sommige toeschouwers riepen het meisje bemoedigende woorden toe, terwijl andere hun hoofd schudden of begonnen te huilen.

'Wie is ze?' Sallementro meende dat hij het zich binnensmonds had afgevraagd.

'Zij is de geliefde,' zei een oudere man naast hem. 'Waard om ervoor te sterven, zou ik zeggen.'

'Mag ik weten hoe ze heet, meneer?'

'Nou, Alyssandra Qyn natuurlijk!'

Doorpraten was onmogelijk door het geschal van trompetten dat de komst van de koning aankondigde. Koning Lorys en zijn koningin, Nyria, waren het succesrijkste koppel dat Tallinor ooit had geregeerd, en hun nauwe en gelukkige band was legendarisch in alle aangrenzende landen.

Maar op dit moment, merkte Sallementro op, straalde het paar geen spoortje van vreugde uit. Ze liepen stijfjes, met een vage blik in hun ogen, en reageerden nauwelijks op het lauwe gejuich van hun volk. Ook keken ze geen moment naar het mooie meisje. Maar goed ook, dacht Sallementro, want haar blik ziedde van haat en was priemend op de koning gericht.

'Als blikken konden doden, lag Lorys nu zowat in zijn kist,' mompelde een man die voor Sallementro stond.

'Haar blik kán doden, man,' fluisterde iemand naast hem. 'Ze is een Onaanraakbare, weet je nog? Boordevol magie. Zie je dat juweel op haar voorhoofd?'

Sallementro had gehoord over Onaanraakbaren. Hij herkende nu het schijfje van archaliet, waardoor zij gekenmerkt werd als iemand uit de gemeenschap van begiftigde vrouwen die in het afgelegen noorden van het koninkrijk woonden. Ze waren beschermd tegen elke vervolging door inquisiteurs, maar door het betoverde edelgesteente werden ze ervan weerhouden hun magische vermogens te gebruiken. Wanneer een vrouw zich bij deze gemeenschap aansloot, werd een schijfje van het gesteente tot een glasachtige ovale vorm geslepen en op haar voorhoofd gedrukt. Als ze werkelijk een begiftigde was, bleef het schijfje onmiddellijk vastzitten. Voor altijd. Het verhinderde dat er magie door haar of tegen haar gebruikt werd.

'Wat betekent die steen voor anderen?' vroeg Sallementro zijn buurman, want die scheen er verstand van te hebben.

'Je moet een zuiderling zijn, minstreel, als je niet weet wat archaliet betekent!' antwoordde de man.

'Leg het me uit, dan maak ik er een lied over,' stelde Sallementro vlot voor.

Zijn informant was in een goed humeur. 'Deze archaliet betekent dat ze onder de bescherming van de koning valt. Niemand mag haar aanraken, nooit. En dat geldt ook voor die varkens van inquisiteurs.'

Sallementro knikte en keek toen weer naar de jonge vrouw op het balkon. Hij kon de glinsterende steen nu beter zien en begon onbewust al naar rijmwoorden te zoeken voor de openingsverzen van het lied dat – hij wist het nu al – tot de beste zou behoren die hij ooit had gemaakt.

Er klonken kreten. 'Let op, daar komt de veroordeelde!'

Sommige van de jongste vrouwen stonden al te huilen. Het verbaasde Sallementro zeer. Mensen riepen de gevangene al dingen toe, terwijl ze hem nog niet eens konden zien. Hij keek weer omhoog naar het balkon. Alyssandra Qyn richtte haar dodelijke blik nu eindelijk niet meer op de koning. Haar ogen volgden de schreden van haar geliefde.

Een jonge vrouw was zó verdrietig, dat ze flauwviel. Sallementro hielp haar vriendinnen om haar weer overeind te zetten. Naarmate de gevangene dichterbij kwam, nam de agitatie in de menigte toe. Hij concludeerde dat de veroordeelde een heel bijzonder iemand moest zijn, om een dergelijke explosie van smart uit te lokken.

Daarin had hij gelijk.

❧

De veroordeelde, Torkyn Gynt, keek met samengeknepen ogen naar de middagzon. Het licht deed hem pijn, want hij had zeven dagen in een duistere kerker gezeten. Een suizen in zijn oren overstemde de meeste geluiden die vanaf de binnenhof van het kasteel weerklonken. Hij liep daar tussen twee rijen soldaten, die hij allemaal goed kende en die hem allemaal met tegenzin naar het schavot leidden. Tor was een geliefde zoon van Tallinor. Deze soldaten van het Schild – de elite – hadden hem in al hun vaardigheden onderwezen, van bierdrinken tot zwaardvechten. Geen van hen kon bevroeden, dacht hij, dat hij geen wapen nodig had om zich te verdedigen. De goden hadden hem een magisch vermogen gegeven dat zo machtig en indringend was, dat hij slechts zijn eigen magie hoefde te gebruiken. Maar hij had beloofd dat hij dit vermogen vandaag niet zou inzetten. In plaats daarvan zou hij – met het oog op de veiligheid van Alyssa Qyn – zijn dood onder ogen zien. Hij zou moedig sterven. Hij zou zijn lotsbestemming aanvaarden.

Hij kwam langs vrouwen die zijn eigen angst uitdrukten door openlijk tranen te vergieten. De mannen probeerden onbewogen te kijken, maar inwendig dankten ze de goden dat ze niet in zijn plaats waren.

Tors hart bonkte zo hevig dat hij vreesde dat het zou barsten, nog voordat hij door een steen geraakt was. De wijze van terechtstelling die zijn geliefde koning voor hem had bevolen, maakte hem doodsbang. Het verbaasde hem eigenlijk dat hij nog steeds de ene voet voor de andere kon zetten.

Maak er een vertoon van dapperheid van, jongen. Gun die smeerlap van een inquisiteur, Goth, niet de lol dat hij je ziet lijden.

Die woorden van Merkhud gingen steeds opnieuw door hem heen, maar zoiets was veel gemakkelijker gezegd dan gedaan. Eerder – toen zijn mentor hem een laatste keer had mogen bezoeken – had de oude man zich vreemd gedragen.

❧

Merkhud had Tor toen bij zijn hand gegrepen en gevraagd: 'Vertrouw je me?'

'Heb ik altijd gedaan,' loog Tor. Hij wist inmiddels té veel over Merkhuds verleden om te geloven dat diens woorden ooit geheel vrij waren van duistere bijbedoelingen.

'Vertrouw me dan ook nu,' zei de oude man.

Merkhuds altijd zo vriendelijke stem was deze keer gesmoord door verdriet. Hij moest zijn eigen angst wegslikken voor wat de jongen die hij als een zoon zag te doorstaan kreeg. En voor wat hun beiden daarná nog te wachten stond.

Kon hij dit gedurfde plan ten uitvoer brengen? Zou deze vorm van magie echt werken?

Dit was de laatste keer dat hij deze voortreffelijke jongeman zou omhelzen – de jongen die hij moedwillig had verraden.

Een snelle kus, ruw op Tors slaap gedrukt, en toen kwam de oude man moeizaam overeind. Hij klopte met zijn wandelstok op de dikke houten deur van de cel. Vrijwel meteen zwaaide deze open en Tor zag dat Merkhud tranen wegveegde voordat de cipier naar binnen stapte. Toen draaide Merkhud zich nog een keer naar hem om en hij leek in dat moment van verdriet wel een eeuw ouder geworden. Zijn woorden waren cryptisch. Hij fluisterde ze zo zacht, dat alleen Tors superieure gehoor ze kon verstaan.

'Wat er vandaag ook moge gebeuren, je moet me vertrouwen en goed luisteren. Sluit het lawaai en je angsten buiten, en luister of je me hoort. Ik zal komen.'

Tor knikte ernstig, maar begreep niet wat de oude man bedoelde. Hij liet het daarbij. Er was nu niets te winnen.

'Beloof me dat je dapper zult zijn voor haar en voor mij. En zoek vergiffenis voor je koning. Hij weet niet wat hij doet.'

En na die woorden was Merkhud verdwenen.

Tor had zich opeens erg eenzaam gevoeld. Hij kon Alyssa niet bereiken via hun geestelijke link. Nu droeg ze de archaliet weer. Ze dachten dat die voor altijd een deel van haar was, maar ze hadden geen rekening gehouden met Tors eigenaardige, onopgemerkte magie, waarmee hij hem in een oogwenk kon losmaken. Voortaan zou ze de steen moeten blijven dragen. Hij verafschuwde degenen die haar dat lot hadden opgedrongen.

Maar Alyssa werd het bespaard dat ze een even barbaarse dood vond als de zijne. Dát had hij tenminste weten te bereiken, doordat hij de koning ervan had kunnen overtuigen dat ze niet actief had meegewerkt, maar slechts een slachtoffer was van zijn verleidingskunst. Het was hem niet ontgaan dat Lorys hier vlot mee akkoord was gegaan. Tor had het opgemerkt en koningin Nyria natuurlijk ook: zijn fascinatie... zijn begeerte... zijn wellust.

Tor begreep het. Alyssa was een uitzonderlijke schoonheid en als ze op deze manier van de dood gered kon worden, waarom niet?

De cipier in de deuropening schraapte zijn keel. Hij was verlegen met de situatie. Hij was erg gesteld op de jongen. Altijd geweest. Wie niet? Hij deed de deur heel langzaam dicht en probeerde iets bemoedigends te zeggen. 'Het duurt nu niet lang meer, jongen. Misschien een uur of twee.'

De woorden gaven geen troost. Hij vergoot tranen om zichzelf – wegens de afschuwelijke manier waarop hij moest sterven en de domme redenen die hem dit lot hadden bezorgd. Hij huilde ook om Alyssa, die nooit om iets anders had gevraagd dan zijn liefde. Toch had hij haar twee keer voorgelogen. Hij huilde om zijn ouders. Waren ze naar Tal gekomen om het ontijdige einde van hun beroemde zoon met eigen ogen te aanschouwen? Maar zijn ergste verdriet en wanhoop had betrekking op twee pasgeboren kinderen, die hij nooit zou kennen. Niet eens hun moeder, zijn geliefde Alyssa, wist dat ze in leven waren. Dat was zijn derde leugen tegenover haar. Nu zou hij sterven en zij zou nooit de waarheid weten.

❧

'Tor...' Iemand sprak op meelevende toon zijn naam uit. Het was Herek, die wilde weten of hij hulp nodig had.

Was hij gestruikeld? Dat felle zonlicht, de kreten vanuit de menigte, zijn bonkende hartslag. Het was te veel. Nu vroegen ze hem om op een speciale stoel plaats te nemen. Het was de Stoel des Doods, besefte hij opeens. Hij moest erop gaan zitten om te vernemen waarom hij gestenigd zou worden. Het was puur ceremonieel, want iedereen die daar verzameld was, wist precies waarom Torkyn Gynt moest worden geëxecuteerd, maar de Stoel des Doods was een laatste ijskoude aankondiging dat zijn dood aanstaande was. En rekte de marteling nét weer iets langer. De veroordeelde kreeg zo een paar laatste momenten om zijn zonden te berouwen en vergiffenis te vragen, of om genade te smeken, geheel naar eigen keuze. En het publiek, dat gewoonlijk belust was op het bloed van de misdadigers, kreeg zo de kans om hem in zijn laatste momenten van doodsangst nog eens van dichtbij te bekijken.

Tor ging zitten. Hij was opeens in verwarring en staarde naar het stof op de planken vloer. Hij kon niemand in de ogen kijken. Een van de oudste hovelingen, tevens degene die de rechtszaak in de Grote Zaal had voorgezeten, rolde een vel perkament open en las alle beschuldigingen met luide stem voor. De straf zou daarna worden verkondigd, maar pas nadat de beul zelf was voorgesteld.

Tor kon het niet verdragen al die woorden nóg eens aan te horen. In plaats daarvan trok hij zich terug in zijn binnenste en sloot alle mensen om zich heen buiten. Toen stond hij zijn gedachten toe naar het verleden af te dwalen. Naar toen het allemaal was begonnen, zeven zomers geleden, op die zwoele middag in Kruising Tweevoorde...

1

Een breideling in Kruising Tweevoorde

Torkyn Gynt was jong en avontuurlijk, en hij verveelde zich. Hij verafschuwde het dat hij een leerling-klerk was, maar iedereen verwachtte dat hij het uitstekende werk van Jhon Gynt zou voortzetten. Hij zag zijn vader naar een brief turen waar hij voor weduwe Ely aan werkte. De ogen van de oude man werden steeds slechter en de dag waarop zijn zoon het moest overnemen kwam dichterbij.

Maar vandaag zouden ze de hele warme, zonnige middag nog blijven werken in Kruising Tweevoorde. Een saaier, slaperiger dorp kon Tor zich niet voorstellen. Hij had het wel willen uitschreeuwen van frustratie toen hij weduwe Ely voor de duizendste keer hoorde jammeren over haar pijnlijke heup. Zijn humeur verbeterde enigszins doordat Boj verscheen, de oude hond van de molenaar. Hij kwam naar de notenboom, in de koele schaduw waarvan ze zaten te werken. Boj snuffelde aan Tors hand. Zijn dagen als kampioen muizenvanger waren voorbij, maar iedereen in het dorp hield van de oude schavuit.

Tor voelde een schrijnend schuldbesef toen hij zijn vader hoorde hakkelen bij het teruglezen van de brief die hij voor de gammele weduwe aan het schrijven was. Hij bood aan het over te nemen en stak zuchtend de veer in de inkt. Een suffer bestaan dan dit leek hem echt onmogelijk.

Terwijl hij haar oninteressante woorden opschreef, dwaalden zijn gedachten af naar aantrekkelijker aanblikken dan de welige heupen van de weduwe. De welving van Alyssa Qyns borsten bracht een glimlach om zijn lippen. Helaas haalde een demonstratieve hoestbui van zijn klant hem ruw terug naar het hier en nu. Om over die por door zijn vader nog te zwijgen. Pa wist beter dan wie ook dat zijn zoon een dagdromer was.

Terwijl hij zijn ribben masseerde en Jhon Gynt kwaad zat aan te kijken, hoorde Tor het. Zijn merkwaardig scherpe gehoor pikte de onheilspellende klank op. Zijn moeder zei vaak dat zijn oren goed genoeg waren om de vogeltjes in de bomen te horen ademen. Een geschenk van de hemel noemde ze het. Tor was uiteindelijk gaan beseffen dat dit haar manier was om te laten blijken – zonder het expliciet te erkennen – dat hij over uitzonderlijke vermogens beschikte. Dit was geen tijdsgewricht om te laten blijken dat je begiftigd was. Veeleer was het een vloek om over zelfs maar een greintje magie te beschikken. Dus er werd nooit openlijk over gepraat. Zijn vreemde, maar machtige talenten waren nu al vijftien zomers verborgen gehouden.

De stem van weduwe Ely ratelde maar door. Zij merkte niet op dat Tor zijn lange benen onder het tafeltje strekte en toen opsprong, maar Boj wel. Gestoord in zijn dutje, waggelde de oude hond weg.

Tor spitste zijn oren. Ruiters! Heel veel en ze reden snel. Hij hoefde ze niet te zien om te weten dat ze gevaar brachten. Jhon Gynt zag geschokt dat inkt, pennen en perkament alle kanten op vlogen toen zijn zoon begon te gillen.

Te laat. Ze werden volledig verrast. Boj werd onderweg vertrapt toen een tiental ruiters in volle galop het marktplein op kwam stormen. Het gezicht van de man die de leiding had liet geen ruimte voor twijfel. Tor had de man nooit eerder gezien, maar uit beschrijvingen wist hij dat dit hoofdinquisiteur Goth was.

Het gezicht van deze Goth was een ernstig aangetaste vleesmassa, vol afgrijselijke littekens, waarvan de ene helft slap naar beneden hing en de andere een permanente tic had, waardoor het rechteroog dan steeds leek te loensen. Zijn meesmuilende blik veranderde in een boosaardige, genietende grijns toen hij zag hoe geschokt het met stomheid geslagen dorp op hem reageerde. Boj was bijna dood, maar hapte niettemin naar de hielen van Goths paard. De straathond werd toen meteen door een zwaardsteek afgemaakt, maar Tor juichte van binnen om zijn moed. De andere mensen schrokken van Bojs wrede dood, maar hielden uit angst hun mond dicht.

Tor knipperde met zijn opvallende, korenbloemblauwe ogen. Hij voelde hoe zijn vermogens zich samenbalden.

Zijn vader moest het hebben aangevoeld, want hij kneep zijn zoon in zijn schouder. 'Doe geen domme dingen, Torkyn,' mompelde Jhon.

Goth keek naar de dorpelingen. Ze bewogen zich niet, maar ze hielden de verachte inquisiteur scherp in het oog, terwijl ze wachtten op zijn onvermijdelijke bevel. Hij liet de stilte nog een poosje hangen, zwelgend in de angst die hij overal opriep waar hij verscheen.

Toen hij sprak, bleek zijn stem enigszins vrouwelijk te klinken en een hoogte te hebben die altijd een verrassing was voor degenen die hem nooit eerder hadden gehoord.

'Goede mensen, het is een tijd geleden sinds we hier voor het laatst op bezoek waren. Ik zie dat jullie de herberg weer hebben opgebouwd.' Hij knikte naar het Witte Hart.

Het gebouw was drie winters geleden door de gehate inquisiteurs in brand gestoken. De zwetende herbergier kreunde. Goths priemende oogjes wisten hem meteen te vinden.

'Aha, daar is herbergier Paal,' zei hij poeslief. 'Wees niet bezorgd. Deze keer zal het dorp me vast wel geven wat ik wil.'

Zijn mederuiters, gekleed in zwarte mantels en paarse zijde, grinnikten besmuikt.

Tor bespeurde een beweging achter hun rug en zag een eenzame ruiter het plein op rijden. Hij was oud. Er staken sliertjes dun grijs haar onder de rand van zijn hoed uit en hij had een zilverig gespikkelde baard. De ruiter hield zijn paard even in om het tafereel op te nemen en stuurde zijn prachtige zwarte hengst toen verder naar voren.

Rhus, de tweede man van Goth, had de nieuwkomer ook opgemerkt en gaf zijn baas een teken. Goth draaide zich om, keek geïrriteerd en vloekte.

De vreemdeling sprak. 'Wat heb je nu weer voor kwaads in de zin, Goth? Zeg eens, heeft een kind dierenvormen in de wolken gezien en jou in je slaap bang gemaakt? Of heeft dat arme schepsel daar aan je voeten misschien het vermogen gehad om... laat me eens kijken, botten uit de lucht bij elkaar te snuffelen?'

Iemand giechelde zenuwachtig, maar de andere dorpsbewoners hielden zich koest. Niemand die Goth bespotte, leefde lang genoeg om het na te vertellen. Tor draaide zijn hoofd om het beter te zien en constateerde tot zijn genoegen dat Goths gezicht nu bijna even paars was als de zijde van zijn kleren.

'Ik doe alleen maar het werk van de koning, net als jij, dokter Merkhud.' Goth moest zich inspannen om kalm te blijven en vervloekte de lijfarts van de koning om zijn ongelegen aanwezigheid.

De oude man snoof minachtend. 'Vergelijk mijn werk nooit met jouw eerloze sadisme, Goth.'

'Wel, die opvatting zal ik graag doorgeven aan zijne majesteit,' antwoordde Goth zoetsappig. Hij had zichzelf weer enigszins in de hand.

De oudere man schudde zijn hoofd. 'Bespaar je de moeite. Ik zal het hem zelf zeggen, wanneer ik weer een maaltijd deel met hunne majesteiten.'

Merkhud wist dat dit hard aankwam. De inquisiteur mocht dan het koninklijke vaandel voeren, maar Merkhud was de oudste en beste vriend van de koning. Hij nam zich nu voor de kwestie Goth weer eens indringend met Lorys te bespreken.

Ongetwijfeld was de inquisiteur naar Kruising Tweevoorde gekomen voor een breideling, dacht Merkhud geërgerd. Dat Lorys zo trouw was aan de barbaarse wet dat iedereen die begiftigd was, gestraft moest worden, was zeer primitief. Het werd hoog tijd dat aan deze eeuwenlange bestraffing van onschuldigen een einde werd gemaakt. Die onschuldigen waren misschien juist degenen die Tallinors troon in komende jaren moesten redden, meende hij.

Er kwam een staljongen die de teugels van zijn paard vastpakte, maar Merkhud bewoog zich niet. Hij had alleen oog voor de hoofdinquisiteur. Goths woede had zijn kookpunt nu bereikt. Merkhud had zijn plezier verpest. Alle schijn van beleefdheid liet hij varen. Hij wuifde Merkhud van zich af en sprak de dorpelingen toe. Zijn schrille stem klonk luid en duidelijk.

'We komen voor de vrouw die Marya wordt genoemd.'

Een vrouw slaakte een kreet en er volgden meer kreten. Daar genoot hij van. Heerlijk! Hij sprak met stemverheffing boven ieders ontzetting uit.

'Ze is een begiftigde en heeft geen plaats in onze samenleving. In naam van koning Lorys verkondig ik dat ze gebreideld moet worden. Breng haar onmiddellijk bij me... anders laat ik het hele dorp in brand steken.'

Hoofden werden gedraaid naar een groepje van vier vrouwen. De oudste begon hulpeloos te krijsen en sloeg zich op haar borst, terwijl ze zich op de grond liet zakken. Dit amuseerde de ruiters, vooral toen haar dochters begonnen te huilen. Alleen de jongste liet zich niet kennen. Het was een heel gewone vrouw, met diepe, donkere ogen die een harde blik kregen toen ze Goth aankeek.

Tor voelde het aankomen, hoewel haar vermogen slechts zwak was. Hij wist dat ze van plan was de inquisiteur er geheel nutteloos mee te bestoken, toen hij een kalme stem hoorde die sprak via een plotseling geopende link.

Dat heeft geen zin, Marya. Ze zijn goed beschermd door archaliet. Ga rustig mee, dan blijven je moeder en zussen in leven. Als je verzet pleegt, heeft hij het excuus waar hij op wacht om jou nu meteen met jullie hele gezin uit te moorden.

Tor was verbijsterd. Hij keek zoekend om zich heen. Wie had zich daar zo krachtig doen horen? Voor hij zich kon beheersen, begon hij met zijn eigen zintuigen de magische geur te volgen, waarvan nog een vaag spoortje in de lucht hing... en zo kwam hij uit bij de oude man. Tor keek hem één fractie van een tel aan, in paniek door wat hij had gedaan, en brak toen zijn tasten ruw af. Het was te laat. Tor zag een schok van herkenning op het gezicht van de vreemdeling. Hij wendde zijn hoofd af en keek weer naar Marya, die vlak voor Goths paard op haar knieën werd gedwongen. Hij had zich niet snel genoeg teruggetrokken. De vreemdeling had evenveel talent om een spoor te volgen als hij.

Het leek alsof dokter Merkhud met een brandende blik tot ín de schedel van de jonge klerk keek... de indringer. Tor moest proberen te ontsnappen. Dit was extreem gevaarlijk. Hoe had hij zo stom kunnen zijn, na jaren van zelfbeheersing? Hoewel de uitwisseling onopgemerkt was gebleven door de inquisiteurs, besefte Tor dat hij nu onherroepelijk was ontmaskerd door iemand die nog beter kon omgaan met de Vermogenskunsten dan hij. Iemand die het gebruik ervan even goed kon verbergen als Tor zelf!

'Vader, we moeten vertrekken,' zei hij, waarna hij zich bukte en gehaast hun spullen bij elkaar raapte, nadat hij verontschuldigend naar weduwe Ely had geknikt. Zij had alleen maar oog voor de akelige scène die zich voor haar ogen voltrok.

Jhon Gynt pakte zijn zoon bij de arm. 'Torkyn... hij verwacht een publiek voor de breideling. Mij bevalt het evenmin, maar we moeten blijven, anders wordt hij kwaad.'

Tor keek naar Merkhud en deze keer ontmoetten hun blikken elkaar. De verrassing was nog steeds te lezen op het gezicht van de oude man.

Goth had de gelegenheid benut om de verzamelde menigte uit te leggen hoe hij het meisje in het vizier had gekregen, namelijk door het spoor van haar magie te volgen en zich te verbazen over de stommiteit van haar onvoorzichtige gebruik ervan.

Ten slotte gaf hij het bevel. 'Breidel haar!'

Marya werd hysterisch. Ze verzette zich en krabde de mannen die haar vasthielden. Ze vlamde met haar vermogen alle kanten op, maar zoals Merkhud had gewaarschuwd: de mannen en hun paarden werden beschermd door het geheimzinnige archaliet, dat heel haar uitstraling naar haarzelf reflecteerde.

Tor kon die doodsstrijd niet langer aanzien. Zonder erbij na te denken stuurde hij een lading van zijn eigen vermogen op haar af, waardoor ze tijdelijk verdoofd werd. Hij voelde hoe de oude man gruwde van die waaghalzerij, maar hij weigerde zijn kant op te kijken.

Toen het meisje slap op de grond was gezakt, riep haar moeder luidkeels de hemel aan en smeekte de goden hun wraak te doen neerdalen op het uitschot dat haar dochter kwam halen.

Gelukkig voor haar had Goth het te druk met een dof leren breidel, bezet met archaliet, die hij uit een zak haalde. Een paar van zijn mannen hielden zich geheel onnodig bezig met het vasthouden van Marya's slappe lichaam, terwijl een van hen haar hoofd omhoogtilde. Rhus bond het tuig om haar gezicht en duwde het ijzeren bit tussen haar tanden. Marya kwam weer bij bewustzijn en begon te jammeren, maar haar tong zat pijnlijk klem onder het bit. Ze klikten het slot aan de achterkant dicht en vergrendelden het door een paar welgemikte hamerslagen op de sluitpinnen. Daarna trokken ruwe handen haar overeind en rukten ze haar de kleren van het lijf. Ze stond daar te wankelen – naakt, gebreideld, trillend en verstomd van angst.

Veel van de mannen uit het dorp, die haar kenden, wendden hun hoofd af, beschaamd door de naaktheid van het meisje en door hun eigen onmacht om haar te beschermen.

Torkyn voelde dat hij zijn zelfbeheersing verloor, maar toen hoorde hij de sussende stem weer in zijn hoofd. *Dit is niet jouw moment, jongen. Verraad jezelf nu niet*, klonk het waarschuwend.

Weer voelde Tor de indringende blik van de vreemdeling, die aan de andere kant van de straat stond. Hij was zo onder de indruk van deze inbreuk op zijn gedachten, dat het opwellende vermogen in zijn binnenste meteen weer inzakte. Ondertussen werd de dorpssmid naar het beschamende toneel gehaald. Hij had een brandijzer bij zich met het teken voor een begiftigde: de gehate ster.

'Brandmerk haar nu, zoals je bevolen is, smid... of sterf zelf.'

De smid kende Marya goed. Zijn enige zoon, een serieuze knaap, was dol op het meisje en had de bedoeling om met haar te trouwen. Hij kon zich niet verroeren.

'Doe het!' riep Goth. Zijn schrille, hoge stem sloeg bijna over van de spanning.

Hij sprong woedend van zijn paard toen zijn bevel voor de tweede keer werd genegeerd en trok het brandijzer uit de slappe greep van de smid.

'Dood hem,' zei hij.

Rhus aarzelde niet. Hij hakte het hoofd van de smid zó krachtig af, dat het over de straat rolde en vlak bij de gehavende Boj terechtkwam. Mensen begonnen te gillen. Goth besteedde amper aandacht aan het stuiptrekkende, hoofdloze lichaam waaruit het levensbloed weg gutste. Nadat hij twee van zijn mannen opdracht had gegeven Marya bij haar armen vast te houden, drukte Goth het gloeiende brandijzer met zichtbare wellust tegen elk van haar kleine borsten aan. En terwijl de geur van vers bloed zich mengde met die van verschroeid vlees, voltooide hij zijn klus door het brandijzer tussen haar benen te steken.

Goth sprak het verbleekte, gechoqueerde publiek toe. 'Weer een kwaadaardige, die veilig is uitgeschakeld. Voortaan zal ze geen mannen meer verleiden om onnatuurlijke bastaarden te verwekken.'

Tevreden wierp hij het brandijzer van zich af, waarna hij herbergier Paal liet weten dat hij en zijn mannen barstten van de dorst na de stoffige rit hierheen. De man wees hem trillend de deur van zijn herberg.

Marya's misbruikte lichaam werd door twee van de ruiters op een kar geworpen die ze bij zich hadden. Een van de dorpelingen durfde het risico aan en bedekte haar weer met haar eigen kleren. Hij streelde haar zacht en beloofde fluisterend dat hij voor haar familieleden zou zorgen. Ze hoorde er geen woord van.

Een andere man uit het dorp raapte het hoofd van de smid op en legde het eerbiedig op de borst van het bebloede, deerniswekkende lijk, dat daarna in stilte werd weggedragen.

Niemand bekommerde zich om Boj.

Tor wist dat hij zo snel mogelijk en zo ver mogelijk bij dit gruwelijke tafereel vandaan moest. Hij liep met grote stappen naar de kleine boerenwagen van zijn vader, legde hun spullen in de achterbak en pakte de teugels. Hij durfde niet naar de oude man te kijken. Toen zijn vader naast hem was komen zitten, stuurde hij Vrouwe, hun paard, zo snel mogelijk het dorp uit naar de veiligheid van Vlakke Weiden, enkele mijlen westelijk.

Onderweg naar huis spraken Tor en Jhon Gynt geen woord met elkaar.

2

De bloemendans

De bloemendans tijdens het Midzomerfeest was Tors favoriete vermaak. Ondanks zijn melancholieke, afwezige stemming sinds de breideling, verbeterde zijn humeur aanzienlijk toen hij de wagen die morgen naar de brink van Minstede reed.

Een van zijn vroegste herinneringen was dat hij aan de hand van zijn moeder stond te kijken naar de dorpsmeisjes die een ingewikkeld patroon van danspassen uitvoerden. Nog steeds was hij dol op de kleurigheid en praal van dit volksfeest.

Dit was de eerste keer dat hij in zijn eentje naar Minstede mocht en hij had een bedwelmend gevoel van vrijheid. Het werd nog spannender doordat hij wist dat Alyssandra Qyn dit jaar voor het eerst zou meedansen. Ze had de leeftijd van een vrouw bereikt en mocht een echtgenoot kiezen, als ze dat wilde.

Verlangend zag hij haar op de brink staan praten met de andere meisjes. Ze wreef haar honingkleurige haren glad, waardoor het zonlicht in gouden schitteringen weerkaatst werd. Alyssa had nooit een spoortje van ijdelheid vertoond, hoewel iedereen zag hoe stralend mooi ze was. Doordat haar moeder al lang dood was en Lam Qyn meestentijds in de olie, had ze bij lange na niet de ouderlijke begeleiding die Tor genoot. Eigenlijk had Alyssa zichzelf opgevoed, onderwijl zo goed mogelijk voor haar dronken vader zorgend. Momenteel scharrelde zij het schamele inkomen van het gezin bij elkaar met haar zalfjes en simpele kruiden.

Tor was in haar ban vanaf het moment dat ze voor het eerst met elkaar hadden gesproken. Roekeloos had ze, jaren geleden, een link geopend en blindelings om zich heen getast. Zo stuitte ze op hem. Toen dat gebeurde, was Tor zo geschrokken dat hij een inktpot omstootte over een maagdelijk vel perkament, hetgeen hem op een flinke uitbrander van zijn gewoonlijk zeer gemoedelijke vader kwam te staan. Tor had geen excuus gehad. Hoe kon hij een brutaal negenjarig grietje de schuld geven, dat aan de overkant van de rivier woonde? Via hem hoorde zij de verwijten die hij over zich heen kreeg en toen pa was uitgetierd fluisterde ze: *neem me niet kwalijk, wie je ook bent.*

Vanaf toen hadden ze dagelijks een link gelegd en zich bij elk gesprek afgevraagd of de inquisiteurs hen op het spoor zouden komen. Als kinderen hadden ze het een griezelig, maar spannend vermaak gevonden. Nu ze ouder waren en de afschuwelijke gevolgen van een ontmaskering kenden, verbaasden ze zich in stilte over het feit dat ze niet ontdekt waren. Ze hadden afgesproken uitsluitend naar elkaar toe te linken, want het was evident dat zij beiden, of een van beiden, iets bijzonders hadden dat hun bescherming bood.

Tor zuchtte. Er was geen mooier meisje in alle dorpen in de buurt, maar hij bewonderde vooral haar kameraadschap en kracht. Hij genoot toen een paar dames in zijn nabijheid tegen elkaar fluisterden dat ze een schone bloem was, maar protesteerde in stilte tegen hun suggestie dat ze binnenkort wel zou worden geplukt door een rijke koopman.

Dit was overigens precies de reden waarom hij vandaag eens ernstig met haar wilde praten. Ze zagen elkaar maar zelden en hoewel ze vaak een link met elkaar hadden, maakte hij zich toch zorgen of ze zijn huwelijksaanbod wel zou aanvaarden. Niettemin had hij zich voorgenomen de poging te wagen en haar hand te vragen, onmiddellijk nadat hij dat verdomde boeketje te pakken had gekregen.

Tor zag het hoogtepunt van de bloemendans al voor zich. De meisjes deden dan hun ogen dicht en staken hun bloementuiltjes hoog boven hun hoofd. De vrijgezellen moesten dan proberen de bloemen van de dame van hun keuze te grijpen. Mannen die een huwelijksaanzoek deden met dat boeketje in hun hand, zo werd traditioneel geloofd, werden verhoord. En de vrouwen geloofden dat een verloving tijdens de bloemendans tot een gelukkig huwelijk zou leiden, waarin de man trouw bleef en het eerste kind een jongen was.

Deze zomer hadden zich ongeveer veertig vrouwen verzameld op de brink van Minstede. Ze hadden allemaal een boeketje weidebloemen bij zich dat bij elkaar werd gehouden door gevlochten stro. Knap of minder knap, allemaal zagen de ongetrouwde dames van Minstede er lieftallig uit in hun fraaiste zomerjurk. Alyssa had er een van zachtgroen linnen gekozen. Hoewel deze eenvoudig van snit was, kwamen haar ranke nek en slanke middel er perfect in uit. Bovendien paste de kleur heel geraffineerd bij die van haar ogen. Tor wist dat ze heel wat maaltjes had moeten overslaan om zich deze stof te kunnen veroorloven.

Tor was niet de enige die was bezweken voor haar charme, en dat wist hij maar al te goed. Je hoefde maar even om je heen te kijken om te zien dat menige concurrent alleen maar oog had voor Alyssandra Qyn.

Ze hield op met frutselen aan haar jurk en haren, keek zijn kant op en glimlachte. Zijn hart sloeg op hol.

Ik vermoord je, Tor, als je Rufus Akre mijn bloemen laat pakken! zei ze via hun link.

Ha, stel je voor dat hij met zijn grafstenen van tanden elke nacht aan je knabbelt!

Hij lachte toen hij deze gedachte aan haar overbracht en Rufus Akre, die naast hem stond, keek hem bevreemd aan. Wat was er te lachen?

Vang nou maar gewoon mijn boeketje, want als het de wanhopige Rufus niet lukt, zal Eli Noks het doen, heeft hij me verzekerd.

Tor keek om zich heen en zag de goed uitziende winkelier bij een paar vrienden staan. Juist op dat moment knikte hij naar Alyssa.

Tor trok een lelijk gezicht. *Zit maar niet in over mij. Zorg er zelf voor dat je goed mikt bij het gooien!*

Noch hij, noch Alyssa twijfelde een moment over de vraag wie haar boeketje zou vangen. Het had niets uitgemaakt als er wel hónderd mannen van plan waren geweest haar die dag in te palmen. Dat tuiltje behoorde Tor toe. Hij had magie aan zijn zijde en daar maakte hij die middag een discreet gebruik van door haar bosje klokjesbloemen, madeliefjes en korenbloemen aan het einde van de bloemendans regelrecht naar zijn opgestoken hand te dirigeren. En daarna hield hij het boeketje stevig in zijn greep, hoewel zeven mannen zich op hem wierpen, waardoor hij achterover op de grond viel. Enkelen, waaronder Eli Noks, wilden er zelfs om worstelen.

Alyssa kwam haastig hun kant op. 'Eis uw prijs op, mijn heer,' zei ze, en ze maakte er een onbeholpen reverence bij.

Voor Eli Noks was dit de ultieme belediging. 'Je bent aangestoken door de benevelde geest van je vader, Alyssa, als je gelooft dat een arme klerk als Gynt jou een fatsoenlijk leven kan bieden.'

Tor kon het niet laten. Hij bewerkte Noks zodanig met zijn magie dat deze hierna geen zin meer kon uitspreken zonder hevig te stotteren. En toen deed Tor hem na.

'Zeg, N-n-noks, Anabel J-j-joyse zei dat je haar b-b-bloemen mocht hebben.'

Anabel Joyse was een zeer omvangrijke, roodwangige oude vrijster van middelbare leeftijd met oranjekleurig haar en slechts vier tanden. Ze deed al jaren niet meer mee aan de bloemendans, maar haar angstwekkende reputatie leefde voort onder de jeugd.

'V-v-val d-d-dood, Gynt,' stotterde Noks.

'V-v-vaarwel dan, Noks. Kom, Alyssa.'

Hij nam haar bij de hand en ze renden weg van de brink en kwamen uiteindelijk op een plekje bij de stallen van Minstede. Het was voor het eerst sinds vele dagen dat Tor weer eens had kunnen lachen, want de breideling in Kruising Tweevoorde had hem erg van streek gemaakt. Hoewel hij er vaak over had gedagdroomd en zijn lafheid vervloekte, was hij vast van plan Alyssa vandáág te vragen of ze zijn vrouw wilde worden. Hij had nu de bloemendans aan zijn zijde. Hij kon niet falen.

Ze leunde met haar rug tegen een stalwand. 'Je was mijn boeketje bijna kwijt, uilskuiken!'

'Maar zou ik *jou* dan kwijt zijn geweest?' vroeg hij, en hij wilde haar eigenlijk kussen.

Alyssa concludeerde dat hij nooit de moed bij elkaar zou rapen, dus toen deed zij het maar voor hem. Ze trok hem naar zich toe en gaf hem geen andere keuze dan zijn lippen tegen de hare aan te drukken. De kus was veel heerlijker dan alles wat hij had gedroomd. De werkelijkheid was een trage, diepe ervaring, zó vol passie, dat geen enkel geluid nog tot hem doordrong. Er heerste stilte in zijn wereld. Alleen Alyssa's lieve, zachte mond was van belang.

Alyssa duwde hem ten slotte van zich af. Ze stonden beiden te hijgen.

Ze keek ernstig. *Vraag me*, zei ze via de link.

Tor stond op het punt om iets te zeggen, toen hij een paard in de stal hoorde bewegen. Hij keek over Alyssa's schouder en zijn vuur was meteen geblust toen hij de mooie zwarte hengst met het koninklijke Tallinese embleem herkende. Hij deed een stap bij Alyssa vandaan en staarde ongelovig de schemerige stalruimte in, waar luie vliegen om de paarden heen zoemden.

Tor? Alyssa schudde aan zijn arm. Hij antwoordde niet, maar de schrik op zijn gezicht was duidelijk genoeg. Ze voelde dat hij hun link abrupt verbrak.

'Wat is er mis?' vroeg ze hardop, en ze probeerde binnen de schaduwen in de stal te onderscheiden waarnaar hij zo ingespannen stond te turen.

Tor was in de greep van de angst. De akelige scène in Kruising Tweevoorde kwam hem ineens weer haarscherp voor de geest. Hij maakte haar arm los van de zijne en draaide zich langzaam naar haar toe.

'We moeten hier weg.' Hij zei het zacht, maar beslist.

'Weg? Waarheen?'

'Weg van hier,' zei hij alleen, waarna hij haar bij de hand nam en meetrok in de richting van de brink.

Ze bracht de link weer tot stand. Haar ergernis was duidelijk. *Wat is er aan de hand, Tor? Ik dacht dat we...*

Hij onderbrak haar. 'Geen link!' zei hij hardop, bits.

Hij trok haar mee naar de overkant van de straat en tot voorbij de brink naar de plek waar zijn vaders wagen stond en Vrouwe tevreden uit een zak met haver stond te snoepen.

'Hou op, Tor! Je maakt me bang.' Alyssa liet zich niet verder meetrekken.

'We moeten hier weg, daarna zal ik alles uitleggen.'

Tor bleef lopen, maar Alyssa volgde hem niet. 'Zeg het me nú,' zei ze, in verwarring, met teleurstelling in haar stem.

Toen Tor zich boos naar haar omdraaide zag hij hem. De oude man die bij de breideling was geweest. De man van de koning. De man van de magie.

Dokter Merkhud was inderdaad naar de jonge klerk op zoek vanaf het moment waarop hij in Kruising Tweevoorde getuige was geweest van dat hooghartige staaltje van magie ten gunste van de ongelukkige Marya. Hij had daarmee ongetwijfeld haar leven gered, maar het had gemakkelijk het doodsvonnis van de klerk zelf kunnen zijn. Toch hadden Goth en zijn sinistere bende van inquisiteurs niet eens met hun ogen geknipperd toen dit vermogen vlak voor hun neus werd aangewend. De ontdekking van deze jongen en zijn krachtige, onopgemerkte magie had dokter Merkhud verbluft en hij klampte zich gretig vast aan de hoop dat dit de Ene was. In drie eeuwen van vervolging van allen die begiftigd waren, was alleen zijn eigen unieke magie onontdekt gebleven door de Inquisitie.

De lange, knappe jongen rende ook nu weer bij hem weg. Deze keer zou hij hem niet meer ontlopen.

Alyssa volgde Tors geschrokken blik. Zijn dikke haren waren losgeraakt uit het leren bandje en zijn vreemde, stralend blauwe ogen staarden opengesperd en vonkend naar een oude man die aan de rand van de brink stond. Ze maakte toen een noodlottige fout door kwaad de link te heropenen en er opzettelijk gebruik van te maken.

Wie is die man? Waarom rennen we weg?

Merkhud was nu voor de tweede keer binnen enkele dagen verbijsterd. Hij verplaatste zijn blik van de jongeman die hij volgde naar de mooie jonge vrouw die aan de overkant van de straat stond. Naar haar bleef hij verwonderd kijken, precies zoals Torkyn Gynt had voorzien.

Het was alsof alles in Minstede volledig tot stilstand was gekomen op het moment dat Merkhud Alyssa's stem via de link had gehoord. Kinderen die speelden, vrouwen die in groepjes stonden te keuvelen, stelletjes die lachten – alles was verstomd, alles was gestold tot een roerloos, normaal leven, terwijl dat van Tor juist ábnormaal werd. Hij kon niets anders horen dan het bonken van zijn hart.

Hij dwong zich tot een paar keer diep ademhalen voordat hij via de link sprak. Het kon hem niets meer schelen dat de geheimzinnige man het kon horen. Hij wilde alleen nog maar dat Alyssa kon ontsnappen.

Alyssa, al doe je nooit meer iets anders voor me, ga nú weg! Neem de wagen en vertrek. Nee, zeg niet eens waarheen. Ik zal je spoedig bericht sturen. Ga nu!

Hij draaide zich om en begon bij haar weg te lopen.

Tor, wacht! riep ze.

Gá! schreeuwde hij. En dat deed ze, want ze rende naar Vrouwe, gekwetst door de kilte en agressie in zijn stem.

Tor wachtte niet om te zien wat de oude man zou doen. Hij wist dat deze al op weg was naar de stal. In plaats daarvan versluierde hij zijn geest voor Alyssa en rende weg, dwars door de velden en akkers. En hij zorgde ervoor dat hij zo ver mogelijk uit de buurt bleef van wegen en paden.

3

De Stenen van Ordolt

Er waren twee dagen voorbijgegaan sinds hij voor de tweede keer was gezien, maar Tor was nog steeds erg geschokt. Hij had een verhaal verzonnen over een overval door dronken feestvierders toen ze uit Minstede weggingen en dat Alyssa ongedeerd had weten weg te komen met Vrouwe en de kar. Na één blik op zijn haveloze uiterlijk en ontdane gezicht konden zijn ouders het geloven. Dit verhaal gaf hem ook de kans onopvallend in huis te blijven.

Tor vond het vreselijk om tegen zijn ouders te moeten liegen en dat hij zijn vader nu extra belastte. Ze hadden altijd sober geleefd in hun stenen huisje in Vlakke Weiden. Het dorpje had geen andere opmerkelijke eigenschappen dan zijn uitstekende herberg en zijn ligging nabij de drukke weg die naar de hoofdstad Tal leidde. Zijn vader moest hard werken om het gezin te onderhouden en zijn zoon een vak te leren. Zijn moeder verdiende wat bij als kokkin in de lokale herberg.

Ze was net thuis. Het was nooit rustig in huis als Ailsa Gynt er was en Tor luisterde met een half oor naar haar drukke gebabbel over de heerlijke vruchtentaarten die ze die dag had gebakken. Een ervan haalde ze uit haar grote mand en ze zette hem op de geboende tafel in de keuken waar Tor zat. In normale omstandigheden zou het heerlijke aroma hem hebben doen watertanden, maar vandaag niet.

'Ik heb er een voor jou meegesmokkeld, jongen. Je moet wat aankomen... je ziet de laatste dagen zo bleek.'

Tor zei niets. Hij zou dolgraag een link met Alyssa hebben gelegd, maar het was hem onmogelijk om haar te bereiken. Zeer merkwaardig. Hij kon zich voorstellen welke gedachten haar kwelden en welke rare ideeën ze zou hebben over dit zwijgen na zijn barse gedrag in Minstede. Wat zou hij haar graag geruststellen! Ze sloot zich af, concludeerde hij, maar tot dan toe had ze nooit een sluiering weten te realiseren waar hij niet doorheen had kunnen komen. Dus als hij eerlijk was – dit voelde niet goed aan!

Zijn moeder bleef maar doorpraten. Ze was zich niet bewust van het gepieker van haar zoon en bewoog zich ontspannen in haar keuken, met een opvallend lichte tred voor een vrouw van haar postuur. Tor vroeg zich vaak af waarom hijzelf zo lang en slank was, hoewel hij kleine, gezette ouders had. Hij had haar vraag gemist.

'Ik vroeg, ben je nog steeds van slag, Tor?' herhaalde zijn moeder.

Hij schudde zijn hoofd om het helder te krijgen. 'Nee, al veel beter vandaag. Morgen kan ik weer werken,' antwoordde hij.

'Dat werd tijd, Torkyn,' zei Jhon Gynt, maar zonder hatelijkheid in zijn stem. Hij kwam binnen via de achterdeur. 'Er hangt een lelijk onweer in de lucht, moeder. Kijk maar eens naar de hemel.'

Tor ging bij zijn vader in de deuropening staan. Donkere, rafelige wolken klonterden samen en het ochtendbriesje was opgehouden de bomen een vriendelijk lesje te leren. Het was in de late namiddag onheilspellend stil geworden. De lucht voelde verstikkend aan, afwachtend.

'Ben je bezorgd om Vrouwe?' vroeg Tor schuldbewust.

'Nee. Alyssa is heus wel zo verstandig om haar in die schuur van ze te zetten. Trouwens, dit onweer komt misschien niet eens tot bij het Moeras Mallee. Vrouwe is beter af waar ze nu is. Maar ik heb haar op vierdag nodig, zoon, dus ik hoop dat je voldoende opgeknapt bent om haar terug te halen.'

Tor knikte. Hij voelde de hand van zijn vader op zijn schouder.

'Mooi, laten we dan eens kijken welke traktatie moeder Gynt voor ons heeft klaarstaan,' zei zijn vader vriendelijk.

Twee uur later beukten de stormwinden boos tegen hun voordeur aan.

Ailsa Gynt rilde. 'Ik haat donder en bliksem, daar krijg ik altijd kippenvel van,' zei ze vanuit haar leunstoel, terwijl haar vingers nijver bezig waren met naald en draad.

'Waarom?' vroeg Tor. Hij geeuwde en sloot zijn boek.

'Ja, het is kinderachtig, maar mijn grootmoeder zei altijd dat ze een slecht voorteken waren... weet je, dat de goden misschien boos zijn.'

'Ach, Ailsa, liefje, praat geen onzin,' bromde Jhon goedmoedig. 'Zoon, ik hoor het achterpoortje tegen de muur klapperen. Dat wordt uit zijn hengsels gerukt, als we het niet vastzetten.'

Tor pakte een brede hoed en een deken van de haak bij de achterdeur en ging naar buiten. Juist op dat moment werd de hemel verlicht door een vertakte bliksemschicht, die snel werd gevolgd door een oorverdovende donderslag.

'Vlak na elkaar,' merkte Ailsa op, terwijl ze nog fanatieker doornaaide. 'De goden moeten razend zijn!'

Jhon Gynt klakte met zijn tong in gespeelde ergernis en boog zich toen weer over zijn kasboek. En op dat moment hoorden ze een heel ander geluid. Er werd op de voordeur geklopt.

Tor keek met ontzag naar het spektakel boven zijn hoofd, maar hij treuzelde niet want het regende striemend en de achterhof was veranderd in een modderige bende. Voor de zoveelste keer in de afgelopen twee dagen probeerde hij een link te leggen naar Alyssa, maar opnieuw trof hij alleen een merkwaardig soort dofheid aan. Tor was daardoor zo gedeprimeerd, dat hij zich enkele tellen door de regen liet geselen. Daarna zocht hij zich voorzichtig een weg tussen de uitdijende waterpoelen door, maar toen hoorde hij dat zijn moeder hem van bij de achterdeur riep. Hij kneep zijn ogen samen tegen de regen en zag dat ze wenkte dat hij snel moest komen.

Wat nu weer? Hij was geïrriteerd.

Hij stapte het huis weer binnen. Zonder veel succes probeerde hij het water van de stortbui van zich af te schudden, terwijl hij de doornatte deken en de hoed weer aan hun haken hing. Toen hij zich omkeerde, draaide zijn maag zich ook om, want tussen zijn ouders, minzaam glimlachend, zat de oude vreemdeling met zijn zilveren haren. Instinctief nam Torkyn zichzelf en zijn ouders onmiddellijk in bescherming.

Indrukwekkend, zei de oude man rechtstreeks in Tors hoofd. *Maar je hoeft niet bang te zijn. Ik ben geen vijand.*

Jhon Gynt praatte. Tor zou zijn geest willen losrukken van de aanraking door de oude man. Zijn vader klonk alsof hij zwaar geïmponeerd was door de belangrijkheid van hun late gast.

'Torkyn, dit is dokter Merkhud. Hij verzorgt hunne majesteiten, koning Lorys en koningin Nyria.' Met zijn blik droeg pa hem nadrukkelijk op een gepast respect te tonen.

Waarom achtervolgt u me, oude man? snauwde Tor via de open link, terwijl hij tegelijk een keurige buiging maakte voor de bezoeker.

Merkhud antwoordde met een beleefd knikje. *Geduld, jongen. Ik zal het allemaal uitleggen.* En toen verbrak hij de link en praatte hardop verder. 'Vergeef me alstublieft dit late en dramatische bezoek. Ik moet op eerstdag terug zijn in Tal, maar ik wilde met uw zoon praten voor ik het district verliet. We hebben elkaar een paar dagen geleden in Minstede gezien.'

'Daarover heb je ons niets gezegd, Tor,' zei zijn moeder licht verwijtend, terwijl ze de man naar een gemakkelijke stoel bij de haard leidde. 'Hebt u al gegeten?'

Voedsel had bij zijn moeder altijd de hoogste prioriteit, dacht Tor zuur.

Merkhud daarentegen keek verrukt. 'Om u de waarheid te zeggen, ik heb de hele dag in het zadel gezeten en niet de kans gehad zelfs maar een korst brood te nuttigen.'

Dat moest haar als muziek in de oren klinken, dacht Tor, terwijl hij zijn best deed om een beleefd gezicht te trekken. Was dit het kwade voorteken waarvoor grootmoeders bijgeloof had gewaarschuwd? Een nieuwe donderslag zorgde voor een antwoord.

'U moet het koud hebben, dokter Merkhud. Ik zal u eens een verwarmend slokje van het een of ander geven,' bood Jhon Gynt aan.

Het kwam zelden voor dat zijn ouders bezoek hadden, laat staan iemand die het oor van de koning had, en ze waren vast van plan ervan te genieten, concludeerde Tor. Hij liet zijn schild niet zakken, maar liep terug naar zijn stoel, benieuwd en bang, zich afvragend waartoe dit zou leiden. De man babbelde beleefd over koetjes en kalfjes, terwijl Ailsa stilletjes en efficiënt in de weer was in haar keuken. Naarmate het gesprek voortduurde, kwam Tor tegen wil en dank steeds meer in de ban van wat de dokter vertelde over het leven in de hoofdstad, Tal.

De oude man had een stem die soepel en muzikaal was, en van dichtbij had hij eigenlijk niets dreigends over zich. Zijn baard was wel lang, maar netjes bijgeknipt, en zijn sliertige witte haren waren nu naar achteren gebonden, waardoor zijn diepliggende grijze ogen tussen hun vriendelijke rimpels goed te zien waren.

'Wat is koning Lorys voor iemand?' vroeg Tor toen hun gast achteroverleunde en Ailsa een blad op zijn schoot zette.

'Dank u,' zei Merkhud zacht en hij glimlachte exclusief voor Ailsa's ogen. Toen richtte hij zich tot Tor. 'Wel, Lorys... eens kijken. Hij is een uitzonderlijke koning. Veel beter dan zijn vader en grootvader voordien, die allebei heersten door middel van angst. Lorys voelt mee met zijn volk. Hij en koningin Nyria...'

'Waarom staat hij dan toe dat zijn mensen worden verminkt, gemarteld en gedood? Waar is hij bang voor?' kaatste Tor terug.

Hij zag met genoegen dat Merkhud zijn lippen samenkneep in reactie op zijn agressie. Daarna maskeerde hun gast zijn ergernis door een hapje brood te nemen.

'Hij is een goede man, Tor, maar als hij een tekortkoming heeft, dan is het zijn onverdraagzaamheid tegenover degenen die begiftigd zijn. Op dit punt volgt hij als een blinde zijn voorouders en hun archaïsche wetten, die indertijd waren ingegeven door angst. Dat maakt ook mij bedroefd.'

Ailsa keerde terug met een kop dampende soep. 'Eet maar, dat verwarmt uw oude botten.'

Haar konijnensoep, met allerlei smakelijke kruiden en specerijen erin, was in het hele district beroemd. Ze bracht hem ook een bord met wat extra sneden brood, waar ze flink wat boter op had gesmeerd.

Merkhud had geen aansporing nodig en begon de lekkere, simpele maaltijd naar binnen te werken. 'Dit smaakt echt érg lekker,' zei hij tussen een paar happen door, en Ailsa glunderde.

Ze wilde eigenlijk haar naaiwerk oppakken, maar hield dat voor onbeleefd, dus in plaats daarvan streek ze haar rok glad, schraapte haar keel en keek haar echtgenoot aan als wilde ze hem aansporen om een intelligente conversatie te beginnen. Haar zoon, zag ze, had vandaag een mokkende bui. Zijn gewoonlijk zo stralende blauwe ogen waren dof – bijna even dof als die van het konijn dat ze eerder die dag had gedood. Ze begreep zijn slechte humeur niet, maar deze bezoeker was veel te belangrijk om hem te bruuskeren.

Jhon Gynt begreep wat van hem verlangd werd. 'Wel, dokter Merkhud, we zijn blij dat we u in ons huis een eenvoudige maaltijd hebben mogen aanbieden, maar u zei dat u Torkyn wilde spreken?'

Recht op de man af als altijd, dacht zijn vrouw, die de hoop op een lange avond met beschaafde conversatie meteen opgaf. Ze nam haar naaiwerk ter hand.

Merkhud had juist de laatste restjes van de dikke, smeuïge soep opgeveegd met een hompje brood. Eigenlijk wilde hij de restjes ervan graag aflikken van zijn vingers, maar in plaats daarvan gebruikte hij toch maar het kommetje water op het blad en het meegeleverde servet om zijn handen en mond te reinigen. Dit alles gaf hem kostbare tijd om na te denken.

'Mag ik openhartig zijn?' vroeg hij ten slotte.

Jhon Gynt knikte. 'Graag.'

Merkhud keek Tor recht aan toen hij verder praatte.

'Het is me bekend dat uw zoon begiftigd is... laat me alstublieft uitpraten,' zei hij vlug, want hij zag dat de ouders van de jongen schrokken en voelde dat het schild om hen heen versterkt werd.

Ga weg hier, dokter! beet Tor hem via de link toe.

Zijn moeder brabbelde iets en zijn vader was opgesprongen.

'Hoor me aan, alstublieft. Ik ben niet hier in opdracht van de koning en ik behoor al zeker niet tot de bende slagers die zich inquisiteurs noemen,' legde Merkhud uit.

Met meer nadruk en nu rechtstreeks tegen de jongen vervolgde hij: 'Tor, je intimideert me niet, dus hou maar op met je dreigementen. Maar wel verbaas je me en stel je me gerust. In jou zie ik hoop voor ons allemaal.'

'Hij spreekt in raadselen.' Tor wuifde met zijn hand alsof het ging om wartaal van een oude man, maar tegelijk versterkte hij nogmaals het schild om hemzelf en zijn ouders heen, want hij was doodsbang voor wat deze zélf begiftigde dokter zou kunnen uithalen.

Jhon Gynts gewoonlijk zo zachtmoedige stem kreeg opeens een bevelende klank.

'Dokter Merkhud, vergeef mijn zoon zijn indiscretie... ik weet overigens niet wat hij heeft gedaan. We spreken om evidente redenen nooit over Torkyns vermogens. Dat u ze zo terloops en openlijk ter sprake brengt, is voor ons alle drie angstaanjagend, nadat we het zijn leven lang hebben verborgen. Zeg alstublieft wat u ons wilde komen zeggen. Ik vrees dat dit geen toevallig bezoek is.' Hij wierp een ijzige blik op zijn zoon om hem duidelijk te maken dat interrupties van zijn kant niet meer op prijs werden gesteld.

Merkhud knikte instemmend. 'Daar hebt u gelijk in, Jhon Gynt. Dit is niet zomaar een beleefdheidsbezoek. Zelf ben ik ook een begiftigde.' Hij zweeg even om die mededeling goed tot de anderen te laten doordringen. 'En net zoals dat bij Tor het geval is, wordt mijn toepassing van de Kunsten om een merkwaardige reden niet opgemerkt door Goth en zijn gore meute. Ik weet niet waarom.'

Dat loog hij. Het moest.

'Tot ik constateerde dat uw zoon zijn vermogen krachtig inzette om dat arme meisje in Kruising Tweevoorde te helpen, ben ik nooit van mijn leven iemand tegengekomen van wie de magie niet te traceren was.' Ook dat was gelogen.

De stilte was geladen. Hij wist dat de ouders van de jongen geen idee hadden van diens eventuele gebruik van magie. Ze hadden het hem ongetwijfeld zijn leven lang streng verboden. Hij haalde diep adem, want hij wist dat nu het kritieke moment was gekomen in de queeste die hij zo lang had voortgezet. En er was nog maar weinig tijd. Hij mocht nu niet falen!

'Met Tors instemming, en natuurlijk ook de uwe, zou ik hem willen meenemen naar Tal om mijn leerling te zijn.'

'In het paleis? Waarom?' gilde Ailsa, die zich niet kon beheersen.

'Bent u gek geworden, goede man? Dan kunnen we hem net zo goed metéén aan Goth geven! Of met grote letters op zijn voorhoofd schrijven: *breidel me*,' riep Jhon Gynt met een bulderende stem. Zelden was hij zo kwaad.

'Nee, Gynt, u denkt niet na. Ik heb u daarnet gezegd dat zowel hij als ik in staat is magie te gebruiken zonder dat het wordt opgemerkt. In het paleis, onder mijn volle protectie, zal hij veiliger zijn dan waar ook. Niemand zou hem daar durven aanpakken, niemand zál het doen. Ik zal hem de geneeskunde onderwijzen. Hij kan in het paleis mijn opvolger worden: rijk, gerespecteerd, veilig voor de barbaren die dit land doorzoeken. En wie weet, misschien zal het Tor zijn die uiteindelijk de verandering...'

Merkhud maakte deze gedachtengang niet af. Hij was opgewonden en klampte zich vast aan een stralende kans. Deze jongen was vast en zeker de Ene! Hij mocht hem niet verliezen.

Kom met me mee, jongen, fluisterde hij via de link. En pas toen zag hij het schijnsel in Tors vreemde blauwe ogen en wist hij dat hij gewonnen had.

'U wilt onze toestemming om onze zoon mee te nemen – ons enig kind?' Ailsa Gynt zat nu al te huilen.

'Ik vraag u hem onder mijn hoede te stellen en, op het gevaar af dat het te dramatisch klinkt, om hem aan het volk van Tallinor te geven.'

'Dokter, hebt u kinderen gehad? Weet u wat het is om een zoon af te staan?' Jhon Gynts stem was nu schor van emotie.

Even leek het alsof de wereld was stilgezet. Zelfs de geluiden van het onweer buiten leken gesmoord. Merkhuds antwoord was weinig meer dan een fluistering.

'Ja. Ik heb twee zonen gehad. Het eerste prachtige kind stierf vrijwel meteen na zijn geboorte. De tweede jongen was een geschenk om ons hart te troosten en ik hield meer van hem dan ik ooit van iemand heb gehouden... Maar ook hij verliet ons, helaas. Het is lang geleden en ik ben sindsdien eenzaam en verbitterd. En heb menige jongeman de rug toegedraaid die me smeekte om een kans te krijgen om mijn leerling te zijn en onderwezen te worden om op een dag mijn plaats in te nemen.'

Niemand zei iets.

'Wat zit er in deze wijn, Jhon Gynt? Mijn oude kaken hebben dat brokje informatie nog nooit eerder aan iemand onthuld!'

'Dokter Merkhud, in feite moet dit een beslissing van Torkyn zelf zijn. Ik wil hem niet dwingen of zelfs maar vrágen ons te verlaten. De hemel weet dat ik zijn ogen en handen hard nodig heb. Maar het is een geweldige kans voor hem, veel mooier dan een vader voor zijn kind durft te dromen.'

Nu keken ze allemaal naar Tor, die stil op zijn stoel zat. Hij slikte moeilijk en keek tersluiks naar alle dingen in de kamer die hem zo dierbaar waren.

'Ik zou graag gaan.'

Merkhud voelde een gloed van triomf, maar probeerde zijn gezicht effen te houden toen hij de beteuterde ouders aankeek.

'Mag ik uw zoon even onder vier ogen spreken?'

Ailsa deed alsof ze allerlei dingen te doen had in de keuken. Jhon ging de kamer uit.

Merkhud richtte zich toen weer tot de jongeman, wiens magie mogelijk machtiger was dan van wie ook in het land. De jongen die misschien de sleutel tot de Triniteit bezat.

'Weet je zeker dat je dit wilt?'

Tor fronste zijn voorhoofd. 'Ja, dokter Merkhud. Ik geloof van wel.'

'Alsjeblieft, Tor, denk hier goed over na. Het is geen besluit om lichtvaardig te nemen en het kan moeilijk worden teruggedraaid. Dus als je het alleen maar gelóóft, dan ben je er misschien niet klaar voor.'

Hij keek hem streng aan, zonder met zijn ogen te knipperen. Hij wilde de jongen natuurlijk niet kwijtraken, maar het was wel nodig dat deze zich vol overtuiging toewijdde. Het zou hem niet meevallen aan het leven in het paleis te wennen.

Tor ging rechter zitten en staarde naar zijn handpalm. Merkhud keek verwonderd, maar wachtte geduldig af. Even later verscheen er een zindering boven de hand en daarin tekenden zich steeds scherper drie bolletjes in verblindende kleuren af. Merkhud hield zijn adem in. Hij vergiste zich niet: Tor liet hem de Stenen van Ordolt zien.

'Tor.' Zijn stem was hees. 'Waar heb je deze gevonden, jongen?'

Tors stem klonk alsof hij van ver weg praatte. 'Ik heb er vannacht over gedroomd, geloof ik.'

Hij bewoog zijn vingers en de bolletjes draaiden er traag en sierlijk omheen, waarbij hun felle kleuren extra flonkerden toen ze het kaarslicht weerkaatsten. En daarna kneep Tor zijn hand abrupt dicht. 'Weet u wat het voor dingen zijn?' Zijn stem klonk weer normaal. Hij was geconcentreerd.

Merkhud wist nu zeker dat hij gelijk had wat Tor betreft. Hij loog nóg maar eens. 'Nee, nee, dat niet, maar ze zijn erg mooi. Heb je zelf geen idee?' vroeg hij hoopvol.

'Nee. Ik weet alleen dat deze droom en uw komst en mijn gevoel allemaal in dezelfde richting wijzen: dat ik met u mee moet gaan.'

Tor had zich al voorgenomen Alyssa mee te nemen, maar dat hield hij liever nog voor zichzelf.

De oude man zuchtte diep. De Kring had de waarheid gesproken: er wás iemand om het land te redden. Zijn zoektocht – het eerste deel van zijn queeste, waaraan hij nutteloze eeuwen had besteed – was voorbij.

❧

Dit was het moeilijke gedeelte, zei Tor tegen zichzelf. Zijn ouders zaten zwijgend in hun slaapkamertje. Nu pas zag hij, misschien voor het eerst, hoe krap het was. Er was niets overdrevens aan dit kamertje. Hier vonden hardwerkende, eerlijke mensen hun rust en hun bescheiden genot. Alleen het bed was zacht. Zijn moeder hield van donzige matrassen. Maar de rest was hard en degelijk.

De enige frivoliteit was een stapeltje tekeningen die Tor als kleuter had gemaakt en die door zijn moeder in een leren mapje werden bewaard. Soms bladerden ze die door en lachten er samen om. Het amuseerde zijn ouders dat Tor het gezin altijd als een viertal had afgebeeld. Als jong kind had hij beweerd dat hij een oudere broer had en die tekende hij als een grote en dreigende gestalte. Soms praatte hij zelfs tegen die imaginaire persoon. Er was geen broer. De Gynts schreven het toe aan Tors verlangen om er een te hébben, maar dat was onmogelijk. Dat had de lokale dokter hun pijnlijk helder meegedeeld.

Tor wist niet wat hij moest zeggen, dus hij haalde verontschuldigend zijn schouders op.

'Het is goed, Torkyn, dit is de juiste keuze.' Jhon Gynt troostte zichzelf niet minder dan zijn zoon.

Ailsa begon weer te huilen en Tor was met twee grote stappen bij haar. Hij kon dit niet verdragen van de vrouw die altijd elke situatie in de hand leek te hebben. Hij wiegde haar zacht. Even later voelde hij hoe de sterke armen van zijn vader zich om hen beiden sloegen. Door zijn verdriet waren ze zo gespannen als een veer.

Tor verloor zijn besef van tijd. Hij wist niet hoe lang ze zo bij elkaar zaten of wanneer zijn tranen ophielden met vloeien. Na afloop spraken ze minutenlang over onzindingen, rare onderwerpen die niemand zich achteraf kon herinneren. Toen ten slotte opnieuw een ongemakkelijke stilte was ontstaan, nam Jhon een hand van zijn zoon in de zijne, terwijl zijn moeder de andere vastpakte.

'Moeder en ik moeten je iets bijzonders vertellen.' Gynt schraapte zijn keel. 'Dit is moeilijk, Tor. Het is iets wat we vijftien jaar geheim hebben gehouden. Ik had gehoopt dat we het nooit iemand hoefden te zeggen, en zeker jou niet, maar nu je weggaat is het onze plicht om het toch te doen.'

Tor voelde zijn nekhaartjes omhoog gaan. Instinctief wist hij dat hij iets onaangenaams te horen zou krijgen.

'Zeg maar niets. Ik wil het niet weten. Laat maar zitten, het kan me niets schelen.' Hij bestudeerde het gezicht van zijn vader, maar zag er niets anders in dan berusting en droefheid.

'Je moet het echt weten, Torkyn.' Jhon trok zijn zoon dicht tegen zich aan. 'Hoewel je onze naam draagt, kind, heb ik je niet verwekt en heeft je moeder je niet gebaard.'

Even leek de hele wereld te tollen en donker te worden en uit die inktzwarte duisternis schoten drie fel glinsterende bolletjes naar hem toe. Het leek bedreigend en hij moest een kreetje hebben geslaakt, want hij hoorde een geluid dat hem weer naar de werkelijkheid terugriep. Zijn vader kneep hem stevig in zijn schouders.

Tor schudde ongelovig zijn hoofd. Hij zag dat zijn vader praatte, maar hij kon niets verstaan en hoorde alleen het zachte bonzen van zijn hartslag in zijn oren. Hij schudde zijn hoofd nogmaals om het helder te maken.

'Tor, luister je wel?' De roodbehuilde ogen van zijn moeder smeekten even dringend als haar woorden.

'Kijk me aan, jongen, en luister naar wat ik zeg,' zei Gynt, terwijl hij Tors hoofd vastpakte en hem recht in de ogen keek. 'Vijftien winters geleden kwam een vrouw naar ons dorp. Ze had een prachtige baby bij zich, een jongetje, dat van top tot teen ingepakt was en zachtjes huilde.' Zijn vader kreeg een weemoedige glimlach op zijn gezicht. Hij liet Tors hoofd los en legde zijn handen op zijn schoot.

'En dit mooie knulletje had geen ouders. Allebei waren ze omgekomen. Door een brand, hoorden we. Alleen de baby was gespaard gebleven. En hij had geen familie. De vrouw was toevallig in de buurt geweest toen de dorpelingen bezig waren de brand te blussen. Iemand had haar het kind in de armen geduwd en zij had het de rest van die nacht verzorgd. De volgende dag was niemand het kind komen opeisen. Het was een arm dorp, moet je weten, en een extra mond om te voeden en een extra lijfje om te kleden was wat veel gevraagd. Dus die vrouw, die op weg was naar Tal, zat opeens opgescheept met een baby van een paar maanden.'

Tor had het verhaal graag afgebroken, maar zijn vader praatte door.

'Dus ze nam de jongen mee en reisde vele mijlen met hem, tot ze uiteindelijk in Vlakke Weiden arriveerde, waar ze betaalde voor een overnachting in de herberg. Wel, je kent moeder Gynt. Ze kreeg medelijden met de vrouw en haar hart barstte bijna van verdriet om dat eenzame kindje dat geen moeder had en maar bleef huilen. Ze had een goed contact met hem en kreeg hem meteen stil. En natuurlijk was ze helemaal wég van de baby en smeekte ze de vrouw of ze hem mocht houden.'

Ailsa nam het over. 'Je was onweerstaanbaar, Torkyn. Ik hield vanaf het allereerste moment van je en die liefde werd elk jaar alleen maar groter, jongen. Je vader en ik konden geen kinderen krijgen, moet je weten. Dat hadden we jarenlang vergeefs geprobeerd.'

Ze keek met een veelzeggende blik naar haar echtgenoot, die zich zo te zien de nachten van liefde in ditzelfde slaapkamertje nog goed herinnerde.

Tor keek zijn moeder aan. 'En toen heeft ze me aan u gegeven?'

'Ja. Je was hulpeloos, dakloos en ongewenst. Wij waren niet rijk, maar we hadden comfort te bieden. We hadden zelf geen kinderen, maar wilden er graag een hebben. We wilden jou houden. Het was geen moeilijke keuze, Tor. Je was een schatje.'

'En niemand stelde vragen?' vroeg Tor ongelovig.

'Natuurlijk wél. De mensen van Vlakke Weiden stelden massa's vragen,' antwoordde zijn vader. 'We hebben gewoon de waarheid verteld en na een korte tijd hielden de vragen op en werd je geaccepteerd als Torkyn Gynt, onze zoon.'

'En die vrouw?'

'Reisde door naar Tal, neem ik aan. Ze leek erg blij dat ze een goed huis voor je had gevonden en vertrok meteen. We hebben nooit meer iets van haar gehoord.' Ailsa keek hem onzeker aan. 'Hoezo, had je liever gehad dat we je met haar hadden laten meegaan om wie weet wat voor leven te leiden?'

'Nee, nee, maar het is een hele schok voor me. Ik... wel... hebben jullie ooit overwogen om navraag te doen naar mijn echte ouders? Wie ze waren? Hoe die brand was ontstaan?'

Nu was het zijn vader die onzeker keek. 'Nee, Tor, dat hebben we niet gedaan. Je was voor ons een zegen. Een geschenk van de goden.'

Tor huiverde onvrijwillig bij het horen van die woorden.

'Ze waren dood. We hadden geen reden of aanleiding om op zoek te gaan naar geesten. Je was nu van ons. We wilden je alleen een huis vol blijdschap en liefde bieden,' zei Ailsa op tedere toon.

'Dat hebt u gedaan.' Hij kneep haar stevig in haar hand. 'Is er verder nog iets over te zeggen?'

Jhon Gynt rekte zich uit. 'Nee, zoon. Dit is het enige wat we voor jou geheim hebben gehouden. Maar je moeder en ik wisten dat dit moment van verantwoording waarschijnlijk ooit zou komen. Vanaf de allereerste dagen hebben we geweten dat je anders was, maar we negeerden het. Je was zelf zo verstandig om te beseffen dat je gezegend bent met een gevaarlijk talent. Ik heb lang met dokter Merkhud gesproken, en ik moet zeggen dat ik hem vertrouw. Hij zal je beschermen, nu je voortaan je eigen weg gaat volgen.'

'Wanneer verlaat je ons, jongen?' vroeg Ailsa zich hardop af, zonder echt een antwoord te willen horen.

'Merkhud heeft me een beurs gegeven. Hij wil dat ik een paard koop en een stel goede laarzen, en dat ik kom zodra ik daarmee klaar ben. Hij vertrekt morgen, maar ik wilde liever nog een paar dagen wachten om u in Beukenzaal nog een keer te helpen met de brieven... dus misschien dat ik op zesdag kan vertrekken...' Tor liet de zin in de lucht hangen.

Ailsa gaf haar man een por. 'Vergeet de stenen niet.'

'Ja, de stenen! Bijna vergeten,' verweet Jhon Gynt zichzelf. Hij stak zijn hand uit en rommelde wat in een lade van het nachtkastje. Hij haalde een oude sok tevoorschijn, waaruit hij een beursje van een zeer zachte bontsoort trok. De inhoud rinkelde zacht. Tor keek verwonderd.

'Tja, wel, ik ben even nieuwsgierig als jij om te weten wat ze te betekenen hebben. De mooie dame met haar gouden haar zei dat dit zakje om je nek hing toen ze je redden.'

Gynt liet de inhoud voorzichtig in zijn handpalm vallen. Het waren drie kleine, doffe knikkertjes.

'Maar ze was heel precies met haar instructies. Je moest ze pas krijgen als je de leeftijd had, zei ze.'

Ailsa staarde naar de knikkers. 'We vroegen haar wat ze bedoelde met "de leeftijd", maar ze zei dat we zelf wel zouden weten wanneer het moment was gekomen.' Ze keek hem aan. 'Dit lijkt me het moment, mijn kind.' Haar stem klonk zacht.

'Hier, Tor, pas er goed op,' zei Jhon. 'Ik weet echt niet waarom ze erop stond dat je deze zou krijgen. Ik kan alleen bedenken dat ze misschien van je ouders zijn geweest en om die reden heb ik ze behandeld als voorwerpjes van waarde. Dan heb je er tenminste één herinnering aan.'

Toen liet Jhon de bolletjes in de uitgestoken handpalm van Tor vallen, waar ze onmiddellijk in spectaculaire kleuren begonnen te schitteren.

'Moge de bliksem me treffen!' riep Ailsa geschrokken, en ze stak haar hand naar hem uit.

'Nee, het is in orde. Ze voelen ongevaarlijk aan... eh... eerder troostgevend.'

Hij haalde zijn schouders op om een nonchalance te suggereren die hij niet voelde. Dit waren ze! De stenen waarvan hij de afgelopen nacht had gedroomd en die hij later als een visioen voor Merkhud tevoorschijn had geroepen. Hij had echt de juiste keuze gemaakt toen hij besloot met de oude man mee te gaan.

Zijn vader keek met onbehagen naar de kleurig stralende magische stenen en stak hem het beursje toe. 'Stop ze weg, Tor, en hou ze goed verborgen. Het lijkt me geen verstandig idee om ze aan iemand te laten zien, zelfs aan Merkhud.'

Tor duwde de knikkers terug in het zakje. Hij knikte. 'Ja, daar hebt u gelijk in. Maar hoe kan ik dan ontdekken waartoe ze dienen?'

Deze keer was het zijn vader die zijn schouders ophaalde. 'Mijn advies is om ze met rust te laten. Als ze een bedoeling hebben, zullen ze die zelf wel aan je kenbaar maken. Beloof me dat je ze als óns geheim zult beschouwen, laat ze aan niemand zien. De vrouw met de gouden haren...' Jhon Gynt zweeg even en schraapte zijn keel. 'Ze zei dat ze magisch waren en dat we ze nooit aan iemand anders mochten laten zien dan aan jou. En we moesten ook jou inprenten dat ze geheim moesten blijven.'

Hij omvatte met zijn hand de hand waarin Tor het beursje hield. 'Ik snap er helemaal niets van, zoon. Noch van jouw vreemde talenten, noch van deze stenen, maar ik vrees dat dit alles kan leiden tot iets wat niemand van ons kan weten of begrijpen.'

Hij glimlachte naar Ailsa. 'Vooruit, moeder, nu geen tranen meer. Onze jongen vertrekt naar het paleis. We moeten tróts zijn, en niet bedroefd. Laten we nu naar bed gaan en morgen een dag vrij nemen, dan kunnen we naar Rijmond gaan en een paard voor Torkyn kiezen, en laarzen en misschien ook een nieuw hemd voor de reis. Misschien hebben ze dat gele hemd nog waar je altijd al van gedroomd hebt, vrouw.'

Dat ontlokte Ailsa gelukkig een glimlach en ook Tors humeur klaarde op. Hij wist dat het met zijn ouders wel in orde zou komen en over zijn eigen toekomst had hij hooggespannen verwachtingen, dat kon hij niet ontkennen. Er was nog maar één horde te nemen: hij moest Alyssa Qyn overhalen om met hem mee te gaan.

Omdat hij haar via hun link niet kon bereiken, moest hij overmorgen naar haar dorp gaan en haar álles vertellen.

4
Alyssa Qyn verdwijnt

Alyssa liep hun huisje binnen en riep haar vader om te horen of hij thuis was. Niet dat het hem veel kon schelen of ze er was. De laatste tijd was hij steeds vaker stomdronken in gesprek met zijn geesten. De vrouwen kon ze hem wel vergeven. Ze wist zeker dat hij van haar moeder had gehouden. Liever dan zich te laten inpalmen door de goedbedoelende dames die hem in het begin hadden benaderd, zocht hij troost bij vrouwen die geen liefde van hem verlangden, alleen geld.

De tranen kwamen nu gemakkelijk. Waardoor was Tor zó over zijn toeren geraakt dat hij naar haar had geschreeuwd en het gevangen boeketje totaal was vergeten? Ze had vrijwel zeker geweten dat hij de moed zou vinden om haar de vraag te stellen die ze wilde horen.

Alles was uitstekend verlopen, tot die oude vent met zijn slordige grijze haren alles had verpest. Wie was het? En het ergste was dat ze geen link met Tor meer kon leggen, hoewel ze het vaak had geprobeerd. Haar pogingen stuitten op een mysterieuze lege dofheid. Waarom strafte hij haar?

Alyssa waste haar gezicht en probeerde zich te hernemen, want ze wist dat haar prikkelbare vader elk moment kon binnenkomen.

Toen Lam Qyn thuiskwam, was hij inderdaad zeer dronken, zoals gewoonlijk. Zijn dochter was altijd op haar hoede voor zijn buien en begon als gewoonlijk opgewekt te babbelen, terwijl ze zijn laarzen uittrok en hem naar zijn plaats aan de tafel hielp. Daar kreeg hij een dampende kom soep voor zijn neus. Terwijl hij naar die maaltijd zat te staren, hield zij haar kant van de zinloze conversatie gaande, in de hoop dat hij wat zou eten en daarna snel in slaap zou vallen.

Misschien zou het haar gelukt zijn, als ze niet was gaan neuriën toen ze zijn kom van de tafel haalde. Hij was bijzonder driftig en zijn bewegingen waren verrassend snel voor een dronkenlap. Alyssa zag het niet eens aankomen. Hij sloeg haar met zijn grote hand zo hard tegen de zijkant van haar gezicht dat de lege kom tegen de muur in scherven sloeg en Alyssa met haar knieën pijnlijk op de tegelvloer terechtkwam. Haar wang voelde ze niet – die was meteen verdoofd.

'Dat was het liedje van je moeder en dat wil ik in dit huis niet meer horen!' bulderde hij.

Door haar tranen heen zag ze haar vader het huisje uit waggelen en in de nacht verdwijnen. Hij zou voorlopig niet terugkeren.

Ze haatte haar leven. Het enige lichtpuntje daarin was Torkyn Gynt. Het feit dat ze met hem kon praten, hoewel hun dorpen ieder aan een andere kant van de rivier lagen, was jarenlang haar troost geweest in een eenzaam bestaan zonder liefde.

Was haar moeder maar blijven leven! Ze had amper lang genoeg geleefd om haar pasgeboren dochter even in haar armen te kunnen houden. Kwam het daardoor? Nam haar vader het háár kwalijk dat zijn aanbeden echtgenote was gestorven? Ze had Tor nu hard nodig. Ze huilde. Uren gingen voorbij.

Ten slotte zette Alyssa zich weer in beweging, nu om naar het kleine kamertje te gaan waar ze sliep. Ze goot wat water in de kom uit de karaf op het wankele tafeltje. Hoewel het ijskoud was, dwong ze zich om haar hele gezicht erin onder te dompelen. Ze wilde helder kunnen nadenken.

Ze gebruikte een doekje om zich grondig te wassen, vooral ook het stukje van haar nek waarop Tor een snelle kus had gedrukt. Ook veegde ze zijn passie van haar lippen af. Nadat ze zich had afgedroogd, leek haar verdriet gestold. Ze was nu erg boos. Er had méér in Tors blik gebrand dan alleen angst voor de oude man. Ze had ook respect gezien. In die grote, betoverende blauwe ogen. Alyssa probeerde de aanblik van zijn gezicht uit haar gedachten te zetten.

Ze trok schone kleren aan en ging toen over de nauwe stenen trap naar beneden. Ze haatte dit huis en vreesde dat haar vader elk moment kon thuiskomen. Ze schonk een beker water in om iets kalmerends te hebben, maar het verbaasde haar niet dat de kan uit haar trillende hand gleed en op de vloer in stukken kletterde toen er in de deuropening opeens een gestalte verscheen. Alyssa proefde bloed. Ze had zich zeker op haar lip gebeten.

'Lieve help,' zei een zachte, vriendelijke stem, terwijl de eigenaresse ervan voorzichtig naar binnen kwam en zich van een bonnet en een sjaal ontdeed.

'Het spijt me. Ik dacht dat u...' Alyssa maakte die zin niet af. 'Wie bent u?'

'Gewoon iemand die langskwam en zich afvroeg of de mensen die hier wonen deze oude vrouw een poosje willen laten rusten in hun schuur.'

Alyssa luisterde nauwelijks. Ze zakte ineen op de vloer, waar haar rok het geknoeide water opzoog, en liet haar tranen van opluchting en frustratie de vrije loop.

'Ach, meisje toch. Kom, huil maar niet. Het is maar water en die stenen kan is gemakkelijk te vervangen.'

De vrouw was oud, maar bleek verrassend sterk toen ze Alyssa overeind hielp en op een stoel zette, waarna ze de rommel begon op te ruimen. Alyssa zag het met een half oog aan. De oude dame was geen bedreiging. Haar aanwezigheid was een troost.

'U mag hier best een tijdje uitrusten. Er is hier niemand anders dan ik.

De dame bedankte met een knikje en begon toen zacht te neuriën. Het was een slaapliedje en de klank was precies wat Alyssa in haar verdriet wilde horen. Ze herinnerde zich niet dat iemand een pot kruidenthee had gezet, maar even later werden haar vingers door die van die iemand stevig om een beker gevouwen. De thee was gezoet met honing. Waar kwam die honing vandaan? De vraag verdween even snel uit Alyssa's gedachten als hij gekomen was. Ze nam tevreden zwijgend een paar slokjes en luisterde alleen naar het wijsje.

Op een ander moment werden er wat kaarsen ontstoken. De luiken sloten het maanlicht buiten en zelf werd ze over de trap naar boven geleid. Daar werd ze liefdevol ontkleed. Haar haren werden losjes naar achteren gebonden met een lint en toen werd ze zachtjes in haar bed gelegd. De dekens werden naar boven getrokken en Alyssa werd ondergestopt zoals haar vader dat vroeger had gedaan, toen zij nog klein was en hij van haar hield. Ze geloofde dat ze glimlachte bij die oude herinnering, maar wist het niet zeker.

Het slaapliedje bleef naklinken in een hoekje van haar geest, maar nu werden haar oogleden zwaar en lokte de slaap. Ze sliep zonder te dromen en al die tijd zat de oude dame stil naast haar bed, met haar verbleekte oude sjaal weer om zich heen geslagen. En onvermoeibaar bleef ze hetzelfde liedje neuriën.

Alyssa werd verkwikt wakker. Niet dat haar verdriet verdwenen was, maar een heerlijke geur van versgebakken brood deed haar watertanden, dus ze kwam onmiddellijk uit bed. Hoe kwam ze eigenlijk in dit nachthemd? Ze vroeg het zich slechts even af, terwijl ze het hemd over haar hoofd uittrok. Meteen kreeg ze kippenvel van de kou.

Ze opende de luiken. Het motregende buiten – het leek op mist – en de zon was niet meer dan een vage vlek achter een deken van grijze nevel. Ze rilde en trok snel een paar warme spullen aan. Ze waren veelgedragen, zoals alle kleren die ze bezat, maar haar humeur was zo goed dat ze haar haren stevig borstelde en toen vastbond met het enige mooie lint dat ze bezat.

Toen herinnerde ze zich de vreemde, maar behulpzame oude dame die de vorige avond was verschenen. Kennelijk was ze de hele nacht gebleven, want haar vader kon geen brood bakken. Even vroeg ze zich af waar hij was en of ze hem moest gaan zoeken.

In soortgelijke gevallen trof Alyssa hem dan ergens op een straathoek aan, waar hij lag bij te komen van een halve nacht doorzakken. En dan moest ze hem schoonmaken en in zijn bed leggen, en later, als hij wakker was, te eten geven. En dan moest ze luisteren naar zijn boze klachten over dat eten, waarna hij, als het meezat, een poos nuchter en helder van geest genoeg was om zijn verschillende klussen uit te voeren. Ze zuchtte. Ze leidden beiden een beklagenswaardig leven.

Zo moest aan Tor denken, maar zette hem meteen weer uit haar hoofd. Ze glimlachte wrang. Dit was niet het moment. Ze zou later weer eens proberen hun link te openen. Ze wist dat hij vroeg of laat moest komen om Vrouwe te halen, want zijn vader had het paard nodig voor zijn werk. Alyssa haastte zich naar beneden, maar haar goede humeur kelderde toen ze zag dat de vrouw haar bonnetbandjes al knoopte en dus op het punt stond om te vertrekken.

'Aha, daar ben je. Je ziet er goed uit, kind. Dat is een hele opluchting voor me.' De dame glunderde en sloeg haar sjaal om. 'Dan moet ik nu gaan, meisje. Ik hoop dat je het niet erg vindt dat ik vannacht ben gebleven? Ik wilde je in die toestand niet alleen laten, zo mager als je bent. Kijk, ik heb wat broodjes gebakken en een pot thee gezet, dus doe me een groot plezier en zorg dat je flink wat naar binnen werkt.'

Ze slofte naar het verbaasde meisje toe en omhelsde haar, waarna ze zich omdraaide om haar reistas op te pakken. Alyssa rende naar de deur en sloeg deze dicht. Ze keek er zo woest bij, dat de oude dame een kreetje slaakte en haar hand naar haar keel bracht.

'U... u kunt niet weg. Ik bedoel, u kunt nóg niet weg. Ik wil graag met u praten.' Alyssa vocht tegen haar tranen. 'Alstublieft! U was zo aardig voor me en ik weet niet eens hoe u heet.'

De dame nam Alyssa aandachtig op en zette toen tot grote opluchting van het meisje de tas weer neer. Ze deed ook haar bonnet weer af.

'Mijn naam is Sorrel.'

Ze ging zitten en legde haar gevouwen handen keurig op haar schoot.

Vastbesloten om haar langer bij zich te houden dan alleen om een paar beleefdheden uit te wisselen, schonk Alyssa snel twee koppen thee in.

'En hoe heet jij?' Sorrel nam een slokje thee.

'O, ik dacht dat ik het gisteren al gezegd had. Ik ben Alyssandra.' Ze bood de oude dame een van de nog warme broodjes aan. 'Maar de mensen hier noemen me allemaal Alyssa,' voegde ze eraan toe.

'Dat is echt een heel mooie naam, vind ik.' Sorrel nam een hapje van het brood.

'Dank u. Bedacht door mijn vader. Mijn moeder heet... heette Alyssa. Ze was erg mooi, hebben ze me gezegd.'

De oude dame antwoordde op meelevende toon. 'Ook ik ben op jonge leeftijd mijn moeder kwijtgeraakt. Dat is erg voor een meisje. Hoe oud ben je nu?'

Alyssa nam een slok van de kruidenthee en trok een lelijk gezicht. De hitte brandde op de plek waar ze gisteren op haar tong had gebeten.

'Vijftien zomers.'

'Aha... dat is de leeftijd waarop meisjes hun moeder het ergste missen,' zei Sorrel, waarna ze soepel overschakelde naar verhalen uit haar leven als reizende kruidenvrouw.

Alyssa vond het fascinerende anekdotes, te meer omdat ze zelf ook aardig wat verstand had van kruiden. Toen keerde de dame in haar verhalen terug naar het heden en beschreef als terloops haar recente aankomst in Vlakke Weiden. Het hele dorp gonsde van het gerucht dat een van de mensen daar naar het paleis in Tal zou vertrekken.

'Ze waren allemaal erg trots en opgewonden. Ik heb de knul toevallig gezien – erg knap, hoor, met die vreemde blauwe ogen van hem. Nou, nou zeg, de vrouwen in Tal zullen zijn onschuld binnen een paar uur na zijn aankomst stelen, durf ik te wedden.'

Ze lachte samenzweerderig, maar haar ogen lachten niet mee. Die bleven het meisje scherp observeren.

Alyssa was in verwarring. 'Ik ken heel wat mensen in Vlakke Weiden. Hebt u de naam van die persoon opgevangen?'

'Nee... ik geloof van niet. Ik was onderweg en heb alleen even iets gegeten naast de herberg. Een grote jongen was het. Glanzend donker haar, stralende ogen, zo blauw als korenbloemen... zulke had ik nog nooit gezien.'

'Torkyn Gynt,' zei Alyssa op effen toon, hoewel haar blik op dat moment iets verwilderds kreeg.

'Niet gehoord, meisje. Of nee, wacht eens, dat Gynt doet bij mij een belletje rinkelen. De lokale klerk, geloof ik?'

Alyssa knikte ongelukkig.

'Ja, ze trakteerden hem op bier en feliciteerden hem. Dat feestje ging tot buiten op de straat door, zo kwam ik het te weten. De herbergier zei dat de jongen een leerling werd van de beroemde dokter Merkhud.' Ze hoestte en sloeg op haar borst. 'Wie dat ook moge wezen.'

Alyssa's gezicht was grauw geworden. 'Ik ken Gynt, maar wist niet dat hij van plan was te vertrekken. Heeft iemand gezegd wanneer hij gaat?'

Sorrel haalde haar schouders op. Ze deed het zo onverschillig als ze maar kon. 'Vanmorgen al, leidde ik uit al die opwinding af. Het hele dorp was van plan hem uitgeleide te doen.'

Alyssa stond abrupt op en begon de tafel af te ruimen. Haar hart was gebroken, maar ze wist het te verbergen. 'Ja? Jammer dat ik het feestje heb gemist.'

Het kostte haar al haar wilskracht om niet te laten blijken hoe ze zich in het echt voelde toen ze het vaatwerk wegzette – iets tussen verdoofd van verdriet en razend van woede in. Sorrel vertelde verder niets meer over Tor. Haar schuld was het niet. Ze kon immers niet weten dat de twee liefjes van elkaar waren, met verlovingsplannen.

Alyssa dwong zichzelf van onderwerp te veranderen, hoewel ze dolgraag meer zou hebben vernomen. Ze probeerde een opgewekte toon te vinden en begon haar eigen leven te beschrijven.

'Ik weet niet of hij me de schuld geeft van de dood van mijn moeder,' concludeerde ze ten slotte mistroostig over haar vader.

Sorrel ging staan en rekte zich uit. 'Lijk je op haar?'

'Ja, de weinigen die haar hebben gekend, zeggen dat ik als twee druppels water op haar lijk.' Ze haalde haar schouders op en was opeens verlegen, want tevoren had ze Sorrel verteld hoe knap haar moeder was geweest.

'Wel, liefje, ik zou denken dat hij zó dol was op je moeder, dat het hem telkens pijn doet om jou te zien. Hij komt waarschijnlijk niet verder met zijn huidige leven, omdat hij steeds aan dat van vroeger wordt herinnerd.'

'Denkt u dat?' Zo had Alyssa het nog niet bekeken.

'Misschien moet je ophouden al deze dingen voor hem te doen. Misschien is het beter vanhier te vertrekken en je eigen weg te gaan,' zei de oude dame, terwijl ze een paar kruimels van haar kleren klopte.

'Maar hoe komt hij dan aan eten? Hoe kan hij dan nuchter blijven? Wie zou op hem passen?'

Sorrel maakte een snuivend geluid. 'Hijzélf.'

Alyssa was geschokt, maar tegelijk vond ze het een opwindende suggestie.

'En waar moet ik dan naartoe? Ik ben vijftien en heb geen geld, geen vooruitzichten, maar u zegt dat ik uit dit dorp moet vertrekken!'

Sorrel glimlachte en trok haar sjaal strakker om haar schouders. Alyssa voelde een opkomende paniek.

'Gaat u nu weg?'

'Ja, meisje. Het wordt tijd dat Sorrel verder gaat. Ik heb een lange reis voor me en mijn domme oude ezeltje daar buiten balkt dat de zon al hoog staat. We moeten de acht mijl naar Kruising Tweevoorde hebben afgelegd voor het donker wordt.'

Weer pakte ze haar oude reistas op.

'Misschien wil je een eindje met me meelopen, Alyssa?' Ze begaf zich gedecideerd naar de deur en opende deze naar een vochtige middag. Het motregende niet meer, maar de hemel zag er nog grijs en droevig uit.

En toen schrok Alyssa van zichzelf door achter Sorrel aan te rennen en de ezel aan het schrikken te maken.

'Sorrel! Neem me mee!'

De oude vrouw bleef staan en draaide zich om. Ze keek ernstig, maar niet verrast. 'Je weet niet eens waar ik na Kruising Tweevoorde heen ga.'

'Kan me niets schelen! Laat me gewoon bij u blijven. Ik zal niet lastig zijn. Ik kan koken en voor mezelf zorgen. Ik zal boodschappen doen. Ik kan een ezel zadelen. Ik kan schrijven. En geld voor ons verdienen. Ik weet iets van kruiden...'

Ze keek de oude dame gretig en bezorgd aan.

Sorrel keek naar de hemel en toen met een berustende blik naar het meisje. 'Ik begijp dat je aan een ellendig leven wilt ontsnappen, maar waarvoor ren je nog méér weg, meisje? Mijn grote neus vertelt me dat er meer aan de hand is.'

Sorrels neus was inderdaad groot, vooral als ze hem bewoog om haar woorden kracht bij te zetten. Alyssa's lach was wat fragiel, door haar verdriet om Tor, maar ze pakte een hand van de oude dame en kneep erin.

'U hebt gelijk, maar ik wil er nog niet over praten. Als ik vertrek, kan mijn vader misschien de scherven van zijn leven bij elkaar rapen en een nieuw bestaan vinden, zonder elk moment van de dag in mij het spook van mijn moeder te zien.'

Sorrel sloeg haar armen om haar heen. 'Wat zul je hem zeggen, meisje?'

'Ik schrijf hem een brie... wil dit zeggen dat ik méé mag?' Ze hield haar adem in.

'Nou, het schijnt dat ik je niet van me af kan schudden, kind.'

De dankbare kreet die het meisje slaakte, deed de ezel Kythay schrikken. Het dier ging op zijn achterpoten staan en rukte aan zijn teugels, waardoor het zichzelf pijn deed. Alyssa zelf was ook geschrokken. Ze liep naar de ezel toe – die haar met grote bange ogen zag naderen – en sprak een reeks sussende, betekenisloze woordjes. Toen stak ze haar hand uit en streelde zijn kop vanaf het voorhoofd tot de fluwelige neus. De angst verdween uit de blik van het dier en het hield op met zijn rusteloze bewegen en trappelen. Het had minder tijd gekost dan nodig is om een appel op te rapen, maar Kythay stond nu weer gewoon peinzend te kauwen alsof er niets gebeurd was.

Sorrel had haar wenkbrauwen opgetrokken. 'Dat was indrukwekkend. Je kunt aardig overweg met eenvoudige wezens, geloof ik.'

'Altijd gekund... daarom ging het zo goed met Tor.' De laatste woorden zei ze fluisterend tot zichzelf, terwijl ze zich al omdraaide.

'Pardon?' Sorrels gehoor was nog steeds scherp.

'Nee, niets. Wilt u even wachten, dan pak ik wat spullen in. Veel is er niet, trouwens.'

'Neem niet meer mee dan je kunt dragen,' riep de oude dame haar na.

Ze bleef even staan kijken tot Alyssa binnen was, draaide zich toen doelbewust van het huisje af, concentreerde zich en verzond haar simpele boodschap.

Ik heb haar.

Ze voelde zijn zucht van opluchting en hoorde toen zijn afgemeten antwoord.

Dit was een fortuinlijke dag, zei Merkhud.

5

De redding van Clout

Tor had urenlang stof gehapt toen hij eindelijk zijn doorgezeten billen kon losmaken van Bess, de merrie die hij op aanraden van zijn ouders had gekocht met een deel van het geld uit Merkhuds rijk gevulde beurs. Hij liep bijna mank toen ze de rijk gebeeldhouwde stenen pilaren bereikten die de wacht hielden voor Hatten. Tor spuwde nog wat stof uit voordat hij te voet verderging en de merrie de drukke straten inleidde. Het vinden van een herberg was nu de eerste prioriteit.

Merkhud had erop aangedrongen dat hij in nette herbergen moest overnachten, en zijn ouders ook. Ze hadden hem een lijst van geschikte adressen meegegeven. Hij was van plan zich aan zijn belofte te houden, maar toen hij bij het Fluitende Varken kwam, bleek dit door brand verwoest, waardoor de nummers twee en drie op zijn lijstje boordevol bleken toen hij ze eindelijk had gevonden.

Hoewel hij uitgeput was, wist Tor dat hij allereerst voor het paard moest zorgen. Na een zo lange rit had de merrie vers hooi, fris water en een welverdiende zak haver nodig. Eigenlijk meende hij zelfs dat Bess hem beschuldigend aankeek toen ze de eerste stal bereikten.

'Wil je niet lekker geborsteld worden in de beste paardenstal van heel Hatten?' vroeg hij de gewillige merrie, terwijl hij de witte bles op haar voorhoofd streelde.

Tor betaalde de staljongen en wierp hem daarna nog een tweede munt toe. Hij was in een sociale stemming, want hij verheugde zich op het vooruitzicht van een warm bad om zijn pijn te verzachten, een hartige maaltijd voor zijn rammelende maag en een paar biertjes om Alyssa's lieve gezicht te kunnen vergeten.

'Een extra halve regaal voor jou, als je ervoor zorgt dat ze het vannacht helemaal naar haar zin heeft,' zei hij tegen de jongen.

Deze liet weten dat hij Bart heette en dat Bess nu in de beste handen was.

Tor liep al weg toen hij opeens geschuifel en luide stemmen hoorde. Hij draaide zich om en zag dat een potige man de dunne arm van een jonge vrouw had vastgepakt. Zij verzette zich en vloekte hem uit. Passanten lachten erom. Even later stonden de man met zijn roodaangelopen gezicht en het meisje pal voor Tors neus.

'Stop!' zei een stem, waarvan Tor pas even later besefte dat het de zijne was.

'Bemoei je met je eigen zaken, stomme knul. Ze is de mijne.' De adem van de man stonk zo, dat Tor automatisch een stap naar achteren deed. Tevens ontweek hij zo een goedgemikte klap.

'De jouwe, Goron? Ik wil de jouwe niet eens zijn voor al het goud in Largoth, bruut! Laat me nu los, duivelsdrol!'

De jonge vrouw onderstreepte haar eis door de ongelukkige Goron hard tussen zijn benen te trappen. Dat vond de verzamelde menigte weer heel grappig. De arme Goron zakte kreunend op zijn knieën.

Zelfs Tor moest glimlachen. 'Ik denk dat de jongedame het zou waarderen als ze nu weg mocht,' fluisterde hij tegen de man.

Hij kon het niet laten deze suggestie te verhelderen door met een klomp samengebalde lucht als een vuistslag tegen Gorons maag te stompen. De omstanders zagen alleen dat de man in elkaar kromp, zich voorover boog en de arm van het magere meisje losliet. Ze rende als een haas weg en keek een keer grijnzend om naar Tor alvorens in het gewoel van de drukke straten te verdwijnen.

De menigte verspreidde zich even snel als ze zich had verzameld. Vrienden hielpen Goron opstaan en naar een kroeg strompelen, waar hij volgens Tor zowel zijn gekneusde trots als zijn gekneusde maagstreek kon vertroetelen.

Zelf pakte hij zijn zadeltassen op en liep terug naar het stadsplein. Door zijn neus werd hij naar een stalletje gelokt, waar een vrouw spiesen met gebraden vlees verkocht. Tor sloot zich aan in de rij.

Kennelijk was er op het plein iets gaande, want hij hoorde regelmatig uitbarstingen van gejoel en gelach. Misschien werd er een klucht opgevoerd. Ten slotte was hij aan de beurt. De vrouw keek hem aan. Ze had een zure uitdrukking op haar gezicht. 'Hoeveel?'

'Twee, alstublieft.' Hij zocht in zijn zak naar twee royalen. Hij kon nu beter niet in zijn beurs gaan grabbelen, dat was vragen om moeilijkheden.

De vrouw stak de spiesen met hun nog sissende brokjes vlees diep in een plakkerige, donkere saus, waarna hij haar de twee munten gaf in ruil voor het druipende, sappige voedsel.

Hij draaide zich om en trok een eerste hap los met zijn tanden. Terwijl hij verder het plein op liep, had hij het te druk met het ronddraaien van het hete vlees in zijn mond om te zien waar het rumoer vandaan kwam. Het eenvoudige voedsel was lekker genoeg om een glimlach op zijn gezicht te brengen, terwijl hij het vet van zijn lippen veegde.

Misschien was het zijn eerste oprechte glimlach in dagen, namelijk sinds hij Alyssa's huis leeg had aangetroffen en haar vader dronken op het dorpsplein had gezien, waar hij scheldwoorden uitbraakte en met een gekraakte noot in zijn vuist had gezwaaid. Tor was verbijsterd geweest. Alyssa was weg. Verdwenen met een kruidenvrouwtje naar wie weet waar... of waarom. Haar briefje was kort geweest. Lieve woorden voor haar vader, maar geen letter voor Tor. Zou ze dan nog kwaad zijn? Hij had toch gezegd dat hij contact met haar zou opnemen? Hij had speciaal een omweg via haar dorp gemaakt om haar alsnog de vraag te stellen die hij in Minstede op zijn lippen had gehad. En hij had gehoopt haar over te halen met hem mee te gaan. Ze zou ja hebben gezegd, dat wist hij. Waarom was ze dan opeens weg?

Hoofdschuddend probeerde hij Alyssa voor de zoveelste keer uit zijn gedachten te zetten, maar het verdrietige gevoel van verlies bleef.

Tor was inmiddels bij de rand van de menigte op het plein gekomen. Het geschreeuw dat hij had gehoord, bleek bij nader inzien uitlachen te zijn. Dit was een volksoploop en de mensen waren bezig iets te bespotten. Hij baande zich een weg door de massa, die wel tien rijen dik stond, om een beter zicht te krijgen. Zijn tweede spies met vlees hing vooralsnog geheel vergeten in zijn hand.

Hij bleek er niet doorheen te komen en daarom liep hij naar een van de permanente winkels aan een zijde van het plein. Een mannenstem kondigde iets aan, maar dat ging verloren in het rumoer van mensen die elkaar tot zwijgen maanden. Tor ging op een naar voren stekende rand van een gevel staan. Hij was geschokt door wat hij toen zag.

Midden op het plein zat een versufte man geknield, die zo te zien in zichzelf zat te mompelen. Hij was ernstig mismaakt en had een gezicht waar kinderen bang voor zouden zijn, dat beschaafde mensen hun blik deed afwenden en minder beschaafde tot staren aanleiding gaf. Aan de rare hoek van een van zijn benen te zien was hij nog kreupel ook. Tot verhoging van zijn ellende hadden de bestraffers van dit menselijke wrak hem met één oor aan een paal genageld en zijn voeten en polsen strak geboeid. Tor zag dat de geschaafde polsen op verschillende plaatsen bloedden.

De joelende menigte vond het lollig om met rot fruit naar hem te gooien en een lepe marktkoopman bood vissenkoppen aan voor één drack per stuk. Mannen – vermoedelijk degenen die hem hadden opgepakt – schopten hem. De kreupele gevangene was hulpeloos, maar toch maakte hij geen geluid. Daardoor onthield hij het pubbliek bewust of onbewust die bevrediging en maakte hij zijn folteraars furieus.

Tor vroeg zich af welke misdaad deze man in hemelsnaam had bedreven. Hij vond uiteindelijk zijn stem terug en vroeg het de winkelier.

'Betrapt op gluren in het vrouwenbadhuis.'

'Is dat alles?' Tor liet het zo fel klinken dat de man een stap achteruit deed.

'We houden hier niet van zijn soort. Maakt de kleintjes en de nette dames bang. Alleen al zijn verschijning op de markt, gisteren, was slecht voor de zaken. Ik zeg het je, hij maakt iedereen van streek. Hij deugt voor niks en niemand en ze hadden meteen na zijn geboorte met hem moeten afrekenen.'

Tor keek de zelfingenomen winkelier vernietigend aan. Zijn goede stemming van daarnet was als sneeuw voor de zon verdwenen. De nasmaak van de vleessaus in zijn mond was opeens zurig. Hij wierp de tweede spies van zich af. Er werd meteen om gevochten door een stel magere straathonden.

Plotseling voelde hij zich overweldigd door de combinatie van het gejoel en de geur van de menigte en de aanblik van de vernederde en mismaakte invalide. Bovendien was hij doodmoe. Hij had een bad nodig en een glas bier en een plekje om uit te rusten en te vergeten wat hij had gezien. Hij liep met doelbewuste schreden weg en duwde de mensen opzij die nog naar het midden van het plein toestroomden om de gevangene te bekijken. Terwijl hij zich langs een gezette vrouw heen werkte, van wie de lillende vleesmassa's al trilden van voorpret om het sinistere schouwspel, hoorde hij een zachte stem in zijn hoofd. *Help me... alsjeblieft.*

Tor draaide met een ruk zijn hoofd om. 'Wie zei dat?'

Een stelletje keek hem aan alsof hij een spook had horen praten, en dat was op een wrange manier wel amusant.

De stem liet zich opnieuw horen, diep, zacht en vriendelijk. *Ik ben onschuldig aan de aanklacht. Wil je me niet helpen, alsjeblieft, Torkyn Gynt?*

Hij rende terug naar de winkel en klom weer op de richel, zonder acht te slaan op het protest van de winkelier. Opnieuw greep de vernederende scène hem bij de keel. Hij wilde dat de man naar hem keek, hij wilde een bewijs dat *hij* had gesproken en dat hij zich niets had ingebeeld.

Hij legde zelf een link. *Wie ben je?*

Clout. De gevangene. Ik ben ten onrechte beschuldigd en ik vraag je hulp, Torkyn Gy... De naam werd ruw afgebroken doordat een bewaker de gevangene hard op zijn neus stompte. Tor zag nu ook bloed op het gezicht van de man. Zijn verontwaardiging zwol aan. Deze bestraffing was geen gerechtigheid meer, maar puur theater, puur amusement! Hij wist het zeker.

Clout... de link blijft open, probeer mijn kracht af te tappen, als je kunt.

Deze keer baande hij zich met geweld een weg door de menigte, zonder te begrijpen waarom hij de gevangene had gevraagd een beroep te doen op zijn kracht. Dat had hij nooit eerder gedaan en hij wist ook niet of het kon. Het was gewoon het enige wat hij had kunnen verzinnen en een teken voor de arme drommel dat hij onderweg was... maar het was belachelijk. Wat kon hij doen? En waaróm deed hij het?

Niettemin bleef Tor zich vastbesloten een weg duwen en stoten door de joelende menigte die zich daar stond te vergapen. Ten slotte kon hij dankzij zijn lengte Clout zien. En meteen onderging hij een geheel nieuwe, verbluffende gewaarwording. De invalide had de link veranderd in een fysieke band en gebruikte Tors energie om zelf bij bewustzijn te blijven.

Hij had nu de voorste rij van het publiek bereikt en zag dat verschillende mensen zich ergerden aan deze jongeman die zich zo brutaal naar voren drong. Tor zag dat dezelfde bewaker uithaalde voor een nieuwe trap. Dat moest hij tegenhouden. Zonder erbij na te denken gebruikte hij een truc die Alyssa hem had geleerd: hij sloeg de ogen van de folteraar met een korte, maar verblindende pijn. De cipier bevroor in zijn beweging, met een grimas op zijn gezicht, slaakte toen een kreet en viel op de grond.

Tor hurkte naast de gevangene neer.

Bedankt dat je gebleven bent, Torkyn.

De stem in zijn hoofd leek gekweld door pijn en er was geen tijd voor beleefdheden. De getroffen cipier krabbelde al op en Tor wist dat hij zo kort na de vorige niet nóg een piek van magie mocht wagen. Er konden altijd inquisiteurs in de nabijheid zijn en die konden iets vermoeden, ook al namen ze het niet echt waar.

Toen sprak een nieuwe stem.

'Goede mensen, wees nu kalm. Corlin, wil jij je dappere cipiers verzoeken om hun gevangene nu verder niet meer te verwonden? Hij is momenteel vast niet meer van plan om weg te rennen.'

Het laatste ontlokte gegiechel aan het nabije deel van het publiek. Tor bestudeerde de man die nu stond te praten met het hoofd van de bewakers. Hij leek zich voor die menigte geheel op zijn gemak te voelen en scheen zich zelfs te amuseren met zijn eigen rol in het geheel.

Bewaker Corlin deelde die ontspannen visie niet.

'Dit is jouw zaak niet, Cyrus, en je jurisdictie ook niet, moet ik erbij zeggen. Ik treed hier op namens het goede volk van Hatten.'

'Voor jou en je onbevreesde gevangenbewaarders is het primáát Cyrus, Corlin. Aan het uiterlijk van de gevangene kan ik wel zien dat zijn bestraffing is voltooid. Zeg me nog eens even waarvan hij beschuldigd wordt?' De stem van de primaat droop van een gevaarlijk soort sarcasme.

Corlin was kwaad over deze inbreuk op zijn handelen, maar de man die voor hem stond, was hoger in rang dan hij. Hij haalde diep adem en keek naar het publiek, waarna hij iets van het weggezakte enthousiasme probeerde terug te halen door op een dramatische toon te spreken.

'Hij wordt beschuldigd van gluren tijdens de vrouwenuren in het badhuis vanmorgen.'

Het klonk opeens belachelijk. Een misdaad die enkele uren tevoren afschuwelijk had geleken, nadat een paar van de vrouwen van de rijkste en machtigste burgers zich hadden beklaagd, klonk nu als iets onnozels.

De primaat was een grote, breedgeschouderde man, met dik, donker haar en een netjes bijgeknipte baard. Hij droeg geen teken van zijn ambt en was gekleed in een eenvoudige donkere broek en een wit hemd. Zijn stem was helder en diep en zijn grijze ogen twinkelden, alsof hij voortdurend binnenpretjes had, maar deze keer wierp hij zijn hoofd naar achteren en lachte hardop. Nee, hij búlderde van het lachen, en menigeen in het publiek sloot zich daarbij aan. Zelfs Tor stond te grijnzen. Hij was opgelucht dat iedereen hem vergeten scheen.

'Ha! De rijke en verwende dames die dit badhuis bezoeken moeten zich eigenlijk gevleid voelen dat iemand nog wil kijken naar hun dikke konten en massieve dijen!'

Inmiddels stond iedereen te schateren, behalve Corlin en zijn mannen. Tor ontging het echter niet dat de ogen van de primaat niet meer twinkelden toen hij zich weer rechtstreeks tot de folteraars richtte. En zijn stem was kouder dan ijs.

'Laat deze stakker vrij, Corlin, en ga wat groter wild zoeken om jezelf en je apen mee te vermaken. De bestraffing van deze man – rechtmatig of niet – is ten einde.'

'Wie zegt dat?' snauwde Corlin, die meende dat dit aan hem was om te beslissen.

'Dat zeg ík.' Er was nu een gevaarlijke glinstering in de ogen van de primaat. 'Laat hem onmiddellijk los, op mijn bevel. Stuur het uitschot weg dat hier doet alsof ze soldaten zijn en haal het niet in je hoofd om naar je zwaard te grijpen. Je kop rolt de goot in voor je het uit de schede hebt!'

Corlin sprak op venijnige toon een dreigement uit. 'Daar krijg je spijt van, primaat! Een ander podium, een andere dag, en dan zullen we eens zien om wiens kop de honden vechten!'

Hij draaide zich om, trok een groot mes en sneed de boeien om Clouts handen en enkels los. Daarna keek hij nadrukkelijk dreigend naar de geïntimideerde menigte en liep toen weg, met zijn helpers in marstempo achter zich aan.

De mensen die daarstraks nog om bloed hadden geroepen, zagen de invalide nu zoals hij was en begonnen zich beschaamd te verwijderen.

'Ik zou het waarderen als je me zegt wie je bent en wat je een paar momenten geleden van plan was,' zei Cyrus, die boven Tor uittorende, want de jongen zat nog naast Clout gehurkt.

Er werd een stilzwijgende boodschap uitgewisseld tussen Tor en zijn mishandelde vriend. Tor kwam overeind en stond nu oog in oog met de primaat, hetgeen voor hen beiden een nieuwe ervaring was. Ze waren namelijk beiden gewend om de grootste te zijn. Tor zag tot zijn opluchting dat de blik in de ogen van de man weer een zekere mildheid had teruggekregen, dus hij koos voor zijn gebruikelijke antwoord in hachelijke omstandigheden: een nonchalant schouderophalen.

'Ik vroeg je naam, jongen,' bracht Cyrus hem kalm in herinnering.

'Tor, meneer. Torkyn Gynt.'

'En je komt uit...?'

'Ik ben net aangekomen uit Vlakke Weiden, primaat. Ik... eh... heb mijn merrie in een stal gezet en liep door de stad om een kamer voor de nacht te zoeken, toen ik toevallig op dit hier... op hem... stuitte.' Tor knikte in de richting van de gevangene, die bleef zwijgen.

'Ken je hem?'

'Nee, meneer, primaat, ik ken hem niet. Hij zei... Nee, meneer. Niet echt.'

Cyrus keek nu toch echt weer kwaad. Hij articuleerde zijn woorden heel duidelijk voor het geval dat Tor zijn eerste vraag niet goed had verstaan.

'Heb je deze persoon wel of niet eerder ontmoet? Haal geen kunstjes met me uit, jongen.'

'Het antwoord is nee,' zei Tor, opgelucht dat hij naar waarheid kon antwoorden.

De primaat keek Tor met samengeknepen ogen aan. Het was een manier van kijken die zijn twee luitenants maar al te goed kenden. Hij bezat een griezelig talent om vast te stellen of iemand eerlijk was. Iedereen in het koninklijke corps die iets te verbergen had, wist dat hij bang moest zijn voor deze blik. Tor sloeg zijn ogen niet neer en begon ook niet naar steentjes te schoppen of met zijn voeten te schuifelen, hoewel hij daar in zijn verlegenheid veel voor voelde.

Clout zat nog steeds met zijn oor aan de paal genageld en hij kreunde nu van pijn. Cyrus wierp een blik op de gevangene en keek toen weer naar Tor. Ten slotte stak hij de jongen zijn grote en keurig gemanicuurde hand toe.

'Wel, Torkyn Gynt, als je deze man niet kent, ben je een domkop.' Hij glimlachte breed, waardoor Tor totaal verrast werd. 'Maar wel een moedige. Ik ben blij dat iemand het lef had om zich tegen dat sadistische varken uit te spreken... al weten alleen de goden wat je eigenlijk in de zin had.'

Zijn intense, stralende glimlach verdween toen hij vervolgens naar de man op de grond keek. 'Help me, jongen. Laten we de halvegare losmaken.'

'Hij is geen halvegare, meneer. Zijn naam is Clout... eh... primaat Cyrus.' Tor was deze keer iets te overhaast te hulp geschoten.

Cyrus keek hem met opgetrokken wenkbrauwen aan, grimmig, maar tegelijk verwonderd. Hij zei niets, maar zijn blik sprak boekdelen.

'Ik bedoel...' Tor zocht koortsachtig naar woorden. Hij wist dat hij een fout had gemaakt. 'Met alle respect, primaat, maar naar mijn idee is hij misschien niet alleen kreupel, maar kan hij ook niet praten. Maar dan is hij nog geen idioot.'

En Tor grijnsde erbij. Hij hoopte dat het hielp en voelde enige opluchting toen de primaat zijn voorhoofd fronste.

'Je bent niet alleen een vechtersbaas, maar ook een dokter?' Deze keer was het sarcasme van Cyrus vriendelijk.

'Nee, meneer. Nou, eigenlijk ja, meneer. Ik ben in opleiding om er een te worden. Ik denk dat hij gegild zou hebben van de pijn, als hij had kunnen praten. Denkt u ook niet?'

Cyrus bromde iets voor zich uit. Hij stak zijn mes achter de slordig ingeslagen nagel. 'Even op je tanden bijten,' zei hij, en toen had hij Clout los. Deze viel hulpeloos tegen Tor aan. 'Arme kerel,' mompelde Cyrus, die nu zag hoe ernstig gewond de man was. 'Wacht hier tot ik hulp heb gehaald, Gynt.' Hij liep weg.

Clout lag nog steeds in Tors armen en draaide nu zijn grote hoofd naar hem toe. Hij wist zijn mismaakte gezicht, dat er door de aframmeling nog erger uitzag, tot een soort glimlach te plooien. *Dank je*, hoorde Tor in zijn geest gefluisterd.

Tor was ontroerd door de waardigheid waarvan de man blijk gaf. 'Rust uit, Clout.'

Cyrus keerde terug met twee van zijn mannen, die een kar meetrokken.

'Leg hem daar maar op, Riss,' beval hij. 'Maar wees voorzichtig, want hij is al halfdood.'

Tor ging staan. 'Wat gebeurt er verder, meneer?'

'Mijn mannen brengen hem naar het armenhuis. Als de oude Jonas daar niet bezopen is, zal hij hem zo goed mogelijk oplappen en een veldbed voor de nacht geven. Dat is het beste wat we kunnen doen.'

Clout werd behoedzaam in de bak gelegd. Riss en zijn maat begonnen de kar weg te trekken. Tor wist dat het zou gebeuren: Clouts stem werd weer hoorbaar, dringend, vol pijn, maar nu ook angstig. *Tor! We moeten bij elkaar blijven!* Het was nog steeds Tors energie waardoor Clout bij bewustzijn kon blijven.

Tor moest het proberen. 'Primaat Cyrus!'

De primaat zat al te paard. 'Het ga je goed, Gynt.' Hij liet zijn rijdier draaien. Tor sprong achter hem aan en riep tegelijkertijd naar de mannen met de kar: 'Hallo, jullie daar, wacht even!'

'Wat is er, jongen?' gromde Cyrus. 'Ik heb al heel wat tijd van de koning aan deze affaire verspild. Spreek op!'

'Ik zal voor hem zorgen,' flapte Tor eruit.

'Wát zeg je? Waar heb je het over, Gynt?' Cyrus liet zijn paard terugkeren.

Tor had geen flauw idee wat dit betekende. Wat bedoelde Clout met zijn bewering dat zij tweeën bij elkaar moesten blijven? Het was heel merkwaardig, maar er waren de laatste dagen zoveel rare dingen gebeurd dat niets hem nog echt verbaasde.

Hij volgde zijn instinct.

'Primaat Cyrus, laat mij alstublieft voor hem zorgen. Ik kan me levendig voorstellen hoe hij in het armenhuis wordt ontvangen, kreupel als hij is, half doodgeslagen ook nog. Waarom zou iemand de moeite nemen om hem te helpen? Hij zal sterven. Dat weten wij beiden. Dan kan het toch geen kwaad als ik hem help?' Meer wist Tor niet te verzinnen.

Opnieuw nam de primaat hem met zijn scherpe blik op. 'Waarom heb ik het prangende gevoel dat je me niet alles vertelt, jongen? En wat kun jij voor hem doen? Toegegeven, die oude Jonas is nogal een slagerstype, maar ik kan niets beters bedenken.' Hij keek Tor met een bijna vriendelijke blik aan. 'Je kunt niets voor hem doen, Gynt. Ga liever naar huis. Keer terug naar je dorp en vergeet dit akelige voorval.'

Tor stapte naar de kar toe. 'Voor mij is het van betekenis. Deze man zal sterven als ik hem niet help. Ik heb wat geld. Misschien kan ik een betere dokter voor hem vinden.' Tor wist dat hij op glad ijs liep. Hij moest met iets beters komen.

'Heb je geld? Geld om te verkwisten aan een halfdode, achterlijke invalide die je klaarblijkelijk niet eens ként?' Het was te begrijpen dat de primaat ongelovig klonk.

Denk na, Tor!

'Ik heb het eerlijk verdiend, meneer, en ik geef het liever eervol uit aan iets wat me aan een plaatsje in de hemel helpt dan dat ik het vannacht ergens in een goot uitpis.'

Tor maakte een nonchalant handgebaar en hoopte dat zijn vertoon van stoerheid Cyrus zou overhalen. Dat deed het.

'Neem hem dan maar over, Torkyn Gynt. Hij heeft zijn straf gehad. Nu is hij een vrij man. Veel geluk voor jullie beiden.'

En daarna wendde de primaat zich tot zijn mannen, riep een bevel en reed weg zonder nog om te kijken.

Riss schraapte ietsje te luid zijn keel. 'Waar wil je hem hebben, jongen?'

'Eh... wat?' Tor wreef met zijn hand door zijn haar.

'Opdracht van de primaat. We moeten hem naar jouw logement brengen.'

Tor zag aan het stof op de kleren van de mannen dat ze een dag van marcheren achter de rug hadden en nu liever een biertje zouden drinken dan met een kreupele rondsjouwen.

'Ik heb geen adres,' zei Tor.

Riss keek alsof hij hem een klap wilde verkopen, maar hij beperkte zich tot een hatelijk: 'Gekken klitten kennelijk aan elkaar.'

'Hoor eens, ik heb geprobeerd een herberg te vinden, maar het is vanavond erg druk en ik heb nog geen geluk gehad. Help me liever met zoeken! Ik zal jullie betalen,' zei Tor snel tegen de vloekende mannen.

'Je bent vandaag erg vrijgevig met je geld, knaap,' zei Riss, op een toon die suggereerde dat Tor volgens hem niets te besteden had.

'Hoeveel?' De stem van Golag, die tot nu toe had gezwegen, knarste alsof hij te weinig werd gebruikt.

'Vind een kamer, een dokter en een warme maaltijd voor me, en ik betaal jullie een hertog de man.'

Tor vermoedde dat deze infanteristen minder dan dat bedrag per week verdienden. Het was een exorbitant aanbod, maar hij had het ervoor over, mits ze hem hielpen. Merkhud was royaal genoeg geweest met zijn beurs, maar hierna zou Tor het wat zuiniger aan moeten doen.

De mannen floten tussen hun tanden. Het aanbod was onweerstaanbaar, hoopte Tor, en tot zijn opluchting zag hij dat Riss knikte. Ze pakten ieder een dissel beet en trokken de piepende en krakende kar vooruit, terwijl Tor er aan de achterkant tegen duwde. Hij had geen idee waar ze met hun allen naartoe gingen, maar hij was de twee soldaten dankbaar en zag dat ze zachtjes met elkaar overlegden, terwijl ze zich een weg zochten door de drukke hoofdstraat.

Tor kneep Clout in de arm. *Nog even volhouden*, zei hij tegen zijn nieuwe vriend.

Er kwam geen antwoord, maar er werd opnieuw een beroep gedaan op zijn krachten.

❧

De omgeving begon te veranderen. Kennelijk naderden ze de rand van de stad en waren ze in een armere wijk beland. Ze sloegen een straat in die met keien was bestraat en de wielen ratelden luid in de smalle kloof tussen de dicht opeenstaande huisjes. Aan het einde bevond zich een plein en daar heerste een veelkleurige drukte. Er werden vaandels en slingers opgehangen en stalletjes neergezet. De geur van gebraden uien en diverse soorten vlees en vis drong Tors neus binnen en hij besefte opeens dat hij rammelde van de honger.

Hij ging naast Riss lopen. 'Wat is de aanleiding?'

'Ze kronen vanavond de Koning van de Zee.'

'Van de Zee?' Tor keek niet-begrijpend.

'Ik dacht dat je ergens uit deze streek kwam, Gynt. Hoe komt het dat je nog nooit van ons oogstfeest hebt gehoord?' Hij spuwde vakkundig.

'Doordat ik een rustig leventje heb geleid, Riss. Ik heb mijn ouders er wel eens over horen praten, maar zelf ben ik nooit eerder buiten ons district geweest. Wat gebeurt er dan?'

Ze trokken de kar kalm over het plein, terwijl Riss Tor uitlegde dat Hatten tegenwoordig een welvarende stad was, maar dat de bewoners de oude, arme tijd niet waren vergeten, toen de streek was begonnen welvaart op te bouwen met visserij en wijnbouw. De druiven hier waren niet zo goed als die van de warmere dalen ten zuiden van de hoofdstad, maar de alledaagse drinkwijn van het koninkrijk kwam in hoofdzaak uit deze regio. Elk jaar aan het einde van de zomer werden door de vissers op zee grote scholen lekkere lokki's gevangen en de wijnranken waren zwaar van de druiven, en daarvoor brachten de boeren en vissers dan dank.

Tijdens dat feest werden een Koning van de Zee en een Koningin van de Wijnranken gekozen. En als dat paar het bed met elkaar deelde, zo geloofde iedereen, zou dat de volgende oogst zeer begunstigen. De traditie bestond al twee eeuwen en was voor Hatten het hoogtepunt van het jaar.

Alle vissersboten zouden vanavond in de haven liggen en alle herbergen zaten vol met grondbezitters, kapiteins, zeelui en druivenplukkers, en natuurlijk ook met gewone kooplieden en reizigers die speciaal voor het feest waren gekomen.

Geen wonder dat ik geen kamer kon vinden, dacht Tor.

'En omdat gisteravond de koningin is gekroond, is vanavond de koning aan de beurt. En dan beginnen ze samen aan het feest, met de hele rest van de stad,' besloot Riss.

Golags smoezelige gezicht en gelige tanden produceerden een wellustige grijns. 'Misschien word ík gekozen. Ik zou die Eryn wel een beurt willen geven.' Zijn stem klonk als stenen die op elkaar ketsten en hij greep naar zijn kruis om te verhelderen wat hij bedoelde.

Ze bleven staan.

'Wie is Eryn?' vroeg Tor, terwijl zij de voorkant van de kar langzaam lieten zakken.

'Ach, gewoon een van de hoeren, die door het mansvolk van de stad tot koningin is gekozen. Maar ik geloof niet dat Golag veel kans maakt, denk je ook niet, Golag?' Riss gaf zijn groezelige vriend een por in zijn ribben.

Tor fronste zijn voorhoofd. 'En nu kiezen de vrouwen een koning? Werkt het zo?'

'Nee, jongen. De koningin maakt zelf haar keuze. Moge de bliksem me treffen! Die Eryn spreidt haar benen vannacht heus niet voor een lelijke vent. Met typen zoals wij neukt ze alleen tegen contante betaling voor je weggaat.'

'Voor je kómt, bedoel je,' corrigeerde Golag, die zijn eigen grapje erg leuk vond.

Riss vond dat ook en de uitgelatenheid van de twee soldaten werd nog aangewakkerd toen ze zagen dat Tor bloosde.

'Ja, nu snap ik het wel. Dank je, Riss.'

Tors poging om het gespreksonderwerp beschaafd af te sluiten oogstte nog meer hilariteit. Hij besloot om snel iets anders te bedenken en keek om zich heen. Ze stonden voor een herberg die de Lege Bokaal heette. Binnen klonk het geluid van gezang en mannenstemmen.

'Zijn we er?'

Riss had zichzelf weer in de hand, maar Golag stond nog na te hikken en te hoesten, en sloeg zichzelf op zijn borst.

'Ja, jongen. Ik denk dat we hier wel een kamertje voor je kunnen krijgen, met wat geluk, en natuurlijk wat munten in de hand van de oude Doddy.'

'Hoeveel?' Tor wilde zijn beurs niet tevoorschijn halen en zocht zijn zakken af. Hij vond een paar baronnen en wat klein kopergeld. Golag graaide hem de munten uit zijn hand.

'Hé!' Tor trok Golag aan zijn vieze mouw.

'En vergeet mijn hertog niet,' zei de soldaat grommend in Tors gezicht.

Tor had onderweg onopvallend twee hertogen in het zakje van zijn overhemd gestopt en was nu blij dat hij een zo vooruitziende blik had gehad. Hij gaf beide munten aan Riss.

'Hoe nu verder?'

Riss schraapte zijn keel en spuwde nog eens. De klodder glom niet ver van Tors voeten in het stof.

'Til de halvegare op je schouders, jongen, en volg me.'

Het had geen zin om nu te proberen met Clout te praten. Tor merkte dat hij eraan gewend raakte Clout energie te voeden. Hij gaf hem nog een extra dosis – en voelde zelf het verlies van energie – en tilde de kreupele man moeizaam op zijn rechterschouder. Gebukt strompelend volgde hij Riss daarna naar binnen. Het lawaai daar was oorverdovend. Het was een echte soldatenkroeg en ze zagen er allemaal uit als Riss en Golag, en stonken navenant. Hij wachtte ongeduldig met het dode gewicht van Clout op zijn schouders, terwijl Riss praatte met de dikke man achter de bar. De herbergier wees met een smoezelige vinger naar boven.

Riss richtte zich tot Tor. 'Bovenste verdieping. Ik ga de dokter halen en dan is mijn deel van de afspraak geregeld.' Hij glimlachte en schudde hem even de hand, wat Tor geruststellend vond.

Hij knikte Riss dankbaar toe en begon aan de loodzware klim naar boven. Hij moest twee keer blijven staan om soldaten en giechelende meisjes langs te laten, maar kwam ten slotte op de tweede verdieping, die maar drie kamers had. Tor opende de eerste deur maar deed die haastig weer dicht toen hij een jonge prostituee zag die hard aan het werk was.

'Verdomme,' mompelde hij, terwijl hij voelde dat hij rood aanliep.

Er waren nog twee deuren om uit te kiezen. Hij waggelde naar de deur aan het einde van de bedompte gang. Deze kamer was leeg. En ook erg klein. Hij probeerde Clout zachtjes op het bed te leggen, maar de man was zo zwaar dat hij uit zijn handen gleed en met een doffe plof op de matras viel. Tor liet zich op de vloer zakken, vermoeid en bezorgd. Even later werd er geklopt en kwam er een meisje van een jaar of tien binnen met een kom en een grote kan water.

'De dokter komt achter me aan,' zei ze.

Een mannenstem liet zich horen. 'Ben jij Gynt? Met een halvegare bij je?'

Tor zuchtte en stond moeizaam op. 'Dat vat het wel ongeveer samen, ja.' Hij knikte in de richting van het bed.

De dokter, die Vrijberg heette, zette zijn wandelstok tegen het bed en begon meteen bezorgde geluidjes te maken. Samen trokken ze Clout zijn vodden van kleren uit en allebei schrokken ze toen ze zagen hoe bont en blauw zijn lichaam was. Donkere plekken van de oudste kneuzingen wisselden af met het doffe roze van recentere kwetsuren, die nog moesten rijpen. Elders waren rode vlekken te zien die wezen op onderhuidse bloedingen, waarschijnlijk een gevolg, zei Vrijberg terloops, van gebroken botten.

Dokter Vrijberg mompelde voortdurend zachtjes voor zich uit, terwijl hij zijn patiënt onderzocht. Ten slotte rolde de oude man zijn mouwen op en opende hij de tas die hij bij zich had. Hij trok de kurk uit een fles waarin een donkere, stroperige vloeistof zat, die sterk naar kruidnagelen rook, en gaf de fles aan Tor.

'Giet hieruit iets in zijn keel. Het helpt om de pijn te verdoven.'

Tor gehoorzaamde. Hij boog Clouts hoofd voorzichtig naar achteren en liet iets van de bijna zwarte vloeistof tussen zijn opgezwollen lippen door sijpelen.

'En zijn tanden, meneer? Is er geen gevaar dat hij afgebroken tanden inslikt?' vroeg hij, terwijl hij de fles aan de dokter teruggaf.

De dokter maakte een snuivend geluid en keek de jongen vanonder zijn borstelige wenkbrauwen aan. In één van zijn ogen hield hij vakkundig een monocle geklemd.

'Wel, ik zou denken dat het inslikken van afgebroken tanden wel de minste van zijn zorgen zou zijn, maar als het je geruststelt, jongen, ik heb al gezien dat zijn tanden nog heel zijn... en dat is zo'n beetje het enige aan hem.' Hij keek naar Clout en toen weer naar Tor, en vervolgde op vriendelijke toon: 'Maar het is heel goed, Tor, dat je eraan gedacht hebt.'

Dat deed Tor plezier. Voordat Merkhud erover was begonnen, had Tor vaak zelf al het gevoel gehad dat hij graag dokter zou willen zijn.

'Ik ben op weg naar Tal, dokter Vrijberg,' flapte hij eruit. 'Dokter Merkhud heeft me als leerling aangenomen. Ik ga heelkunde studeren.' Hij kon het niet helpen dat hij zwol van trots, nu hij dit eindelijk eens hardop kon zeggen.

De man beantwoordde Tors glimlach. 'Zo, dat is geweldig! Ik heb de grote Merkhud niet persoonlijk ontmoet, maar hij is bij alle Tallinezen bekend. En zijn reputatie ook. Ik kan geen betere leraar voor jou bedenken. En dan ook nog in het paleis!' Hij blies zijn wangen bol. 'Een prachtige kans voor een jongen... Maar ik meen me het gerucht te herinneren dat Merkhud nooit leerlingen heeft willen opleiden...'

'Dat klopt!' onderbrak Tor hem opgewonden. 'Ik ben zijn eerste leerling!'

'Dan zal ik nu de eer hebben jou je eerste les te geven, jongeman Gynt.' En hij richtte zijn aandacht weer op zijn patiënt.

'Maar ik moet erbij zeggen, dat je trieste vriend er slecht aan toe is na de vervloekte aframmeling die hij heeft ondergaan. Ik weet niet precies hoe erg – nóg niet – maar als je me wilt helpen, moet je beloven dat je dapper zult zijn. Hij is zwaar gewond,' besloot hij.

Tor knikte ernstig. Hij hoorde dat het feestgedruis op het plein nog wat aanzwol. Door het venstertje viel namiddaglicht binnen dat de zolderkamer in een warme gloed zette.

'Zijn naam is Clout, meneer. Ik heet Tor.'

De dokter reageerde met een amper zichtbaar knikje en sprak vervolgens op een resolute toon.

'Zo op het eerste gezicht, Tor, heeft meneer Clout een aantal gebroken ribben, een gebroken linkerarm, een uit de kom geschoten rechterarm en ook nog een gebroken pols rechts. Hij heeft een zware hersenschudding, waarschijnlijk als gevolg van een harde klap, hier,' zei hij, terwijl hij naar Clouts slaap wees. 'En als zijn kaak niet gebroken is, dan toch ernstig ontzet, hier.'

Tor zei niets.

'Dit wangbeen kan gebroken zijn en zijn neus is het zeker. Hij zal morgen twee blauwe ogen hebben – als hij dan nog leeft – en er zit een lelijke scheur in dit oor... Hebben ze hem aan die verdomde paal vastgespijkerd?'

Vrijberg wachtte het antwoord niet af. 'Hier en hier zie ik een paar ernstige bloedingen. Als dat interne oorzaken heeft, kunnen we er weinig aan doen, maar ik hoop tegen beter weten in dat het gevolgen zijn van zijn gebroken ribben. Het is een wonder, vind ik, dat deze man ondanks alles nog in leven is.' Hij begon zijn tas te doorzoeken.

Tor deelde zijn verbazing niet. Door zijn verzwakking en een aanzwellende hoofdpijn wist hij maar al te goed hoe Clout het tot nu toe had kunnen volhouden. Hij was hard aan rust toe. Clout zoog al zijn kracht uit hem weg. De dokter praatte weer, maar Tor hoorde het niet.

'Ik heb je hulp nodig... Wat is er mis, Tor? Je ziet zo bleek als verse melk. Kun je niet tegen bloed, is dat het? Ga zitten, ga zitten.'

De oude man hielp hem naar een krukje dat bij het venster stond. Daar ademde hij diep in en uit om tegen de duizelingen en de misselijkheid te vechten. Hij pakte een flesje aan, dat de dokter hem aanreikte, en keek er niet-begrijpend naar.

'Gewoon opsnuiven, dat helpt wel.'

Tor gehoorzaamde en hij had er meteen spijt van, want hij moest kokhalzen en hoesten. Hij moest ook een verschrikkelijk vies gezicht hebben getrokken, want dokter Vrijberg stond bijna hardop te lachen. Toen gaf hij hem een tweede flesje, nog kleiner, nadat hij het zegel ervan had verbroken.

'Nee, dokter, liever niet, bedankt. Uw drankjes smaken me niet,' wist Tor schor uit te brengen.

'Vertrouw me, Tor. Hiervan zul je echt opknappen. Het andere bestond uit gewoon, krachtig reukzout. Neem me niet kwalijk.'

Tor had niet het idee dat die verontschuldiging echt gemeend was, maar hij nam het flesje aan en dronk het leeg. De smaak was aangenaam. Niet zoet, maar ook niet bitter, en met een bijsmaakje dat hij nooit eerder had geproefd. Hij vond het lekker en voelde zich inderdaad meteen een stuk beter.

'Goed, hè? Het heet arrak,' zei Vrijberg, terwijl hij naar hem omkeek.

'Wat is het?' Tor likte zijn lippen af.

Vrijberg begon tijdens het praten voorzichtig Clouts gezicht te wassen. 'Een bes. Paars van buiten en felrood van binnen. Het zijn kleine, zeldzame besjes. En ze bloeien alleen een poosje tijdens het seizoen van de dauw – wanneer sneeuw en ijs voor het eerst weer wegsmelten. Ik begin door mijn voorraad arrakbessen heen te raken. Pas op voor de rauwe bessen, jongen. Die zijn zeer giftig.'

'Ik heb er nooit van gehoord.' Tor rook aan het lege flesje en sloeg de geur op in zijn uitstekende geheugen. 'Hoe bereidt u ze?'

'Misschien kan ik je dat op een dag laten zien. Het is nogal een knoeiboel, maar eigenlijk is het heel simpel. Je moet ze op een hoog vuur tot siroop inkoken. Maar als je iemand wilt vergiftigen, heb je aan het sap van een paar bessen genoeg. Het werkt verlammend. Er zijn maar weinig mensen die dat weten.'

De dokter was ondertussen bezig Clout met een spons te bevrijden van het vuil dat alle verwondingen nog erger leek te maken. Hij begon te neuriën terwijl hij ermee bezig was. Tor bleef zwijgen, maar verbaasde zich in stilte over de nieuwe kracht die hij voelde en waagde het zelfs Clout wat extra energie te sturen.

'Ik heb je hulp nodig, Tor, om Clouts gebroken botten te zetten. Kun je het aan?'

'Ja, ik wil graag helpen.'

Meer dan een uur werkten ze daarna door om de botten weer zo goed ze konden in een juiste stand te zetten. Ondanks de koelte van de naderende avond bracht het hen aan het zweten. Daarna moest Tor op instructie van de dokter zalfjes smeren, die uit geheimzinnige zijvakjes van zijn tas kwamen, waarna hij leerde hoe hij gebroken ledematen moest spalken. Toen het ten slotte buiten schemerig was en het lawaai vanaf het plein en uit de gelagkamer beneden allesbepalend was geworden, rechtte de dokter zijn rug en zuchtte hij.

'Dat is het, Gynt. Voor het overige is hij nu in de handen van zijn goden. Meer kan ik niet voor hem doen.' Hij keek Tor onderzoekend aan. 'Nee, dat lieg ik. Ik kan nóg iets doen.'

Hij haalde opnieuw een flesje uit zijn tas. De inhoud was een roze vloeistof.

'Ik gebruik het voor patiënten die dodelijk gewond zijn. Als het ergste gebeurt en je ziet meer van zulke rode vlekken verschijnen, of als je vriend begint bloed uit te spuwen, geef hem dit dan te drinken. Giet het in zijn keel en bid voor zijn ziel.'

Tor was geschokt. Ongekookt arraksap, vermoedde hij.

'We zullen het niet nodig hebben, dokter Vrijberg.' Zijn stem was hees en hij besefte opeens dat zijn ogen vochtig waren geworden.

'Weet ik, jongen. Ik heb er de pest aan een patiënt te verliezen, maar als hij bij bewustzijn komt kan hij vreselijk veel pijn hebben en daaraan sterven. Dit versnelt het proces, meer niet.' Hij drukte de jongen het flesje in de hand. 'Het is dan een genadige dood, Tor,' zei hij ten slotte zacht.

Tor kon het nauwelijks verdragen. Hij was lichamelijk en emotioneel uitgeput.

'Wat ben ik u verschuldigd, dokter?'

De dokter leek pijnlijk getroffen door zijn toon en begon zijn tas in te pakken.

'Het lijden van deze man heeft me persoonlijk beledigd. Ik zal je geld niet aannemen, Tor.' Zijn glimlach overstelpte Tor, die ineengezakt op zijn krukje zat. 'En wat jou betreft, jongen, raad ik je aan het geld te besteden aan een heet bad, een stevige maaltijd en wat biertjes. Meneer Clout gaat voorlopig nergens heen, dus rust uit en zorg dat je weer op krachten komt. Je ziet er flink genoeg uit, maar toch lijk je verzwakt. Is er iets waardoor je misselijk bent?'

'Nee, meneer, maar ik ben al weken onderweg en heb te veel maaltijden overgeslagen.' Hij loog alsof het gedrukt stond en nam het zichzelf kwalijk, zeker tegenover deze aardige man.

'Tot morgen dan, Tor.'

Tor hoorde de dokter de trap aflopen. Het geluid ging al snel verloren in dat van de rumoerige mannen in de gelagkamer. Hij bestudeerde het gezicht van de slapende vreemdeling en probeerde door de zwellingen en vreselijke beurse plekken heen te kijken. Dit was geen knappe man. De punt van zijn grote neus kwam bijna tot aan zijn vooruitstekende onderlip en zijn voorhoofd was onnatuurlijk hoog. Te grote oren en onverzorgde plukken zwart haar maakten hem bijna tot een rariteit voor op een kermis, maar Tor had tevoren de intelligentie in zijn blik gezien. De man kon niet praten, maar hij was zeker niet idioot, al was dat wat iedereen meteen maar veronderstelde.

Tor zuchtte vermoeid toen hij de zoveelste keer aan de optie dacht die hij overwoog sinds dokter Vrijberg had gezegd dat hij verder niets meer kon doen. Even werd hij afgeleid door een geritsel aan de voet van het bed, waar hij met afschuw en fascinatie zag dat een legertje mieren afrekende met een bijna dode kakkerlak, die ze vakkundig aan het slopen waren, terwijl hij met steeds minder pootjes heftig tegenspartelde. Een overijverige mier sloofde zich uit om een van die pootjes helemaal in zijn eentje los te rukken. Tor bewonderde dat vastberaden wezentje, dat aan die schijnbaar onuitvoerbare taak was begonnen. En misschien gaf die mier hem de inspiratie.

Tor haalde diep adem, rolde de mouwen van zijn ruw linnen hemd op en legde zijn handen zacht op Clouts borst. Toen sloot hij zijn ogen en riep de Kleuren op. Hij voelde een vertrouwde tinteling in zijn vingers, en alles werd doodstil in de kamer, en grijs.

6

Koning van de Zee

Ondanks zijn vermoeidheid voelde Tor zich opgekikkerd, nadat hij zich gewassen had en zijn stoffige kleren had verruild voor andere. Hij voegde zich bij de rumoerige kluit soldaten in de gelagkamer en voelde zich daar enigszins verloren tussen de mannen die elkaar allemaal kenden.

Zijn humeur klaarde aanzienlijk op toen het gebraden vlees en de beker sterk bier voor zijn neus werden gezet. Het meisje verdween weer achter de forse schouders van potige mannen. De kleur van haar haren herinnerde hem aan Alyssa en er ging een nieuwe golf van wanhoop door hem heen.

Waar was ze? Waarom had ze geen woord van afscheid laten horen? Bijna zonder het bewust te willen tastte hij met zijn link om zich heen en smeekte hij om een reactie. Niets. Alleen een zwarte leegte. Hij porde erin. Geen spoor van Alyssa's karakteristieke aanwezigheid.

Doordat hij het te druk had met zijn dringend noodzakelijke maaltijd en het zoeken naar Alyssa, merkte hij pas dat hij gezelschap had gekregen toen de soldaat zijn zwaard had losgemaakt en het op de tafel legde. Tor pakte zijn beker op en bracht een voorzichtige dronk uit, waarna hij een flinke teug nam.

'Op je gezondheid, Gynt,' zei primaat Cyrus zacht. 'Hoe gaat het met de halvegare?'

'Zijn naam is Clout, primaat Cyrus. De dokter heeft weinig hoop dat hij deze nacht door zal komen.' Hij sloeg zijn ogen niet neer voor de scherpe blik van de soldaat.

De primaat leunde achterover op zijn stoel en wreef zich in zijn grijze ogen. 'Vertel eens iets over jezelf, Gynt. Je intrigeert me.' Zijn stem klonk vriendelijk, open.

Tor vond Cyrus sympathiek, hij kon het niet helpen. Hij herkende in hem een ontwikkeld iemand, die niet te beroerd was om geweld te gebruiken. Zijn instinct zei hem ook dat dit een trouwe man was, iemand die zijn manschappen boven zichzelf stelde en zijn soeverein boven alles.

'Weinig te melden, primaat Cyrus. Niet lang geleden heb ik mijn dorp verlaten, waar ik mijn hele leven heb gewoond. Nu ben ik op weg naar Tal.'

Cyrus knikte in de richting van Tors afkoelende maal. 'Ga je gang.'

Tor begon weer te eten. De primaat gebaarde naar een passerende serveerster dat ze zijn bier moest bijvullen. 'Hoe oud ben je?'

'Oud genoeg,' zei Tor met volle mond, verlegen.

'En je gaat naar Tal. Waarom?'

'Waarom niet? De hoofdstad lijkt me de beste plaats om mijn geluk te zoeken.' Tor voelde zich als een prooidier dat in een hoek was gedreven.

'Is je vader een boer, Torkyn?'

Dus hij weet nog hoe ik heet. Weer was Tor geïmponeerd.

'Nee, meneer. Hij is de klerk in ons district. We wonen in Vlakke Weiden. Misschien kent u het dorp?'

'Zeker. Nou ja, de herberg. Ik heb daar gelogeerd, maar al een hele tijd niet meer. En laat je vader zijn slimme zoon vertrekken, zonder hem in te wijden in zijn vak? Dat lijkt me een vreemde zaak.'

Tor deed alsof hij het restant uit zijn beker opdronk, hoewel die al leeg was, en benutte de tijd om na te denken. De primaat was eerlijk, daarvan was hij overtuigd, maar tegelijk was hij wel érg nieuwsgierig.

'Mijn vader gelooft heilig dat iedereen zijn horizon moet verbreden voordat hij definitief een beroep kiest... of een gezin sticht.' Hij keek de primaat zo onnozel mogelijk aan.

'Dus je bent van plan om weer naar Vlakke Weiden terug te keren?' vroeg de primaat na een korte pauze.

'Ik heb geen plannen, primaat Cyrus. Waarom al deze vragen, als ik zo vrij mag zijn?'

'Omdat alles wat in Tallinor gebeurt mij aangaat,' antwoordde Cyrus. 'De veiligheid van ons land is mijn verantwoordelijkheid en daarom weet ik graag waarom mensen met vreemde vrienden en nog vreemdere manieren van doen zich naar onze hoofdstad reppen.'

De primaat leunde nog steeds achterover en had zelf een halflege beker bier losjes op zijn schoot. Tor liet zich niet misleiden door die nonchalante pose. Het was duidelijk dat de soldaat zich amuseerde.

'Ik ben achterdochtig van nature en ik denk dat onze paden zich nog eens zullen kruisen, Gynt. Dan hoor ik je verhaal wel.' Hij ging staan.

'Maar ondertussen drink ik op je succes in Tal.'

Cyrus bond zijn zwaard weer om en verdween na slechts een knikje naar de buitendeur. De soldaten maakten snel ruimte om hun op handen gedragen leider door te laten.

Nu het verhoor voorbij was, werd het tijd om een frisse neus te halen, vond Tor. Eerst liep hij naar boven, waar hij vaststelde dat Clout nog bewusteloos was en dat vermoedelijk nog lang zou blijven.

Buiten had de feeststemming een nieuw hoogtepunt bereikt. Het hoofdplein van deze wijk, nu een schouwtoneel van vlaggen, dans en muziek, werd verlicht door honderden kaarsen in kleurige lampionnen van oliepapier, die aan lange snoeren hingen en waarvan de kruidige geur door een zacht zeebriesje door de straten werd geblazen.

Tor zag op een gegeven moment een jong stel lachend en kussend over het plein dansen. Mijn leven is te serieus geweest, verweet hij zichzelf. Het wordt tijd dat ik me ontspan. Alyssa zou heus wel contact met hem opnemen zodra ze eraan toe was. Clout lag veilig boven. De primaat en hij hadden voorlopig een wapenstilstand gesloten en zijn eerste echte grote feest lokte. Hij trok zijn hemd recht, tastte naar zijn beurs met geld en de knikkers – die nu, merkte hij, continu een amper hoorbaar gezoem lieten horen – en voegde zich bij de feestvierders.

Duizelig na dansen met drie lokale schoonheden was Tor begonnen aan de uitdaging om een ongelooflijk dikke dame met stoel en al op te tillen, toen die zinloze inspanning werd onderbroken doordat er een klok werd geluid.

De mensen stroomden meteen uit de kroegen en de zijstraten naar het plein om een goede plek te veroveren bij een geïmproviseerd podium in het midden. Een man in een lange mantel klom op het toneel en begon de menigte tot kalmte te manen.

'Goede lieden, weest welkom. Onze hartelijke dank aan het volk van Hatten, dat ons wederom een heuglijke dag – en nacht – van festiviteiten heeft geschonken. Maar nu is het moment gekomen waarnaar we al feestend allemaal hebben uitgezien. Onze nieuwe Koningin van de Wijnranken moet haar Koning van de Zee kiezen!'

De menigte joelde instemmend.

'Ik vraag nu alle vrijgezellen die zichzelf het koningschap waard achten, een stap naar voren te doen. Niet meer dan twaalf worden er voorgesteld, dus haast je wat.'

De klok werd nogmaals geluid en Tor stond met de rest van het publiek mee te lachen toen een wilde volksoploop van oude en jonge mannen probeerde het podium te beklimmen. De ladder was weggehaald, dus ze moesten zich op de moeilijke manier naar boven hijsen. Sommigen vielen al nog voordat ze bij het podium waren. Anderen stortten tijdens hun wanhopige klim naar beneden, weer anderen werden domweg opzijgeduwd door hun mededingers, tot groot plezier van de toeschouwers. Maar zoals altijd wisten een paar sterke doorzetters hun zin te krijgen, waarna ze trots over het podium paradeerden.

Het ene moment stond Tor naar het hilarische gedoe te kijken, het volgende hing hij in de lucht. Zonder dralen, luid juichend, wierpen degenen die hem hadden opgepakt hem onzachtzinnig op het podium. Tijdens het opzij rollen zag Tor nog juist zes stevige soldaten die zich grijnzend terugtrokken. Hij trok een lelijk gezicht en zag verderop – dat had hij kunnen raden – primaat Cyrus met een sardonische glimlach om zijn lippen. Met zijn opgeheven beker bracht hij een stille dronk naar hem uit.

Tor was zeer verontwaardigd. Snel werd hij op zijn plek gezet in de twee rijen vrijers die naar de hand van de koningin dongen. Hij troostte zich met de gedachte dat ze hem toch nooit zou kiezen, dus laat die soldaten hun lol dan maar hebben.

Luid trompetgeschal kondigde de komst van de koningin aan. Er klonk zogenaamd ceremoniële muziek en iedereen maakte zogenaamde buigingen en reverences voor de majesteit. Van veraf zag ze er oogverblindend uit. Haar ravenzwarte haar was glimmend geborsteld en hing tot vlak onder haar smalle schouders. Ze was gekleed in een bijna doorzichtige japon van een zachtgroene gazen stof, die verleidelijk om haar smalle heupen en kleine, volle borsten kleefde. En ze had een majestueuze gouden mantel aan die glitterend om haar heen zwierde. De vrouw kwam nu dichterbij en glimlachte naar haar onderdanen. Tor richtte zich hoger op en begon verlegen – en zonder het zelf te merken – zijn hemd glad te strijken. De wangen van het meisje waren rood van opwinding. Haar grote ogen straalden van genoegen om al deze aandacht. Iedereen in de menigte kon haar naakte lichaam duidelijk afgetekend zien onder haar vliesdunne jurkje.

Tor herkende haar als het meisje dat hij eerder die dag een afranseling had bespaard. Dat magere jonge ding, dat hem niet eens had bedankt. Dit was de Eryn over wie ze hadden gesproken, de hoer over wie Golag een grapje had gemaakt.

Ze knipoogde! Naar mij of naar iemand anders? Hij vroeg het zich een beetje verongelijkt af.

Het briesje speelde met haar tepels en hij zag dat ze zich onder de gazen sluier oprichtten. Ze was echt om op te vreten zo mooi.

De ceremoniemeester riep het uitzinnige publiek op tot kalmte en legde uit wat de procedure was, hoewel iedereen, op Tor na, die op zijn duimpje bleek te kennen. Elke vrijer moest eerst iets onmogelijks presteren: vijftien stappen door een bak met glibberige en springerige lokki's in hun doodsstrijd lopen. Op blote voeten. Die vissen smaakten heerlijk als ze gebakken waren, maar ze konden met hun vlijmscherpe tanden lelijke wondjes toebrengen aan vingers en tenen, en trouwens in het algemeen aan de huid van een mens. En als de koppige vrijer aan die tandjes ontkwam, had de vis ook nog gekartelde vinnen tot zijn beschikking, die diep in schenen en kuiten konden snijden. Elke vrijer moest met blote benen over die vissen heen om bij de koningin te komen en tot Koning van de Zee te worden gekroond. Triomferende winnaars uit het verleden hadden de sprint voltooid, maar nooit zonder flink wat pijn te voelen en wonden op te lopen. Niemand was ooit ongeschonden aan de andere kant gekomen.

De ene na de andere gegadigde viel in de slijmerige, kronkelende massa. Twee kwamen nauwelijks verder dan hun vertrekpunt en sprongen toen gillend achteruit, nadat hun blote onderbenen wreed gegeseld waren door zwiepende vinnen. Anderen probeerden verder te komen, maar schreeuwden van pijn toen ze struikelden en hun poging alsnog opgaven. Binnen een paar minuten was de bak rood van het mensenbloed, dat zich vrolijk mengde met het zeewater waarin de vissen stervende waren. De menigte genoot van elke tel.

Ten slotte was Tor aan de beurt. Hij was de laatste die de lokki's zou 'betreden', zoals ze dat hier noemden.

Misschien was het een nawerking van de arrak. Of misschien kwam het door Tors vermoeidheid of benevelde één beker bier te veel zijn oordeel. Niet lang geleden had hij getreurd om Alyssa. Nu loerde hij naar een namaakkoningin die hij serieus tot de zijne wilde maken. Hij maakte zichzelf wijs dat hij beter kon meedoen aan de geest van het feest dan ertegen te vechten.

Hij hoorde dat de soldaten op het plein hem spottend aanmoedigden. Tor had geen zin om bloedend en vol sneden uit die bak te komen, maar hij keek nog eens naar Eryn, die het frontje van haar jurk een beetje strakker trok om het weinige van haar lichaam dat aan de verbeelding was overgelaten, ietsje duidelijker te profileren. Toen stapte hij op de bak met water af. Vaag herinnerde hij zich een waarschuwing van Merkhud, maar hij was nu in de roes van zijn wellust en de Kleuren in zijn binnenste vlamden.

Dus hij gebruikte zijn magie en richtte deze op de kronkelende zeemonstertjes. Toen zette hij zijn voeten kalm op twee van de lokki's en liet de betovering wat vieren. En nu leek het of deze twee glibberige dieren, getemd en wel, over de massa van hun stervende soortgenoten heen gleden.

Het was in een paar tellen gebeurd, zó snel, dat de menigte nauwelijks had kunnen waarnemen hoe hij het voor elkaar had gekregen. Tor bereikte het andere einde van de bak en in de menigte brak een pandemonium uit. Er kon een nieuwe koning worden gekroond! De beste van alle vrijers kon nu de troon en de koningin voor zich opeisen.

In het lawaai en de warmte van deze zwoele late zomeravond bonkte alles in Tor van begeerte toen hij voor zijn koningin boog. En in de heksenketel van het uitgelaten publiek draaide ze zich naar hem toe en pakte hem bij zijn hand.

'Ik heb je nog niet bedankt voor je reddingsactie vandaag. Ik heb de pest aan Goron! Ik hoop dat zijn ballen zo groot zijn als meloenen, nu ik ze voluit geraakt heb!'

En vervolgens wuifde ze liefjes naar haar onderdanen, terwijl Tors voeten en onderbenen snel werden gewassen door twee dienstmeisjes. Hun tronen werden daarna opgetild en over het plein gedragen.

Tor vond een moment van helderheid in zijn troebele geest en meende opeens dat hij naar Clout moest gaan kijken.

'Wat gaan we nu doen?' vroeg Tor aan Eryn over de hoofden van hun volk heen.

'Daar kom je gauw genoeg achter,' riep ze op suggestieve toon terug.

Ze is aanbiddelijk, dacht Tor hulpeloos, waarna hij zich op zijn troon achterover liet zakken. En terwijl ze van het plein werden gedragen, zag hij een eindje verderop een zeer verwonderde primaat Cyrus, die zijn beker weer hief in een laatste Tallinees saluut.

De opgetogen menigte droeg de tronen naar het zogenaamde Zomerhuis, waar het koninklijke paar de nacht zou doorbrengen en hun huwelijk zou consumeren. Men geloofde dat deze vereniging van de Koning van de Zee en de Koningin van de Wijnranken volgend jaar een rijke vangst van lokki's en oogst van druiven garandeerde.

Tor voelde zich erg moe, maar merkte toch dat een link op een kiertje werd geopend. Het duurde niet lang. Hij hielp mee en kreeg zo een zwakke boodschap door van Clout. Woorden waren niet nodig. Tor begreep onmiddellijk dat de man een wanhopige behoefte had aan versterkende energie. Tors eigen energie was inmiddels zo uitgeput, dat hij niets anders kon doen dan het laatste restje ervan samenballen tot een helende kracht die hij naar Clout toe stuurde. Toen dat gebeurd was, draaide de wereld om hem heen en viel zijn hoofd slap opzij.

Eryn merkte het op. Ze legde haar hand op zijn arm en knikte naar de voorste rijen van het publiek. Ze waren op hun bestemming.

'Doe gewoon hetzelfde als ik, dan is het allemaal snel voorbij,' fluisterde ze.

Tor zag dat vrouwen wijnbladeren over het pad begonnen te strooien. Aan het einde zag hij een klein gebouwtje staan, dat nog nietiger leek door de ene reusachtige boom op de top van deze glooiing.

'Het Zomerhuis,' zei Eryn, en ze nam hem bij de hand. 'Kom, we gaan.'

Ze liepen langzaam over het pad, deze keer slechts met hun beiden, terwijl de menigte een laatste lied zong voor de koning en de koningin die nu geacht werden hun namaakhuwelijk in daden om te zetten. Het was een pikant lied over vruchtbaarheid.

De voordeur was verlicht door zwaar geurende kaarsen en versierd met kransen van kruiden. Binnen stond een groot bed, met een zachte sprei erop. Verder was er geen meubilair, afgezien van een tafeltje waarop eten en wijn waren klaargezet.

'Kus me,' zei Eryn. Ze zag hoe verward hij was. 'Je moet me kussen, dan gaan ze weg.'

Tor probeerde niet aan Alyssa te denken. In stilte bad hij tot de goden dat Alyssa nooit iets zou vernemen over dit moment in zijn leven. Toen Eryn haar mond om de zijne sloot hoorde hij een waarderend applaus. De kus duurde lang, en voelde zacht en loom aan. Tor haalde ergens de kracht vandaan om het meisje in zijn armen te nemen en het Zomerhuis binnen te dragen. Hij legde haar op het bed en daar lieten hun lippen elkaar eindelijk los.

Er ging een onbeheersbare golf van wellust door hem heen, maar nog terwijl hij zich op het bed liet zakken, voelde hij de ultieme restjes van zijn energie wegvloeien. Zijn laatste bewuste daad van die dag was een gemompelde verontschuldiging naar de jonge vrouw die onder hem lag, en diep beledigd was.

❧

Buiten het Zomerhuis snaterden papegaaien. Wakker gemaakt door dat vrolijke geluid keek Tor verkennend om zich heen. Het duurde even voor hij zich herinnerde waar hij was. Hij zag de vormen van Eryn nog afgedrukt in het laken en rook een vleug van haar parfum.

Ook dacht hij terug aan zijn wanprestatie, en hij vloekte luid en hartgrondig. Toen herinnerde hij zich Clout.

Nog steeds volledig gekleed zette hij zijn voeten op de vloer en sprong op. Zijn laarzen stonden netjes bij de ingang en hij trok ze haastig aan, zonder het briefje op te merken dat erin gestoken was.

Terwijl hij over de helling naar de stad beneden holde, legde hij een link met Clout. Bezorgd vroeg hij zich af wat hij zou aantreffen.

Je bent wakker!

Nu wel, dank je.

Heb ik je gewekt? Neem me niet kwalijk.

Niet echt, er is een dokter hier. Ik begrijp dat zijn naam Vrijberg is.

Tor bleef staan. *Verbaast hij zich over het wonder van je herstel?* vroeg hij schaapachtig.

Nee, hoor, helemaal niet. We vroegen ons alleen af of het vandaag droog zou blijven.

Tor hoorde dat Clout erbij grinnikte en hij moest er bijna van blozen. Hoe kon hij dit bevredigend aan Vrijberg uitleggen?

Ik ben zo bij je.

Ik wacht, zei Clout.

❧

Inmiddels was dokter Vrijberg daar in het kleinste kamertje van de Lege Bokaal furieus geworden. Hij ramde zijn monocle in zijn linkeroog. 'Mag ik vragen waarom u glimlacht, meneer Clout?' vroeg hij, maar hij wist dat het zinloos was. Hij betastte verbijsterd de genezen ledematen en de bijna niet terug te vinden plekken die blauw en gekwetst waren geweest.

De patiënt schudde zijn lelijke hoofd en haalde de grijns onmiddellijk van zijn gezicht.

'Aha, dus u kunt horen?'

Clout knikte.

'Wel, u hebt mijn diensten niet meer nodig. Het schijnt dat hier vannacht engelen op bezoek zijn geweest die mijn werk voor me hebben gedaan.'

Ze hoorden iemand met twee treden tegelijk de trap oprennen en even later viel Tor het kamertje binnen. Hij hijgde zwaar na zijn inspanningen. Vrijberg maakte zijn koffertje demonstratief dicht en draaide zich toen theatraal om.

'Welkom, Gynt. Ik heb je een ongelooflijk verhaal te vertellen.'

Hij stak zijn handen in zijn zakken, zodat de jongen niet kon zien hoe ze trilden. Vrijberg wist niet zeker of hij zich zo geschokt voelde door de miraculeuze genezing zélf of door de angst die deze bij hem opriep.

Hij was al drieëndertig jaar dokter en werkte al zijn hele beroepsleven in Hatten, zoals zijn vader vóór hem. Vrijberg wist dat hij bekwaam was. Nee, hij wist dat hij een zéér goede dokter was en vanuit al zijn kennis en ervaring had hij gisteravond met zekerheid geweten dat niets of niemand Clouts leven nog kon redden. Maar nu zat de doofstomme springlevend voor hem, en verdomd als er niet wéér zo'n wezenloze grijns op zijn lelijke gezicht was verschenen.

Tor begroette de dokter met een stijve buiging. Hij zag Clout rechtop in het bed zitten en kon het niet laten zijn grijns te beantwoorden.

'Dokter Vrijberg, ik kan alles uitleggen, maar ik moet eerst met Clout praten,' mompelde hij, terwijl hij de deur achter zich sloot. Daarna was hij in twee stappen bij Clout en greep een van zijn grote handen vast.

'Praten? Met iemand die stom is?' Vrijberg liet zich op de enige stoel in het kamertje zakken en keek door het ene venstertje kwaad naar het marktplein in de diepte. Ook hoorde hij de opgewonden, maar eenzijdige conversatie van de jongen.

'Ik dacht op een gegeven moment echt dat je dood was, Clout. Ik was erg bang!' Tor voelde hete tranen in zijn ogen. Het was hem gelukt. Hij had deze man het leven gered!

Kalm aan, jongen. Werk je niet nog verder in de nesten, mompelde Clout in Tors hoofd, na een knikje in de richting van de dokter. Hij stak zijn andere hand uit en gaf een tikje tegen Tors hoofd. *Er is veel wat ik met je kan delen, maar eerst moet ik nu rusten en jij moet iets indrukwekkends bedenken om de dokter te vertellen.* Toen ging Clout liggen.

Tor liet eerst zijn hand los en daarna ook zijn geest. Hij keek Vrijberg aan, die nerveus aan zijn baard zat te plukken. Het was een goede man, die daar tegenover hem zat. Hij wilde tegen hem niet liegen, maar als hij bekende dat hij begiftigd was zou dat zijn doodsvonnis kunnen zijn. Merkhud had hem daarvoor nadrukkelijk gewaarschuwd.

Gebruik tijdens deze reis je vermogens helemáál niet. Loop er niet mee te koop. Bemoei je met niets en met niemand, alleen met je eigen zaken. Zorg dat je zo snel mogelijk in Tal komt.

Meer had Merkhud niet van hem verlangd, maar had Tor zich hieraan gehouden? Nee. Goron, Corlin en zijn tuig, Eryn, Cyrus, Clout, dokter Vrijberg: zes of meer levens had hij nu al beroerd met zijn magie, terwijl hij nog geen etmaal in deze stad was!

Vrijbergs stem rukte hem uit zijn gedachten. 'Bespaar je de nutteloze moeite een plausibel excuus te verzinnen. Zeg me gewoon in de naam van Licht waarom deze man vandaag nog in leven is.'

Tor richtte zich op. Clouts vermoeide blik volgde hem.

'Het komt door mij... ik heb dit gedaan,' zei Tor met een vlakke stem. Hij was nu echt bang, want zijn leven hing af van de vraag hoe de dokter tegenover het gebruik van het vermogen stond.

'Je bent een begiftigde.'

Het was niet geformuleerd als een vraag, maar Tor gaf niettemin antwoord.

'Ja. Ik kon hem niet laten sterven.'

'Wat moet ik nu met je aan, jongen? Je weet dat mijn eed aan de koning me verplicht je aan te geven bij de Inquisitie?' Het leek alsof Vrijberg zijn verontwaardiging tegen hém richtte, maar Tor bleef zwijgen.

'Verdomde barbaren zijn het!' vloekte de dokter. 'En is dokter Merkhud zich bewust van je talenten, jongeman?'

Tor aarzelde, want hiermee betrad hij nog gevaarlijker terrein. 'Dat is hij.' En hij hield zijn adem in.

Clout deed alsof hij was weggedoezeld. Vrijberg frunnikte aan zijn baard en probeerde zijn tollende gedachten op een rij te zetten. Het bleef lang stil in het muffe kamertje.

'Wel, als de fameuze Merkhud het goedvindt, wie ben ik dan om tussenbeide te komen? Ik heb al dat gedoe over die vermogens toch al nooit begrepen. Als je er zóiets mee kunt bereiken voor iemand die halfdood is, wat kunnen de mensen met dit talent dan niet betekenen voor het hele koninkrijk?'

Dokter Vrijberg ging staan en keek Tor recht in de ogen. Het leek bijna alsof hij medelijden had met de lange, knappe jongeman.

'U bedoelt dat u niemand iets zult zeggen?'

'Inderdaad.'

Tor deed een stap naar hem toe en omhelsde hem onbeholpen om hem te bedanken.

Vrijberg bleef ernstig. 'Het is een fantastische, maar gevaarlijke gave die je hebt, jongen. Je moet er voortaan veel voorzichtiger mee omgaan. Een volgend iemand is misschien minder onder de indruk dan ik.'

Tor knikte.

'Ik moet gaan, jongen. Ik heb een lange dag vol afspraken te gaan, maar ik ben bezorgd. Hoe ga je het wonderbaarlijke herstel van meneer Clout verklaren?'

'Ik heb alleen nog nagedacht over het redden van zijn leven, maar ik verzin wel iets,' zei Tor, terwijl hij zijn vingers door zijn haren haalde.

'Verzin het dan snel, jongen. Deze herbergier is een beruchte kletsmeier. Het verhaal zal als een lopend vuurtje door de stad gaan. Mijn advies aan jou is om hier onmiddellijk weg te gaan. Gebruik het donker van de nacht om zo ver mogelijk bij de stad vandaan te komen.'

Kort daarna was Vrijberg weg. Clout sliep weer. Tor ging naar beneden en bestelde een omvangrijk ontbijt. De vrouw die het hem bracht, vroeg hij de weg naar het beroemde openbare badhuis van Hatten. Plezierig gestemd nu zijn maag gevuld was, liep Tor er via zigzaggende stegen naartoe, ondertussen in een appel happend. Hij genoot van de vrolijke schilderingen op de hoge muren en van het veelkleurige wasgoed dat aan korte stokken hing die onder de vensterluiken naar buiten staken. Hij trapte zelfs met een paar kinderen even tegen een opgebolde varkensblaas aan en gedroeg zich als een nieuwsgierige toerist.

Ten slotte kwam hij bij een pleintje met de rijkversierde fontein, die hij na de beschrijving door de serveerster herkende. Hij sloot aan bij een korte rij mannen die om de beurt een munt in de hand drukten van een oud, verveeld kijkend besje, dat hun in ruil een opgevouwen handdoek gaf.

'Hoeveel?' vroeg Tor toen het zijn beurt was.

'Wel, knapperd, voor een blik op wat er tussen je benen hangt, laat ik je gratis binnen,' kakelde het oude wijf. Tor zag tot zijn niet geringe afschuw dat ze geen tand meer in haar mond had. Het vrolijke gelach om hen heen spoorde haar aan.

'Of kom met me mee naar achteren, dan betaal ik jóú wel.' De heks vond dit zelf erg komisch en Tor werd opnieuw getrakteerd op de aanblik van haar oude tandvlees.

Er kwam een jonge man die hem passeerde. 'Twee koperstukken is het,' zei hij, met een brede glimlach.

Tor liet de muntjes in haar groezelige handpalm vallen, greep de handdoek en volgde de jongeman, blij dat hij aan de kakelende lach van de heks kon ontsnappen.

Hij haalde de man in. 'Bedankt.'

'Niks te danken. Ze is weerzinwekkend, maar ze zegt dit soort dingen tegen iedereen, dus voel je maar niet gevleid.'

'Nee, doe ik niet. Mijn naam is Tor Gynt. Ik ben hier op doorreis.'

'Aangename kennismaking, Tor. Ik ben Petyr, stadshoer.'

Het amuseerde hem dat Tor zich gechoqueerd toonde.

'Kom, kom, Tor, niet zo preuts. Ik heb een bad nodig, en jij ook, zo te ruiken.' Hij trok zijn neus op en liep door.

Het geluid van mannenstemmen werd luider toen Tor achter een stenen pilaar vandaan kwam, achter Petyr, die zich al had uitgekleed. Het bad was enorm en op de wanden eromheen waren tot aan het hoge plafond grote muurschilderingen te zien van blote mensen die door bossen dartelden. Hij stond te staren. Petyr zei iets tegen hem, maar hij hoorde het niet.

'Ik zei: kom verder, knapperd, of blijf je liever naar blote mannen staren?' riep Petyr, die al op zijn rug lag te drijven.

'Noem me geen knapperd,' zei Tor geïrriteerd.

'Waarom niet, domkop? Wanneer heb je de laatste keer in een spiegel gekeken? Je bent knap en hebt een mooi lichaam. Aha, ik zie dat je je er nog niet mee op je gemak voelt. Nou, dat komt nog wel, vriend, dat komt wel.' Petyr waadde geamuseerd een eindje weg.

Tor nam de tijd om zich grondig schoon te schrobben met de korrelige zeep die in potten rond het bad te vinden was. Hij besefte dat het dagen geleden was dat hij voor het laatst had gebaad. Hij ontspande zich in het warme water. Toen Petyr terugkeerde, prees Tor de indrukwekkende architectuur en de schilderingen in dit publieke badhuis.

'Moet je hulp hebben bij het wassen van je haar?' Petyr had groene ogen, omlijst door lange, donkere wimpers. En de blik in die ogen was provocerend.

Gechoqueerd door de suggestie alléén al, wierp Tor een flinke hoeveelheid water eigenhandig over zijn hoofd, waarna hij snel uit het bad klom en nog sneller zijn handdoek om zich heen sloeg.

Petyr stapte nu ook uit het water. 'Je doet schrikachtig, Gynt. Ik bijt heus niet.'

'Hoor eens, bedankt voor je gezelschap. Misschien zien we elkaar nog.' Het klonk zó overdreven beleefd, dat hij zijn tong wel had willen afbijten.

'Ik geloof niet dat we ons in dezelfde kringen bewegen, Gynt, maar ik hoorde dat je vannacht bij Eryn niet de taak hebt volbracht waarvoor je geselecteerd was. Erg teleurstellend.'

Petyr had zich afgedroogd en stapte nu vlot in zijn kleren. Tor was opgehouden met zijn onbeholpen poging achter zijn handdoek zijn broek aan te trekken.

'Ken je Eryn?'

'Als een zus.'

'Weet je waar ik haar kan vinden?'

'Misschien.'

'Petyr, zeg haar alsjeblieft dat het me spijt. Het lag echt niet aan haar.' Hij kleedde zich verder aan.

'Vaarwel, Tor. Misschien zeg ik het haar, misschien ook niet. Leuk, met je gesproken te hebben.' Hij wierp zijn handdoek in een mand en liep weg.

'Wacht!'

Petyr draaide zich om. Tor gooide zijn eigen handdoek ook in de mand.

'Ik logeer in de Lege Bokaal.'

Petyr lachte. 'Wat een passende naam!' Toen verdween hij in een menigte mannen die binnenkwam.

Tor ging op de lage stenen bank zitten die over de hele lengte van de wanden liep. Met een somber gemoed begon hij zijn laarzen aan te trekken, maar deze keer zag hij het briefje dat erin was gestopt. Zijn stemming klaarde op toen hij begreep dat het van Eryn was. Haar handschrift was gruwelijk, maar hij wist te ontcijferen dat ze de vorige avond veel liever bij die vurige, roodharige boer gebleven zou zijn.

Hij wilde het goedmaken met haar, als hij kon. Maar eerst moest hij nu terug naar Clout om te kijken hoe zijn vreemde vriend het maakte.

7

De droomspreekster

De Lege Bokaal was als een bijenkorf zo druk en vol toen Cyrus en zijn compagnie zich opmaakten om Hatten te verlaten. De mannen wilden graag weg. Ze waren al weken op routinepatrouille in het centrale deel van het koninkrijk.

Cyrus was bij zijn soldaten even populair als bij de Tallinezen, die hem overal welkom heetten waar hij verscheen. Hoewel de vrouwen bij bosjes om hem heen hingen, scheen hij zich merkwaardigerwijs nooit in een liaison te begeven. Zijn vrouw, een teer, mooi schepsel, was tien jaar geleden bij de geboorte van zijn zoon overleden. Toen de baby later eveneens stierf, was zijn verdriet zo intens geweest dat zijn vrienden het ergste vreesden. Koning Lorys was altijd gesteld geweest op de flamboyante jonge kapitein en toen de vorige primaat stierf, had Lorys niet geaarzeld Cyrus te promoveren, ondanks het feit dat een paar oudere collega's misschien meer rechten hadden. Het was een eer voor iemand die nog zo jong was, maar Lorys had nooit spijt gehad van deze keuze voor het Primaat van het Schild, zoals de officiële titel luidde. Hij was blij dat de veiligheid van Tallinor in handen van Kyt Cyrus lag.

'Heb je de rekening van die afzetter Doddy betaald?' vroeg Cyrus zijn kapitein.

Herek knikte. 'Maar alleen de vaste prijs die we in de lente hebben afgesproken.'

'Goed zo. De woekeraar zal het bier van de manschappen wel weer hebben aangelengd met water.'

'Wilt u dat ik nog eens met hem...'

'Nee,' onderbrak Cyrus hem verstrooid. 'Ik bedenk net dat hij ons dan wel op een andere manier zou oplichten. Herbergiers schijnen namelijk te denken dat degenen die de koninklijke vlag voeren ook de koninklijke beurzen bij zich hebben.'

De kapitein onthield zich van commentaar.

'Herek, we vertrekken bij het aanbreken van de dag. Geef het de mannen door.'

'Ja, primaat.'

'We doen het in twee dagen.'

'Geen probleem, meneer, als we snel om het Grote Woud heen kunnen.'

'Maar dan moeten we tempo maken. Ik ben het grootste deel van de dag bij burgemeester Reyme, als je me nodig hebt. Zorg ervoor dat de mannen morgen klaar zijn.'

De primaat gaf Herek een knikje en keek toen naar de deur. De Torkyn Gynt die binnenkwam, zag er tot zijn genoegen heel wat presentabeler uit nadat hij kennelijk een bad had genomen en een kapper had bezocht. Cyrus zag dat Herek bij het weggaan voor hem salueerde, maar was nieuwsgieriger naar hoe het de jongeman de afgelopen nacht vergaan was.

'Hallo, Gynt.'

'Primaat Cyrus, bent u nog hier?' Tor was op weg naar de trap, maar liep nu naar de plaats waar Cyrus zat.

'Zoals je ziet.' Cyrus knikte naar een vrije stoel aan zijn tafeltje.

'Wanneer trekt u verder?' vroeg Tor, terwijl hij ging zitten. Ondertussen maakte hij een snelle link met Clout. Die bleek wakker te zijn en Tor wilde iets tegen hem zeggen, maar liet het toen achterwege.

'Hoe ging het?' Cyrus grijnsde goedmoedig.

Tor moest nadenken. 'Hoe ging wát?' Er waren inmiddels twee bekers bier op de tafel gezet.

'Gisteravond. Je vroeg wanneer we verdergaan en ik gaf antwoord, maar je geest was met iets anders bezig, geloof ik. Ben ik zó saai?'

'Neem me niet kwalijk.' Hij moest voortaan beter oppassen met deze dingen. 'Het zijn rare dagen geweest en ik ben er niet altijd met mijn hoofd helemaal bij.'

'Dat verbaast me niets, Gynt, na vannacht. Hoe was je prestatie?'

'Goed, neem ik aan... Heb geen klachten gehoord.'

'Ha!' Cyrus mocht deze jongen wel. Hij dronk zijn beker leeg en zette hem met een klap op de tafel. 'Ik ben benieuwd hoe het je in Tal zal vergaan, Gynt. Pas goed op jezelf, onderweg ernaartoe.'

Tor ging staan en pakte de uitgestoken hand van de primaat stevig vast, op de manier zoals dat in Tallinor gebeurde.

'Tussen haakjes, Gynt, veel geluk met Merkhud. Als je me ooit nodig hebt, kun je me bereiken via de Paleisgarde,' zei Cyrus. Zijn ogen glinsterden van geamuseerdheid.

Tor was geschokt. 'Hoe weet u dat?' stamelde hij, want hij wist zeker dat hij dit aan niemand had verteld, alleen aan dokter Vrijberg.

'Het is mijn taak om alles te weten.' Cyrus gaf zichzelf een tikje op zijn neus.

'Moge Licht u op weg naar huis beschermen, primaat Cyrus.'

'Doet het altijd, Gynt.' Na een laatste knikje verliet hij abrupt de herberg.

Een machtige vriend straks in het paleis, dacht Tor. Hij beklom de trappen naar de tweede verdieping en stapte zijn kamertje binnen.

Je ziet er goed uit, Clout, zei hij, waarna hij op zijn krukje bij het venster ging zitten.

Clout, die ontspannen op Tors bed zat, had kennelijk zijn best gedaan om zich een beetje op te frissen. Uit zijn kleine reistas had hij een schoon hemd opgeduikeld.

Ik voel me goed. De stem had een rijk timbre in Tors hoofd.

Tor haalde diep adem en keek naar de gebouwen aan de overkant van het marktplein.

Hoe weet je mijn naam? vroeg hij zacht, zonder zijn hoofd van het venster af te draaien.

Die weet ik al mijn hele leven.

Tor schrok, maar hij dwong zichzelf tot doorvragen. *Wie heeft je over mij verteld?*

Lys.

Een vrouw?

Ja.

Wie is ze?

Ik heb geen idee, antwoordde Clout doodleuk.

Ik bedoel, hoe kent ze mij?

Dat zou je haar zelf moeten vragen, Tor. Clout haalde verontschuldigend zijn schouders op.

En wat is jouw eigen bedoeling?

Clout schudde bijna onmerkbaar van nee. *Over mijn uiteindelijke bedoeling ben ik niet ingelicht, maar ik...*

Tor draaide zijn hoofd nu met een ruk naar Clout toe. Op diens grote, lelijke gezicht was een uitdrukking van begrip en medeleven te zien. Hij stak een hand op om de frustratie van de jongen te sussen.

Tor, laat me je liever vertellen wat ik wél weet. Dan kunnen we misschien een paar stukjes van deze rare puzzel aan elkaar passen.

Hij praatte verder, nadat Tor berustend had geknikt. *Ik kom uit een bijna onbekende streek in het uiterste noordoosten van het koninkrijk. Ons volk noemt het gebied Rotssel, maar heel oude mensen noemen het ook wel*

Rotseiland, wat vreemd is, want een eiland is het zeker niet.

Hij zag dat Tor geïrriteerd met zijn ogen knipperde en schraapte zijn keel.

Sinds ik oud genoeg ben om te weten wat dromen is, heb ik in mijn dromen bezoek gehad van een vrouw die zich Lys noemt. Ze laat zich nooit zien, maar is wel aanwezig. Mijn leven lang heeft ze met me gesproken over iemand – geheten Torkyn Gynt – met wie ik een band heb.

Tor onderbrak hem. *Hoezo, een band?*

Ik zal het uitleggen, maar eerst: heb je ooit gehoord van de Paladijn?

Tor schudde zijn hoofd.

Wel, wat ik je nu ga zeggen zal je voor een raadsel stellen, zoals het ook mij voor een raadsel stelde, vele jaren lang, tot Lys me dwong om mijn levenslot te aanvaarden. Ik heb hierover nooit met iemand gesproken, zelfs niet in mijn eigen familie. Ze vergeven me misschien nooit dat ik een paar weken geleden opeens ben vertrokken.

Er klonk verdriet in zijn stem toen hij het over zijn familie had.

Ga door, Clout.

De man zuchtte. *De Paladijn heeft tien leden, ieder gekozen uit één van de oude volken van het koninkrijk. Het mijne, de Brokken, woont al eeuwen in onze regio. Sinds ik oud genoeg ben om het te begrijpen, heeft Lys me ingeprent dat ik een van de tien ben.*

Hij liet een geladen stilte vallen.

Maar wat heeft dat met mij te maken?

De Paladijnen zijn lijfwachten, Tor. Clout sprak in volle ernst. *Twee van ons zullen je beschermen met onze magie en desnoods ten koste van ons leven.*

Maar waaróm? Tor voelde dat zijn hart opeens was gaan bonken. Zijn tong was droog, zijn handen waren vochtig van het zweet. Hij wilde het antwoord eigenlijk niet horen.

Omdat jij de Ene bent. Je bent gegeven om de wereld te redden en ik ben meteen na mijn geboorte met jou verbonden als een van jouw Paladijnen, waarschijnlijk lang voor jij ter wereld kwam.

Tors nauwelijks beheerste boosheid raakte Clouts geest als een klap. *Dat slaat nergens op, Clout. Luister maar! Ik ben de zoon van een gewone klerk, ik heb een alledaags leventje geleid in een doodgewoon saai dorp, waar de kermis in Tweevoorde het jaarlijkse hoogtepunt is!*

Clout bleef kalm en vriendelijk. *Toch ben jij, gewone zoon van een gewone klerk, momenteel op weg naar het koninklijk paleis, als leerling van de beroemdste dokter die ons land kent en die toevallig tévens in hoge mate begiftigd is, net als jij.*

Maar dat heeft er niets mee te maken! snauwde Tor, die schrok van de constatering dat Clout op de hoogte was van Merkhuds vermogens.

Nou en óf het ermee te maken heeft! Wat dacht je van je eigen machtige magie? Denk je dat hij daar geen belangstelling voor heeft? Kijk eens naar wat je voor mij hebt gedaan! En je hebt je niet eens vreselijk hoeven in te spannen, Tor. Denk eens na. Hoe voelde het aan om mij te genezen? Toen je eenmaal begreep wat nodig was, was het zo eenvoudig als het eten van een gebakje van Lekkere Batt – heerlijk en onweerstaanbaar.

Mooi. Dan heb ik je gered, zei Tor op bitse toon. *En straks zal ik de wereld redden. Maar waarván?*

Clout schudde zijn hoofd. *Dat weet ik ook niet, jongen. Maar misschien zal Lys het ons zeggen.*

Tor schonk zich een beker water in uit een kan. Hij dronk een paar kalmerende slokken, vulde de beker opnieuw en gaf hem aan Clout.

Goed. Zeg me wat je verder nog weet, zei hij, en hij ging weer op zijn krukje zitten.

Zijn vriend glimlachte. *Lys heeft gezegd dat ik moet wachten. Elke zomer heeft ze me opgedragen om geduldig te zijn. Ik wacht al vijftig zomers.*

Wát? Ben je al vijftig? riep Tor uit. *Maar... hoe...*

Ja. Volgens jouw opvattingen ben ik oud, maar wij Brokken zijn een aparte soort, Tor. We leven lang en in de ogen van de ouderen onder ons ben ik nog erg jong.

Leven je ouders nog?

Natúúrlijk! En mijn oudere broers en zusters, en zelfs mijn grootouders. En allemaal zijn ze razend op me nu ik opeens uit Rotssel verdwenen ben. Er verscheen een stralende glimlach op zijn lelijke gezicht.

Tor moest ondanks alles hardop lachen. *Clout, begrijp je wel hoe ráár dit alles voor mij is? Een paar dagen geleden zat ik nog inkt te knoeien en kreeg ik op mijn kop van mijn vader. En nu geniet ik opeens de bescherming van een vreemde, oude... Brok, heet het zo? En hoor ik dat ik ons land moet redden van iets wat ook hij niet weet.*

Geloof het maar, Tor. Je moet het aanvaarden, zoals ik dat heb gedaan. Bedenk eens hoe raar het is om als kind iets te horen over een ander kind, dat nog niet eens is geboren, en dan vijftig jaar te wachten, en dan opdracht te krijgen huis en haard te verlaten om die persoon te zoeken en te beschermen.

Tor zat in stilte een poosje na te denken over de manier waarop hun levens verstrengeld waren geraakt.

Heeft Lys je ooit gezegd wat ze van mij wil? vroeg hij.

Nee, maar ze suggereert dat we gewoon ons instinct moeten volgen, dan ontvouwen de gebeurtenissen zich vanzelf. Clout haalde zijn schouders op.

Ontvouwen? Licht! Waar ben ik in terechtgekomen? Is er nog meer wat ik moet weten? Hé, daarnet zei je dat je me moest zoeken. Hoe wist je waar je moest kijken?

Clout dronk het laatste restje water en rekte zich uit. *Lys kwam bij de laatste volle maan in een droom bij me en zei dat de tijd gekomen was. En dat ik voor zonsopkomst moest vertrekken en toen ik vroeg waarheen, zei ze dat ik het zou weten wanneer ik wakker werd. En ze had gelijk. Toen ik vlak voor het licht werd, ontwaakte, kon ik je aanwezigheid voelen. Het was alsof ik alleen maar een kleurig lichtgevend snoer door Tallinor hoefde te volgen om bij je te komen. Zo heb ik je herkend. Je kleuren zijn van een verblindende felheid.*

Zie je me in kleuren?

Nee, ik volgde de kleuren die ik waarnam, en zij waren verbonden met jou. En als ik door die hufterige korporaal niet beschuldigd was van... wat was het... glúren, zei Clout verontwaardigd, *zou ik je ergens buiten Hatten hebben ontmoet, en niet in deze gevaarlijke omstandigheden.*

En wat had je dan tegen me willen zeggen? Ziehier, ik ben Clout, je grote en zéér oude beschermer?

Nou, nee, ik had je van je paard getrokken om je uit te dagen tot een machtsstrijd, want ik was nogal overmoedig door de nieuwe magie die me vulde. Wie zegt dat een magere knul als jij de wereld moet redden? Waarom kan een edele en, al zeg ik het zelf, knappe Brok zoals ik dat niet veel béter doen?

Clout maakte theatrale armgebaren bij zijn tirade en Tor moest er in zijn zenuwen hard om lachen. Het was een geluid dat voor hen beiden geruststellend was.

Om je de waarheid te zeggen, Tor, had ik geen idee wat ik zou zeggen of wat ik verondersteld werd te zeggen, nadat ik je gevonden had. Ik volgde gewoon mijn neus, zoals Lys me had opgedragen. En ten slotte was jij het die mij vond.

De magie die je nu hebt, zoals je daarnet zei... waarom heb je daar geen gebruik van gemaakt?

Dat zou een érg intelligente manier zijn om de aandacht op mezelf te vestigen. Ik hoor dat ze iedereen breidelen die ook maar een greintje aanleg voor het vermogen toont. Nee, Lys heeft me gewaarschuwd. Ik wil zo weinig mogelijk opvallen. Ze zei dat mijn uiterlijk al meer dan genoeg was... niet dat ik weet hoe ze dat bedoelde! Dus ik volgde haar advies en liet me met een oor aan een paal vastnagelen, zodat iedereen van mijlen in het rond me op zijn gemak kon komen bekijken en bespotten en bekogelen met smerig spul. Echt ónopvallend, dat moet je toch toegeven.

Tor genoot van Clouts gevoel voor humor. Zijn nieuwe vriend beviel hem steeds beter. *Wat voor magie bezit je nu?*

Clout haalde op zijn karakteristieke manier zijn schouders op. *Weet ik niet, eerlijk gezegd, want ik heb nooit iets geprobeerd. Ik verbaasde mezelf toen ik gisteren opeens een geestelijke link met je legde. Het gebeurde zonder dat ik zelf wist wat ik deed. Als ik niet in een zo penibele situatie had verkeerd, zou ik er een vreugdedansje aan hebben gewijd.*

Er werd zacht op de deur geklopt. Tor had maar twee stappen nodig. Er bleek een jong dienstmeisje op de gang te staan, dat water en kaarsen kwam brengen. Tor liet haar binnen en zag haar doodsbange blikken in de richting van Clout, die zo verstandig was om te doen alsof hij sliep. Als het meisje begon rond te vertellen dat hij rechtop zat en genezen was, zou dat zeker gevaarlijk kunnen zijn. Hoewel hij dus tevreden was over de tegenwoordigheid van geest van zijn vriend, was Tor minder te spreken over Clouts initiatief om zijn onderkaak open te laten vallen en eventjes heel luidruchtig te snurken. Het meisje slaakte een kreetje van schrik en repte zich de kamer uit.

Nieuwsgierig grietje!

Tor zuchtte. *Hoe nu verder, o heer beschermer?*

Ik zal gaan waar jij gaat, Torkyn. We hebben een band, weet je nog? Niet dat ik er zin in heb, begrijp me goed. Ik weet bij ons thuis een hoop dingen te doen die ik leuker zou vinden. Bijvoorbeeld een kalme wandeling naar Lekkere Batt, om eens te zien wat ze in haar keuken aan het bereiden is. Clouts stem in Tors hoofd kreeg een dromerige klank.

Wel, jij hebt dus geen plan, maar ik wel. Morgenvroeg vertrekken we naar Tal, maar in het geheim. Ik neem aan dat je een paard op stal hebt staan? Verder moeten we maar gewoon kijken wat er gebeurt. Maar wie is Lekkere Batt in hemelsnaam?

8

Bij Juffrouw Vylet

Het gebeurde enkele uren later en gelukkig konden ze de link gebruiken om ruzie te maken.

Nee, geen sprake van!

Clout, je moet me vertrouwen, smeekte Tor.

Dat je me zult opvangen op een kussen van magie als ik val? Of dat je me met magie weer zult oplappen? Clout liet het nogal hatelijk klinken. Hij had hoogtevrees en vond Tors voorstel extravagant.

Tor pakte zijn vriend bij een hand. *Nee, reken er maar gerust op dat ik je niet laat vállen.*

Ik zal gaan waar jij gaat, mompelde Clout op een vermoeide, berustende toon.

Hoor eens, dit is doordacht en ik heb een proef genomen. We moeten via een paar belendende gebouwen over het dak gaan en ik heb een plek gevonden vanwaar we dan vrij gemakkelijk op straatniveau kunnen komen. O ja, nog iets, je zult een rok en een sjaal dragen. Ze zitten daarin. Tor wees naar een zak in de hoek.

Toen haastte hij zich de kamer uit en sloot hij hun geestelijke link snel af, voordat Clouts gebrul hem bereikte.

Er was voor hem nog een laatste taak voordat ze vóór het ochtendgloren zouden ontsnappen. Als zijn informatie correct was, moest hij haar zoeken in een bordeel dat Juffrouw Vylet heette. Dit gebouw bleek tegen de Uitkijk aan te staan, een herberg die populair was bij schippers en degenen die per schip in Hatten arriveerden. Tor verwachtte dat het een gribus zou zijn, maar de gebouwen bleken keurig onderhouden.

Toen hij bij de Uitkijk naar binnen stapte, deinsde hij bijna achteruit door het lawaai van wel honderd geanimeerde gesprekken en dronkenmansgelal. Tabaksrook omgaf de opgetogen klanten met een blauw waas. Hij zocht de gelagkamer af naar Eryn, maar zag haar niet. Er ging een steek van teleurstelling door hem heen. Hij baande zich een weg tot bij de bar en bestelde een beker bier. Hij betaalde, ging met zijn rug en ellebogen tegen de bar staan, en begon de activiteiten in de zaak te bekijken.

Er waren verschillende vrouwen die in uitdagende, diep uitgesneden zijden jurken dranken en maaltijden serveerden. Anderen zaten bij klanten op schoot en staken hun pijp aan. Juffrouw Vylet was een slimme tante. Het bier was lekker en de geurtjes uit haar keuken bewezen dat dit een goede herberg was, waar haar klanten telkens graag terugkwamen. En ze verdiende niet alleen geld aan drank en voedsel en gezelligheid, maar ook aan de bevrediging van andere behoeften van de clientèle.

Om deze aan te wakkeren liet ze haar roedel mooie meiden zichzelf efficiënt in de etalage zetten. Hij zag een meisje met een fris gezicht en gehuld in een strak, vuurrood jurkje om haar fraai geproportioneerde lichaam langdurig en diep over een tafeltje gebukt staan om de maaltijdresten van drie rijke kooplieden op te ruimen. De man tegenover haar kreeg een zo riant uitzicht op haar gladde, smakelijke borsten, dat hij spontaan de aandrift kreeg een prijs af te spreken. Het meisje liet de kans natuurlijk niet lopen. Ze gaf iemand op de overloop een tekentje en verdween toen met haar klant aan haar arm, voordat de man zich zou kunnen bedenken.

Tor volgde haar blik omhoog en zag daar een oude dame met een rechte rug op een stoel zitten. Ze was een jaar of vijfenzestig en hield met haar scherpe, zoekende blik alles in het oog. Ze zag dat hij naar haar keek en beantwoordde zijn glimlach met een geamuseerd optrekken van een wenkbrauw.

Dat moest juffrouw Vylet zijn.

Toen Tor zijn hoofd weer draaide, zag hij dat een ander meisje de schone in het rood al had vervangen en op haar manier het tafeltje aan het afruimen was. Jawel, juffrouw Vylet pakte het erg slim aan, concludeerde hij. Ze zou wel schatrijk zijn, want er ging hier heel wat geld om.

Hij dronk zijn beker leeg. Toen hij tegen schouders duwend een weg naar de deur zocht, stootte hij tegen iemands arm, waardoor deze man wat bier knoeide. Tor verontschuldigde zich en de man wuifde het ongelukje goedmoedig weg, waarna hij het schuim van zijn broekspijp veegde. Toen hij dat deed, zag Tor een vertrouwde waterval van ravenzwart haar. Zijn adem stokte toen hij Eryn levendig zag converseren met de man bij wie ze op de knie zat. De man tegen wie hij aan was gebotst, ging weer staan. Eryn was niet meer te zien.

Tor zocht iets dichter bij de deur een betere plek om haar te zien. Ze zag er betoverend uit en haar metgezel lachte om een verhaaltje dat ze aan het vertellen was, terwijl zijn behaarde hand rondzwierf over haar rug, die amper bedekt was onder een rood jurkje. Ze lachte zelf ook en was bezig hem te verleiden. Tor was ziedend. Hij had daar geen enkel recht toe, maar hij voelde een gevaarlijke jaloezie in zich opkomen.

Er schampte een vrouw langs hem heen die een blad met drankjes bij zich had. Tor raakte haar elleboog aan om haar aandacht te trekken.

'Je kunt mij niet betalen, jongen,' zei ze, maar niet onvriendelijk. 'Anders gráág, hoor, echt waar.'

Haar geamuseerdheid en de toon waarop ze sprak, blusten zijn kwaadheid meteen. 'Zo bedoelde ik het niet.'

'Jammer dan.' Ze glimlachte.

'Ik vroeg me af of je kunt zeggen bij wie Eryn daar op schoot zit... als dat hier is toegestaan.' Hij had deze keer zijn charmantste glimlach nodig.

'Nee, eigenlijk niet...' De aarzeling bewees Tor dat zijn charme nog werkte. 'Waar zit ze dan?' vroeg ze, om zich heen kijkend.

'Daar, in de hoek.' Tor knikte in die richting, maar hield zijn rug opzettelijk naar Eryn toe gekeerd.

'O, die. Dat is kapitein Margolin. Is dol op Eryn. Komt altijd op bezoek als hij in Hatten is, geeft hier dan veel geld uit en weigert elk ander meisje.'

Tors jaloezie vlamde weer op, maar hij probeerde het niet te laten zien. Hij grijnsde. 'Aha. Is het te veel gevraagd als ik je naar de naam van zijn schip vraag?' Tor dacht snel na en zijn glimlach straalde nog steeds.

'Laat me even nadenken. Nou, misschien moet je het even controleren bij iemand die het zeker weet, maar ik geloof dat het *Majesteit* heet. Hoezo, heeft ze een probleem?'

En die woorden inspireerden Tor tot een plan.

'Nee. Ik... eh... ik heb alleen een boodschap voor haar, meer niet.' Tor liet het zo nonchalant mogelijk klinken.

'Ik ben haar vriendin, Elynor. Ik zeg het haar wel, maar dan moet je snel zijn.' Ze knikte naar de overloop, vanwaar juffrouw Vylet hen beiden in het oog zat te houden.

Tor schudde onverschillig zijn hoofd, alsof hij haar vraagprijs veel te hoog vond. 'Nee, bedankt hoor, maar wees niet bezorgd. Ik spreek haar straks wel.' Tor veinsde een glimlach en maakte aanstalten om weg te lopen.

Hij hoorde dat Elynor een snuivend geluid maakte. 'Dan moet je lang wachten, knapperd. Margolin betaalt haar altijd voor de hele nacht.'

Tor werd er beroerd van. Hij haastte zich de koele avondlucht in en zoog deze diep naar binnen om zijn hoofd te bevrijden van het lawaai en zijn neusgaten van de rook. Dit was stom gedoe. Hij moest haar gewoon vergeten en naar zijn herberg terugkeren. Hij keek de straat af en zag een jonge knaap langskomen. Tor floot hem terug.

'Wil je een hertog verdienen?'

'Ik ben geen hoer.' De jongen was amper acht en zijn antwoord choqueerde Tor.

'Heb ik je dan gevraagd... eh...'

'Nou, daar gaat het hier de hele tijd om,' zei de jongen, met een knikje naar Juffrouw Vylet. 'Als ze de meisjes niet neuken, dan willen ze een jongen. Dat wil ik vóór zijn. Ik woon hier in de buurt en krijg elke dag wel eens te horen of ik wat wil verdienen.'

Hij keek naar Tor, die nog steeds sprakeloos was.

'Wel, lange, hoe kan ik een hertog verdienen?' De jongen knipte met zijn vingers alsof hij Tor uit zijn trance wilde halen.

'Nou, zometeen,' antwoordde Tor, die zich hernam. 'Dan geef ik je een hertog en ga jij deze tent binnen en doet alsof je helemaal vanaf de kade hierheen bent komen rennen. Dan ga je naar een kapitein die Margolin heet, en die in de tweede alkoof vanaf dat venster daar zit, en zegt hem dat er brand is aan boord van zijn schip. De *Majesteit*. Zeg hem dat hij onmiddellijk moet komen. Ren daarna zo snel als je kunt weg. Ik wacht op je achter die hoek daar, en geef je nóg een hertog.'

De jongen knipperde maar één keer met zijn ogen. 'Dat is goed. Waar is mijn geld?'

'Nee, nee, niet zo snel. We nemen het nog eens door.' Tor kon niet geloven dat de jongen het meteen allemaal snapte.

'Hoor eens, heerschap, moet dit klusje gedaan worden of niet? Ik ben al laat. Bijverdienen is leuk, maar helpt me geen flikker als mijn ma me straks onder handen neemt. Dus ja of nee, maar wel graag snel.'

Wat een lef! Tor haalde de munt uit zijn zak en gaf hem aan de knul. Die was de kroeg al binnen voordat Tor zijn instructies had kunnen herhalen, en hij had al meteen een mooie paniekerige blik in zijn ogen. Tor zag door het ene venster verbluft hoe briljant de jongen acteerde, om te beginnen door zich op een theatrale manier tussen de gasten door te wurmen en zelfs een keer vanachter het venster naar hem te knipogen. Tor moest naar het tweede venster lopen om de finale te zien. De kapitein keek eerst verwonderd, maar toen geschrokken, naarmate de jongen met zijn zwaaiende armen en de paniek in zijn ogen vorderde met zijn onheilsbericht. Margolin duwde Eryn van zijn schoot, tastte in zijn zak en wierp haar wat munten toe, leek zich toen iets te herinneren en draaide zich om en kuste haar hand, waarna hij bij wijze van uitleg naar de deur wees. De jongen was toen al tussen de benen van de klanten door geglipt en de kapitein kon hem niet bijhouden.

Tor rende nu de straat af en verborg zich achter de volgende hoek, waar even later zijn kleine medeplichtige verscheen, die voldaan grijnsde.

'Je bent me er nog eentje schuldig,' zei hij, niet eens buiten adem.

'En die heb je verdiend. Ik geloof dat je erg goed bent in dit soort dingen.' Tor had sympathie voor deze knul met zijn woeste zwarte haardos en groene ogen. Hij gaf hem zelfs nog een derde munt.

'Toe maar, drie!'

'Eerlijk verdiend. Hoe heet je?'

'Locklyn... Lockie.' Hij keek met glinsterende ogen naar het geld in zijn handpalm.

Ze hoorden Margolin de andere kant op rennen, naar de kade. De samenzweerders lachten.

'Ik heet Tor. Je deed het geweldig!'

'Ik hoop dat ze het waard is, Tor.' Lockie grijnsde breed, knipoogde naar hem en rende toen weg.

'Hé, ik hoop dat je ma je niet te hard slaat,' riep Tor hem na.

Lockie keek over zijn schouder. 'Dat was gelogen. Ik heb geen ma. Mijn zus past op me.' En toen was hij weg.

Tor wandelde terug naar het bordeel en zocht Eryn. Het bleek dat Elynor naast haar aan de bar stond en dat ze beiden wachtten tot hun dienblad was volgezet met bestellingen. Eryn zag er geërgerd uit en Elynor was bezig haar iets uit te leggen.

Tor wierp een blik naar de overloop, waar juffrouw Vylet zat. Ze had hem sedert zijn tweede entree in haar etablissement geen moment uit het oog verloren.

Je kunt maar beter genoeg geld op zak hebben om haar te betalen, jongeman. Haar stem klonk kalm en geprononceerd in zijn geest.

Tor kon zijn schrik niet verbergen. Hij bleef verstijfd staan en hoopte dat zijn mond niet openhing.

Heb ik, antwoordde hij voorzichtig via de geestlink.

Wees dan welkom in het huis van juffrouw Vylet.

Haar gerimpelde gezicht plooide zich tot een zonnige glimlach en Tor zag op dat moment dat juffrouw Vylet in haar jeugd een stralende schoonheid moest zijn geweest. Hij grijnsde nu zelf ook, maar die grijns verdween meteen van zijn gezicht toen een hele beker bier boven zijn hoofd werd omgekieperd. Hij had haar moeten zien aankomen!

'Klootzak!' wierp Eryn hem naar zijn hoofd, samen met de beker, die hem pijnlijk op zijn kaak raakte.

Er werden hoofden omgedraaid en de mannen om hem heen lachten. Eryn had heel goed opgepast dat geen van de andere klanten geraakt werd door haar rondspattende woede.

'Hoe durf je!' Ze was furieus.

Haar haren glommen onweerstaanbaar prachtig, stelde Tor vast, ondanks zijn hachelijke positie. En in een volgende vreemde flits van nuchterheid herinnerde hij zich opeens dokter Merkhuds waarschuwing dat hij tijdens deze reis zo onopvallend mogelijk moest zijn. Hij had zijn kunst om op te vallen nu tot duizelingwekkende hoogte opgevoerd. Eerst op de markt, toen het schertshuwelijk, nu dit. Hij werd er doodmoe van en zijn geduld was op. Hij greep Eryn bij haar elleboog en trok haar kwaad mee naar buiten, zonder enige tegenspraak te dulden.

Wel gebruikte hij de link naar juffrouw Vylet. *Ik kom dadelijk terug.* Hij hoorde dat ze zacht grinnikte en zij was het die de link verbrak.

Buiten maakte de kou het natte bier op zijn huid nog kouder, maar hoe harder Eryn tegenstribbelde, hoe vaster hij haar arm in zijn greep nam. Ze hield ermee op, maakte zichzelf slap en trok zelfs een pruilmondje.

'Waarom dit briefje, als je me nooit meer wilde zien?' vroeg hij, terwijl hij het verkreukelde briefje voor haar neus hield.

'Ik wilde weten of je het gore lef had om me nog ooit onder ogen te komen,' beet ze hem toe, terwijl ze haar pink bewoog in een welsprekende evaluatie van zijn mannelijkheid.

'Ik bén er nu toch?' Een minder potsierlijke repliek kon Tor niet verzinnen.

'Ja, was dat maar niet zo! Kapitein Margolin betekent voor mij een hoop geld, en dat heb jij zojuist verpest. Ik wacht al vanaf het begin van de zomer op hem. Je doet me pijn.'

Ze vocht tegen haar tranen, en daardoor smolt Tors wraakzucht meteen weg. In plaats daarvan dacht hij wrokkig aan het rare leven dat hij tegenwoordig leidde. Hij liet haar arm los.

'Dat van je kapitein vind ik erg jammer, Eryn, eerlijk waar. Ik ben vanavond alleen gekomen om je te zeggen hoe het me spijt van onze avond. Dat had helemaal niets met jouw persoon te maken en ik zou willen dat ik het je beter kon uitleggen dan alleen zó.'

Hij zuchtte toen hij terugdacht aan de avond. 'Ik wil trouwens die hele dág het liefste vergeten, maar het wil niet uit mijn gedachten hoe mooi en hoe grappig jij was, en dat je het volste recht hebt op mijn excuses... En die heb je nu gekregen.'

Hij wreef zijn donkere haren uit zijn knappe gezicht en Eryn verwonderde zich in stilte over het feit dat hij er klaarblijkelijk geen flauw benul van had wat voor een hartendief hij was.

'Ik heb nog maar één goudstuk over en dat is voor jou, en ik hoop dat het je nacht met Margolin een beetje compenseert.' Hij haalde de munt tevoorschijn, een zware gouden soeverein, en drukte hem in haar hand. Toen boog hij zijn hoofd, kuste de hand waarin ze het geld hield en liep weg.

'Tor, wacht!' Ze probeerde hem in te halen, maar hij verlengde zijn lange passen nog wat verder.

Eryn trok haar jurk een eindje op en rende achter hem aan. Ten slotte kon ze hem bij zijn natte jasje pakken en draaide ze hem naar zich toe. Licht! Hij was werkelijk de mooiste man die ze ooit had gezien.

'Tor, wacht even, alsjeblieft...' Ze moest op adem komen. 'Je sterft van de kou voor je daar bent waar je heen wilt.'

Hij keek gekweld, dacht ze, en opeens ook bedroefd. Het begon zachtjes te regenen en de mensen zochten droge plekken op. Er kwam een briesje aanwaaien vanaf de zee en het blies recht in hun gezicht.

Hij richtte zijn ongelooflijk blauwe, maar vermoeide ogen op haar. 'Ga gauw terug, Eryn. Jij bent degene die kou zal vatten en dat lijkt me funest voor je handel.' Hij trok een lelijk gezicht om dit gemene grapje en zag dat zij het evenmin kon waarderen.

Eryns geur en haar warme nabijheid herinnerden hem te sterk aan Alyssa. Een diep verdriet maakte zich van hem meester. Hij moest gaan. Haar blik doorzocht de zijne, maar hij wist niet waarom. Hij bukte zich, kuste haar boven op haar hoofd en maakte haar hand los van zijn jasje. 'Vaarwel, Eryn. Het ga je goed.'

'Nee, verdomme, Torkyn Gynt. Je kunt me niet een muntje in de hand stoppen en dan weglopen. Je mag dan tenminste toch wel krijgen waarvoor je betaald hebt.'

Hij wilde weg. 'Ga dan naar Margolin toe. Zeg hem dat hij je mag neuken en dat ik trakteer, omdat ik al heb afgerekend.'

Ze was zichtbaar geschokt. Ze bracht een hand naar haar keel en Tor verafschuwde zichzelf. Ze sloeg hem hard op zijn wang, draaide zich om en liep terug over de straat. Hij liet haar gaan. Hij zag hoe ze haar armen om zich heen sloeg tegen de motregen die nu snel een echte bui werd. Hij was blij. De zaak was onvoltooid, maar nu in ieder geval duidelijk.

Zijn wang brandde. Tor stak zijn handen diep in zijn zakken en liep verder van de Uitkijk en Juffrouw Vylet vandaan. Hij dacht aan Alyssa, probeerde een link met haar te leggen, maar stuitte weer op de duisternis die hij had verwacht. Hij zou er alles voor over hebben om haar weer eens tegen zich aan te mogen drukken. Hij tastte naar Clout, maar stelde vast dat deze sliep. Tot zijn genoegen constateerde hij dat zijn vriend weer volledig op krachten was. Toen hij de hoek omsloeg van de straat die hem uit het havengebied weg zou voeren, voelde hij opeens als een zachte bries de stem van juffrouw Vylet in zijn hoofd.

Dat verdient ze niet.

Hij verbaasde zichzelf door onmiddellijk met een glad antwoord te komen. *Bemoei u er niet mee, juffrouw Vylet.* Hij bleef doorlopen.

Wat laf, Torkyn. Ik hoop dat Merkhud de volgende keer een betere keuze maakt.

En ze klapte de link meedogenloos dicht.

Merkhud! Wat wist zij van Merkhud? Er tolden allerlei mogelijkheden door Tors hoofd.

Wie zijn jullie allemaal? schreeuwde hij terug via de link en toen begon hij te rennen, terug naar de Uitkijk. Het was nog druk binnen, maar minder vol dan daarstraks. Hij zag noch juffrouw Vylet, noch Eryn.

'Jij weer?' Het was Elynor, met een dienblad in de hand en haar andere hand op een heup.

'Is juffrouw Vylet nog hier?'

'Hiernaast, maar meer krijg je niet te horen, knapperd, wie je ook moge wezen.' Ze liet hem staan.

Licht rillend duwde Tor de gordijnen opzij voor het gangetje dat de herberg met het bordeel verbond. Het lawaai werd minder toen hij achter een tweede, nog dikker gordijn in een door kaarsen verlichte foyer binnenkwam. Daar stond een prachtig wezentje in een oogverblindende gouden japon op vanachter een laag kamerscherm. Ze heette hem met een brede glimlach welkom.

'Goedenavond, meneer,' begon ze, maar opeens drong zijn leeftijd tot haar door. 'Eh... kan ik iets voor u doen?'

Hij aarzelde geen moment, tot zijn eigen verbazing. 'Zeker kun je dat, eh...' Tor keek er vragend bij en het meisje gaf hem terstond haar naam.

'Dank je, Mya. Ik zoek Eryn. Ik geloof dat ze hier zo-even is binnengekomen.'

Mya wilde juist antwoorden, toen hij meer voelde dan hoorde dat er iemand achter hem was komen staan. Hij draaide zich om.

'Goedenavond.'

'En dat is juffrouw Vylet, meneer,' zei Mya snel.

Tor stapte naar de oude vrouw toe, maakte een buiging en kuste haar hand.

'Fijn u weer te zien, mevrouw,' zei hij ter wille van Mya hardop, maar via hun link vervolgde hij: *Ik geloof dat we het een en ander te bespreken hebben.*

Inderdaad, zei ze, en toen verbrak ze de link weer.

'Mya, meneer Gynt en ik hebben een gemeenschappelijke vriendin. Stuur Eryn naar mijn salon als ik bel. Ondertussen wil ik een glas wijn drinken met deze knappe jongeman. Misschien wil je ons wat laten brengen.'

Daarmee stuurde ze het verbaasde meisje weg, waarna ze Tor bij de arm nam en naar haar privévertrekken bracht. Haar zitkamer was eleganter dan welke kamer die Tor ooit had gezien, hoewel hij meteen moest bekennen dat hij weinig elegante kamers had gezien. Ze glimlachte warm om zijn compliment en vroeg hem om er zijn gemak van te nemen in een van de grote fauteuils bij het kleine haardvuur.

Hij liet zich zakken en warmde zich. Had hij ooit iets gevoeld wat lekkerder was, afgezien van het hete bad die ochtend? Ja, Alyssa's kus. En Eryns warme lichaam tegen zich aan op dat bed. Hij schudde zijn hoofd om zijn gedachten weer helder te krijgen. Zijn gastvrouw bracht een klein dienblad de kamer binnen en bedankte iemand die de deur achter zich sloot. Er stonden een karaf met pruimkleurige wijn en bijpassende glaasjes op het blad.

'Ik neem graag elke avond een slok Bethany,' zei ze, en ze schonk een glaasje van de stroperige wijn uit de noordelijkste streek van Tallinor in. Ze gaf het hem, schonk zichzelf een glas in en kwam tegenover hem zitten. Ze proostten vriendelijk naar elkaar. Juffrouw Vylet bewaarde een comfortabel zwijgen en Tor was moe genoeg om daar wel blij mee te zijn. Hij raakte eraan gewend dat mensen hem bestudeerden. Voorzichtigheidshalve sloot hij zijn geest af. Dat gaf een vreemd, maar veilig gevoel.

Ze tastte het af en toonde zich onder de indruk.

'Ik merk dat je een sluier hebt voorgehangen?'

'Ik denk dat het nodig is, toch?' Hij bedoelde het niet beledigend.

'Jazeker. En al heel lang ook. Ik heb een advies voor je. Oefen jezelf om je geest altijd zo gesloten te houden voor iedereen met wie je geen geestelijke link wilt hebben, zoals met... eh...'

Juffrouw Vylet wachtte tot Tor met een naam kwam.

Hij schudde zijn hoofd, maar wist niet precies waarom. Instinctief, waarschijnlijk.

'Er is momenteel niemand die op deze manier met me kan communiceren, behalve uzelf natuurlijk, juffrouw Vylet.' Hij dronk de dure wijn en zette het glaasje voorzichtig terug op het blad.

'Kom, kom, Torkyn. En dokter Merkhud dan, om maar iemand te noemen?'

'Misschien kan hij het, maar hij heeft het niet gedaan,' zei Tor behoedzaam.

'En verder heeft nooit iemand via een link met je gesproken?' Ze kon haar nieuwsgierigheid niet verhullen.

'In feite wel, ja, er was iemand anders, maar die link is beschadigd geraakt en we hebben elkaar lange tijd niet meer gesproken.'

Dat was de waarheid. Door zijn antwoord opzettelijk vaag te houden dwong Tor zijn gastvrouw om ofwel door te vragen en zo te bewijzen dat het niet om gewone nieuwsgierigheid ging, ofwel de vraag te laten rusten. In gedachten noteerde ze dat hij het aardig zou redden in het diplomatieke circuit binnen het koninklijke hof.

'Nou, vergeet mijn advies niet, Tor. Daar zul je veel plezier van hebben.'

'Mag ik u iets vragen, juffrouw Vylet?'

'Natuurlijk.'

'Wat zou het me kosten om Eryns diensten voor deze hele nacht te kopen?' Hij bleef neutraal kijken, ondanks haar verbaasde gezicht. Dit was duidelijk niet de vraag die ze had verwacht.

'Licht, mijn jongen! Weet je wel wat je met haar zou doen?' Haar glas stopte op weg naar haar mond.

'Dat lijkt me dan *míjn* probleem.'

Ze herstelde zich. 'Wel, waarom vraag je het Eryn niet zelf?' Ze boog zich naar voren en trok aan een belkoord. 'Ze komt dadelijk hierheen. Wat zou je verder nog willen vragen?'

'Iets over Merkhud natuurlijk. Hoe u hem kent, hoe u mij kent en ook hoe we allemaal met elkaar in verbinding staan misschien?'

'Ik ken Merkhud al bijna mijn hele leven. Ik denk dat ik al die tijd ook stiekem verliefd op hem ben geweest.' Ze liet een lachje horen. 'We zijn trouwe vrienden en spreken elkaar vaak.'

'Via een geestlink.'

'Natuurlijk. Hij komt heus niet op bezoek in mijn bordeel, als je dat bedoelt. En wat mijn informatie over jou betreft: hij heeft me gezegd dat je in Hatten zou opduiken en vroeg me gewoon om je veilig te laten passeren.'

'Mag ik u vragen hoe u dat had willen aanpakken?'

'Eryn, Petyr, Lockie. Ze staan allemaal bij mij op de loonlijst, in zekere zin.' Deze keer twinkelden haar ogen. Haar gast was totaal verbluft.

'Bedoelt u dat al die ontmoetingen volgens uw plan hebben plaatsgevonden?'

'Precies.'

'En Clout?'

'Is dat misschien de kreupele man die je op de markt behulpzaam bent geweest?'

Tor knikte.

'Nee, dat is een merkwaardig personage over wie ik niets weet. Wat is er trouwens met hem gebeurd?' Ze stak haar handen naar het vuur om ze te warmen.

'Ik heb een kamer in een herberg genomen en een dokter van hier heeft hem daar behandeld. Hij verdween in de loop van de dag, ik weet niet waarheen. De dokter zei dat de man waarschijnlijk zou sterven, dus ik ben blij dat hij zo vriendelijk is geweest om dat niet in mijn bed te doen.'

Tor loog vlot en vroeg zich weer af of dit instinctief gebeurde. Iets dwong hem om Clout zo geheim mogelijk te houden. Het kwam hem goed uit dat er nu zacht op de deur werd geklopt.

'Kom maar, Eryn,' zei juffrouw Vylet.

Eryn kwam binnen. Ze had zich omgekleed en droeg nu een vrijwel doorschijnend bleekblauw tuniekje. Tor haalde diep adem en ging staan. Eryn weigerde zijn kant op te kijken.

'U hebt me geroepen, juffrouw Vylet?'

'Dat is zo, ja. Eryn, je kent meneer Torkyn Gynt hier?'

Eryn knikte, maar ze hield haar blik strak op haar satijnen muiltjes gericht.

'Wel, hij heeft me zojuist een uitzonderlijke vraag gesteld. Hij wil deze hele nacht – althans wat er nog van over is – met jou doorbrengen. Hij vroeg me wat dat moest kosten en ik vond het beter dat jij dit rechtstreeks met hem besprak. Ik was bang dat jullie niet zo gemakkelijk tot een overeenkomst zouden komen, gezien de voorgeschiedenis. Het is jouw keuze, liefje.'

Eryn keek nu eindelijk naar Tor. Haar blik was uitdagend. 'Hij heeft al betaald, een gouden soeverein, mevrouw.' Ze reikte de oude vrouw de zware gouden munt aan. 'Meer dan genoeg om me voor een nacht te kopen.'

Ze keek Tor nog steeds aan en haar ogen fonkelden van kwaadheid.

'In dat geval kun je hem maar beter naar een van onze speciale kamers brengen, liefje.'

En na die woorden wendde juffrouw Vylet zich tot Tor en wenste hem van harte een aangename nacht. 'Geniet van uw verblijf hier, meneer Gynt, en kom ons alstublieft bezoeken als u weer in de buurt van Hatten reist. Mijn beste wensen voor onze gezamenlijke vriend en veel geluk gewenst in Tal.'

Ze verdween via een deur naar een van haar andere kamers. En er bleef een loden stilte hangen.

'Volg me, alsjeblieft.' Eryns stem klonk breekbaar.

'Eryn, wacht even.' Tor voelde zich verschrikkelijk opgelaten.

Eryn liep voor hem de kamer uit. Hij bleef nog even staan, maar had geen andere keuze dan haar te volgen. Ze liep een trap op, een schemerige gang in. Hij nam de trap met twee treden tegelijk en zag haar nog juist in een kamer aan het uiterste einde van de gang naar binnen glippen.

Tor liep langzaam, met zware tred. Dit voelde voor hem niet goed aan. Maar verdomd, ze was om op te vreten, vooral als haar ogen zo gloeiden van woede! Hij kwam bij de deur. Het was op deze verdieping zo stil, dat hij zachtjes aanklopte. Ze deed open. Zijn mond werd onmiddellijk kurkdroog, want ze was naakt.

'Sluit de deur, alsjeblieft. Ik kom zo.'

Hij zag de rondingen van haar welgevormde achterste met adembenemende, gekmakende bewegingen naar het hemelbed deinen. Daarvan trok ze de gordijnen dicht. 'Zodra u maar wilt, meneer.' Het sarcasme droop van haar stem.

Genoeg. Tor beende naar het bed en rukte de gordijnen met zoveel geweld open dat Eryn bijna gilde. Maar in plaats daarvan trok ze het laken hoog op tot bij haar smalle schouders en staarde hem kwaad aan.

'Genoeg, Eryn. Niets hiervan bevalt me, niets hiervan is mijn schuld. Jij hebt mij gekozen voor die bruiloft, weet je nog? En ik hoorde zojuist van juffrouw Vylet dat je haar spion was. Je had ópdracht om me te vinden, en dat kreeg je met grote bekwaamheid al voor elkaar toen ik nog maar net in Hatten was aangekomen. Daarna Petyr in het badhuis, en Lockie... allemaal vriendjes van je, neem ik aan?'

Hij schudde zijn hoofd om zijn eigen onnozelheid, maar gaf haar geen kans om tegen te sputteren. Hij stak zijn hand op om haar tot zwijgen te manen.

'Bedankt dat je deel hebt willen uitmaken van al die plannetjes. Je mag de soeverein houden. Je hebt hem zeker verdiend.'

Toen trok hij de gordijnen met een ruk dicht, liep naar een tafeltje waar wijn op stond, dronk een flinke teug en maakte aanstalten om naar de deur te lopen.

'Het zijn broers van me, geen vriendjes.' Haar stem klonk mokkend, maar ook dringend.

'Wat?'

'Ik zei dat ze mijn broers zijn, Petyr en Lockie.' Ze stak haar hoofd tussen de gordijnen door naar buiten. 'Ga niet,' zei ze, en ze verdween, maar keerde even later terug met een satijnen doek om zich heen. 'Ik meen het. Echt... ga niet weg, Tor.'

Ze liep naar hem toe, nam zijn onwillige hand in de hare en trok hem mee naar een stoel bij het vuur. 'Het is buiten koud.'

Tor lachte schor en vermoeid. 'Vooral als je bent natgegooid.' Ze liet zijn hand niet los, maar masseerde hem.

'Goed, geen verontschuldiging. Wel een wapenstilstand. Akkoord?'

'Akkoord,' zei Tor opgelucht. 'En wat nu?'

'Afmaken waaraan we gisteren begonnen waren, maar deze keer zonder bedrog. Ik ben hier omdat ik ervoor gekozen heb, niet omdat ik het moet of omdat jij ervoor betaald hebt.'

'Je hebt een afschuwelijk handschrift. Weet je dat?' vroeg hij, want opeens herinnerde hij zich haar briefje.

Ze lachte. 'Wees blij dát ik kan schrijven. De meeste meisjes kunnen het niet.'

'Wie heeft het je geleerd?'

'Margolin en nog een paar die me graag genoeg mogen om wat van hun kostbare tijd te spenderen aan iets anders dan alleen maar...' Tor legde een hand op haar mond.

'Zeg het niet, Eryn. Daar sta je boven.'

'Dacht je dat?' zei ze weemoedig. 'Niet echt. Mij bevalt dit leven nogal, Tor, dus probeer maar niet me te veranderen.' Ze meende het.

Hij trok haar naar zich toe. 'Mag ik tenminste die kus dan voltooien? Je moest eens weten hoe furieus ik was toen ik bij het wakker worden ontdekte dat ik mijn kans had verspeeld.'

Alle sporen van diepe ernst waren van haar gezicht verdwenen toen ze het deze keer naar hem toe draaide. Ze kusten elkaar voorzichtig, maar toen diep. En toen Eryn zich eindelijk terugtrok bestudeerde ze zijn gezicht.

'Was die kus alleen voor mij of waren we met méér in deze kamer?'

'Ja, misschien nog wat andere meisjes hier en daar,' zei hij plagend.

Ze gaf hem een speels klapje en probeerde op te staan van de vloer. Hij pakte haar doek vast om dat tegen te houden, maar de doek gleed van haar af. Eryn rende bloot naar het bed en Tor sprong achter haar aan. Ze vielen hard op de matras, maar daar was de dragende plank van het bed niet tegen bestand. Hij kraakte vervaarlijk en brak toen doormidden. Daar moesten ze om lachen en hoe langer ze elkaar tot bedaren probeerden te brengen, hoe harder ze moesten schateren.

'Licht! Wat zal juffrouw Vylet wel zeggen?' vroeg ze ten slotte, nadat ze gekalmeerd waren.

'Maak je daar geen zorgen over.' Hij kuste haar schouders en daarna haar nek.

'Trek die smerige kleren uit,' zei Eryn met een dromerige stem, toen Tor bezig was een vingertopje over haar huid te laten glijden. 'En ik weet heus wel dat dit je eerste keer is, dus je hoeft niet verlegen te zijn. Je bent toevallig de beste lerares tegen het lijf gelopen die buiten de hoofdstad te vinden is!'

Merkwaardigerwijs was het primaat Cyrus die Tor in zijn gedachten kwam toen hij bezig was zijn vochtige hemd en broek uit te trekken. Even voelde hij een aanwezigheid van de primaat, een fractie van een moment slechts, aan de rand van zijn geest. Vreemd! Cyrus riep hém om hulp. Het vluchtige visioen verdween weer toen hij zich vlak naast Eryn op het bed liet zakken.

9

Het weerzien

De compagnie van koninklijke soldaten draafde kalm over de weg naar Tal. Het was niet nodig de paarden en de mannen tot haast aan te zetten. Het was alsof ze de hoofdstad al konden ruiken – op hoogstens twee dagreizen afstand nog maar. De zomer liet zich nog één keer van zijn fraaiste kant zien voordat de herfst zijn intrede deed. De bomen begonnen zich al in hun mooiste herfstkleuren te tooien om voor een passende entree te zorgen. Kinderen, boeren en zelfs een passerend groepje ketellappers groetten de compagnie waar ze passeerde.

De primaat was niet gelukkig met het waarderend gejoel waarmee sommigen van zijn manschappen de vrouwen begroetten die in de wijngaarden aan het werk waren, maar hij was in een te goede stemming om strenge reprimandes uit te delen. De druiven die deze vrouwen plukten, werden gebruikt om er de kostelijke, plakkerige wijnen van te maken die de edelen graag bij zoete gangen van een feestmaal dronken. Zo te zien was dit een jaar met een rijke oogst. Hoewel Cyrus een liefhebber van goede wijn was en de zonnige, zijdeachtige smaak van een gouden Syriek zeker waardeerde, was hij toch vooral verzot op de volle smaak van krachtige rode wijnen. Hij dacht aan de slinkende voorraad van de voortreffelijke Morriët die hij in het paleis in zijn kelder had liggen. Hij stelde zich voor dat hij ontspannen in een gemakkelijke fauteuil zat, misschien voor het haardvuur, want het begon 's avonds al fris te worden. Ja, nu kon hij de fluwelige smaak al bijna *voelen* op zijn tong en zijn gehemelte.

Het was Herek die zijn plezierige mijmeringen ruw verbrak. 'Ik stel voor dat we doorrijden tot Brewis, meneer. Het weer is er goed genoeg voor. Dan kunnen we morgenavond al een dorp bij de hoofdstad bereiken. Misschien zelfs Serwin. Dan hoeven we de volgende ochtend nog maar een uurtje te rijden.' Hereks stem had een vragende klank. Dit was een beslissing die uitsluitend aan de primaat was voorbehouden.

De Morriët riep hem. 'Goed. Zeg het de mannen en verhoog het tempo. Als we naar Brewis gaan, wil ik daar voor het donker aankomen.'

Herek begreep dat. Brewis was een schilderachtig dorp, tegen de rand van een van de uitlopers van het Grote Woud aan. Geen enkele Tallinees hield ervan 's nachts in dat geheimzinnige bos te zijn, en de paarden werden erg onrustig als ze niet veilig op stal stonden voor het donker werd.

Brewis was zichtbaar vanaf de top van een helling in de weg waar Cyrus en zijn twee luitenants waren blijven staan. Om het dorpje heen lagen akkers met de oogverblindend mooie lavendel waar Brewis beroemd om was. De edelen uit het hele koninkrijk haalden hier hun verse plantjes voor op de vloer vandaan. Als een vinger wees een zuidelijke uitloper van het Grote Woud recht naar het dorp. Ze waren nog op twee mijl van Brewis, maar Cyrus had haast om een kamp op te slaan.

'Daarginds, meneer.' Herek wees naar een glooiende kom in het landschap.

Cyrus bekeek de plek met een vakkundige blik. 'Dat is de beste optie hier. Vooruit, aan de slag, dadelijk hebben we geen licht meer.' Hij reed in een korte galop verder, terwijl Roisse, zijn andere luitenant, de mannen hun bevelen gaf.

Tegen de tijd dat de hemel een mantel van avondkleuren boven Brewis had uitgespreid en de eerste tandjes van een bijtende nachtkou te voelen waren, hadden de mannen een kamp opgezet en dansten de vonkjes van hun vuren in de lucht. De primaat had gezegd dat er bier mocht worden geschonken, en daar waren de soldaten erg blij om en ze dronken op zijn gezondheid, wat hij in dank aanvaardde. Hij vond de loyaliteit van zijn manschappen een eerste prioriteit en zorgde daarom zo goed mogelijk voor allen die hem dienden. Er was dan ook geen soldaat onder zijn bevel die hem niet vrijwillig trouw was.

Een van de mannen van de foerage kwam hem een beker bier aanbieden.

Cyrus glimlachte. 'Vanavond niet, maar bedankt.'

Hij wilde de volgende dag een helder hoofd hebben, en trouwens met de Morriët bijna binnen handbereik was bier natuurlijk maar een ordinair drankje. Hij kon wachten.

De soldaat haalde zijn schouders op en liep naar een van de kampvuren, mompelend dat er hierdoor des te meer was voor de anderen. Cyrus glimlachte weer. Toen viel zijn oog op een van zijn luitenants.

'Kom op, Roisse, tijd voor een lied, zou ik zeggen.' Hij wees naar een plek tussen alle kampvuren in. Terwijl de mannen al bij voorbaat juichten en klapten voor Roisse, die zijn luit al in zijn vrije hand had, maar eerst zijn bier opdronk, kwam Herek saluerend bij de primaat.

'Wat is er, Herek?' Cyrus was gaan zitten en keek naar hem omhoog.

'Alles veilig, meneer. Vier mannen op wacht, aan alle kanten, meneer. Wisseling om het uur.'

'Mooi zo, Herek. Ontspan je nu en drink een biertje, man. Al dat gesalueer maakt me nerveus.'

'Eh... jawel, primaat, dank u, meneer.' Herek gooide er toch nog maar een saluut tegenaan en ging toen op zoek naar het bier.

Cyrus leunde achterover tegen zijn slaapzak. Hij had geen haast om te gaan slapen, hoewel hij een gevuld en ontspannen en warm gevoel had. Roisse had een prachtige stem. Hij was vandaag in een opperbeste stemming en dat kwam niet alleen door het bier, maar ook doordat hij als pasgetrouwde man op weg was naar zijn jonge bruid. Hij zong pikante liederen en kwam met de nodige biertjes de avond door, net als de anderen, tot iedereen lag te pitten.

Cyrus verbaasde zich dat daar niet méér bier voor nodig was. Kennelijk waren zijn manschappen erg moe, want ze gingen veel vroeger slapen dan hij gewend was. Nou ja, dat kwam goed uit. Des te fitter zouden ze zijn als ze de volgende ochtend voor dag en dauw moesten vertrekken.

Luitenant Roisse, die nog in vervoering was na zijn gezang en niet de rust had om te slapen, ruilde met een van de mannen die op wacht moest, maar aan één stuk door zat te gapen. 'Zoek je nest maar op, Kork, ik neem je wacht wel over.'

Hij werd beloond met een dankbare grijns en alweer een onbeschaamde geeuw. Roisse zocht Hereks aandacht en gebaarde dat hij de wacht aan de noordzijde overnam. Herek knikte. Ook hij voelde zich verdomd moe, maar verbaasde zich toch over het feit dat iedereen zo vroeg was gaan slapen.

De wolken hadden zich aaneengesloten, dus de maan was verborgen. Nog vóór middernacht lagen alle mannen tevreden te snurken in een lichte roes van dronkenschap.

Alleen Cyrus sliep licht en met een helder hoofd, zoals hij dat gewoon was.

❧

De overvallers wachtten nog een vol uur om zeker te weten dat het verdovende middel in het bier werkte. Toen slopen ze vanuit het donker naderbij, en als Cyrus die ene zachte oehoe van een uil had gehoord, dan werd hij er toch niet door gealarmeerd. Hij draaide zich in zijn sluimer op zijn rug om hem te warmen, terwijl zijn vier wachtposten de keel werd doorgesneden en ze hun levensbloed op het koude gras zagen spuiten.

Cyrus bemerkte hun aanwezigheid veel te laat. Tegen de tijd dat hij was opgesprongen, werd er een zwaardpunt tegen zijn hartstreek gedrukt en een tweede bij zijn keel gehouden, terwijl een mollige, sterke hand zijn mond dichtgedrukt hield. Hij verzette zich zo goed als hij kon, maar was verbaasd dat zijn mannen niet bij zijn eerste geluid in actie waren gekomen. De aanvallers goten de inhoud van een flesje op een lapje en hielden dat onder zijn neus. De primaat verloor meteen zijn bewustzijn en werd opgevangen door stevige armen.

Toen wikkelden ze hem in zijn eigen deken en zonder nog enige voorzichtigheid te betrachten droegen ze de primaat mee naar het bos. Daar werd hij op zijn buik over de rug van een paard gelegd en vastgebonden. Ze deden het allemaal op hun gemak, want geen van de manschappen in deze koninklijke compagnie zou voorlopig wakker worden. Vier ervan nóóit meer.

Cyrus kwam langzaam bij kennis. Het krachtige bedwelmende middel had zijn brein beneveld en zijn mond kurkdroog gemaakt.

Ze waren met hun vijven. Hij zag hun silhouetten rond het kleine kampvuur. Af en toe keek iemand zijn kant op om te zien of hij al bij bewustzijn was, maar Cyrus deed zijn best om zijn terugkeer in het land van de levenden nog verborgen te houden. Eerst wilde hij precies weten hoe erg de situatie was.

Hij opende zijn ogen tot spleetjes en probeerde te zien of hij deze bandieten kende. Hij meende in een van hen Goron te herkennen, dat was een brute dokwerker uit Hatten, die zich daar had opgewerkt tot opzichter, al mocht Licht weten hoe en waarom. Maar bij zijn weten had hij geen ruzie met Goron. De anderen kende hij helemaal niet.

Cyrus probeerde helder na te denken. Hij begreep hier niets van, maar maakte zich zorgen om zijn mannen. Hij was al tot de conclusie gekomen dat er met het bier geknoeid moest zijn, maar dat was onmogelijk zonder medeplichtigheid van iemand in zijn compagnie of, en dat was waarschijnlijker, van de herbergier. Dat besef raakte hem als een vuistslag.

Duidelijk. Ze hadden zijn mannen verdoofd en hemzelf ontvoerd. Waarom? Bezat hij iets wat zij wilden hebben? Maar het raadsel was meteen opgelost toen hij een bekende uit het woud zag komen. Het was

Corlin. Het ging dus gewoon om wraak. De waanzin had te maken met Corlins gekwetste trots en zijn drang om iemand te grazen te nemen die hem op het plein van Hatten had gekleineerd ter wille van een kreupele halvegare. Cyrus snoof bijna hardop van walging toen de stukjes van deze legpuzzel op hun plaats vielen. Deze man was echt waanzinnig.

Corlin praatte zachtjes met de mannen bij het vuur en liep er toen omheen, naar de primaat toe. Hij schopte de vastgebonden man gemeen tegen zijn borst. Het benam Cyrus de adem en daarom kreunde hij, waarna hij maar moeilijk lucht kreeg. Kennelijk was een van zijn ribben gebroken.

'Gegroet, primaat,' zei Corlin op quasi-beleefde toon. 'Dit is een iets andere situatie geworden, vind je ook niet?'

Cyrus probeerde rechtop te gaan zitten, maar werd teruggeduwd door een laars.

'Spaar je krachten, Cyrus, die heb je nog nodig,' ried Corlin hem op hatelijke toon aan. 'Dit wordt de langste dag van je leven, primaat, en ik ga ervan genieten hoe je me om genade zult smeken.'

De man lachte luid en Cyrus voelde zijn maag verkrampen bij het idee van wat hem te wachten stond. Corlin keerde terug naar zijn mannen en Cyrus zag dat ze een vaatje bij zich hadden waar ze bier uit tapten. Behalve Corlin zelf, die hoogstens een halve beker op had, waren ze allemaal dronken genoeg om tot zowat alles in staat te zijn. Hij had nog een paar minuten de tijd, daarna zou de bestraffing beginnen.

Zo moet iemand zich voelen voordat hij terechtgesteld wordt, dacht hij, maar toen verwierp hij die mening, want een gevangene was gewoonlijk schuldig en aanvaardde dan zijn straf. Cyrus had niets misdaan. Maar bang was hij ook niet meer. Hij was woedend en hij nam zich voor om snel en genadeloos terug te slaan, mocht hij dit overleven – al moest hij spijtig toegeven dat de kans daarop klein was.

Corlin stond op van zijn plek bij het vuur.

'Daar gaan we,' mompelde Cyrus tegen de bomen. Hij dacht even terug aan zijn geliefde vrouw en kind, die beiden allang dood waren, maar in zijn hart nog leefden. Toen dacht hij aan zijn mannen, van wie hij hoopte dat ze op wraak zonnen. En ten slotte verscheen opeens, hoe bespottelijk, het beeld van Torkyn Gynt voor zijn geestesoog! Hij verbeeldde zich dat hij de jongen naar hem toe zag galopperen, met zijn griezelige vriend op een ander paard aan zijn zijde. Waanzin! Hij lachte weemoedig en vroeg zich af waar deze bizarre gedachte vandaan kon komen.

Corlin stond nu voor hem. 'Trek dit stuk stront overeind,' snauwde hij.

Twee van zijn helpers hielden Cyrus vast, terwijl een derde hem lossneed van de boom, maar toen snel zijn polsen weer vastbond. Corlin spuwde de primaat in het gezicht. De klodder gleed langzaam vanaf zijn voorhoofd via de zijkant van zijn neus naar beneden en Cyrus wist toen dat hij de man die voor hem stond vuriger haatte dan wie ook ter wereld. Het deed hem dan ook veel genoegen dat hij nog in staat was om terug te spuwen en dat hij het geluk had de verraste Corlin vol op zijn lippen te raken.

'Je mag mijn kont kussen, drol dat je bent. En ik zal je met veel plezier je weke keel afsnijden!'

Het was een lekker gevoel om zo uitdagend te praten, maar de euforie was van korte duur. Zijn bloed verkilde toen hij Corlin 'spijker hem vast' hoorde zeggen.

Ze trokken hem mee naar een plek tussen twee boomstammen in.

'Deze keer geen bedwelmend middel om je te verdoven, primaat Strontgezicht.' Corlin lachte minachtend en zijn hersenloze trawanten lachten mee. 'Vooruit!'

Ze gebruikten een zware hamer en dikke ijzeren spijkers. Cyrus voelde alleen twee intens pijnlijke slagen. Na de eerste gaf hij alles over wat in zijn maag zat en na de tweede verloor hij gelukkig zijn bewustzijn. Er waren nog twee harde klappen nodig om zijn ene hand op de ene boom te nagelen en drie volgende om dat met de linkerhand op de andere boom te doen. Toen hij eenmaal stevig was vastgespijkerd brachten ze hem met koud water bij zijn positieven. Het nachtelijk vermaak kon beginnen.

10

Het geheim van de koning

'Oude man!' Koning Lorys van Tallinor had maar een paar stappen nodig om de grote kamer over te steken.

Merkhud boog diep. 'Majesteit.'

'Laat die beleefdheid maar achterwege, Merkhud. Die is er voor aan het hof. In deze kamers verwacht ik dat je wijn met me drinkt en me scabreuze verhalen vertelt over je reizen.' De koning omhelsde de oude man stevig. 'Nyria en ik hebben je erg gemist.'

Merkhud was blij dat hij weer in Tal was. Reizen had zijn leuke kanten, maar het comfort van zijn kamers in de westertoren hier was nauwelijks te evenaren. Er kwam een page die wijn en gemarineerde olijven bracht, die hij vakkundig etaleerde – in aanmerking genomen dat ze zijn zenuwachtigheid zowat konden rúíken. De jongen keek toen omhoog naar de koning en zag nog net dat deze naar hem knipoogde. De page maakte opnieuw een buiging en begon toen de toortsen aan te steken. De kille, bewolkte dag was een vooraankondiging van de herfst. In de komende weken zouden overal in het paleis haarden branden.

Merkhud nam een slok van de heerlijke wijn, een Coriël, genoemd naar een druif die alleen in een speciale regio in het zuiden groeide. Hij dacht terug aan de jaren dat hij de lijfarts was van de vader van deze koning, Orkyd, en herinnerde zich het feit dat hij slechts luttele dagen voordat de grootvader van Lorys was gestorven, de oude koning Mort, in het paleis was komen wonen. Niemand was oud genoeg geworden om vraagtekens te zetten bij deze dokter, die nu al anderhalve eeuw van zijn leven in het paleis woonde.

Omdat Orkyd tijdens zijn regeerperiode voortdurend van huis was om oorlog te voeren, was Merkhud een soort vaderfiguur geworden voor de jonge, gevoelige Lorys. Orkyd was een gedrongen, grof type van een man geweest, maar Lorys leek meer op zijn moeder. Hij had een gemiddelde lengte en een donkere teint: zwarte haren en diepliggende, ondoorgrondelijke ogen.

De koning gaapte. 'Vergeef me, Merkhud. Mijn secretaris overstelpt me met papieren die ik moet tekenen en die ik moet lezen en die ik moet goedkeuren. Waar is de goede oude tijd gebleven, toen iedereen aan het wóórd van de koning genoeg had?'

Merkhud wist dat de koning een hekel had aan de bureaucratische kanten van zijn ambt, maar niettemin was hij de beste en zeker de geliefdste koning waarover Tallinor zich ooit had mogen verheugen. Hij nam nog een slokje wijn en knikte als reactie op het geklaag, en constateerde ondertussen dat Lorys wat grijzer was geworden bij zijn slapen. De koning droeg zijn haren onmodieus kort, maar dat paste beter bij zijn wat vierkante gezicht en zijn strak geknipte baard, die ook al aardig grijs werd.

'En die troon die mijn reet verdooft, waarom heeft mijn grootvader dat monstrum laten maken?' Lorys was gaan staan en schonk zichzelf nog een glas in.

Merkhud hoorde zwaardgekletter op de voorhof en hij rook de geur van dikke kaarsen die werden ontstoken. Hij zuchtte.

'Koning Mort heeft zijn recht om te regeren moeten veroveren in de ene veldslag na de andere, net als uw vader trouwens. Hij besteeg de troon van een koninkrijk dat onder het bloed zat. Daarom moest hij op zijn troon even machtig lijken als op zijn strijdros. Hij heeft uw geboorterecht geschapen en verzekerd. In ruil daarvoor mag u toch tenminste af en toe op dit monstrum gaan zitten en er dan heel erg koninklijk uitzien.'

'Ha!' Het amuseerde de koning telkens weer hoe Merkhud in staat was hem een jongensachtig gevoel terug te geven. 'Vertel me over je reis, Merkhud. Wat gebeurt er daar buiten in mijn rijk?'

Een grote harige hond kwam achter het bureau vandaan, schudde traag zijn vacht en kwam toen bij de dokter zitten.

'Waag het niet, Treek,' waarschuwde de dokter, maar de hond trok zich ook deze keer niets aan van Merkhuds protest en liet zich met zijn achterwerk op diens schoenen zakken. Het was iets waaraan de oude man een vreselijke hekel had. 'Ba, viezerd.'

'Hij gaat echt niet weg, Merkhud, dat weet je nu toch wel. Vertel me iets interessants,' commandeerde de koning.

Merkhud bewoog tevergeefs wat met zijn voeten, nam een slok van de Coriël en tuurde peinzend naar de plafondschildering, alsof hij moeilijk een keuze kon maken uit wel duizenden onderwerpen.

'Tja, er is wel iets wat het vermelden waard is...'

'Mooi zo. Laat horen,' zei de koning, terwijl hij zich gemakkelijk achterover liet zakken op zijn stoel.

'Ik ben een jongen tegengekomen die ik een leerlingschap heb aangeboden, omdat ik denk dat hij het talent heeft om een goede dokter te worden. Hij lijkt me...'

'Wát?' riep de koning blij verrast. 'Is dat echt waar? Na al die jaren?'

Merkhud veinsde irritatie. 'Zijn naam is Torkyn Gynt. Hij is zestien jaar en van lage komaf, uit het dorp Vlakke Weiden. Maar hij toont meer intelligentie en aanleg voor het vak dan welke andere jongen die ik in mijn lange loopbaan ben tegengekomen. Het had al veel eerder moeten gebeuren, maar hij is nu degene die ik heb gekozen.'

'Dat is geweldig nieuws, oude man! Wacht maar tot Nyria dit verneemt...'

'Wát verneemt, mijn lieve?' Ze roken een exotisch geurtje toen de koningin de kamer binnen kwam zweven. De mannen hadden haar niet gehoord, maar de hond was al bijna bij haar.

'Hallo, Treek.' Nyria klopte de hond op zijn grote kop, terwijl haar echtgenoot en de enige andere man die haar ooit had mogen aanraken opstonden en voor haar bogen.

'Goedemiddag, heren.' Haar stralende glimlach was voor Merkhud als zonlicht dat zijn hart verwarmde, zoals altijd. Hij maakte nog een buiging.

'Merkhud, wat fijn dat je weer terug bent.' Ze nam zijn benige hand vast. In de andere hand hield ze een vaasje met rozen geklemd. Merkhud wist dat ze het meende.

'Mevrouw, ik kon uw luisterrijke aanwezigheid geen minuut langer missen.'

'Ondeugende oude man – wat een gladde praatjes.' Ze maakte een berispend gebaartje met haar wijsvinger, boog zich om de koning op zijn lippen te kussen en zette toen de bloemen op het tafeltje achter hem.

Ook nu zag ze er weer betoverend uit, vond Merkhud. De simpele jurk van zacht fluweel zat strak om haar middel en bewees dat ze nog een prachtig figuur had. Haar ooit oogverblindende gouden haar, dat nu verbleekt was tot een boterkleur, werd keurig op zijn plaats gehouden door twee glimmende kammen. Ze droeg het nog maar zelden los.

De koning glunderde. 'Lieve, je raadt het nooit, dus ik zal het niet van je vragen. Merkhud hier heeft een of andere knaap uit Vlakke Weiden aangeboden zijn leerling te worden!'

'Pure fantasie!' Haar grijsachtige groene ogen sprankelden van plezier over de klaarblijkelijke opwinding van de koning.

'Het is echt waar! Ik heb het daarnet regelrecht uit de mond van de oude rakker zelf vernomen.'

Nyria keek de dokter ongelovig aan.

Merkhud deed alsof hij vertwijfeld was. 'Kom, kom, al die drukte! Het is maar gewoon een jongen. Wel met aanleg voor de geneeskunst. En ik word een dagje ouder, zoals jullie misschien niet ontgaan is.'

'En wanneer gaan we die leerling van jou ontmoeten?'

'Binnen een paar dagen.'

'Leuk! Moet ik de huishouding vragen een kamer in de westvleugel in gereedheid te brengen?'

'Nee, mevrouw, dat kan ik wel regelen. Maar bedankt.'

Nyria en Merkhud glimlachten naar elkaar. Zij wist dat hij het vreselijk vond als er gerommeld werd in de westertoren, waar hij zijn privévertrekken en studeerkamers had, en hij wist dat zij dit wist. Ze hield haar glimlach nog even vast en richtte zich daarna tot de koning.

'Ik moet weer gaan, Lorys. De kokkin wil met me praten over het menu voor Allerzielen en ik heb het al twee keer afgezegd. Ik mag haar niet nóg eens teleurstellen.'

De koning moest opeens hevig niezen, en daarna nog vier keer. 'Nyria, je weet toch wat ze me aandoen?' klaagde hij op een goedmoedige toon.

'Wel, zet ze dan maar ergens anders in de kamer, Lorys,' wierp ze hem even vriendelijk tegen. 'Als jij je in deze stenen kist verstopt houdt, met alleen wat stoffige lappen aan de muren...'

De koning deed alsof hij verontwaardigd was. 'Hoor je dat, Merkhud? Stoffige lappen noemt ze dat. Maar het zijn de schitterendste wandtapijten die de kunstenaars van Ildagaarde ooit hebben gemaakt!'

Ze negeerde die repliek en glimlachte samenzweerderig naar haar dokter toen ze naar de deur liep, met Treek zachtjes sloffend achter zich aan. 'Ik zie je straks nog, Merkhud. Wil je even in de afdeling van de pages gaan kijken? Er schijnen daar twee jongens onwel te zijn.'

'Ik ga meteen kijken.' Hij boog nog eens.

'We eten vanavond in mijn kamer, geloof ik, Lorys.'

De boodschap in haar stem was onmiskenbaar en beide mannen schraapten hun keel, nadat zij de deur zacht achter zich had gesloten.

Lorys nam een flinke teug van zijn wijn. 'Er is een doorzeurend punt dat ik met je wil bespreken. Omdat jij op het platteland verbleef om daar wie weet wat te doen, heb je er nog niets over gehoord.'

Merkhud trok zijn wenkbrauwen op om duidelijk te maken dat hij inderdaad geen idee had. 'Is er iets wat u dwarszit, Lorys?'

'Inderdaad, zéér dwars.' De koning krabde Treek achter zijn oren. De grote hond gromde zacht en liet zich op zijn zij rollen.

Toen de koning bleef zwijgen haalde Merkhud lichtjes zijn schouders op en opende hij zijn handpalmen. Zo kende hij Lorys niet.

'Zeg het me. Ik kan vast wel helpen.'

Het leek alsof de koning naar de juiste woorden zocht en toen hij sprak, klonk zijn stem zacht en was er van zijn geamuseerdheid van daarnet niets meer over.

'Merkhud, niemand kan tegenspreken dat ik Nyria vanuit de grond van mijn hart aanbid. Zelfs het uitblijven van kinderen heeft aan mijn liefde voor haar niets veranderd, hoewel het mijn ziel verdriet doet dat ik geen erfgenaam heb.'

Merkhud hoorde opeens overal in zijn hoofd alarmbellen rinkelen, maar hij wachtte. Gedempte geluiden van een zwaardgevecht en iemand die orders schreeuwde, vulden de stilte. Lorys zette zijn prachtige wijnglas terug op het tafeltje en keek zijn oude vriend eindelijk aan.

'Er is een vrouw. Ze woont tegenwoordig in Wytten, geloof ik. Tegen het einde van de vorige winter ben ik met Cyrus en een kleine groep anderen op jacht geweest. Er was in de voorraadkamers nog maar weinig wild en je weet dat ik elke kans aangrijp om zelf mee op jacht te gaan. Misschien weet je het nog? Nyria was toen behoorlijk ziek.'

Merkhud knikte en wachtte ademloos op het vervolg van de historie.

'We hadden op onze laatste nacht een oncomfortabel kamp, maar gelukkig was het niet koud. We waren toen met een groep van maar zes mensen en vier ervan waren aardig in de olie, dus die hebben we in dekens gewikkeld op de plek bij het vuur waar ze in slaap waren gevallen. Treek en de andere honden hoorden haar komen voordat Cyrus en ik het hoorden. Ze kwam struikelend uit het bos, met grote, paniekerige ogen en zo buiten adem van het rennen dat ze aanvankelijk geen woord kon uitbrengen.'

Merkhud vlocht zijn vingers strak in elkaar, terwijl Lorys bij zijn herinneringen aan die winteravond naar de vlam van een flakkerende kaars staarde.

'Ze had geen idee wie we waren en we hebben niet de moeite genomen haar in te lichten. Kennelijk was ze door wat zwervers ontvoerd van haar boerderij, een mijl of drie verderop. Ze waren van plan geweest haar te verkrachten – daar leek ze tamelijk zeker van te zijn – maar in hun dronkenschap deden ze zo stom, dat ze had kunnen ontsnappen via het bos, dat ze op haar duimpje kende.'

De koning dronk zijn glas leeg en veegde verstrooid een paar druppels van zijn baard, waarna hij verder praatte.

'Ze had wondjes en blauwe plekken, maar het was een dappere meid. Cyrus gaf haar een paar van zijn kleren en zelf had ik een zalfje voor haar verwondingen. Ze knapte wat op en at een kom van onze avondmaaltijd, weet ik nog. Een prachtig meisje was ze. Woonde bij haar bruut van een vader, die haar vaak sloeg en niet respecteerde.'

De koning ging staan en liep naar het venster, waar hij naar de oefenende soldaten op de voorhof keek. Toen kwam hij stamelend met de waarheid voor de dag.

'Ik wilde het niet laten gebeuren, maar we waren al twee weken van huis en hadden al die nachten primitief geslapen – op mijn eigen verzoek. We waren moe en we verheugden ons al op onze terugkeer naar Tal. Ik bood het meisje mijn tent aan. Een paar uurtjes voor de dageraad riep ze me en wenkte ze me naar de tent. Ik zweer je, Merkhud, dat ik in mijn slaapdronken toestand meende dat ze weer bang was, dus ik kroop gebukt naar binnen en merkte toen pas dat ze naakt was onder de deken en zich aan me aanbood. Ze smeekte me om haar één nacht van liefde te geven in haar treurige leven, want haar vader zou haar afranselen en geen woord geloven van haar verhaal.'

De koning glimlachte wrang. 'Ik bedroog Nyria voor een uurtje van wellust met iemand die me volkomen onbekend was. We hebben niet eens onze namen uitgewisseld en ik heb sindsdien niets meer van haar gezien of gehoord... althans, tot nu toe.'

Lorys haalde een smoezelig stuk papier uit zijn zak en gaf het aan Merkhud. 'Dit is een papiertje zoals er in de dorpen daar verschillende op de borden zijn gehangen. Ze wist door ons accent dat we uit Tal kwamen. Door de briefjes probeerde ze me op het spoor te komen, neem ik aan.'

'En dat is gelukt.' Merkhud zei het op een bijtende toon, toen hij klaar was met lezen.

'Wees vooral *jíj* nou niet degene die me veroordeelt. Ik heb een fout gemaakt, waarvan slechts twee andere mensen op de hoogte zijn: het meisje en de primaat, natuurlijk, maar hem vertrouw ik op leven en dood.'

'Wat is er gebeurd nadat jullie gezellig samen onder de deken waren gekropen, Lorys?'

De koning keek schaapachtig, maar gaf wel antwoord. 'Cyrus reed na het aanbreken van de dag met haar naar Wytten en hielp haar aan een baan in de lokale herberg. Hij gaf haar ook wat geld. We hoopten dat ze ons niet had herkend als edelen. Tenslotte zagen we er na twee weken jagen nogal haveloos en onverzorgd uit.'

Merkhud wierp het stuk papier geërgerd van zich af. 'En jullie paarden dan? Kan een vrouw van het platteland niet zien hoe voortreffelijk ze zijn?' Hij deed zijn best om zijn minachting te verbergen. Nyria mocht dit nooit horen!

'Merkhud, het heeft weinig zin dat je me nog eens onder mijn neus wrijft wat ik na die nacht *zélf* al honderd keer heb bedacht. Het enige paard dat ze heeft gezien, was dat van de primaat en hij was de ochtend erna snugger genoeg om een van onze pakpaarden te nemen. Ik wil maar één ding: vergeten dat het ooit is gebeurd. Maar nu komt dit briefje roet in het eten gooien.'

Merkhud onderdrukte zijn kwaadheid. Hij las het briefje nog eens rustig na, maar het maakte weinig duidelijk. Het was zo geformuleerd, dat de koning het simpelweg zou kunnen negeren, want er stond geen directe beschuldiging in. En wie maakt zich druk om een jonge vrouw in Wytten?

'Goed, maak dit kwalijke verhaal dan maar af. Dus Cyrus zag die briefjes, telde twee en twee bij elkaar op en bracht u op de hoogte, omdat hij zich zorgen maakt. Zit het zo?'

De koning knikte. Hij liet zich op de stenen vensterbank zakken.

'En het kind wordt binnenkort geboren?' Merkhud stond op en ging door de kamer lopen.

'Het is er al, misschien.'

'Maar wie zegt dat het van u is, majesteit? Een of ander boerenmeisje krijgt een kind. Ze kan wel met het halve dorp genaaid hebben en weet dan echt niet wie de vader is. In naam van Licht, man...'

Lorys kwam van de vensterbank af, liep naar het tafeltje en sloeg er zo hard met zijn vuist op, dat zijn lege glas omviel en op de tegelvloer kletterde. Merkhud was verbluft.

'Het kind is van míj, oude man!' brulde hij. 'Van mij! Zo'n soort meisje wás het niet. Ze was nog maar amper een vrouw. Ik heb haar die nacht ontmaagd en bezwangerd. Tel de maanden en dagen maar na, dokter. Hoe je ook rekent en telt, je zult zien dat het mijn kind is. Een bastaardzoon van de koning.'

Merkhud ziedde nu ook van woede, maar hij zette zijn glas overdreven voorzichtig neer. 'Nyria mag dit nooit, nóóit vernemen. Het zou haar dood zijn, begrijpt u dat?' Merkhud wees naar het briefje op de vloer. Zijn optreden was ernstig in strijd met het protocol.

'Ik ben niet achterlijk, oude man,' beet de koning hem toe.

Nu was het Merkhud die brulde. 'Nou, daar ben ik niet zo zeker van! Ze heeft een zwak hart, Lorys. Een schok in deze orde van grootte zou haar acuut fataal kunnen zijn.' Hij knipte erbij met zijn vingers.

'Ik hoor je heus wel, Merkhud.' Lorys had zijn kalmte herwonnen en richtte zich in zijn volle lengte op.

'Goed. Laat het aan mij over. Ik moet nu gaan, want het wordt hoog tijd dat ik me om de zieken in huis bekommer.'

Merkhud trok zijn lange tuniek recht en maakte aanstalten om te vertrekken, maar de koning stapte naar hem toe en pakte hem bij zijn arm.

'Dank je.'

De oude man keek naar de koning en zag dat zijn ogen nat waren van tranen. Hij hield van Lorys als van een zoon en hij kon hem niet kwalijk nemen – want welke vader kon dat wel? – dat hij was bezweken voor de charmes van een mooie vrouw. Merkhud stak zijn hand uit, greep de koning bij zijn schouder en schudde die zachtjes en liefdevol, waarna hij met de altijd nieuwsgierige Treek op zijn hielen naar de deur liep.

❧

Merkhud wist niet precies waarom hij dit deed, maar hij boog zich naar de lange vrouw die bij hem in de deuropening stond en kuste haar zachte wang. Ze bloosde van verlegenheid.

'Geef hem een goede opleiding.' Hij maakte een buiging en vertrok.

In de gelagkamer bestelde hij iets bij de herbergier en zocht een schemerig hoekje op. Gelukkig was het die morgen niet druk in de zaak. Marrien had hem verbaasd. Ze was een volkomen oprecht meisje. Hij schaamde zich achteraf dat hij haar ook maar één moment had verdacht van oneerbare bedoelingen toen ze overal een briefje had laten ophangen om de koning op te sporen.

De onlangs geboren jongen was sterk, gezond en geliefd. Ondanks het schamele loon dat ze verdiende, zou zij voor een beschermend gezin zorgen, dat was Merkhud wel duidelijk. Ze wilde niets van Lorys. Marrien had de koninklijke lijfarts uitgelegd dat ze werkelijk niet wist wie haar die avond te hulp was geschoten. Ze wist alleen dat de twee mannen aardig en galant waren geweest tegenover haar. De man met de korte haren en de baard had haar aan het lachen gemaakt, hoewel ze daar echt niet voor in de stemming was, en de stille man, die zo te zien ondergeschikt was aan de andere, had haar een gevoel van veiligheid gegeven. Ze was niet van plan geweest de leuke man met de vrolijke ogen en humor te verleiden, maar ze was die nacht eenzaam en bang geweest. En ze had niet geweten hoe ze hem moest bedanken. Ze glimlachte weemoedig toen Merkhud zei dat ze hem wel érg grootmoedig had beloond, om het nog maar zacht uit te drukken.

'Het gebeurde gewoon. Wat kan ik er verder van zeggen? Ik was blij dat ik mijn maagdelijkheid kon weggeven aan deze man met zijn mooie stem en lachende ogen. Liever dan aan een stel zwervers. Daarmee zou de zaak zijn afgedaan, want ik wist niet wie ze waren of waar ze vandaan kwamen, en ik had geen reden om hem lastig te vallen.'

Merkhuds gemijmer over zijn gesprek met haar werd verstoord doordat er luidruchtig een beker bier voor zijn neus werd gezet. Hij lette er nauwelijks op en herinnerde zich haar antwoord op zijn vraag hoe ze had ontdekt wie de vader van het kind was.

'Een paar vrienden haalden me over om mijn kleine beetje spaargeld te gebruiken om mee te gaan met een reisje naar Tal om een spel in het amfitheater te zien. Bij het vallen van de schemering werd gezegd dat de koning en de koningin ook kwamen kijken. We waren allemaal erg opgewonden! Ik had al horen zeggen hoe knap onze koning Lorys is en dat de koningin een echte schoonheid is.'

Marrien had verteld dat ze bijna was flauwgevallen toen het koninklijk paar arriveerde, want ondanks de afstand had ze hem meteen herkend.

'Mijn oren begonnen te suizen en ik dacht dat ik de lekkere maaltijd van kort tevoren zou overgeven. Ik zag alleen nog maar de aardige, leuke man die me veiligheid en houvast had gegeven toen ik bang was, en die me de kans had gegeven een nieuw leven te beginnen, bij mijn vader vandaan. En de man die het kind had verwekt dat ik in mijn schoot voelde bewegen.'

Ze had Merkhud verteld dat iedereen had geklapt en gejuicht voor het stel, dat erg gelukkig leek met elkaar. En dat ze zelf hadden geklapt en geglimlacht naar hun onderdanen, waardoor iedereen nog harder was gaan juichen. Marrien had de mensen om haar heen horen zeggen hoe tragisch het toch was dat dit geliefde echtpaar geen opvolger voor de troon had. En daar waren ook insinuerende grappen over gemaakt en iemand had gezegd dat de koning er misschien niet de man naar was om een kind te verwekken.

'En toen besloot jij hem in te lichten,' concludeerde Merkhud zacht.

Marrien bezwoer hem opnieuw dat ze helemaal niets van de koning verlangde. 'Ik zocht naar een geheime manier om hem te laten weten dat hij wél een kind kan verwekken, en dat hij nu een zoon heeft. Ik wilde niet met hem spreken, ik wilde hem niet ontmoeten. Ik heb geen moment de opzet gehad zijn leven te verstoren. Dit was de enige manier die ik kon bedenken,' had ze ten slotte op verdrietige toon gezegd. 'Ik besef achteraf dat ik hem misschien bang heb gemaakt. In mijn gedachten zag ik hem erkennen dat hij de man was over wie ik sprak, verder niets.'

'Dacht je niet dat hij het misschien zou ontkénnen?' vroeg Merkhud ongelovig.

Ze knikte ongelukkig. Kennelijk had ze er niet bij stilgestaan dat ze Lorys in problemen kon brengen.

'En wat wil je nu?' vroeg Merkhud. Hij rekende op een hele waslijst van wensen.

Maar ze had hem verbaasd.

Marrien snikte even wat na en keek toen in verwarring op van de grote rode zakdoek die ze van hem had geleend. 'Nou, niets natuurlijk, meneer. Ik zal de jongen opvoeden tot liefde voor zijn koning... en zijn koningin. Hunne majesteiten zullen nooit meer iets van ons horen, maar wij zullen altijd trouw blijven aan Tallinor.'

Merkhud zag nog levendig voor zich hoe haar lichtbruine ogen glansden bij het uitspreken van die belofte. Ze wilde geen geld van hem, want ze was nu gelukkiger dan ooit en kon gemakkelijk in hun levensonderhoud voorzien. Zolang ze de jongen kon voeden en kleden, zou ze een tevreden mens zijn. Ze had het met zoveel overtuigingskracht gezegd dat hij diep onder de indruk was. En toen was het alsof er in zijn hoofd een kaars werd ontstoken, want opeens had hij een elegante oplossing voor dit groeiende probleem gezien. Hij wist dat Lorys hoe dan ook voor de opvoeding van het kind zou willen betalen.

'Waarom kom je niet voor mij werken?' had hij daarom plompverloren gezegd.

Hij legde haar uit dat hij op verschillende plaatsen in de hoofdstad een paar vrouwen aan het werk had die voor hem de kruidenpakketjes en drankjes bereidden, die hij als dokter voorschreef.

'Ik kan een paar bekwame en ijverige handen erbij heel goed gebruiken en je kunt dat werk thuis doen, dus de hele dag bij je kind zijn.'

Hij zag weer voor zich hoe haar ogen hadden gestraald bij die woorden en dat ze haar armen om hem heen had geslagen en hem spontaan had omhelsd. Hij had gecommandeerd dat ze een eigen huisje aan de rand van Wytten moest zoeken, na haar vriendelijk, maar dwingend te hebben uitgelegd dat voor een zoon van een koning, echt of buitenechtelijk, dát toch wel het minste was.

'Ik beloof je dat alleen jij en ik op de hoogte zullen zijn van deze regeling. Zelfs de koning zal ik het niet vertellen,' had hij gezegd, en daarbij had hij stevig in haar hand geknepen om het te benadrukken.

Marrien was tevreden met die belofte en stemde ermee in dat hij de nodige regelingen zou treffen voor haar nieuwe baan en huisvesting. Voordat hij vertrok, liet hij haar bovendien beloven dat ze zich uitsluitend tot hem persoonlijk zou richten mocht zij ooit iets nodig hebben voor de jongen.

Hij gaf haar kindje – de huidige erfgenaam van de troon – een knuffeltje voor hij vertrok en voelde in zijn hart een steek van verdriet om Nyria, van wie hij innig hield. Hij wist dat ze haar leven had willen geven om haar geliefde Lorys een kind te schenken, maar dat haar baarmoeder nooit vruchtbaar was geworden. En hoewel ze haar droefheid met charme droeg, zag hij deze elke dag weerspiegeld op haar gezicht.

Merkhud keerde met een ruk terug in het nu toen de deur van de gelagkamer werd opengeworpen en een opgewonden jongen naar binnen kwam, die iets schreeuwde.

Merkhud had niet opgevangen wat de jongen riep, maar hield een andere jongen tegen, die op weg was naar de keuken. 'Wat is er aan de hand?'

'Hij zegt dat er grote beroering is ontstaan in het paleis. Er is een ruiter gearriveerd die slecht nieuws bracht.'

Merkhud sprong overeind. 'Hallo, herbergier! Klopt het wat deze jongen zegt?'

De herbergier haalde zijn schouders op, maar kon zijn eigen opwinding nauwelijks verbergen. 'Ik weet het niet. Hij komt net terug van een boodschap in Tal en er schijnt daar verontrustend nieuws te zijn, maar we weten niet wat.' Hij schudde zijn hoofd en klakte met zijn tong.

Merkhud legde wat munten op de toonbank. 'Laat meteen mijn paard halen. Het is de zwarte hengst in de dorpsstal. Snel!'

De herbergier zette een van de jongens op straat aan het werk, na hem een muntje te hebben toegeworpen. Merkhud liep voor de herberg heen en weer en keek met een lelijk gezicht naar de wat oudere stalknecht die in een kalm drafje op Stygiaan kwam aanrijden.

'Mooi paard, meneer,' zei hij op conversatietoon, zonder Merkhuds stemming op te merken.

De dokter betaalde hem zonder een woord te zeggen, nam de teugels, mompelde iets, steeg te paard en reed weg in de richting van Tal.

'Zo te zien hebt u haast, meneer... Nou, tot de volgende keer dan maar,' zei de stalknecht, die enigszins traag van begrip was.

❦

Toen Merkhud het paleis bereikte, zweette hij na een snelle rit van een uur. Het was er een chaos en veel soldaten bereidden zich in alle haast voor om te vertrekken. Hij keek naar de koninklijke vleugel en zag Nyria vanachter een van de vensters kijken naar de activiteiten. Hij stak zijn hand op en zij deed hetzelfde. Callum, de page van wie Merkhud wist dat hij tegenwoordig dagelijks de koning diende, kwam op een drafje naar hem toe, met een ernstige uitdrukking op zijn gezicht.

'Callum, jongen, wat is er aan de hand?' vroeg Merkhud, terwijl hij een genaderde staljongen de teugels van Stygiaan overhandigde. 'Het paard moet stevig geborsteld worden en mag niet te veel water tegelijk krijgen. Hij is vanaf Wytten in galop geweest en moet eerst langzaam afkoelen.'

De jongen knikte en nam het snuivende paard mee.

'Neem me niet kwalijk, Callum. Kun je het snel even voor me samenvatten?'

'Een paar uur geleden kwam een ruiter het nieuws brengen dat primaat Cyrus verdwenen is. De compagnie keert straks terug na een overnachting in de nabijheid van Brewis.' Het was een verrassend beknopte samenvatting.

'Moge Licht ons beschermen! Is dat alles?'

'Nee, het is alles wat ik heb kunnen verstaan, maar ik moet nu snel terug naar de koning. Hij heeft dringende klusjes voor mij.' De jongen leek diep onder de indruk van alle opwinding die ochtend.

'Ik kom met je mee. Ga maar voor.'

Nyria kwam bij hen voor ze de werkkamer van de koning bereikten. 'Je hebt het al gehoord, zeker?' Ze was even kalm als altijd en vandaag prachtig in het blauw gekleed.

Merkhuds hart sloeg een slag over, zoals altijd, toen ze een hand op zijn arm legde. 'Inderdaad, mevrouw, maar alleen dat Cyrus verdwenen is. Verder niets.'

Hij bedekte haar elegante hand met de zijne en voelde de tinteling van verlangen die hij in haar aanwezigheid vaak moest onderdrukken.

'Kom, dan gaan we samen naar hem toe.'

Ze stak haar arm onder de zijne en lieten Callum alvast gaan melden dat Merkhud was opgespoord.

'Zo, was ik zoek?' vroeg hij verbaasd.

'Je weet dat Lorys je altijd graag dicht bij zich in de buurt heeft, Merkhud. Waar was je, oude stiekemerd?' Ze moest glimlachen toen ze zag hoe gemakkelijk ze hem van zijn stuk kon brengen.

'Nergens in het bijzonder. Ik rekruteerde een meisje voor het maken van medicijnen, mevrouw... eh... in Wytten.' Je moest eens wéten wat ik daar deed, dacht hij schuldbewust.

'O, heet dat tegenwoordig rekrutéren?' vroeg ze lachend. Ze bedekte haar mond met een hand, maar haar ogen twinkelden.

Alleen Nyria kon Merkhud zo achteloos van zijn à propos brengen. Hij zag af van het gestamelde excuus dat naar zijn lippen opwelde en hield liever zijn mond, om zijn gedachten op een rij te zetten. 'Plaag me niet, Nyria. Ik kan toch niet tegen u op.'

Zelfs haar glimlach was al genoeg om zijn hart te doen bonken.

'Nou, zorg dan maar voor een helder hoofd, Merkhud, want dat zal hij vandaag nodig hebben,' zei ze. Ze trok haar arm onder de zijne uit en ging hem met lichte tred vóór toen Callum netjes de deur voor hen opende.

11

Een gedaantewisseling

Tor! Wakker worden! Tor schrok zo hevig dat hij van zijn bed viel. Clouts stem klonk deze keer zonder enige humor, maar was schril van de schrik.

Clout, in naam van...

Kom in beweging, Tor. Haast je! toeterde Clout in zijn slaperige hoofd.

Eryn was wakker, maar nog slaapdronken. Ze leunde op haar ellebogen, waardoor haar appetijtelijke borsten op hun voordeligst te zien waren, en tuurde vanachter haarslierten met haar halfgeopende lichtgrijze ogen naar Tor, die naakt op de vloer zat.

'Wat doe je daar?' giechelde ze, lichtelijk beneveld.

'Sst... ga maar weer slapen, Eryn.'

Ze liet zich weer op het bed vallen en mompelde iets onverstaanbaars. Tor stond op en begon zich aan te kleden, terwijl hij naar Clouts ongeruste stem luisterde.

Het is Lys. Ze heeft me zojuist benaderd. Ze staat erop dat we onmiddellijk naar Tal vertrekken. Ze bedoelt nú meteen, Tor, en ze wilde niet uit mijn hoofd weggaan voordat ik op het leven van mijn moeder had gezworen dat ik je zou overhalen.

Tor trok zijn hemd aan. *Heeft ze gezegd waarom het nodig is?* Hij deed zijn best om het op een normaal gesprek te laten lijken.

Eryn kreunde zacht. Hij hoopte vurig dat ze van hém droomde, en niet van Margolin.

Clout kon zijn ergernis niet onderdrukken. *Wel, even denken. Misschien gelooft ze gewoon dat we het héérlijk vinden om in alle vroegte op een paard te klimmen?*

Het sarcasme was duidelijk, maar Tor was nog niet wakker genoeg om zich beledigd te voelen. *Tor, vanaf het moment dat ze jouw naam noem-*

de, wist ik dat we haar waarschuwing niet mogen negeren.

Je bedoelt dat ik in gevaar verkeer? vroeg Tor. Hij trok zijn laarzen aan.

Dat heeft ze niet gezegd. Ze zei alleen dat we zonder een moment te verliezen moeten weggaan. Dat we vannacht nog naar een dorp dat Brewis heet, moeten rijden. Ooit geweest?

Tor geeuwde. *Nee, maar ik ken de naam. Merkhud heeft me voorgesteld dat ik daar de laatste keer zou overnachten. Het is een van de dorpen die bij de hoofdstad liggen.*

Ze zei dat we daarheen moeten gaan – het zijn haar woorden, niet de mijne – om hém te redden, want Tor heeft hem nodig. Vraag me niet wie ze met 'hem' bedoelt, want daarover heeft ze me niet ingelicht.

Tors vragen bleven als het ware zwaar in de link hangen, maar hij begon al een beetje te wennen aan de bizarre wending die zijn leven had genomen. Er moest een groter patroon bestaan, dat zin en betekenis gaf aan de afzonderlijke dingen waaraan hij geen touw kon vastknopen. Hij geloofde dat hij momenteel meer aan zijn instinct had dan aan zijn vermogen om logisch na te denken.

Ik sta klaar, Clout.

Mooi. Waar ben je trouwens?

Duurt te lang om dat nu uit te leggen. Ik kom eraan.

Tor sloot hun link en begon snel een briefje te schrijven voor de verrukkelijke Eryn, die nog sliep. Hij was blij dat zijn vaders raad om altijd wat papier en een potlood bij zich te hebben nu echt eens goud waard bleek. Ze verdiende beter en hij wilde graag een cadeautje bij haar achterlaten. Ten slotte deed hij de edelsteen af die hij aan een kettinkje om zijn pols droeg en die hij van Merkhud had gekregen als talisman voor onderweg naar de hoofdstad. Hij legde het briefje op het nachtkastje, kuste haar zacht op haar lippen en verliet de kamer met grote tegenzin, stilletjes. Daarna zocht hij de voordeur op, die akelig luid piepte toen hij hem opende. Hij negeerde een vragende stem achter zijn rug en stapte naar buiten.

Ze waren hoogstens een paar uurtjes bij elkaar geweest. Het was pikdonker buiten en de dageraad was nog lang niet in aantocht. Tor bewoog zich snel door de nu vertrouwde, maar lege straten. Toen hij zijn kamer in de Lege Bokaal binnenkwam, zat Clout al op hem te wachten, gekleed als een oud vrouwtje.

Wáág het niet te lachen! waarschuwde Clout hem.

Ik zou niet durven. Kom mee, we moeten onze paarden halen.

Tor liet meer dan genoeg geld achter om te betalen voor zijn verblijf en klom toen door de kleine vensteropening op het dak. Achter elkaar zochten ze voorzichtig een weg over de daken, tot ze de plek bereikten waarvan Tor had gezien dat ze er gemakkelijk naar beneden konden klimmen om op straat te komen. Daarvandaan haastten ze zich naar de stal. Tor probeerde een smoes te bedenken om de stalmeester te wekken, maar dat bleek gelukkig niet nodig. De staljongen, Bart, stond bij de zijkant van de schuur te urineren. Hij schrok zich een ongeluk toen Tor hem op zijn schouder tikte, en maakte zijn broek nat. Clout smoorde de protesten door de jongen een munt in de hand te drukken en hij haalde hem met zijn gebarentaal ook over om de staldeur te openen.

Clout streelde beide paarden over het hoofd en fluisterde ze vreemde woorden toe, die Tor wel kon horen, maar niet kon verstaan. Toen haalde Clout iets uit zijn tas. In het donker was niet te zien wat het was, maar de paarden slikten het gretig naar binnen.

De stevige hengst van Clout heette Fliet. Misschien dat Clout door de omvang van het dier nóg bespottelijker leek, zoals hij daar met een rok aan schrijlings in het zadel zat.

'Weet u zeker dat uw... eh... metgezel niet liever een dameszadel heeft, meester Tor?' vroeg de staljongen, die in stilte behoorlijk geïmponeerd was door het oude mens.

'Nee, ze rijdt liever op deze manier. Bedankt, Bart.'

Tor wist niet hoe snel hij Bess buiten kon krijgen. Fliet volgde hem braaf. Gelukkig waren de stadspoorten van Hatten maar zelden gesloten, dus kort daarna draafden ze kalm, zonder de aandacht te trekken, over de grote weg naar Tal.

Hoe ver is het, Clout?

Lys zei dat we zo snel mogelijk moeten rijden, dan zijn we er voor het licht wordt.

Goed. En verder liet ze niets los? vroeg Tor, terwijl hij Bess tot wat meer snelheid aanzette.

Nee, anders had ik het wel gezegd.

Ik weet niet, eerlijk gezegd, of onze paarden zo lang kunnen galopperen, Clout. Hoe gaat het met jezelf trouwens?

Maak je geen zorgen over mij of de paarden. Daar heb ik voor gezorgd. Laat ons opschieten! En Clout spoorde zijn paard aan tot een galop.

❧

Ze bereikten de rand van Brewis juist toen de inktzwarte nachthemel begon te verbleken door het eerste licht van de nieuwe dag. Tor wist dat zij beiden eigenlijk doodmoe behoorden te zijn na de geforceerde rit over de weg naar Brewis, maar de snelle, denderende galop van hun paarden had hem in een soort roes gebracht. Tevoren had hij Bess op weg naar Hatten zelden harder laten rennen dan in een kalme draf, want tot een snelle galop had hij haar niet in staat geacht. Het paard van Clout zag er uit alsof het nog even fris was als aan het begin. Het was ongelooflijk wat beide dieren hadden gepresteerd.

Toen ze hun paarden stapvoets dezelfde helling op lieten lopen waar Cyrus en zijn luitenants de vorige middag hadden overlegd, keek Tor naar Clout. Beiden hijgden ze zwaar, maar hun paarden niet.

Hoe kan dat?

Een betovering, antwoordde Clout prompt, alsof hij de vraag had verwacht.

Door jou? vroeg Tor ongelovig.

Waarom zo verbaasd? Lys heeft me om een of andere reden uitgekozen en nou geeft ze me hulpmiddelen, neem ik aan. Om je de waarheid te zeggen: ik heb geen flauw idee. Clout grijnsde erbij en keek ondertussen naar de uitloper van het Grote Woud.

Waarom heb je me niet gezegd dat je over deze magie beschikt? Tor wist niet precies of hij zich beledigd dan wel opgewonden moest voelen.

Omdat ik er zelf pas achter kwam toen ik tegen de paarden praatte. Het zijn allemaal nieuwe ervaringen voor me. Als je je geest niet zo afsloot, had je het misschien wel gemerkt.

Wat bedoel je? vroeg Tor op scherpe toon.

Communiceren met jou voelt nu anders aan dan gisteren. Clout haalde zijn schouders op.

Tor was eerst verwonderd, maar realiseerde zich toen dat hij zich door zijn afweerscherm voor juffrouw Vylet bijna volledig had geïsoleerd van alle magie om zich heen.

Is het nu beter? vroeg hij hoopvol.

Veel beter! antwoordde Clout, van wie het lelijke gezicht één groot vraagteken was geworden.

Tor zuchtte spijtig. *Mijn fout. Ik moet nog veel leren.*

Clout liet het hierbij. Toen ze op de top van de helling stonden en naar Brewis in de verte keken, legde hij zijn grote hand geruststellend op Tors schouder.

'Mooi, en hoe nu verder?' vroeg Tor hardop.

Het antwoord klonk fel in zijn geest. *Daar!* Clout wees naar een plaats waar ze de koninklijke soldaten zagen, die kortgeleden Hatten hadden verlaten. Sommigen waren traag bezig het kamp op te breken, maar anderen lagen op de grond. Zo te zien sliepen ze nog.

Tor liet Bess naar opzij draaien om het beter te zien. *Zijn die mannen gewond, denk je?*

Nee, dan zouden de anderen niet zo sloom zijn. Het is een vreemde zaak.

Ze wachtten een poos, want ze wisten niet of Lys wilde dat ze doorreden naar Brewis om de man te vinden die ze zochten, of dat die man zich misschien in deze groep bevond.

Clout stapte van zijn paard en verwijderde nu eindelijk de rok en de sjaal waarmee hij zich over zijn eigen kleren heen had vermomd. *Deze zijn voorlopig niet meer nodig*, zei hij, en hij stopte ze in zijn reistas. Toen klom hij weer te paard. *Misschien moeten we...*

Verder kwam hij niet, want er klonk een kreet en de mannen daarginds renden alle kanten op.

Kom mee! Tor wachtte niet op een antwoord, maar hij drukte zijn hakken in de flanken van Bess om haar aan te sporen. Ze galoppeerden naar het kamp.

Even later stuurde hij zijn paard tussen de opgeschrikte soldaten door naar de enige tent die er stond, want daarin verwachtte hij de primaat aan te treffen. Hij werd echter tegengehouden door een man met een grauw gezicht, waarin hij kapitein Herek herkende, die hij in de herberg had gezien.

'Kapitein Herek, kent u me nog uit Hatten? Ik ben Torkyn Gynt. Primaat Cyrus en ik... eh... hebben een tijdje met elkaar zitten praten.'

'Ja, weet ik nog, jongen. Maar dit is geen goed moment voor een hereniging. Wat doe je hier?'

Tor dacht koortsachtig na. Inderdaad, wat dééd hij hier? Welke smoes kon hij verzinnen voor dit onverwachte opduiken, vóór dag en dauw?

Clout redde hem. *Zeg hem dat we alsnog hebben besloten met de compagnie mee te rijden.*

Herek keek Tor aan alsof hij een dorpsgek voor zich zag. 'Heb je me niet verstaan, jongen?'

'Ja, kapitein. Neem me niet kwalijk... eh... primaat Cyrus stelde me voor om met u mee te rijden, want ik ben ook op weg naar het paleis. Ik zei toen nee, maar achteraf lijkt het me verstandig om me toch bij de compagnie aan te sluiten. Dus toen besloot ik u in te halen.'

Het was een slap verhaal, maar de kapitein had kennelijk andere dingen aan zijn hoofd en hij luisterde nauwelijks.

'Is er iets mis, kapitein?' vroeg Tor zacht.

Herek wreef zich in zijn ogen. Er kwam een soldaat hij hem die salueerde en verstijfd leek van schrik.

'Hoeveel?' snauwde Herek.

'Alle vier, meneer... en daaronder luitenant Roisse.'

Tor zag dat Herek zijn kaken op elkaar klemde. 'En de primaat?' vroeg hij toen.

'Nog nergens gezien, meneer.'

'Dank je, Linus. Zeg Medlin dat hij de compagnie op orde moet brengen. Over een halfuur wil ik dit kamp opgebroken zien en moet iedereen klaarstaan om te vertrekken. Laat de... eh... vier in dekens wikkelen en op hun paard leggen. Ik wil dat jij alvast naar Tal rijdt. Keer zo snel mogelijk terug met instructies.' Tussen de zinnetjes door beet hij telkens weer hard op zijn tanden.

Linus salueerde nogmaals en liep weg. De hemel klaarde nu snel op en Tor zag dat geen van de mannen nog op de grond lag. Maar er hing een griezelige stilte over het kamp.

'Kapitein Herek, wat is er gebeurd?'

Herek wist zijn ongeduld moeilijk te verbergen. 'Vergeef me, Gynt, maar ik ben druk bezig en heb niet de vrijheid om nu te babbelen met een burger. Als je met ons mee wilt rijden, akkoord. Sluit je achter in de rij maar aan.'

Dat was duidelijke taal. Herek had zich al omgedraaid en liep weg. Tor was overdonderd.

Laten we kijken of we Cyrus kunnen vinden. Clouts zacht uitgesproken woorden brachten hem weer tot bezinning.

Ze bewogen zich tussen de manschappen door, die bezig waren hun afmars voor te bereiden. Er hing iets drukkends over het kamp – *en verwarring*, zei Clout in Tors hoofd.

Ik denk eerder aan geschoktheid. Ze praten nauwelijks met elkaar. In Lichts naam, wat kan hier zijn voorgevallen? En wat bedoelde Herek met de vier die in dekens moeten worden gewikkeld?

Juist op dat moment kreeg Tor Riss in het oog. Hij wuifde naar hem en tot zijn opluchting groette de oude soldaat terug. 'Hallo, Riss. Fijn je terug te zien.'

De veteraan keek hem met samengeknepen ogen aan – een blik die getuigde van een levenslange achterdocht.

'Echt waar? En je reist nu samen met de gek?'

Tor voelde hoe Clout achter zijn rug verstrakte.

'Ja, je ziet dat hij aardig is opgeknapt, dankzij de dokter... en jouw hulp.' Hij genoot van de verwarring die dit compliment bij Riss veroorzaakte.

Nu maakte ook Golag zich los uit een groepje en kwam achter zijn vriend staan. 'Jij weer?' Zijn stem was nog even schor en bracht geluiden voort die meer op raspen leken dan op praten. 'Hoe was die Eryn trouwens? Ik wed dat ze haar benen graag wagenwijd opende voor een jonge bok als jij, niet?'

Hij lachte zijn vreselijke kiezelsteenlach, greep voor alle duidelijkheid naar zijn kruis en spuwde een flinke klodder. Tor liet zich door Golag niet meer choqueren of in verlegenheid brengen. De man had er kennelijk zijn levenstaak van gemaakt om moedwillig zo vulgair mogelijk te zijn.

'Ja, Golag, ze was een delicatesse en rukte me de kleren van mijn lijf.' Hij deed er zijn stralendste glimlach bij en hoorde Clout grinniken in zijn hoofd.

Dus dáár was je vannacht!

Tor negeerde hem. 'Riss, waar is de primaat?'

'Aha, dus je bent weer op informatie uit, jongen. De vorige keer heb je er aardig voor betaald. Onze prijs is nog hetzelfde.'

Golag grijnsde wellustig zijn rotte tanden bloot achter de rug van zijn onderhandelende vriend.

Tor deed alsof hij Golag niet zag en richtte zich alleen tot Riss. 'Het was een heel gewone vraag, Riss. Vergeet het maar. Als ik Cyrus gevonden heb en de dringende boodschap van de burgemeester van Hatten aan hem heb doorgegeven, zal de primaat blij zijn te horen hoe goed je mij geholpen hebt.'

Hij draaide zich om en begon weg te lopen. Clout liep achter hem aan, vol bewondering voor de bluf.

'Wacht!' Riss glimlachte niet meer. 'Wat voor boodschap?'

Tor draaide zich langzaam om. 'Dat zei ik net. Een dringende boodschap van de burgemeester, maar ik heb moeten beloven dat ik hem persoonlijk aan de primaat zou doorgeven, nadat ik deze compagnie had ingehaald. Het kan wel een bericht voor koning Lorys zelf zijn, denk je ook niet?' Zijn ogen glinsterden toen hij dit zei.

Nou, je leert snel bij, mompelde Clout.

'Enfin, we zien elkaar in Tal wel weer.' Weer zette Tor een paar stappen.

'Best, Gynt. Ik ben niet van plan hier de zak te krijgen door jouw schuld. Wat is de boodschap?' Riss zat in de klem en het deed Tor enorm veel genoegen dat hij dit voor elkaar had gekregen.

'Het spijt me, Riss. Alleen voor de oren van de primaat zelf bestemd. Haast je, man, ik rij zo dadelijk door naar Tal. Gewoon om de burgemeester een plezier te doen.'

Het was Golag die het antwoord gaf. 'De primaat is vannacht verdwenen. Niemand weet hoe of wat. Ook zijn er vier wachtposten vermoord.' Toen zweeg hij abrupt, zoals zijn manier van doen was.

Tors bravoure maakte plaats voor schrik. 'Hoe is dat mogelijk, met tweehonderd mannen om je heen?'

'Door gif, zó is dat mogelijk,' snierde Golag.

'Wat?'

'Hij liet gisteren een paar vaten voor ons openen en wilde liedjes horen. We waren allemaal in een opperbest humeur, maar toch ging iedereen vroeg naar zijn nest en werden we laat wakker, allemaal met koppijn.' Riss wendde beschaamd zijn hoofd af.

'Je bedoelt dat er bedwelmend spul in het bier was gedaan om de compagnie bewusteloos te maken toen de primaat werd ontvoerd?' Tor kon nauwelijks geloven wat hij zei. 'Maar wat kan iemand met hem wíllen?'

Riss haalde zijn schouders op. 'Weet jij het, weet ik het. Maar ze hebben vier van onze mannen gedood om bij hem te komen en zich ook verder ingespannen om dat voor elkaar te krijgen zonder tegenwerking door ons.'

Er verzamelde zich een groepje om hen heen.

Laten we gaan, Tor. Hier zullen we verder niets ontdekken. Clout pakte hem bij zijn arm.

'En die dringende boodschap?' snauwde Golag.

'We moeten hem nog altijd proberen te vinden,' zei Tor.

Riss lachte ontgoocheld. 'Jij, jongen, met een kreupele vriend? We hebben alles al afgezocht. Geen spoor te vinden.'

'Dood of levend, we zullen hem vinden, Riss.' Meer zei Tor niet. Hij liet zich door Clout meenemen naar hun paarden.

Wegwezen hier. Clout nam de leiding. Hij zag de grote verwarring en ongerustheid op Tors gezicht.

Waarheen?

Volg me maar. Clout stuurde zijn paard regelrecht naar het woud. *Ik vermoed dat de meeste mensen hier doodsbang zijn om dit grote bos binnen te gaan?* Clout probeerde zijn stem in Tors geest enigszins luchtig te laten klinken.

Tor had daaraan tot dan toe niet gedacht. Hij antwoordde op verstrooide toon, alsof hij er met zijn hoofd niet helemaal bij was, want hij piekerde over de vraag waarom Cyrus het waard kon zijn dat vier mannen hun leven moesten verliezen. *Ja. We horen ons hele leven griezelverhalen over gevaarlijke beesten en akelige wezens die erin rondzwerven. Ik heb ze altijd voor pure folklore gehouden.*

Kan best, maar de mensen zijn écht bang voor het Kernwoud. Ik wed dat geen enkele van die soldaten er vijf stappen naar binnen durft te zetten.

Met deze woorden trok Clout zijn aandacht wel.

Ze hebben toch zeker wel patrouilles op weg gestuurd om hem te zoeken?

Zeker, dat betwijfel ik niet. Maar ik vraag me af of er iemand verder heeft gekeken dan het randje van het Grote Woud. Daarom weet ik dat hij dáár ergens moet zijn, of er vannacht is vastgehouden.

Tor trok aan zijn teugels en liet Bess naast Clouts paard stoppen. Ze waren nu een eind bij de koninklijke compagnie vandaan en stonden onder een van de enorme eiken die aan de rand van het woud groeiden.

Voel je het ook, Tor?

Wat?

Mijn huid tintelt en ik hoor een zacht gezoem. Ik kan er geen link mee leggen, maar nu ik zo dicht voor het woud sta, kan ik het heel goed voelen.

Dat is vreemd, maar tegelijkertijd lijkt het me gunstig. Misschien betekent het dat het Kernwoud voor jou geen bedreiging is. Goed, laten we die hypo-

these eens volgen. Als dit woud nagenoeg iedereen doodsbang maakt, waarom zou iemand de primaat dan hier naar binnen halen?

Clout klakte met zijn tong en zette Fliet met zijn knieën aan om in beweging te komen. Bess volgde hem.

Tor herhaalde zijn vraag. *Waarom hebben ze hem niet gewoon meegenomen naar Brewis?*

Ik weet de antwoorden niet, Tor, maar uit het feit dat Lys zich ermee bemoeit, leid ik af dat Cyrus belangrijk is voor jou. En omdat ik aan jou vastzit, moet ik hem zoeken.

Er viel maar weinig daglicht door het dichte gebladerte naar beneden. Onder de hoge kruinen was het koel en stil, op wat gedempte vogelgeluiden en geritsel van eekhoorns na.

Voel je nu iets, Tor, of hoor je iets?

Wel... Tor trok een vreemde grimas. *Ja... maar beloof me dat je niet gaat lachen, Clout.* Hij zag dat zijn vriend knikte. *Het lijkt alsof het woud me wélkom heet!*

Bedoel je dat het kan práten? vroeg Clout ongelovig.

Ik weet het niet. Het lijkt alsof de takken en bladeren me welkomstknikjes geven. En dat de rest van het bos glimlacht. Ja, dat is het woord... het bos glimlacht me toe, Clout.

Moge Licht ons beschermen! Clout schudde zijn hoofd. *Bij jou wordt mijn leven van dag tot dag krankzinniger.*

Ze reden een eindje in stilzwijgen. Ze genoten van de pracht van het Kernwoud en voelden zich schuldig dat hun paarden zomaar op al die mooie bosbloemen stapten. De dieren zelf hadden er geen moeite mee en zochten kalm een meanderend pad tussen de hoge bomen door.

Ze kwamen uit op een open plek. De zonnestralen binnen de cirkel van boomstammen waren oogverblindend en er wervelden muggenzwermen in de banen van licht. Tor liet zijn paard abrupt halt houden en zijn adem stokte even.

Dit is een magische plek, Clout.

Ik voel het. Lys is ook hier.

Waar? Kun je haar zien? Tor keek gretig zoekend om zich heen.

Nee, maar ik voel haar.

Clout, wat...

Stil even, jongen. Ze praat tegen me.

Tor zag dat Clout zijn ogen sloot en roerloos bleef zitten.

En opeens was alles doodstil. Geen vogel zong nog, geen blad bewoog in de windloze ochtendwarmte. Zelfs de paarden hielden hun benen stil. Het duurde maar voort en juist toen Tor zijn geduld begon te verliezen, ontspande Clout zich en zuchtte hij. Ook rolden er tranen over zijn wangen.

Wat gebeurt er allemaal? vroeg Tor ongeduldig.

Lys zegt dat we niet bang hoeven te zijn. Het Kernwoud beschermt jou, Tor, en degenen die jij liefhebt. Maar de primaat is ook hier en hij is in gevaar. We moeten hem heel snel vinden.

Hoe? Waar moeten we beginnen. Moeten we...

Kalm maar, jongen. Lys heeft me een weg gewezen.

Waarom huil je, Clout? vroeg Tor op een voorzichtige, meelevende toon.

Zijn vriend aarzelde, maar fluisterde toen op vrijwel dezelfde toon een antwoord. *Ze vroeg een beslissing van me. Ik heb haar mijn antwoord gegeven en op dat moment maakte het besluit me bedroefd.* Hij draaide zich naar Tor toe. *Maar het is een verstandig besluit en ik ben er blij mee, en ook met het feit dat ik mijn rol in dit geheel nu ken.*

Tor bestudeerde het gezicht van zijn vriend, maar las er niets anders van af dan de brede, bemoedigende glimlach waarvan hij zo was gaan houden.

Pieker niet, Tor. Vergeef me mijn geheimzinnigheid. Alles zal snel genoeg onthuld worden. Nu wil ik alleen dat je me vertrouwt. Hij sprong van Fliet af.

Op leven en dood, Clout, antwoordde Tor plechtig.

Dat is mooi, jongen, want het is precies wat ik gezworen heb.

Maar mag ik niettemin even zeggen, Clout, dat je me bang maakt?

Ik weet het, Tor. Maar ik vraag alleen je vertrouwen. Je leven zal ingewikkeld zijn en veeleisend en erg, érg belangrijk voor het welzijn van heel Tallinor.

Clout zag dat Tor iets wilde tegenwerpen en stak zijn hand omhoog. *Laat me uitpraten. Ik weet niet waar deze queeste over gaat en waarom wij ermee bezig zijn, maar wél dat we het moeten doen om dit land te redden. Primaat Cyrus moet gevonden worden. Het schijnt dat hij een belangrijk stukje is in de rare legpuzzel waarin we verzeild zijn geraakt. Nu moet ik je alleen laten.*

'Wát?' brulde Tor hardop.

Voor even maar. Dan kom ik bij je terug. Clouts stem klonk een beetje onvast. *Bind Bess en Fliet vast en wacht tot je van me hoort. Het duurt niet lang, dat beloof ik.*

Maar waar ga je heen? Waarom kan ik niet bij je blijven? Er sloop ergernis in Tors stem binnen. Hij had een grote hekel aan geheimzinnigheid.

Ik ga daarheen. Clout wees naar de zonovergoten open plaats. *En jij moet op dit plekje blijven tot ik terug ben.*

Ik begrijp wat je zegt, Clout, maar ik snap niet waar je mee bézig bent.

Dat weet ik. Maar je moet me vertrouwen. Clout ging dicht bij de jongen staan en keek hem recht in zijn felblauwe ogen. *Ik kom terug. Ik zal je niet alleen laten... nóóit.* Hij trok hem tegen zich aan en omhelsde hem krachtig. *Ik zal altijd bij je zijn.*

Toen draaide de grote man zich langzaam om en hinkte hij naar de open plek. Tor was vanbinnen geheel overstuur, want Clouts woorden hadden hem als een soort vaarwel in de oren geklonken. Het was duidelijk dat die open ruimte een betoverd oord was. Tor voelde dat met al zijn zintuigen aan, maar het ging om een soort magie die hij niet ten volle begreep. Het was een soort die hij kon bespeuren, maar niet aanraken of tot de zijne maken.

Tot Tors verbazing trok Clout zijn kleren uit, waarna hij daar naakt in het zonlicht stond. Zijn vreemde, misvormde lichaam leek een inbreuk te maken op de pracht van deze plek. Toen hurkte zijn vriend diep neer, stak zijn hoofd tussen zijn knieën en dook hij zo diep mogelijk weg onder de beschutting van zijn lange, behaarde armen.

Het licht werd intenser, eerst langzaam, toen sneller, tot Tor de gestalte van Clout in de zindering nog maar nauwelijks zag. Hij was doodsbang, want hij voelde het neerdalen van een machtige entiteit. Het zachte gezoem waarvan Clout had gezegd dat hij het hoorde, was nu bijna tastbaar geworden. Het leek alsof het hele woud trilde van verwachting. Tor dwong zichzelf naar Clout te blijven kijken, hoewel het felle licht om hem heen hem bijna verblindde. En toen hoorde hij een stem, die diep was en galmend en vreesaanjagend.

'Clout, ik ben Darmud Coril, de god van de wouden. We aanvaarden je en heten je welkom. Ik zalf je tot Vriend van het Kernwoud.'

Het leek alsof gouden zonnestralen de ineengehurkte gestalte koesterden en streelden. Tor kon het in de schittering slechts met moeite onderscheiden.

De stem sprak voort. 'Dit is je nieuwe huis. Moge je er nooit ver vandaan verwijlen en moge je altijd ongedeerd terugkeren.'

Toen ontplofte er een soort regenboog van kleuren op de plek waar Clout gehurkt zat en Tor zag dat zijn vriend van gedaante veranderde. Het leek alsof hij verschrompelde. Tor kon het niet langer aanzien. Hij riep Clouts naam boven het luide gezoem van de magie uit en sloot zijn ogen tegen de pijnlijke, oogverblindend fel schitterende kleuren die de ineenkrimpende gestalte omsloten.

En toen was opeens alles doodstil. Tor opende zijn ogen en zag nog juist hoe een grote, koninklijke valk zich moeiteloos van de open plek verhief, met machtige, regelmatige wiekslagen.

Tor slaakte een kreet, luid en wanhopig, toen Clout hoog boven de boomtoppen uit het zicht verdween.

Tor was niet van zijn plaats geweest. Wel had hij geslapen. De lange nachtelijke rit naar Brewis en daarna de doffe schok die Clouts gedaantewisseling hem had bezorgd, hadden hem verdoofd. Hij was in slaap gesukkeld. Hij ontwaakte nu Bess aan zijn nek kwam likken, waarschijnlijk in de hoop om een appel te verdienen. Haar metgezel, even verderop, scheen zich tevreden te stellen met gras.

Waarom? Hij vroeg het zich opnieuw af. Clout wist het natuurlijk vooraf. Dat was de reden waarom hij had gehuild, nadat Lys met hem had gesproken. Waarom was hij niet naar hem toe gerend om hem te redden? Waarom had hij niets anders geprobeerd? Hij was immers een begiftigde en nog wel op ongeëvenaard niveau? Waarom had hij die magie dan nu niet ingezet? Tor voelde zich machteloos. Clout was in een valk veranderd en daarna gewoon weggevlogen.

Maar kort tevoren had Clout hem toch nadrukkelijk gezegd dat hij snel zou terugkeren? En hij had hem toch gevraagd niet weg te gaan? Precies, zó zat het. 'Ik kom terug,' had Clout gezegd. Met nieuwe moed hervatte Tor zijn wachten. Hij deed zijn ogen dicht, maar niet om te slapen. Hij concentreerde zich op de magie binnen de open ruimte die hij daar voor zich zag.

Het was een krachtige magie, maar voor hem onaanraakbaar. Tor bestudeerde het fenomeen van alle kanten en prentte zich de patronen en kleuren in zijn hoofd. Hij wist nog dat het woud hem welkom had geheten, daarom probeerde hij nu ermee te communiceren. Hij besteedde heel wat tijd aan het uitproberen van verschillende manieren om zijn gedachten via een link te versturen, maar herinnerde zich opeens dat het woud, toen het naar hem 'glimlachte', zoiets als een groene gloed had uitgestraald. Daarom richtte hij zijn link nu brutaalweg op de groene tinten van het bos om zich heen. En deze keer kreeg hij antwoord van de bomen.

'Welkom, Tor. Wees niet bang. Je vriend zal terugkomen en wij zullen hem beschermen, altijd, altijd...' fluisterden ze en het was alsof hun woorden zacht weerkaatst werden door elk van de bladeren afzonderlijk.

Het ontroerde hem dat hij zich op deze manier had verenigd met het Kernwoud en de opbeurende reactie van de bomen gaf hem nieuwe moed. Hij bedankte ze en ten antwoord ruisten ze met hun bladeren.

Daarna moest hij opnieuw in slaap zijn gesukkeld, maar slechts even. Deze keer voelde hij iets van binnen: zijn geest werd aangeraakt. Het was een vederlichte aanraking, die in het begin bijna onopgemerkt bleef, maar krachtiger werd naarmate hij wakkerder was. Met al zijn vermogens – de magische en de zintuiglijke – reikte hij tastend naar de bron. En toen hoorde hij Clouts stem in zijn hoofd, luid en duidelijk, alsof zijn vriend vlak naast hem stond.

Ik heb hem gevonden!

Clout! riep Tor via de link terug.

De enige echte! En ik heb Cyrus gevonden. Hij is hier in het bos, niet eens zo ver bij je vandaan.

Waar ben je?

Hier! antwoordde Clout, waarna hij met een sierlijke duikvlucht pal naast hem neerstreek.

Tor schrok ervan en drukte zijn rug steviger tegen de boomstam aan.

Neem me niet kwalijk, ik wilde je niet laten schrikken, zei Clout, die zijn kop schuin hield.

De magnifieke slechtvalk bekeek Tor met zijn grote zwarte oog, dat was omringd door een bijna lichtgevende kleur geel, die precies hetzelfde was als die van zijn opvallende gele poten. Tor zag het edele roofdier met verbazing aan. Zijn glimmende blauwzwarte veren hingen als een strakke mantel om zijn sneeuwwitte torso.

Heel wat anders dan die lelijke Clout, vind je ook niet? vroeg de valk, die zijn kop nu naar de andere kant draaide, alsof hij zich van zijn beste kant wilde laten zien.

Ik... ik was doodsbang, zei Tor ernstig en eerlijk.

De valk maakte een huppelpasje en vloog toen met gemak omhoog, waarna hij sierlijk op Tors schouder landde. Tor maakte een schrikbeweging.

Je hoeft niet meer bang te zijn, Tor.

Waarom? Tor wreef met zijn hand over zijn haar en hield zijn hoofd schuin om naar de valk te kijken, die in alle rust op zijn rechterschouder zat.

Omdat je heldhaftige beschermer weer bij je is.

Nee, ik bedoel: waarom dit vogelgedoe?

Dat weet ik niet precies. Als een vogel kon zuchten, dan was dát wat Clout nu deed. *Lys wilde het zo en ze vroeg me om haar te vertrouwen. Dat heb ik met genoegen gedaan. Ik was namelijk niet overgelukkig met mijn vorige lichaam. Wat dat betreft ben ik er flink op vooruitgegaan.*

Is dit dan blijvend? Word je nooit meer de oude Clout? vroeg Tor op bedrukte toon. Hij was zich scherp bewust van de sterke klauwen die zijn schouder vasthielden.

Ik bén de oude Clout, Tor. Er is niets veranderd, behalve het lichaam waarin ik huis, en ik kan je zeggen: het nieuwe bevalt me stukken beter. Ja, het is blijvend.

Ik...ik weet niet of ik het allemaal kan bijbenen, de vreemde dingen die me overkomen. Jij bent mijn beste vriend in de wereld, Clout, en nu... ben je opeens een vogel. Tors woorden klonken gesmoord.

Clouts stem in zijn geest was vol medeleven. *Dat snap ik best. Maar dit alles heeft een doel. We moeten Lys vertrouwen en we moeten elkaar vertrouwen.*

Jou vertrouw ik, maar waarom moet ik Lys vertrouwen? Ze heeft jou niets anders dan pijn en verdriet bezorgd, en nu ook nog dit! Tor schudde zijn hoofd, stond op en begon geërgerd heen en weer te lopen. De valk moest zijn greep op de schouder verstevigen, maar bleef gewoon zitten.

Ze heeft mij naar jou toe gebracht, Tor. Dat is alles wat ik weet. En nu heeft ze me in dit majestueuze schepsel veranderd en daar ben ik blij mee. Heb geen medelijden met me. Als je wist hoe het is om hoog boven het land te zweven, zou je jaloers zijn. Maar vooruit, we mogen geen tijd meer verliezen. Cyrus is in ernstige problemen. We kunnen later wel filosoferen over de eigenaardigheid van onze levens. Nu moeten we eerst in actie komen. Volg me, hij is niet ver weg. Clout sprong van Tors schouder om de haast te accentueren.

Clout... begon Tor op een smekende toon.

De vogel had weinig geduld meer. *Hij is stervende, Tor, en het ziet er vreselijk uit. Alleen jij kunt hem nog helpen. We praten later wel verder. Ga nu!*

Zelf had Clout slechts twee krachtige wiekslagen nodig om een hoge tak van een nabije boom te bereiken. *Verlies me niet uit het oog. We moeten zo stil mogelijk naderen om hen te verrassen.* Hij vloog meteen naar een volgende boom.

Tor volgde hem zo geruisloos mogelijk. Hij hoefde alleen de witte donsveren van de borst van de valk in het oog te houden om te weten waar hij heen moest. Ondertussen vroeg hij zich af wie 'hen' waren. Het terrein werd binnen een paar minuten steeds moeilijker begaanbaar. Clout moest zijn volgende boom steeds dichterbij kiezen, anders had Tor hem gemakkelijk uit het oog kunnen verliezen. Ten slotte vloog de valk niet meer verder. Tor zag hem op dat moment niet, maar zijn link met hem was open en Clouts krachtige aanwezigheid was voelbaar.

Nu heel stil zijn, Tor. Ze zijn nog maar dertig passen voor je uit, fluisterde de vogel in zijn geest.

En inderdaad, hij hoorde geschuifel en geritsel. En een gedempt geluid van stemmen.

Met hoeveel zijn ze? vroeg hij Clout.

Vijf man. De leider is Corlin.

Corlin! Tor was opgelucht dat hij het niet hardop had geschreeuwd, alleen via de link.

Ja, die! Clouts geestelijke stem droop van haat.

Dus het draait allemaal om wraak! Tor zette nog een paar stappen en verborg zich toen achter een paar dichte struiken, vanwaar hij de mannen goed kon zien.

Ik zou niet weten wat het ánders moest zijn. Corlins trots kreeg die dag op het marktplein een gevoelige knauw en voor die vernedering geeft hij Cyrus de schuld.

Clout liet zich stilletjes van een hoge tak vallen en landde netjes op Tors schouder.

Tor schrok ervan. *Ik heb liever dat je me voortaan even waarschuwt!*

Hij bekeek het tafereel nauwkeuriger. Twee mannen lagen te slapen, twee andere zaten te drinken. Corlin zat een eindje bij de anderen vandaan, roerloos, bij de paarden.

Waar is Cyrus? vroeg Tor gejaagd.

Daar rechts.

Tor draaide zijn hoofd om tussen twee takken door te kijken en moest bijna overgeven. Dramatisch gestrekt tussen twee boomstammen hing daar de primaat, die op zijn plaats werd gehouden doordat er grote spijkers door zijn handen waren geslagen. Hij maakte geen geluid en was zo op het oog buiten bewustzijn. Er had zo te zien bloed gevloeid over zijn gezicht, zijn handen en de rest van zijn lichaam. Zijn ooit witte hemd was bevuild door donkerrode en bruinige vlekken. Tor kon zijn gezicht niet zien, want het hoofd van de primaat hing schuin opzij, slap, met zijn kin tegen zijn borst aan. Zijn dikke haar, dat hij altijd zo keurig verzorgde, was nu dof en plakkerig door zijn eigen bloed.

Blijf kalm, fluisterde Clout, die een machtige golf van magie in het lichaam van zijn vriend voelde aanzwellen.

Toen Tor sprak, was zijn stem weer emotieloos. *Hiervoor moet Corlin sterven.*

Helemaal mee eens. Maar laten we onze aanwezigheid nog niet verraden. We hebben geen wapens – alleen jouw magie.

Meer hebben we niet nodig. Ook deze woorden sprak Tor op een onthechte manier uit, hoewel zijn lichaam stond te trillen van het vermogen dat er doorheen bruiste en de woede waardoor hij werd aangevuurd.

Laten we kijken wat zij doen, dan weten we wat ze van plan zijn. Ik ga wat dichterbij. Geruisloos verhief Clout zich van Tors schouder en enkele tellen later verscheen hij onopvallend op een lage tak van een van de bomen waaraan de primaat was vastgespijkerd.

Ze hoefden niet lang te wachten. Corlin kwam in beweging. De mannen die zaten te drinken, schopten de twee andere wakker. Ze zeiden niets, maar knikten in de richting van Corlin. Ze gingen allemaal staan. Tor zag dat een van de vier mannen Goron was, de bruut uit wiens handen hij Eryn had helpen ontsnappen.

'Wat een aangenaam groepje is dit,' mompelde hij voor zich uit.

'Het is tijd,' zei Corlin, en hij haalde een emmer bij de paarden vandaan. Hij liep naar de gevangene en gooide hem de donkere inhoud van de emmer over het hoofd. De anderen lachten als dronkenmannen en genoten van de vergeefse pogingen van de primaat om zich van de smerigheid te ontdoen.

'Hopelijk vindt hij tweedehands bier lekker,' zei een van hen, na zijn buurman te hebben aangestoten.

'Ik zou het niet meer lusten, als het al door jouw pens was gegaan,' zei de ander.

'Dat moet jij nodig zeggen, Fyster!' Dit was Goron aan het woord. 'Jouw pis stinkt tot hoog in de hemel, maar smaakt als de hel.'

Daar moesten ze allemaal om lachen, totdat Corlin om stilte vroeg door zijn hand op te steken. Cyrus kreunde en Tors hart miste een slag toen hij opeens een dolk in Corlins hand zag. Het lemmet glinsterde in de ochtendzon.

'Ik heb genoeg van je, prins pleefiguur. Kijk me nu aan, als een brave soldaat, dan kan ik je keel met meer precisie en genot doorsnijden.' Hij pakte de primaat bij zijn haren en rukte zijn hoofd naar achteren.

Tor kwam stilletjes uit zijn schuilplaats. Zijn kille woede beheerste nu het vermogen dat in zijn binnenste kolkte. Hij injecteerde een enorme peut energie in Cyrus, die daardoor heel even oncontroleerbaar stuiptrekte, tot vermaak van zijn folteraars. Zij zagen het aan voor angst.

Cyrus haalde diep adem.

'Aha, je wilt nog iets zeggen, prins varkensstront? Nou, we zijn een en al oor!' zei Corlin lachend, en hij bracht zijn oor overdreven dicht bij de mond van de primaat.

Tor, die nog niet was opgemerkt, stuurde een tweede portie energie en zag nu tot zijn genoegen dat Cyrus zijn dichtgeslagen ogen opende en hem van dichtbij zag naderen. Maar zelfs Tor kon nauwelijks geloven dat hij op dat moment werkelijk een glimlach zag verschijnen rond de gekneusde en bloedende lippen van de primaat.

'Ik kan niet wachten tot ik mijn zwaard door je smerige moordenaarskeel voel snijden, Corlin. Waarom kijk je niet eens eventjes om je heen?' Cyrus hijgde hevig na de inspanning, en hij spuwde bloed, maar de stroom van levensenergie deed zijn ogen uitdagend fonkelen.

De mannen stonden te hinniken van het lachen. Ze sloegen zichzelf op hun dijen en elkaar op de rug om de moedige, maar stompzinnige woorden van hun gevangene. Alleen Corlin lachte niet. Hij keek om, zoals hem was gesuggereerd, maar hij zag achter zich alleen Tor staan, ongewapend, glimlachend, en op slechts enkele passen bij hem vandaan.

'Ken je me nog?' vroeg Tor beleefd.

Hij hoorde Clout in zijn geest met zijn tong klakken, maar meteen daarna gaf Corlin brullend blijk van zijn woede. Hij liet de haren van Cyrus los en stortte zich nu eerst op zijn nieuwe doel. De andere mannen draaiden zich om en een van hen krijste toen een valk met gestrekte klauwen doelgericht naar zijn gezicht dook.

Maar even snel als de commotie was ontstaan, was het nu ook opeens weer stil in het woud. De vijf aanvallers stonden verstijfd en verlamd op hun plek.

Corlin had zijn arm geheven en de punt van zijn dolk wees recht naar Tor. Zijn gezicht was verwrongen van haat, maar zijn voeten leken vastgetimmerd op de plek waar hij stond. Alleen zijn ogen kon hij bewegen, en ze rolden in hun kassen van angst en onbegrip.

Clout streek licht op Tors schouder neer. Ze keken beiden een paar tellen naar Corlin, maar richtten toen hun aandacht op Cyrus, die moest vechten om zijn hoofd overeind te houden om alles te kunnen zien.

Hij spuwde weer bloed. 'Is dit een droom?'

'Nee. Blijf stil staan,' zei Tor, die de primaat niet in de ogen durfde te kijken. Hij vroeg zich af hoe hij dit ooit zou kunnen uitleggen.

Tor tilde Cyrus omhoog om het gewicht dat aan de spijkers hing te verminderen en concentreerde zich toen op de eerste spijker. Een simpele betovering rukte hem uit de schors van de boomstam. Zo gebeurde het ook met de andere spijker. Tor droeg ten slotte het hele gewicht van de kreunende primaat op zijn schouders en legde hem daarna voorzichtig op de grond, waarna hij de spijkers behoedzaam uit de verdoofde, gemartelde handen trok.

'Maak mijn benen los,' hijgde Cyrus schor.

Tor ging staan, liep naar Corlin en maakte de korte, gedrongen vingers los waarmee deze zijn dolk vasthield. Tor liep terug naar de primaat en sneed de enkelboeien los.

'Help me opstaan, jongen.'

'Nee, Cyrus. Laat me alsjeblieft...'

'Ik zei: help me opstaan! Dat is een bevel!' Het kostte Cyrus enorm veel moeite om dit op luide toon te zeggen.

Met Tors hulp werkte hij zich daarna moeizaam overeind. Zijn verzwakte benen waren nauwelijks in staat om hem te dragen.

'Help me, Gynt... alsjeblieft.'

Tor zette zijn schouder onder de gebukte gestalte van de bloedende soldaat en hielp hem overeind komen. 'En nu?'

'Druk me die dolk in mijn hand. Je moet er mijn vingers omheen buigen, want ze hebben geen gevoel meer.'

'Wilt u deze moordenaars niet liever laten berechten in Tal?'

'Die vier schooiers wel, maar hij is de mijne en ik wil persoonlijk met hem afrekenen,' zei Cyrus, die moeite had om zijn pijn te verbijten.

Zwaar leunend op Tor zette hij de vijftien stappen om bij Corlin te komen, die nog bevroren stond in zijn houding, maar van wie ze zagen dat hij het inmiddels in zijn broek had gedaan van angst. Cyrus bekeek zijn folteraar een hele poos.

'Mijn compagnie, Tor... heb je haar gezien?'

Tor slikte. 'Ja, primaat. Kapitein Herek had de leiding. Ze bereidden zich bij het aanbreken van de dag voor om naar Tal te vertrekken.'

'Zijn ze ongedeerd?'

Tor probeerde het met een ontwijkend antwoord. 'De meesten waren nog bezig bij te komen van het bedwelmende middel. En ze vreesden voor uw leven.'

'Is de compagnie voltallig, meneer Gynt? Zijn er andere slachtoffers gevallen?'

Tijdens dit gesprek had Cyrus zijn blik voortdurend op de doodsbange Corlin gericht gehouden, die nu stond te kwijlen van angst. Tor aarzelde. Een groepje vogels – waarschijnlijk winterkoninkjes, dacht hij – verhief zich luidruchtig boven een kruin, misschien opgeschrikt door een roofvogel. Hij voelde Clouts klauwen in zijn schouder knijpen en besefte opeens dat zijn vriend het tegenwoordig zeker léúk zou vinden om zulke prooidiertjes op te jagen en te doden.

'Geef me antwoord, Gynt,' zei de primaat zacht.

'Naar ik heb begrepen, meneer, zijn de vier wachtposten gedood, waaronder uw luitenant.' Tor hield zijn adem in.

'Roisse?' vroeg Cyrus op een toon alsof hij Tors antwoord niet begreep.

'Ik weet zijn naam niet,' zei Tor timide. Hij verplaatste zijn lichaamsgewicht naar zijn andere been om te voorkomen dat het lange lijf van de primaat naar opzij viel.

'Licht! Roisse! Die man was net getrouwd, waardeloze klootzak!' beet hij Corlin toe. De man staarde met wijd open ogen naar de dolk die nu onder zijn neus werd gehouden.

Cyrus raapte zijn laatste krachten bij elkaar. 'Je vier metgezellen zullen 's koning gerechtigheid ondergaan wegens de dood van drie goede soldaten en voor de ontvoering en foltering van zijn primaat, in een poging tot moord. Maar jij, Corlin, zult nu hier in het Kernwoud sterven, krachtens mijn eigen gerechtigheid, wegens de dood van mijn pasgetrouwde luitenant en het leed dat zijn bruid ondergaat wanneer ze het nieuws verneemt, en wegens de zonen en dochters die hij dus niet heeft kunnen verwekken.'

Cyrus vocht tegen zijn tranen en wist zich door pure wilskracht in zijn volle lengte op te richten. Hij weerde Tors hulp af. Met beide verdoofde handen het dikke heft van de korte dolk omklemmend, zette hij zijn volle gewicht achter de stoot waarmee hij het lemmet tot diep in Corlins keel boorde. Dit was de traditionele executiemethode voor een moordenaar.

Er spoot een golf van Corlins bloed over de primaat heen. Het vermengde zich met de vlekken van zijn eigen bloed op zijn hemd. Cyrus bleef staan en liet het gebeuren, zonder iets te zeggen. Hij staarde naar Corlin, die nog steeds roerloos op zijn plaats stond, maar uit wie nu het leven wegvloeide.

'Laat hem los,' zei de primaat ten slotte, toen Corlins ogen glazig waren geworden.

Tor verbrak de betovering en Corlins lijk viel met een doffe plof op de met bloed doorweekte bosgrond. Cyrus volgde even later. Hij zakte eerst op zijn knieën en viel toen voorover op zijn borst, waarna hij wegzakte in een genadige bewusteloosheid.

Pas vele uren later was Tor klaar. Hij schrok ervan hoe moe hij was. Hij leunde tegen een boom en keek naar Cyrus, die nu was gewassen met het water dat er was en verbonden met stroken van Clouts hemd. En hij had Cyrus een ander hemd aangetrokken, dat ze in een zadeltas van een van de mannen hadden gevonden.

Cyrus sliep, nadat Tor met machtige magische ingrepen zijn botten had gezet en de andere kneuzingen van zijn lichaam zo goed mogelijk had behandeld. Corlin en zijn mannen hadden Cyrus bijna doodgegeseld. Zijn rug en borst waren één bloedige brij van snijwonden. Tor had zijn magie gebruikt om de wonden schoon te maken en infecties te voorkomen. Hij had de sneden zelf ook willen genezen, maar dat had Clout hem ernstig ontraden en Tor had het begrepen. Het zou al moeilijk genoeg zijn om het herstel van de primaat op een plausibele manier te verklaren. Hij had Cyrus veel van zijn eigen energie gegeven om hem in leven te houden, maar nu het grootste gevaar geweken was, liet hij de primaat slapen, dan kon zijn eigen lichaam voor het verdere herstel zorgen. Hij gaf de primaat een bedwelmend middel, dat hij in een zadeltas van Corlin had gevonden, om hem in een diepe, rustige slaap te houden.

Tor had de andere mannen een voor een van hun betovering bevrijd, nadat hij hun handen achter hun rug had gebonden en ze alle vier aan elkaar had geknoopt met een dik touw uit hun eigen bagage. Ze waren allemaal zo bang voor hem, dat ze zich met alle liefde zélf geboeid zouden hebben, als hij dat had gewild.

Clout maakte zich daarover zorgen. De meesten zouden weliswaar aannemen dat de mannen onzin uitkraamden, maar toch kon iemand hun beweringen over magie wel eens ernstig nemen. Bijvoorbeeld iemand als hoofdinquisiteur Goth.

Tor had hierover nagedacht toen hij Bess en Fliet ging halen. Hij herinnerde zich iets wat Alyssa jaren geleden tegen hem had gezegd. 'Niets is onmogelijk met jouw vermogen, Tor.' Het waren woorden die nu in zijn hoofd echoden. Was het echt doenlijk alle herinneringen aan zijn interventie uit het brein van deze schoften te wissen?

Probeer het, adviseerde Clout, toen Tor het idee aan hem voorlegde. *Zelfs ik weet dat koning Lorys weinig opheeft met mensen die begiftigd zijn. Als hij er lucht van krijgt, zijn onze dagen geteld, vrees ik.*

En Cyrus dan?

Maak je over hem maar geen zorgen. Ik denk dat je van hem alleen maar dankbaarheid te vrezen hebt, zei de valk, die weer parmantig op Tors schouder kwam zitten.

Hij is een man van eer, Clout. Misschien voelt hij zich verplicht het aan de Inquisitie te melden.

Tor maakte zich zorgen, maar toch meer over wat Merkhud zou zeggen over deze demonstratie van zijn talenten dan over de wellust waarmee de Inquisitie zich op iemand met machtige magie zou storten.

Clouts kalme, verstandige analyse van de situatie stelde hem gerust. *Cyrus maakt op een of andere manier deel uit van de puzzel, Tor. Naar mijn gevoel is het veilig hem te vertrouwen.*

Tor keek nu naar het aan elkaar gebonden stelletje mannen, die hem en de valk met grote angstogen aanstaarden. Een toverjongen met een waanzinnige roofvogel op zijn schouder! Tor kon zich wel voorstellen wat ze dachten en vreesden, en hij begon bijna te glimlachen. Er zat niets anders op: hij moest het proberen. Hij hurkte in de schaduwen onder een grote boom.

Nou, vooruit! riep Clout hem toe van een tak boven zijn hoofd.

Licht, gekke vogel! Geef me even de tijd. Ik weet niet wat ik doe.

Om een of andere reden schoten ze om dat 'gekke vogel' beiden in de lach en het duurde een hele poos voordat Tor weer serieus was. Hij keek naar de verbaasde mannen, die nu met zekerheid wisten dat hij niet alleen gevaarlijk, maar ook nog waanzinnig was, net als die dolle vogel daar ergens in de takken.

Vertrouw maar gewoon op jezelf, fluisterde Clout.

Tor dacht nog eens terug aan Alyssa's woorden, sloot zijn ogen en tastte om zich heen naar het woud, dat bemoedigend naar hem glimlachte. Toen concentreerde hij zich volledig op de vier mannen en weefde hij een krachtige betovering. Toen hij daarna zijn eigen ogen opende, hadden zij vieren de hunne gesloten en lagen ze allemaal te slapen.

Wat is er gebeurd?

Je ziet het. Op het ene moment wakker en doodsbang en op het volgende moment in slaap. Denk je dat het werkt? Clout kwam naast Tor op de grond neer.

Tor ging staan. *Laten we eens kijken*. Hij liep naar de mannen toe en porde ze wakker met zijn laars. Ze waren versuft, maar de angst was uit hun blik verdwenen.

'Goron, meen ik?' zei Tor.

'Nou en?' antwoordde de grote man, die aan zijn boeien rukte. 'Waar is Corlin?'

'Dood.'

De samenzweerders leken echt geschokt.

'Wie heeft hem gedood?'

'Cyrus.'

'Onmogelijk,' zei de man die Fyster heette, terwijl hij onzichtbare spinnenwebben van zijn hoofd schudde. 'Hij was aan de bomen vastgenageld.'

'Toch kreeg hij het voor elkaar. En jullie vier komen voor de rechtbank van de koning te staan wegens het afmaken van vier van zijn soldaten,' antwoordde Tor, die hun gedachten van Cyrus wilde afleiden. Ze moesten maar aan hun eigen nek denken. Ze kreunden als uit één mond.

'Hoe konden jullie zo stom zijn?' Tor wilde het bijzonder graag weten.

'Geld,' zei Fyster ronduit. 'Corlin heeft ons alle vier riant betaald. De helft in Hatten, de helft na afloop van de klus. Niet dat we wisten wát voor klus. Hij gaf ons vaten bier en hield ons zowat de hele tijd dronken. De enige keer dat we nuchter waren hebben we de compagnie beslopen en dat was makkelijk, want de soldaten waren bedwelmd. Hij heeft de wachters zelf gedood, wij niet.' Fyster schudde mismoedig zijn hoofd.

'Waarom waren jullie niet bang het Kernwoud binnen te gaan?' vroeg Tor.

De man die Chirren heette, wilde het wel zeggen. 'We waren bang zat, maar geld heeft ons overgehaald. En hij gaf ons een drankje waarvan hij zei dat het alle angsten onderdrukte. Smaakte smerig, maar werkte wel. We dronken het twee keer per dag.' Hij was de jongste van het stel en wilde zijn hart graag luchten.

Tor was geïntrigeerd.

'Waar is dat drankje?'

'Het zat in zijn tas – een blauw flesje,' verklaarde Chirren prompt, zonder op de lelijke blikken van zijn makkers te letten.

'We komen voor de rechter wegens moord,' gromde Goron. 'Moet je hem dan op alle manieren helpen?'

Tor doorzocht Corlins bezittingen en vond het bedoelde flesje al snel. Hij opende het en deinsde terug voor de stank. Hij kon zich goed voorstellen hoe vies het zou smaken. Hij wilde het aan Merkhud laten zien.

'Ken ik jou ergens van?' vroeg Goron.

'Ik dacht van niet,' zei Tor nonchalant. Hij trok de mannen een voor een overeind. 'Wel, heren, ik wil jullie te paard zien, zonder problemen. Als ik niet was gekomen om het bloedbad te verhinderen, zou primaat Cyrus jullie alle vier hebben afgemaakt. Hij was blind van woede en rook bloed!'

Hij hoorde Clout ironisch grinniken in zijn geest.

'Dus als jullie een advies willen: werk mee, want wie weet hoe genadig de koning zal zijn als hij verneemt dat jullie wel hebben meegedaan aan deze walgelijke misdaad, maar zelf niemand hebben gedood.'

Dat was iets waarvan ze de redelijkheid leken in te zien. Tor hielp ze op hun paarden, die hij al gezadeld had. Hoewel ze nu bereid leken mee te werken, vertrouwde hij ze absoluut niet, en zeker Goron niet, dus hij bond de mannen met een lang touw aan elkaar vast en zette de paarden in een rij achter elkaar. Daarna maakte hij Cyrus voorzichtig wakker en vroeg hem of hij in staat was een eindje te paard te reizen.

De primaat ontdekte tot zijn verbazing dat hij had geslapen en zag verbluft dat zijn wonden verbonden waren. En dat hij nog leefde was voor hem verbijsterend.

'Toen ik Corlin doodde, wist ik dat het ook míjn einde was, Gynt. Het waren mijn allerlaatste krachten.' Hij schudde ongelovig zijn hoofd.

'Dat dacht ik ook. We konden alleen maar bidden en hopen dat het verbinden en verzorgen van uw wonden nog voldoende soelaas zou geven om u naar dokter Merkhud te brengen.'

Tor kreeg nu de volle laag van de borende blik van Cyrus, die onder zijn manschappen legendarisch was.

'Je liegt verdomd slecht, Gynt,' hoorde hij hem zeggen. 'En die verdomde vogel, die om je heen hangt als een kwalijk luchtje... waarom heb ik het donkerbruine vermoeden dat je een akelig geheim voor me verbergt?'

Tor voelde dat de haartjes op zijn armen rechtop gingen staan.

'Ontspan je, Tor,' vervolgde Cyrus op vriendelijke toon. 'Ik ben nooit eerder in mijn leven zo blij geweest iemand te zien als toen ik onlangs mijn gezwollen oogleden openwrikte en jou zag. Ik sta bij je in het krijt. Het feit dat ik nog leef en wraak kan nemen, heb ik uitsluitend aan jou te danken.' Hij stak zijn hand op om Tor van tegenspraak te weerhouden. 'Nee, wacht. Je moet dit weten. Toen ze me afranselden en ik wegzakte in het zwarte gat van bewusteloosheid dat voor mij de enige ontsnapping leek, kwam er een vrouw bij me op bezoek. Ze zei me haar naam niet en ik heb haar niet gezien, maar ze had een mooie stem en ze kalmeerde me, en ze kwam nog eens terug om me te zeggen dat ik moest volhouden. En weet je waaróm ik moest volhouden, volgens haar?'

Tor schudde zijn hoofd.

'Voor jou, Gynt. Ze zei dat je op weg was en dat je me kwam redden. Ze zei nog andere dingen ook, in die zwarte wereld waarin we ons bevonden. Ze vroeg me je geheimen te bewaren tegenover iedereen, inclusief degenen die ik dien, en om je zo nodig met mijn leven te beschermen. Nou, is dát een bijzondere droom of niet? En toen kwam je dus.'

Hij leunde op Tor en hees zich langzaam overeind.

'Laten we er nu niet langer over praten. Ik snap er trouwens toch geen barst van, behalve dat ik hoop dat je een verdomd goed verhaal hebt voor het leger dat hier elk moment kan arriveren.' Hij lachte. 'Dankjewel zeggen lijkt me wat inadequaat, Tor, maar je begrijpt hoe graag ik mijn dank wil uitdrukken tegenover jou en je... eh... vogel daar.'

'Hij is een slechtvalk,' zei Tor deemoedig.

De colonne vertrok in een traag tempo. Cyrus op Fliet reed voorop, de vier gevangenen volgden, en Tor kwam als laatste, op Bess, met het vrije paard aan de lijn. Clout vloog hoog in de lucht en wees Tor de weg van het Kernwoud naar Brewis.

De gevangenen verbaasden zich over Tors gevoel voor richting, maar de primaat keek naar boven en zag de schitterende slechtvalk in de hoogte. Hij glimlachte en riep over zijn schouder: 'Ik heb een voortreffelijke Morriët in mijn kelder, Gynt, voor speciale gelegenheden. Ik hoop dat je na onze terugkeer wat glaasjes met me wilt delen.'

12

Een verrassing voor Merkhud

De veertig mannen van het Schild reden in stilte voort. Ze waren nog helemaal verdoofd door de schok dat hun primaat werd vermist.

Cyrus had twee rollen en werd in beide hoedanigheden door zijn mannen op handen gedragen. In de eerste plaats, en dat was het belangrijkste, was hij de primaat van het Schild – dat was een elite-eenheid van geoefende soldaten die de lijfwacht van de koning vormden. Het grotere leger, dat de veiligheid van het rijk moest bewaken, werd de Compagnie genoemd. Ook daarvan was Cyrus de leider. In de dagen van de oude koning Mort waren er twee afzonderlijke aanvoerders geweest, maar tegenwoordig kende Tallinor vrede en kon Cyrus de functies zonder moeite combineren.

Volgens gefluisterde roddels van jaloerse edelen van elders had het leger van Tal er geen flauwe notie van hoe het in een echte veldslag toeging. Niettemin dwong het respect af wegens zijn lange geschiedenis van roemrijke daden, zijn beroemde primaat en zijn zeer geheime hulpbronnen.

Merkhud reed naast de koning, zoals hem was verzocht. Dit was natuurlijk geen taak voor een lijfarts, maar de koning had zijn steun nodig. De dokter was bijzonder van streek, niet alleen wegens het nieuws over Cyrus, maar ook omdat Tor volgens zijn berekening al twee dagen tevoren gearriveerd had moeten zijn. Het was maar goed dat hij een beroep had gedaan op de hulp van juffrouw Vylet, want dankzij haar wist hij tenminste dat de jongen veilig in Hatten was aangekomen. Via haar netwerk van agenten was zij steeds op de hoogte van Tors doen en laten in Hatten, maar vanmorgen had hij bericht gekregen dat Tor zoek was.

Merkhud had vurig gehoopt dat hij na zijn terugkeer uit Wytten nader nieuws zou vernemen, maar Vylet had zich niet meer gemeld. Zijn ontmoeting met Marrien, plus Tors verdwijning, en dan nu dit vreemde gedoe met Cyrus – het was te veel voor één dag.

'Ik vroeg, oude man, of je doof bent geworden,' bulderde de koning in zijn oor.

'Licht, Lorys! Mijn oren mankeert niets, dank u. Ik dacht even na.'

'Nadenken doe je maar in je eigen tijd, dokter. Ik ben bezorgd en ik heb je meegenomen om je raad te vernemen, niet om je melancholieke zwijgen te aanschouwen.'

Merkhud bleef stil.

'Niet mokken, Merkhud,' vervolgde de koning. 'Daar ben je veel te oud voor. Ik vroeg je naar je nieuwe leerling.'

'Kan elk moment arriveren, volgens mij. Aan u en de koningin zal ik hem als eerste komen voorstellen, dat beloof ik.'

Het was een beleefde afwijzing. Merkhud was niet in de stemming voor conversatie. Lorys zou echter beslist antwoord hebben gegeven, als niet een van zijn mannen naast hem was komen rijden om te zeggen dat een tweede groep van zes ruiters zich hier zou afzonderen.

'Goed, Norris, dank je.' De koning nam het saluut in ontvangst en wendde zich toen weer tot zijn vriend. 'Ik heb groepjes van zes op onderzoek gestuurd naar elk dorpje binnen tien mijl van Brewis. Dit zestal rijdt naar Hobb.'

Merkhud knikte. Slechts weinig minuten later zagen ze na een bocht in de weg verderop de stofwolken van de naderende compagnie. Lorys zuchtte van opluchting en liet het tempo van zijn groep verhogen om eerder bij de anderen te zijn.

Herek liet zijn compagnie halt houden, sprong van zijn paard en maakte een diepe buiging voor zijn koning.

'Mijn heer,' zei hij, nadat hij zich op een knie had laten zakken. Zijn stem was hees van emotie. 'Heeft mijn koerier Tal al bereikt, majesteit?'

'Ja, en hij heeft ons noodlottig nieuws gebracht,' zei de koning op een vriendelijke toon, terwijl hij zijn schitterende witte hengst vlak voor de kapitein halt liet houden. 'Kalmeer, man.'

Herek zag er ontdaan uit. Lorys koos voor een zakelijke aanpak, anders zou Herek beslist instorten van verdriet. Hij begreep nu opeens veel beter hoe de manschappen tegenover hun primaat stonden. Niemand anders – op hemzelf na – had een zo overweldigende invloed op de soldaten.

'Geen verder nieuws nog, kapitein Herek?'

'Nee, majesteit. Geen spoor van primaat Cyrus. Het leek me het beste om deze compagnie zo snel mogelijk naar Tal terug te brengen.'

'Dat lijkt me de juiste beslissing, kapitein. Precies wat de primaat van je verwacht zou hebben. Breng je mannen naar de stad, hier kun je momenteel weinig uitrichten. Het Schild zal de nabije omgeving uitkammen om hem te vinden, en daarna desnoods het hele koninkrijk!' Lorys legde een hand op Hereks afhangende schouder. 'Deze mannen hebben rust en voedsel nodig. Jullie zijn een groot deel van de zomer van huis geweest en het wordt tijd om naar jullie vrouwen en kinderen terug te keren.'

'Mag ik toestemming vragen om me bij het Schild aan te sluiten, mijn heer?' vroeg Herek smekend.

De koning glimlachte gemoedelijk. 'Toestemming geweigerd, kapitein. Mijn orders zijn dat je deze mannen naar Tal brengt en dat je daar blijft tot je van mij persoonlijk nieuwe bevelen krijgt. Is dat duidelijk?'

'Jawel, majesteit, neem me niet kwalijk.'

'Niets om je kwalijk te nemen, Herek. Je bent een prima soldaat. Dus nu snel te paard, jongeman. Mijn Schild zal hem vinden.'

Terwijl de colonne weer in beweging kwam, liep Lorys langzaam de hele rij af. Hij glimlachte geruststellend en sprak hier en daar met een van de mannen om te tonen dat hij hun blijken van respect aanvaardde. In deze paar minuten wist hij de stemming van allen flink op te krikken en Merkhud betwijfelde geen moment dat de soldaten de koning op zijn woord geloofden: hij zou hun geliefde primaat weten op te sporen.

Toen de koning later weer op zijn hengst zat en in een energiek tempo naast Merkhud draafde, hing er tussen hen beiden een aangename stilte. Het volgende groepje van zes verliet de hoofdgroep bij de toegang tot Chigley en weer zes anderen vertrokken kort daarna in de richting van Perswik, zoals Lorys uitlegde. En zo ging het door, tot ten slotte alleen nog de koning, Merkhud, Norris en acht soldaten in het dorp Brewis arriveerden.

'Met uw permissie, majesteit, zou ik het dorp oppervlakkig willen doorzoeken en dan snel doorrijden naar de kampplaats van de compagnie.'

Norris wachtte uit respect. De koning knikte instemmend.

'Als dokter Merkhud en uzelf hier even rust willen nemen, laat ik u wat verversingen brengen, sire.'

Deze keer wachtte hij niet op instemming en een van zijn mannen verdween in de herberg Paard en Wagen om bier te halen dat je met goed fatsoen een koning kon aanbieden. De overige soldaten ondervroegen de dorpelingen. Merkhud zag dat die allemaal hun hoofd schudden. Evenmin als Norris had hij veel hoop dat ze in Brewis iets wijzer zouden worden. Een giechelend meisje dat een diepe reverence maakte, kwam koel bier brengen en de twee mannen lesten gretig hun dorst.

De koning veegde over zijn baard. 'Heb je iets op je lever, Merkhud?'

Het had geen zin om dat te ontkennen, besloot Merkhud. 'Ik heb het meisje vanmorgen gesproken, Lorys.'

'Zo, welk meisje bedoel je?' vroeg de koning, terwijl hij zijn beker weer naar zijn mond bracht.

'Het meisje uit Wytten,' antwoordde Merkhud botweg.

Lorys draaide zijn hoofd met een ruk naar hem toe, zijn bier vergetend, een en al aandacht voor zijn lijfarts. 'Gaat het goed met haar?' Zijn stem was amper een gefluister.

'Ja.'

'En het kind?' Lorys zette zijn beker op het gras naast zich, bang dat hij door het trillen van zijn hand bier zou knoeien.

'Een kerngezond baasje.' Merkhud wist dat dit de koning als een dolkstoot in het hart zou raken.

'Een zoon.' In deze twee woordjes lag een levenslang smachten besloten. De koning had een tragische uitdrukking op zijn gezicht.

'Inderdaad, mijn heer. Hij is flink en sterk en wordt buitengewoon goed verzorgd.' Merkhud praatte zacht om zeker te weten dat niemand hem kon afluisteren. 'Ik heb alles geregeld. Er zal voor Marrien worden gezorgd en voor haar zoontje ook.' Meer zei hij niet. Hij wachtte.

'Wel, dat is dan dat,' zei de koning.

'Zo is het, majesteit. Ik zal me niet aanmatigen u over deze zaak méér te zeggen.'

'Zul je vaak contact hebben met Marrien?' Lorys leek zichzelf door die vraag in verlegenheid te hebben gebracht.

Merkhud loog. 'Nee, Lorys.' Hij dronk het restje van zijn bier op en kon de wanhopige stilte naast zich bijna niet meer verdragen.

'Afgehandeld,' antwoordde de koning toen op een resolute toon en Merkhud voelde een golf van opluchting door zich heen gaan.

Hij wist dat de koning zich altijd aan zijn woord hield. Noch over Marrien, noch over hun zoon zou nog ooit gesproken worden. De koningin zou voortleven in gezegende onwetendheid over deze vlek van ontrouw op het verder blanke blazoen van haar man. Norris keerde terug en daar was Merkhud blij om.

'We gaan nu op weg naar de kampplaats, majesteit. Er is hier geen informatie van belang.'

De koning vermande zich snel. Zijn stem klonk weer even zelfverzekerd als altijd. 'Zoals je wilt, Norris. Laten we vertrekken.'

De plek van het kamp lag nog geen twee mijl van het dorp, maar grensde aan de uitloper van het Kernwoud.

'Ik weet dat onze mensen bang zijn voor dit bos, Merkhud, maar zelf voel ik me hier altijd vol vertrouwen,' zei Lorys, terwijl hij uit zijn zadel klom.

Zijn paard schudde zijn hoofd en loshangende teugels, en begon toen kalm te grazen, maar niet te dicht bij de rand van het bos. De andere dieren volgden dit voorbeeld. Het waren stuk voor stuk grondig getrainde rijdieren, die nooit ver van hun ruiters vandaan zouden dwalen, maar Stygiaan, de hengst van Merkhud, was van een andere klasse. Hij had genoeg aan zijn eigen verheven gezelschap en zag er geen been in om doodleuk onder een van de grote eiken aan de rand van het bos te gaan grazen, meteen nadat Merkhud was afgestapt.

'Goed, wat zoeken we nu precies?' vroeg de dokter.

'Cyrus heeft een scherp soldatenbrein. Misschien heeft hij een of andere aanwijzing kunnen achterlaten,' opperde Lorys, die tegelijkertijd zijn schouders ophaalde. Ze begonnen de omgeving nauwgezet te onderzoeken, maar ze voelden allemaal aan dat dit een kansloze, om niet te zeggen wanhopige aanpak was. Juist toen Merkhud zijn deelname aan dit zinloze ritueel wilde afsluiten, meende hij stemmen te horen.

'Sst!' zei hij tegen de groep. Niemand anders had iets ongewoons gehoord en ze keken verschrikt op. Merkhud spitste zijn oren. Stemmen, jazeker, het waren stemmen. Iedereen keek hem verwachtingsvol aan. 'Ik hoor mensen naderen,' waarschuwde hij.

De soldaten trokken hun zwaard en namen hun paard bij de teugel. De koning deed hetzelfde. Iedereen deed zijn best om te horen wat Merkhud had gehoord, maar de koning verloor zijn geduld.

'Ik hoor alleen vogeltjes, oude man. Waarom maak je ons aan het schrikken?'

'Omdat er een groepje deze kant op komt. Ik maak geen grap, majesteit,' snauwde Merkhud op fluistertoon terug.

'Waarvandaan? Ik hoor niets.' Het was Norris die dit zei, kalm als altijd.

'Uit het bos. Geloof me maar.'

'Mensen van ons?' vroeg Lorys nu.

'Nee, majesteit. Soldaten van het Schild zouden niet naderen vanuit het Kernwoud,' antwoordde Norris.

Toen de spanning tot een hoogtepunt was opgelopen, verscheen daar opeens primaat Cyrus vanuit een donker gedeelte van het bos, links voor hen uit. Hij knipperde met zijn ogen tegen het licht. Achter hem kwamen vier paarden waarop geboeide gevangenen met een prop in hun mond lagen. En tot grote verbazing van Merkhud verscheen als laatste in de rij Torkyn Gynt, die er met die valk op zijn schouder nogal bespottelijk uitzag.

'Moge Licht me tegen de vlakte slaan!' was alles wat Merkhud kon uitbrengen, maar die opmerking ging verloren in het opgeluchte gejuich van zijn metgezellen. Merkhud was geschokt zijn nieuwe leerling te zien, maar Tors schrik toen hij de vertrouwde gestalte van de dokter herkende was aanzienlijk groter.

Klote! riep hij via zijn link toen de hele rij was blijven staan.

Clout zag de oude man. *Is dat Merkhud?*

In hoogsteigen persoon, antwoordde Tor en hij zag dat Cyrus zijn hand omhoogstak ter begroeting.

En die andere?

Weet jij het, weet ik het.

Clout maakte een eind aan de grapjes. Zijn toon werd serieus. *Even een waarschuwing, vriend.*

Graag snel, Clout. Ik pieker me suf om een smoes te vinden voor mijn aanwezigheid hier.

Zeg niemand iets over mij, en zeker de oude man niet. Verder zei de vogel niets.

Nee? Waarom niet? Clout gaf geen antwoord, maar sprong van Tors schouder en vloog naar boven.

Inmiddels was er een man met een netjes geknipte baard verschenen, die dure kleren droeg. Hij hielp Cyrus van zijn paard. Tor klom op eigen kracht van het zijne en zag dat de valk de veiligheid van het bos opzocht.

Laat me niet wéér alleen, Clout, riep Tor hem na via hun link.

Ik ben in de buurt. Vergeet mijn waarschuwing niet. Ik moet anoniem blijven.

Tor draaide zich om en keek recht in de grimmige blik van Merkhud, die dichterbij was gekomen. De soldaten sloegen met hun vuisten tegen die van Cyrus, zoals dat binnen het Schild de gewoonte was, en op hun gezicht streden verwarring en opluchting om voorrang.

'Licht, man! Ik was al bang je nooit meer terug te zien!' hoorde Tor de duur geklede leider tegen de primaat zeggen.

Hij was sprakeloos toen hij het antwoord van Cyrus hoorde. 'Mijn heer,' stamelde deze, en hij probeerde zich op een knie te laten zakken. Tor vermeed Merkhuds ijzige blik en zag dat de man die Cyrus had aangesproken de protesterende primaat nu hielp opstaan.

'Mijn koning... er is veel te melden.'

'Later, Cyrus. Deze mannen?' vroeg de koning, terwijl hij naar Goron en de andere gevangenen wees.

'Ze zijn uitschot, sire. Aan uw genade overgeleverd,' antwoordde Cyrus, met oprecht leedvermaak in zijn stem.

Norris en zijn mannen trokken de gevangenen van hun paard. 'Op je knieën voor jullie koning!'

De gevangenen waren doodsbang. Het effect van de bedwelmende middelen waarmee ze door Corlin zo royaal waren voorzien, was ondertussen helemaal uitgewerkt. Ze moesten nu de gevolgen van hun daden onder ogen zien en ze begonnen al meteen verontschuldigingen te brabbelen.

'Afvoeren!' beval Norris. 'We horen hun verweer wel nadat ze de gastvrijheid van onze kerkers hebben genoten.'

Merkhud had nog steeds geen woord gezegd. Tor verzamelde zijn moed en keek nogmaals zijn kant op, en hij probeerde een berouwvol en smekend gezicht te trekken.

'Zag ik het goed, dat ik daarnet een roofvogel op je schouder zag zitten?' vroeg de oude man ten slotte.

'Eh... ja, meneer,' gaf Tor toe.

'Zo, zo. En hoe noem je je lievelingshavik?'

Tor wilde tegenwerpen dat Clout een valk was, maar beheerste zich. 'Hij heet Clout.'

De oude man kromp ineen alsof iemand hem geslagen had. 'Zei je Clout?' Hij leek oprecht geschokt.

'Ja, hij... eh... is het bos in gevlogen toen jullie allemaal naderden.'

'Wie heeft hem die naam gegeven?' vroeg de dokter op dringende toon.

Tor begreep deze consternatie over een naam niet, maar hij herinnerde zich Clouts waarschuwing. 'Mijn... moeder zong vroeger altijd een grappig liedje voor me dat ging over iemand die Clout heette. Daar heb ik de naam vandaan.' Hij hoopte dat deze leugen afdoende was.

Merkhud keek hem lang en strak aan, maar knikte toen.

'Lorys, mag ik u – tot mijn eigen verbijstering – mijn leerling Torkyn Gynt voorstellen? Torkyn, je koning,' besloot hij op gespannen toon.

Tor boog zo diep als hij het de anderen had zien doen en liet zich toen op een knie zakken. 'Majesteit.'

'Hellevuur! Heeft de dag nog meer verrassingen in petto? De langverwachte Gynt dus. En jullie kennen elkaar, zo te zien?' vroeg de koning, die zijn blik van de gebogen Tor naar de staande Cyrus verplaatste.

'Jazeker, majesteit,' antwoordde Cyrus. 'Zonder Torkyn Gynt zou mijn bloed nu over het gras in het Kernwoud zijn uitgesmeerd.'

'Ga staan, jongen. Laat me je eens goed bekijken.' Nu zijn bezorgdheid om Cyrus was verdwenen, vond Lorys dit alles erg amusant. Het was lollig om Merkhud eens geheel van slag te zien, zoals nu toch echt het geval was. 'Nou, Merkhud, je mopperde over zijn late komst, maar hier is hij nu, gezond en wel.'

'Wat is er gebeurd? Hoe kom jij hier terecht?' Merkhud kon de vragen niet langer inhouden.

'De... eh... primaat vroeg of ik met zijn compagnie mee wilde rijden naar Tal. Aanvankelijk zei ik nee, maar later... eh... bedacht ik me en toen heb ik hem ingehaald en... eh... ben ik betrokken geraakt bij... eh... de problemen.' Tor voelde zich zeer slecht op zijn gemak. Hij wist dat Merkhud niet kon onthullen dat hij Tors vorderingen op magische wijze had kunnen volgen – zeker niet in dit gezelschap. De échte uitleg zou later moeten komen.

De koning kreunde. 'Wat kan het je schelen, Merkhud? Hij is hier en de primaat leeft nog.'

Clout koos dat moment om weer op Tors schouder neer te strijken.

'En deze vogel?' Merkhud kon zijn ongeloof nog steeds niet verbergen.

'Een voortreffelijker vogel, dokter Merkhud, zult u in heel Tallinor nergens vinden,' liet Cyrus zich opeens horen. 'Ik heb gezien dat de jongen hem met veel geluk won in een spelletje hari in de Lege Bokaal. Iedereen was stinkjaloers op hem.'

'Ja.' Tor greep de strohalm aan die Cyrus hem bood. 'Het was mijn tweede avond daar en ik had geen idee wat ik met een valk moest beginnen, maar de vogel scheen zich aan mij te hechten,' zei hij, terwijl hij Clout liefkozend op zijn gevederde kop krabde. 'Ik weet niet eens meer waarom ik aan dat spel méédeed,' loog hij vlot.

'Te veel bier, jongen, maar je speelde het als een duivel,' zei Cyrus lachend. De koning lachte mee.

'Hari is verslavend. Vergeet het liever en concentreer je op je studie, jongen,' zei de koning. Hij keek naar Merkhud en zag tot zijn genoegen dat zijn lijfarts nog steeds een beetje van streek leek.

'Dat zal ik doen, majesteit. Ik beloof het.'

Hierna werd Lorys weer zakelijk. 'Mooi. Wel, Cyrus, ben je sterk genoeg om me te vertellen wat er nu eigenlijk is voorgevallen?'

'Zeker, majesteit. Kunnen we daar gaan zitten?' Cyrus wees naar het gras onder een nabije eik. Toen verhaalde hij de hele historie, vanaf het moment van Clouts vernedering op de markt en zijn kennismaking met Tor. Cyrus liet tijdens het hele relaas zorgvuldig na een naam te noemen. Tor was hem in stilte innig dankbaar dat Cyrus als terloops nog even zei dat de mishandelde kreupele man voor het laatst was waargenomen toen hij strompelend de stad verliet.

'Hij moet binnen een paar mijl gestorven zijn, ben ik bang,' voegde Tor hier stoutmoedig aan toe.

Iedereen knikte. Het was te zien dat het niemand iets kon schelen.

Alleen Tor hoorde de valk grinniken.

❧

Nanak, er moet een verband zijn, dat kán niet anders!

Nooit iemand die een woord te veel zei, deed Nanak, hoeder van de Paladijn, ook deze keer zijn reputatie eer aan. In stilte dacht hij na over Merkhuds suggestie dat Clout – de tweede Paladijn van de Brokken – in Hatten was opgedoken, juist toen daar ook Torkyn Gynt verscheen, hun enige verbinding met de Triniteit.

Ik wil graag geloven dat geen van de Paladijnen ooit sterft, Merkhud, maar dit lijkt me wat vergezocht. Een valk, zeg je?

Nanak... denk na! Clout is een Brokse naam. En geen alledaagse. Geen enkele Tallinees zou zijn zoon Clout noemen. Dus Tors verhaal over een ballade over iemand die zo heet is een verzinsel. Niet dat ik er iets van snap, maar jouw en mijn leven zitten vol raadsels, dat weten we toch? Je reageerde cynisch toen ik voor de eerste keer over Cyrus sprak, maar dit kan geen toeval zijn, vriend. Primaat Cyrus en deze Clout zijn leden van de Paladijn.

Merkhud wachtte of Nanak iets zou zeggen, of hij hem zou tegenspreken, of hij een plausibel tegenargument wist. Maar aan de andere kant van de link bleef het stil.

Toen ging hij door met hardop nadenken. *Maar ik snap vooral niet waarom deze Clout veranderd is in een vreemde vogel.*

Nanak reageerde eindelijk. *Waarom noem je de vogel 'vreemd'?*

Tja, moeilijk te zeggen. Het lijkt alsof ze met elkaar communiceren. Ik durf het niet te zweren, maar volgens mij werken ze samen. Ik heb al het mogelijke geprobeerd om ze af te luisteren, maar ik kan niets horen. Het zou kunnen dat ik het me inbeeld, maar, Licht, man, denk eens na! Stel eens dat onze Clout en Cyrus zijn teruggekeerd als beschermers van Tor, versterkt dat dan niet de zekerheid dat hij de Ene is?

Nanak voelde zijn hart bonken van opwinding. Niemand stond dichter bij de Paladijn dan Nanak, maar zijn vastberadenheid kreeg telkens een nieuwe knauw wanneer weer een van de Paladijnen aan Orlacs magie bezweek. De laatste keer dat hij had gehuild was na de verdwijning van Sallementro. Bij elke volgende verzwakking brak zijn hart, maar tot nu toe had hij volgehouden. Hij had steeds de kracht gevonden om de nog overgebleven bewakers aan te moedigen en steun te geven.

Geef me nog één naam meer, Merkhud, dan aanvaard ik het en verheug ik me met jou.

Die naam zal ik voor je vinden, Nanak. En je zult me geloven. De wielen draaien. De Kring had gelijk.

Nou, waar zijn de anderen dan? Waar zijn Juno en Sakson en Adongo? Als Clout en Cyrus terug zijn, waarom laten de anderen zich dan niet zien?

Dat weet ik niet, mompelde Merkhud, terneergeslagen door die vragen, maar niettemin overtuigd van zijn gelijk. *Laten we afwachten. Als ik gelijk heb, zullen ze zich spoedig vertonen.*

13

Circus Zorros

Terwijl ze naast de oude dame en haar nukkige ezel liep, kon Alyssa zich geen moment in haar leven herinneren dat ze gelukkiger was geweest, behalve tijdens haar momenten met Tor. In het begin was hij nagenoeg voortdurend in haar gedachten geweest en tijdens de weken van de reis van Kruising Tweevoorde naar Mexvoorde had ze weleens overwogen een van de dodelijke drankjes van de oude dame te slikken om van haar ellende verlost te zijn. Maar de laatste tijd – nu de zomer overging in de herfst – kon ze zonder tranen aan hem terugdenken. Alyssa had doelbewust geprobeerd hem tot de hare te maken. Het bleef pijnlijk om aan hem te denken, maar wat haar het meest kwelde, was zijn zwijgen. Telkens wanneer ze hem probeerde te bereiken, was het alsof ze op een loden wand stuitte. Alyssa geloofde dat hij haar botweg had buitengesloten en daarom had ze een poos geen pogingen meer gewaagd.

Maar sinds ze weer was gaan rondtasten in dat afwerende niets, was ze gaan vermoeden dat die afscherming niet door Tor zelf was opgeworpen. Het voelde ook niet aan als een van zijn veiligheidstrucs, zoals hij ze graag noemde. Zulke ingrepen van zijn kant waren altijd krachtig en droegen onmiskenbaar zijn persoonlijke stempel. In dit geval leek er iets veel subtielers aan de hand te zijn en was er iets verricht zonder dat ze het vage, ontastbare spoor van herkomst kon traceren. Zorgde iemand er moedwillig voor dat zij beiden elkaar niet meer konden bereiken? In dat geval verdacht ze er de oude man van, na wiens komst Tor zich zo raar was gaan gedragen. Maar hoe wist hij van het bestaan van hun link? En waarom wilde hij die verbreken?

Dat ze Moeras Mallee zo overhaast had verlaten, nog wel met een wildvreemde oude dame, was voor haarzelf trouwens ook geen normaal gedrag. Soms kon ze zelf niet geloven dat ze het echt gedáán had. Maar als ze terugdacht aan het moment waarop ze Sorrel had gesmeekt of ze met haar mee mocht, wist Alyssa meteen weer dat ze toen radeloos van verdriet was geweest. En dat ze zonder de nabijheid van Sorrel en het vooruitzicht van een nieuw leven stapelgek zou zijn geworden. Met een vader als Lam Qyn was het al moeilijk genoeg om de dagen door te komen, maar zonder Tor en de hoop die hij haar bood, zou haar leven geen zin gehad hebben. Alyssa wist dat er genoeg andere mannen waren die graag met haar wilden trouwen, maar zij kon alleen gelukkig zijn met Torkyn Gynt. Zij tweeën waren nu eenmaal bestemd om voor altijd bij elkaar te zijn.

Dus in die gemoedstoestand had ze haar eerste schreden in het gezelschap van Sorrel gezet en zich al meteen bevrijd gevoeld van het dode gewicht van haar eigen leven. Ze liepen iedere dag een flinke afstand en ze luisterde met genoegen naar de vele verhalen die de oude dame over haar ambulante leven vertelde. Ook liet ze zich door Sorrel graag onderwijzen in de kennis van kruiden en planten. Alyssa leerde dat fluitenkruid de pijn van een zere keel kon verzachten en dat het, als je het kookte en mengde met honing, een geschikte hoestdrank was. Penningkruid op een wond of een zweer versnelde de genezing aanzienlijk. Van netelen, munt en paardenbloemen maakte je de beste drank tegen bronchitis, terwijl de olie van limoenbast, gemengd met die van lavendel, beter hielp tegen oorpijn dan welk ander zalfje ook. Alyssa genoot van de werelden die Sorrel voor haar opende, niet alleen die van de planten en kruiden, maar ook die van het koninkrijk zelf. Ze was tot dan toe nooit verder geweest dan Kruising Tweevoorde, tijdens een tochtje met Tor en zijn vader.

Ze hield van Tors ouders. Ze waren streng, maar tegelijk vol liefde voor hun zoon en ook voor haarzelf. Alyssa toonde haar affectie voor het echtpaar openlijker dan voor haar eigen vader. Ze kon hem niet begrijpen. Tor was een bofkont. Van hem werd gehouden. Zelf had ze geen andere liefde in haar leven dan de zijne en daar had ze zich aan vastgeklampt. Hoe kon hij haar nu in de steek laten? Ze wist dat haar eigen vertrek uit het Moeras voornamelijk was ingegeven door kwaadheid. Ze was zó ziedend geweest, dat het haar de moed had gegeven om met een onbekende naar onbekende oorden te vertrekken. In haar hart wist ze heel goed dat ze hem nu eigenlijk hetzelfde behandelde als hij met haar had gedaan. Alyssa hoopte dat hij naar haar op zoek zou gaan, maar ze had met opzet geen bericht voor hem achtergelaten. Ze hoopte dat hij ziek zou zijn van bezorgdheid om haar lot. Hij zou haar niet vinden, want ze wist zelf niet eens waar ze heen ging.

Dit soort gedachten ging dagelijks door haar heen, terwijl ze naast Sorrel voortliep, met haar hand licht steunend op Kythays schouder. Samen vormden de twee vrouwen en de ezel een merkwaardig trio, dat langzaam maar zeker in noordwestelijke richting reisde, steeds verder bij de hoofdstad van het koninkrijk vandaan.

'Waar gingen we ook alweer naartoe?' vroeg Alyssa verstrooid, terwijl ze op een grasstengel kauwde.

Sorrel gaf niet meteen antwoord. Haar aandacht was getrokken door een bosje blauwe en witte bloempjes in het dichte gras onder de bomen.

'Aha! Van jollikblaadjes is een goed drankje tegen buikpijn te maken. Kijk er goed naar, mijn kind. Ze zijn moeilijk te vinden en kunnen het beste geplukt worden in de vroege herfst, dus nu.'

Ze gebaarde dat Alyssa haar moest helpen. Kythay minderde snelheid en Alyssa bleef staan. Ze had de ezel volledig onder controle en had aan een enkel beleefd woordje altijd genoeg om hem te laten gehoorzamen. Het was voor Sorrel regelmatig een lichte ergernis dat haar dier zo mak was als Alyssa iets vroeg.

'Stom beest,' mopperde ze voor de zoveelste keer, waarna ze haar vermoeide rug boog om de waardevolle blaadjes te plukken.

De vrouwen werkten in stilte door, terwijl Kythay op alles stond te kauwen wat hij ter plekke aan eetbaars kon vinden. Toen de middagzon te heet werd, ging Sorrel kreunend rechtop staan.

'We gaan naar Ildagaarde,' antwoordde ze nu eindelijk, en ze ging op de grond zitten om wat uit te rusten. Ze keek naar het meisje dat nog aan het plukken was en de bloemen in een zakje stopte.

'Ja? Wat hebben we daar te zoeken?' Alyssa sloeg naar een mug en wreef met de rug van haar hand over haar droge lippen.

Ze was helemaal opgebloeid in de drie weken dat ze nu bij elkaar waren, constateerde Sorrel, en dat kwam doordat ze dagelijks gezonde porties had gegeten. Ze was broodmager geweest, maar nu had ze welvingen. Het langdurige lopen over paden en wegen had haar sterker gemaakt en haar mooie huid een honingkleurige tint gegeven.

In het begin was ze zwijgzaam geweest; ze was dicht bij Kythay gebleven en had ze alleen gesproken om antwoord te geven op de voorzichtige vragen die Sorrel haar stelde. Maar nu het drie weken geleden was dat Sorrel haar had gemanipuleerd om met haar mee te komen, was Alyssa spraakzaam geworden en stelde ze zelf veel vragen. Ook lachte ze veel vaker. Misschien was haar verdriet om het verlies van Tor minder scherp. Of misschien ook niet, maar had ze door het reizen in Tallinor gewoon meer zin in het leven gekregen. Wat het ook was, het deed haar enorm veel goed. Het meisje zag er stralend uit.

En slim was ze ook. Sorrel merkte hoe snel ze alle weetjes over planten en kruiden opnam en onthield. Ze zou als haar helpster gemakkelijk haar kost kunnen verdienen. Niet dat ze al geld nodig hadden. Merkhud had Sorrel voorzien van een goed gevulde beurs, maar daarover had ze Alyssa niets gezegd. Ze zei vaak dat ze werk moesten zoeken, maar in de praktijk stelde ze dat in elk dorp waar ze kwamen toch maar weer uit. Alyssa leek ernaar uit te kijken om haar nieuwe vaardigheden in de praktijk te brengen. Tot nu toe hadden ze wel veel kruiden verzameld, maar nog geen medicijnen verkocht. Alles op zijn tijd, zei Sorrel steeds.

Ze wilde niet de aandacht op zich vestigen. Ze moest het meisje eerst beter leren kennen, vooral nu Alyssa minder op haar hoede was, gerustgesteld door hun kalme, reizende bestaan op het platteland. Als ze zich in een dorp vestigden en een winkel begonnen, zou dat een heel andere situatie zijn.

Sorrel besefte dat ze Alyssa nog niet had geantwoord wat ze in Ildagaarde gingen doen. 'Nou, ik ben al jaren niet daar in de buurt geweest en er is niets mis met die streek,' loog ze. En op nonchalante toon voegde ze eraan toe: 'Trouwens, dicht bij Ildagaarde ligt Carembosch. Heb je daar ooit van gehoord?'

Alyssa schudde haar hoofd. Ze kwam naast de kauwende Kythay zitten en duwde een paar glimmende gouden haarslierten weg die uit haar vlechten waren losgeraakt. De ezel beroerde haar schouder met zijn snuit en ze fluisterde iets naar hem.

Sorrel legde het uit. 'Carembosch is een heel oude plaats, waar zich vroeger de zetel van de Kennis bevond. Het was toen een bloeiende stad, vol magiërs en geleerden, kunstenaars en handwerkslieden, waar allerlei vaardigheden in hoog aanzien stonden en van ouders op kinderen werden overgedragen. Nu, twee eeuwen later, is de stad nog maar een schim van dat glorieuze verleden, maar de Academie zelf is er nog. Die wil ik je graag laten zien.'

Ze merkte dat Alyssa weinig belangstelling toonde en besloot het onderwerp te laten rusten. In plaats daarvan legde ze een beveiligde link.

Gegroet, lieve. Hoe gaat het met jullie? antwoordde de vertrouwde stem meteen.

Goed, met ons beiden. We naderen Fraggelham. Met wat geluk zijn we bij de komende volle maan in Mexvoorde.

Ze hoorde een zucht van opluchting. *Dat is goed nieuws. Weet ze het?*

Nee. Ze toont nauwelijks belangstelling. Weet je dit wel zeker?

Ja. Hij komt. We praten binnenkort verder. Voordat Sorrel nog iets kon zeggen, verbrak hij abrupt de link.

Ze zuchtte diep en beklaagde zich over de ogenschijnlijke nutteloosheid van haar leven, maar stelde Alyssa toen voor om wat haast te maken, dan konden ze binnen een paar uur in Fraggelham zijn. In feite waren ze nóg eerder in de drukke stad, waar ze een kamer vonden in de Korenschoof.

Op de brink van Fraggelham had het beroemde reizende circus Zorros zijn tenten opgeslagen. Er was daar in een grote tent een piste met houten banken eromheen gebouwd en ernaast hingen felgekleurde vlaggen en banieren die fladderden in de lome bries. Aan de noordzijde van de brink stond nu een kampje, dat in tenten en woonwagens onderdak bood aan de circusmensen en hun dieren. Aan de zuidkant waren in felle kleuren beschilderde stalletjes en kramen gezet, aan weerszijden van de hoofdingang. En tussen het noorden en het zuiden in zagen ze op de grote open plek iets wat leek op een dorp binnen het dorp, namelijk tientallen artiesten, dompteurs en kraamhouders, die zich voorbereidden op de voorstelling van die avond.

Alyssa werd betoverd door die aanblik. 'Ik heb alleen maar horen práten over circus Zorros. Ik kan niet geloven dat het hier is!'

Sorrel was niet onder de indruk. Dit zou haar reis vertragen, dat was nu wel duidelijk. Eigenlijk verbaasde het haar dat de Korenschoof een kamer beschikbaar had, maar ze herinnerde zich dat de herbergier iets had opgemerkt over mannen van de koning, die bij hem logeerden. 'Inquisiteur Goth,' had hij op verontschuldigende toon gefluisterd.

Sorrel was nooit bang geweest voor Goth. Haar vermogen om links te leggen was aanzienlijk verheven boven zijn zwakke opmerkingsgave, die in hoofdzaak afhing van een steen waarmee hij naar magische verschijnselen kon schouwen. Ze moest bijna om hem lachen. Maar Alyssa zou beslist bang voor hem zijn, zoals de meeste mensen dat waren, begiftigd of niet. Ze kon niet riskeren dat het meisje zenuwachtig werd en misschien de aandacht trok. Toch had ze de kamer genomen en tevoren alvast betaald. Nu zat ze zich wanhopig af te vragen met welke smoes ze kon weigeren het opgetogen meisje aan haar zijde mee te nemen naar de circusvoorstelling. Er was gewoon niet onder uit te komen. Alyssa was volledig in de ban van de kleurige rekwisieten, de exotische mensen die de grote tent in en uit liepen, en de nog buitenissiger beesten die ze zag rondlopen of in de zon zag liggen.

Sorrel berustte in haar lot. 'Misschien kunnen we straks naar de voorstelling gaan kijken,' stelde ze lief voor.

Alyssa keek alsof iemand haar een gouden ring had gegeven. Het leek onmogelijk dat ze nóg blijer kon kijken, maar toch gebeurde dat toen haar glimlach breder werd en haar ogen fonkelden van genot en ze een kreet van plezier niet kon onderdrukken, terwijl ze haar armen om haar vriendin heen sloeg. Dit alleen al was de vier royalen die het Sorrel zou kosten méér dan waard, vond de oude dame.

Inquisiteur Goth was furieus. Zijn mooie hengst was gestruikeld en had een been verstuikt bij hun aankomst in dit stadje. Tot Goths walging moest het dier nu rust houden in de plaatselijke stal. Wat was dit Fraggelham toch een achterlijk nest! En om alles nog veel beroerder te maken, was gisteren dat gehate circus aangekomen. Een echte pestbuil in de samenleving, met al die beesten die onder de vlooien zaten en een stel griezelige menselijke rariteiten.

Hij bonkte met zijn beker op het tafelblad in een zoveelste vertoon van zinloze ergernis. De rest van zijn gezelschap was al op weg naar Tal en alleen hijzelf was nog in dit gat achtergebleven. Hij wilde niet vertrekken zonder zijn kostbare hengst, maar die had nog twee dagen rust nodig. Zijn getimmer met de beker had geen enkel nut, wist hij, maar het zou de vette herbergier nog meer doen zweten en, mooier nog, de serveersters de stuipen op het lijf jagen. Dan waren ze straks misschien des te meer in de stemming voor zijn spelletjes, dacht hij boosaardig. Hij loerde wellustig naar een van de jonge meiden. Ze had grote borsten en hij stelde zich voor hoe hij daarin zou knijpen tot ze het uitschreeuwde. Ja, ze zouden bóéten voor de vertraging die hij hier opliep!

De tic op de linkerkant van zijn gezicht zorgde voor ongecontroleerde spiertrekkingen, maar dat kon hem weinig schelen. Hij had macht. Hij was geen mismaakte zoon van een edelman meer, zonder geld, maar een man die ontzag afdwong. Het vuur dat zijn ouderlijk huis in de as legde had zín gehad. Hoe pijnlijk ook, het had hem bevrijd van zijn nutteloze ouders: een verlopen rokkenjager en drankorgel, en een jammerend wrak, beiden rijp voor de schuldenrechtbank nadat ze het fortuin van zijn grootvader hadden verkwist. De Grote Brand had hun een versneld einde bezorgd. Aan het einde van hun waardeloze, zielige leven hadden ze de dood waarschijnlijk aangevoeld als een verlossing. Dat was tenminste iets wat hij zichzelf graag voor ogen hield.

Het kindje dat achterbleef, was verminkt, maar leefde nog. Dankzij het medische talent van de beroemde dokter Merkhud was Almyd Goth opgelapt en aangesterkt en ten slotte van zijn doodsbed – want daarop had het geleken – recht in de armen van de koninklijke familie gelopen: het echtpaar had medelijden met de adellijke jongen die zo verminkt was.

'De dag dat u mij voor het eerst zag zal u nu wel rouwen, Nyria,' giechelde Goth boven zijn beker. 'En uw verachtelijke dienaar, die oude man, zou me nu net zo lief vergiftigen als op me spuwen. Hij zou wel willen terugkeren in de tijd om het kind dat hij heeft gered alsnog de nek om te draaien!'

Zijn mond plooide zich tot een lelijke grijns, toen hij zich omdraaide en een uitzonderlijk mooi meisje de Korenschoof zag binnenkomen, dat opgewonden tegen de oudere dame praatte die bij haar was.

'Vanavond dus?' Het meisje sprak over het circus, besefte hij wrang.

'Alles om je maar weer kalm te krijgen, Alyssa,' antwoordde haar metgezel.

Ze hadden hem niet opgemerkt. Hij zag dat de vrouw haar naar de trap duwde. Goth likte zijn vormloze, rubberachtige lippen – ook weer een gevolg van die brand: het leek of alle delen van zijn gezicht op een verkeerde manier in elkaar waren gezet. Alleen aan zijn kille, leikleurige ogen, die gevuld waren met ijzige haat voor alles en iedereen die knap of talentvol was, mankeerde niets. En nu ze de mooie lichaamsvormen van Alyssa Qyn over de trap naar boven zagen bewegen, besloot hij dat zij deze nacht zijn speeltje zou zijn en hem zou helpen zijn verveling en onvrede te verdrijven.

Alyssa's maag kromp ineen toen ze naar beneden kwam om Sorrel te zoeken. Er was maar één man in heel Tallinor die een gezicht had zoals het zijne. Hoewel ze hoofdinquisiteur Goth nooit eerder had gezien, was zijn reputatie in het hele land berucht. En het was een onmiskenbaar feit dat hij hier in de gelagkamer zat, tussen haar en de deur naar buiten.

Hij kneep zijn ogen tot spleetjes en keek haar aan. Ze voelde zich meteen in een hoek gedreven. Het was onmogelijk dat hij achter haar aan zat. Ze had haar vermogen niet meer gebruikt sinds ze uit haar dorp was vertrokken. Ze dacht hier snel nog even over na. Nee, het klopte. Maar als hij niet naar haar op zoek was, waarom staarde hij haar dan zo intens aan?

Goth grijnsde. Voor Alyssa was het een lelijke grimas en ze bleef staan. Goth vond het leuk als mensen voor hem terugdeinsden. Zeker, die brand had hem heel veel goeds gebracht. Als ze bang was, zou haar bleke, mooie huid des te verschrikter reageren wanneer hij haar aanraakte. Ze was echt een bloedmooi schepseltje, met die glanzend geborstelde haren. Onder de nogal haveloze kleren die ze droeg, vermoedde hij een rank lichaam, dat op de grens van het vrouwzijn was gekomen. Ongetwijfeld een maagd. Hij huiverde van genot. Dat maakte het des te verrukkelijker.

Hij likte zijn afzichtelijke lippen en deze keer deed Alyssa een stap achteruit.

'K...kan ik iets voor u doen, meneer?' stotterde ze, terwijl ze tevergeefs om zich heen keek. De herbergier was nergens te zien, maar Sorrel, zag ze achter de deuropening, stond buiten met iemand te praten.

Nou ja – op mijlen afstand, eigenlijk.

Hij glimlachte gruwelijk. 'Zeer zeker, liefje. Eerst door me tussen je benen te laten grijpen, en later misschien op je knieën.' Het werd op een slijmerige toon gezegd.

Alyssa moest bijna kokhalzen van die woorden en de honingzoete toon waarop ze waren uitgesproken. Ze voelde zich als in een val en zag als verlamd dat hij ging staan, zijn mantel van zijn schouders trok en zijn zwaardschede losbond. *Waar is iedereen?* gilde ze in paniek. En toen liep hij naar haar toe. Hoewel hij niet groot was, had hij een stevige bouw. Ze zag nu ook de wrede glinstering in de kille ogen in dit misvormde gezicht.

Alyssa kon geen woord uitbrengen. Ze deed dus het enige waartoe haar lichaam op dat angstaanjagende moment in staat was. Ze rukte het veiligheidsscherm naar beneden dat ze om zich heen had opgericht en slaakte een ijselijke kreet via de link die ze opende – bestemd voor iedereen die maar wilde horen.

Goth was geamuseerd door haar vreemde reactie, maar greep haar stevig bij haar dunne arm, met de bedoeling om haar pijn te doen. Maar terwijl hij dat deed, zag hij tot zijn woede de oude dame naar binnen stormen, die op hoge toon haar naam riep. Het kon Goth niets schelen wat de mensen dachten van de dingen die hij privé uithaalde, maar het zou iets anders zijn als een burger zich bij de koning beklaagde omdat hij iets anders had gedaan dan zijn plicht was. Hij liet de arm van het meisje dus los. De blik van haat die hij nu op het gezicht van de oude vrouw zag verschijnen, had hij al ontelbare keren gezien. Hij was er ongevoelig voor, maar deze keer leek er iets bijzonders in te schuilen – iets onbenoembaars.

'Waarom stormt u hier zo naar binnen, oude vrouw?'

Goth was woedend. Hij had de herbergier een bespottelijk bedrag betaald om uit de gelagkamer weg te blijven tot hij met het meisje had gesproken en haar had meegenomen naar zijn kamer. Hij had dat zwetende varken zelfs genoeg geld in de hand gedrukt om ook al zijn personeel uit de buurt te houden en de oude vrouw buiten in een gesprek te verwikkelen.

Sorrel hijgde, maar dat kwam meer door de schrik na Alyssa's geestelijke kreet dan doordat ze had gerend. Nu probeerde ze zich te beheersen.

'Aha, hier ben je, meisje.' Ze ademde diep in om haar zenuwen te kalmeren en haar stem meer vastheid te geven. 'Waar bleef je zo lang?'

Goth antwoordde namens Alyssa. 'Ze gleed uit op de trap en ik hielp haar, mevrouw.'

Sorrel zag dat Alyssa stond te trillen.

'Ach, wat aardig van u, inquisiteur Goth, is het niet?' zei ze beleefd, hoewel ze de lucht haatte die hij hier stond te vervuilen. 'Mijn kleindochter is een onhandig ding. Mooi, dat wel, maar ze struikelt over een kruimel brood. Mijn dank voor uw behulpzaamheid, meneer.'

Er kwamen nu ook andere mensen binnen en Goth begreep dat deze kans verkeken was. Maar hij zou wel iets nieuws bedenken. Deze meid zou de zijne zijn!

'Graag gedaan,' zei hij kortaf, en hij draaide zich om en liep naar zijn tafel. Hij nam zijn zwaard en zijn mantel mee en verdween naar buiten.

Er ging een bijna hoorbare zucht van opluchting door de hele gelagkamer.

'Hoe wist u het?' Alyssa had eindelijk haar stem terug.

'Wist ik wát, kind?'

'Dat ik uw hulp nodig had. Hij wilde... hij begon...' Ze onderdrukte een snik.

'Stil maar, Alyssa. Niet hier. Laten we gaan... buiten is het veilig,' zei Sorrel op sussende toon.

Ze liepen in stilte in de richting van de brink, beiden nog steeds overstuur. Er waren vele groepjes dorpsbewoners op weg naar de circustent en overal om hen heen werd gelachen en opgewonden gepraat, maar Alyssa en Sorrel waren door het incident in de herberg uit hun opgewekte stemming gerukt. Ze wisten ook geen van beiden wat ze moesten zeggen.

Vlak voor de ingang van circus Zorros bleef Alyssa staan, opeens met een verwonderde uitdrukking op haar gezicht. 'U hebt me nog geen antwoord gegeven. Hoe wist u dat ik gered moest worden van... dat monster? En waarom heeft hij me niet meteen geschouwd, nadat ik mijn noodkreet had laten horen? Waarom ben ik nog niet gebreideld?'

Sorrel wist dat ze heel voorzichtig moest zijn. 'We moeten praten, Alyssa, maar niet nu. Mensen zien ons. Dit is een gesprek dat we beter onder vier ogen kunnen hebben.'

Wel... laten we het dan zó doen, toeterde Alyssa in Sorrels hoofd. Haar ogen vonkten van kwaadheid en Sorrel werd geheel verrast door de krachtige, onbeheerste uitval.

Ze liepen in een onbehaaglijke stilte naar een bank onder een van de Fraggelhamse iepen en gingen erop zitten. Er had gerust iemand kunnen aanschuiven, want hun conversatie was voor niemand hoorbaar.

Hoe lang weet u het al? wilde Alyssa weten.

Het leek Sorrel zinloos om te proberen Alyssa's woede te sussen. Laat haar maar uitrazen.

Vanaf het begin, antwoordde ze.

Waarom zo geheimzinnig?

Nou... in het begin was ik bang, loog ze.

Alyssa's reactie was een snauw. *Waarvoor?*

Om iemand anders met deze vermogens te vinden. De weinige begiftigden die ik in mijn leven ben tegengekomen, heb ik... ontweken. We leven niet lang, in dit land van Goth, als we toegeven wie we zijn. Je kunt veel beter anoniem blijven. Maar jij was een uitzondering. Je... wel, je raakte een snaar in mijn binnenste. Misschien als de dochter die ik nooit heb gehad. Ik voelde je verdriet. De zorgvuldigheid waarmee je je gave je hele leven verborgen hebt gehouden. En je behoefte om door iemand bemind te worden.

Sorrel stak haar hand uit en streelde Alyssa's gezicht. *Je zag er die dag in je huisje zo hulpeloos en ontredderd uit, dat mijn hart brak. Ik zag in jou een kind en ik wist dat ik je kon helpen.* Ze hield op met praten en liet haar hand weer in haar schoot vallen, en ze verafschuwde zichzelf om haar vlotte leugenpraatjes.

Alyssa deed geen poging om haar tranen te bedwingen. *Waarom kwam u naar ons huisje?*

Iemand uit je dorp had me gezegd dat je iets deed met kruiden en ik dacht dat ik bij jou misschien een paar van mijn voorraadjes kon aanvullen.

Vreselijk, dat ze het arme kind zo bedonderde!

Alyssa snifte. *En gaan we nu naar deze... eh... Academie omdat we dit talent hebben?*

Aha, ze had dus tóch geluisterd. Slimme meid, dacht Sorrel.

We gaan er naartoe om jou te beschermen, mijn kind. Jij bent erg sterk met dit vermogen. Ik voelde pas dat je het gebruikte toen je zo hard schreeuwde. Ook ik ben verbijsterd dat die slager van een Goth jouw en mijn vaardigheid niet kan ontdekken, maar we moeten erg voorzichtig zijn. In de Academie kunnen we een poos veilig zijn en jij kunt er de vrede vinden die je zoekt.

Alyssa ging staan en keek naar de kleurige vlaggen en naar de uitgelaten bevolking van Fraggelham, die op weg was naar het circus en de kraampjes. *Waarom doet u dit voor mij?* Haar toon was niet meer agressief.

Sorrel dacht even na en haalde een paar keer diep adem. *Omdat ik een zoon heb gehad. Afgezien van dit moment wil ik niet meer over hem praten. Van hem werd ontdekt dat hij begiftigd was. Zéér begiftigd. Hij werd er al aan het begin van zijn leven voor gestraft. Ik verloor een zoon die ik had aanbeden, een echtgenoot die ik bewonderde en het gelukkige leven dat ik had geleid. Nu zwerf ik door Tallinor en geef ik de mensen middeltjes tegen hun ziekte, maar zonder me verder ergens mee te bemoeien. Ik word ouder en voel me steeds leger worden. Misschien kan ik voor mijn dood één keer mijn verbittering van me afzetten en mijn hart voor iemand openen. Misschien hebben de goden jou voor mij gekozen, Alyssa.*

Het meisje rilde. Ze herinnerde zich wat haar vader vaak zei als hij zomaar opeens moest rillen: dat de goden dan over zijn graf liepen. Ze begreep zijn gevoel, nu ze de ernstige woorden van de oude dame had gehoord.

Ze draaide zich naar Sorrel toe, boog zich naar voren en nam haar handen in de hare. Toen kuste ze de vrouw zacht op haar wang en fluisterde: *Dank u.*

Sorrel glimlachte. Er kwam een zachte glans in haar pientere ogen. *Laten we nu naar het circus gaan, kind, voordat we te sentimenteel worden. We hebben vandaag Goth verslagen, en dat kunnen weinigen ons nazeggen! Laten we het vieren.*

De befaamde trompetten van circus Zorros, die het publiek al eerder hadden opgeroepen, schalden nu nogmaals, alsof ze Sorrels wens om iets te gaan vieren toejuichten. Deze keer lachten de twee vrouwen toen ze hun rok opnamen en op weg gingen naar de grote tent. Ze kwamen achter de gordijnen, die waren opgehangen als in het theater, uit bij de piste en zochten daar een open plekje op de banken. Sorrel vervloekte in stilte de hardheid van het hout, maar Alyssa merkte het niet eens.

Het besef van de vermogens waarover het meisje beschikte, plus de wetenschap dat deze magie onopgemerkt bleef door die smeerlap Goth, bevestigde Sorrel in haar overtuiging dat ze het op de juiste manier aanpakten. Ze had zich zorgen gemaakt, omdat ze blindelings Merkhuds opdrachten volgde toen hij had besloten deze twee getalenteerde jongelui onder zijn hoede te nemen. In haar hart schaamde ze zich dat ze het meisje zo moeiteloos had voorgelogen en ze kon wel raden dat Merkhud de jonge klerk nóg geraffineerder om de tuin had geleid. Maar het ging nu eenmaal om een doel dat hoger was dan het leven van deze twee jongelui, een doel dat hoger was dan wie of wat ook! En wat dat betreft, had ze vertrouwen in Merkhud. Ze hadden al heel veel moeten doorstaan om eindelijk tot op dit punt te komen. Hij was volledig toegewijd aan zijn queeste. Misschien waren zijn zorgvuldig uitgekiende plannen om deze jongen en dit meisje in te lijven een beetje te wreed en calculerend, maar ze waren ongetwijfeld puur gericht op het vinden van de Ene.

Sorrel begreep dat ook Alyssa in dat verband relevant was, maar het was haar nog niet duidelijk waaróm dat zo was. Dit meisje, dat op het punt stond een oogverblindend mooie vrouw te worden, zou haar rol spelen wanneer haar tijd gekomen was, dat was iets waarvan Sorrel nu al overtuigd was. Maar wanneer en hoe, dat wist nog niemand.

Ze werd uit haar mijmeringen gerukt doordat de trompetten ophielden met hun getetter en het publiek zijn luidruchtigheid dempte tot een verwachtingsvol geroezemoes. De toortsen werden gedoofd en slechts een aantal strategisch opgestelde lampen bleef branden. Hierdoor ontstond er binnen de tent een broeierige schemering. Er klonk muziek – door en door vals, maar dat paste bij de eerste act: een troep bizar geklede dwergen, die springend en buitelend in de piste verschenen en dingen naar elkaar toe gooiden. Ze probeerden elegant te dansen, maar dat eindigde in een potsierlijke vertoning, en ook hun evenwichtsnummers mislukten stuk voor stuk. Daarna begaven ze zich aalglad en vliegensvlug in het publiek om hoeden af te stoten, hapjes in te pikken, bij mensen op de schoot te kruipen en kinderen aan het gillen te maken.

Even abrupt als het begonnen was hield het ook weer op. Deze keer werden ook de lampen gedoofd en werd het donker in de piste. Slechts één kaars verlichtte het uitbundig beschilderde clownsgezicht van een van de dwergen. Toen werd een tweede gezicht beschenen: de wellustige tronie van een tweede dwerg, die op de schouders van de eerste bleek te staan. En zo ging het door, tot er tien kaarsen flikkerden, die een toren van tien karikaturaal beschilderde gezichten lieten oplichten vanuit het donker. Het publiek gaf blijken van waardering.

Daarna brachten de dwergen allemaal precies tegelijk een vinger naar hun mond om de clientèle tot stilte te manen, en iedereen gehoorzaamde. Er klonk een bulderende stem in het donker, waarna gelijktijdig zes toortsen werden aangestoken om de langste man van het koninkrijk te belichten – die inderdaad hoger reikte dan de toren van tien dwergen, maar wel op stelten stond.

Hij begon met grote stappen door de piste te lopen en sprak met galmende stem. 'Welkom, goede mensen van Fraggelham, fijn dat u onze bescheiden vertoning komt bekijken.'

Daarna pauzeerde spreekstalmeester Zorros even om zich te laten belonen door applaus, waarvan hij wist dat het zou komen. Toen begon hij weer te lopen en kondigde aan, met zwierige armgebaren, welk buitenissig en kleurig spektakel het publiek nog te wachten stond.

Men zou brango's zien, dat waren ziekelijk schuwe, in grotten wonende wezens, die getemd waren en een mooi dansje hadden ingestudeerd. En angstaanjagende, gehoornde jubba's uit het noorden, bereden door vrouwelijke ruiters. En poseurs die hun lichaam in de raarste kronkels konden draaien. En sterke mannen die zwaardere gewichten konden tillen dan een mens voor mogelijk zou houden.

Het publiek huiverde voor de vrouw die met haar schrille kreet een spiegel kon laten barsten. En voor de twee mannen, vastgebonden op een groot, draaiend wiel, die messen wierpen naar een derde man, maar hem steeds op het nippertje misten. Het grootste applaus was echter voor de slangenslikker, een jonge knul, die de kop van de slang tot diep in zijn keel liet binnenglibberen.

Ten slotte kondigde Zorros de act aan die de beroemdste trekpleister van het circus was. De Vliegende Vossen waren een familie van acrobaten en trapezewerkers, waarvan een mager meisje van een jaar of vijf de jongste was en een opvallende man, die Sakson heette, de leider scheen te zijn.

Telkens als Sakson zijn blik over het publiek liet gaan, zo verbeeldde Alyssa zich, leek het alsof hij recht naar haar keek... en ín haar keek. Ze zag hem moeiteloos op een strak koord balanceren, met drie kinderen op zijn hoofd en schouders. Het publiek vond het prachtig. Hij was beslist een mooie man om te zien, met zijn gouden haren, die tot op zijn brede, machtige schouders vielen. Zijn lichaam was slank en krachtig, en het was met olie ingewreven om alle spieren des te indrukwekkender te laten uitkomen. Hij droeg alleen een strakke kniebroek, met een gouden sjerp als heupband, en zachte gouden slippers.

De kunsten van de Vliegende Vossen werden steeds ingewikkelder en gevaarlijker. Alyssa hield telkens haar adem in als weer iemand van de familie hoog in de lucht buitelde, in het vertrouwen dat Sakson hem wel weer zou opvangen. Hij was behendig en zelfverzekerd. Het ging geen enkele keer mis. Voor Alyssa leken het engelen, zoals ze daar in hun glitterkostuum en met hun lange blonde haren door de lucht zwierden.

De muziek werd nog dramatischer. De oudere leden van het gezelschap klommen naar een klein platform vlak onder de nok van de tent. Er volgde opzwepend tromgeroffel. Sakson maakte enorme zwaaien aan zijn trapeze en op een gegeven moment liet hij los, deed een salto in de lucht en greep toen de polsen vast van een collega die vanaf de andere kant van de tent in een grote boog naar hem toe was komen zwaaien. En daarna voegde zich nog een derde man zich bij dit tweetal. Samen haalden ze adembenemende toeren uit, hoog in de lucht, en speelden ze met hun leven. Maar steeds wisten ze elkaar weer precies op tijd vast te grijpen.

Toen kwam Zorros terug in het midden van de piste.

'Nu hebben we een jeugdig iemand uit het publiek nodig om samen met de Vossen door de lucht te vliegen!' riep hij uitnodigend.

Er gingen vele gretige handen omhoog om de aandacht van de meester te trekken, terwijl de bijbehorende ouders stilletjes baden dat hij een andere kant op zou kijken.

'Ik denk dat we meester Sakson maar moeten laten kiezen, vinden jullie ook niet?' vroeg Zorros.

'Ik zou willen dat ík gekozen werd, Sorrel,' riep Alyssa, die roekeloos allebei haar armen in de lucht had gestoken, als een van de vele trapezeartiesten-in-spe.

'Ga zitten, kind. Alsjeblieft! Dit is wel het laatste waarop ik zit te wachten. Ik geloof niet dat mijn hart vandaag nóg meer opwinding kan verdragen.'

Sakson kwam met soepele en krachtige bewegingen een eind naar beneden geklommen aan een touw dat door zijn vrouw – nam Alyssa aan – in steeds ruimere kringen rond werd gezwaaid, tot de acrobaat ten slotte in een kring vlak boven het publiek op de banken draaide.

'Kies iemand!' zei Zorros.

Het publiek nam de aansporing over. 'Kies iemand... kies iemand!' riep iedereen in koor.

Alyssa riep opgewonden mee met de rest van de menigte. Ze gaf Sorrel een por met haar elleboog om haar aan te zetten om mee te doen en stampte met haar voeten op de planken.

Sakson Vos draaide in al dat tumult onverstoorbaar zijn rondjes. De vrouw had er met subtiele aanpassingen in haar manier van zwaaien met het touw voor gezorgd dat hij nu rakelings boven de hoofden van het publiek zweefde. Juist toen het leek alsof hij nu echt niet lager en langzamer kon ronddraaien, maakte Sakson zelf een onmogelijk diepe buiging naar beneden en greep hij Alyssa's uitgestoken handen en trok haar moeiteloos naar boven. Alyssa wist dat het Sorrel was die ze daar beneden hoorde gillen.

'Hij heeft gekozen!' bulderde Zorros en het publiek brulde instemmend.

Alyssa keek naar beneden en moest bijna kokhalzen.

'Niet naar beneden kijken. Kijk voor je uit, of anders naar mij,' zei Sakson. En toen ze naar zijn knappe gezicht met zijn donkerpaarse ogen keek, glimlachte haar veroveraar breed en fluisterde hij via een link die hij moeiteloos met haar geest legde: *Wees maar niet bang.*

Hij nam haar in zijn klim mee naar de nok van de tent. Alyssa was gedesoriënteerd doordat het zo hoog was en hij haar als een zak meel over zijn schouder had gelegd. Ze had zich natuurlijk vergist. Had hij een link gebruikt om met haar te communiceren? Dat moest ze zich in alle opwinding toch echt ingebeeld hebben.

Sakson zette haar naast zijn twee zonen op het kleine platform en maakte zelf een zwaai naar het platformpje aan de andere kant. *Vertrouw me!* liet hij haar geest nog even weten.

Ze had zich dus niet vergist. Deze meneer Vos had een link met haar gelegd. Goth zat nog geen vijfhonderd passen verderop in een herberg en deze gek gebruikte magie om met haar te praten!

'Niet naar beneden kijken!' herhaalde Oris, de oudste, die haar vastpakte omdat ze wankelde.

Zijn broer Milt – die als twee druppels water op zijn vader leek – kneep in haar arm. 'Hij laat je niet vallen. Maak je lichaam slap en zie uit naar het overweldigende applaus dat je krijgt.'

Alyssa werd nu echt bang. 'Zijn jullie allemáál gek?'

De jongens lachten. Precies hun vader, dacht ze.

'We doen dit in elk dorp. Er is altijd wel een leeghoofdig slachtoffer zoals jij dat wil vliegen. Geen paniek...' Hij wees naar Sakson, die een eindje lager aan zijn trapeze heen en weer hing te zwiepen. 'Hij vangt je wel.'

'Vangt me?' Haar stem was schril geworden. 'Gooien jullie me naar hem toe?'

'Wat dacht je ánders?' zeiden ze eenstemmig, waarna ze haar beiden bij een arm pakten en van het platform naar beneden sprongen. Met hun vrije arm hielden ze zich vast aan de stok van een brede trapeze.

Alyssa schreeuwde van protest. Aan de geluiden te horen deelde het voltallige publiek haar ontzetting. Er klonk weer opzwepend tromgeroffel en ze rook de was van de kaarsen en het roet van de toortsen. Ze bungelde aan haar armen tussen hen in, maar ze voelde dat de jongens precies op het goede moment kracht zetten om haar zwaai het juiste momentum te geven.

'Klaar?' vroeg Milt onheilspellend.

Kom maar, Alyssa, fluisterde Sakson liefjes in haar geest. *Vertrouw me. Ik ben gestuurd om je te beschermen.*

Alyssa vroeg zich in dat scherp herinnerde moment af wat hij in hemelsnaam bedoelde, maar voordat ze iets kon zeggen, zwaaiden Oris en Milt haar met een krachtige ruk naar voren en omhoog. En toen lieten ze haar los. Haar lichaam begon aan een onbedoelde salto, eerst naar boven en toen naar beneden, en zo stortte ze hulpeloos een wisse dood tegemoet. Ze wist het zeker.

Tor! Haar geestelijke stem riep het in het wilde weg om zich heen, maar terwijl ze in het tumultueuze afgrijzen van het publiek stortte, voelde ze dat sterke armen haar uit de lucht plukten en stevig vasthielden, waarna zij en Sakson samen aan een trapeze heen en weer deinden.

Hij hing ondersteboven met zijn knieholten aan de stok. Ze had geen idee hoe ze zelf hing, maar ze kon hem in de ogen kijken en haar angst was over.

Wie bent u? vroeg ze zwijgend.

Geheel de jouwe, antwoordde hij, opzettelijk vaag. *Neem nu je applaus in ontvangst, jongedame!*

Alyssa constateerde dat ze op miraculeuze wijze op de grond was beland, gewoon staande op haar voeten nog wel, en dat Sakson weer naar boven werd gehesen. Deze keer hing hij aan de wreef van zijn voeten.

Maak een reverence voor het publiek, adviseerde hij haar.

Een goed idee, want het publiek was door het dolle heen. Zelfs Sorrel was gaan staan om te klappen. Alyssa maakte een buiging, maar toen ze weer opkeek zag ze opeens het mismaakte gezicht van Goth, dat een lelijke grimas vertoonde. Hij wist dat ze hem zag, dus hij likte met opzet zijn lippen. Ze voelde een koude rilling over haar rug gaan en haar blijde opwinding van daarnet verdween als sneeuw voor de zon.

Ze was niet meer bang om door hem geschouwd te worden. *Goth is hier, Sorrel!*

Sorrel was zo slim om niet meteen om zich heen te gaan kijken. *We zorgen straks wel dat we onopvallend in de menigte verdwijnen. Kom nu eerst maar kalm naar mij terug*, zei ze.

Alyssa knikte. Toen ze zich omdraaide om te kijken naar de familie Vos, die voltallig haar applaus in ontvangst nam, ving Sakson haar blik op en gaf haar een knipoog. Ze bloosde. In haar verlegenheid ontging het haar dat drie personen bezig waren zich in posities achter Sorrel te dringen. Ze keken naar Alyssa, niet naar de Vliegende Vossen.

'Laten we nu meteen wegsluipen,' fluisterde Alyssa tegen Sorrel toen ze bij haar terug was.

'Doe deze om, als we buiten het gordijn zijn,' zei de oude dame, terwijl ze Alyssa een grote sjaal gaf. 'Bedek er je jurk mee, zo goed als het gaat. En verstop je haren.' Ze gaf het meisje een leren veter en een bonnet.

'Waar hebt u al deze spullen vandaan?'

'Uit mijn toverzak.' Sorrel klopte op de versleten stoffen reistas die ze altijd bij zich had.

Alyssa voelde zich minder nerveus toen ze haar haren veilig had opgebonden en verborgen onder de bonnet en de grote sjaal praktisch haar gele rok bedekte. Ze bleef zelfs even staan om te kijken of ze dat akelige gezicht nog ergens zag. Daarna liep ze ontspannen door de menigte en maakte zelfs hier en daar een praatje met vreemden over het amusement van die avond.

Ook Sorrel voelde zich minder bedreigd nu ze anoniem waren in de massa, maar toen ze 'brand!' hoorde roepen was dat meteen over en leek het alsof ze door een klauw van angst werd vastgegrepen. Ze draaide zich om en zag dat de enorme circustent slechts enkele passen achter haar werd aangetast door likkende vlammen. Mensen gilden en degenen die nog bezig waren om buiten te komen, begonnen te dringen en anderen onder de voet te lopen. Binnen een mum van tijd stond de hele zuidelijke ingang van de tent in lichterlaaie en even snel werd Alyssa's hand uit die van Sorrel gerukt en verdween het meisje in de paniekerige menigte.

Ga naar de herberg! was alles wat Sorrel haar via hun geestelijke link nog kon meegeven, maar ze zag dat het meisje door de menigte juist werd meegevoerd in de tegenovergestelde richting, bij het dorp vandaan, in een wanhopige poging om weg te komen van het vuur dat het tentdoek en de palen en de strakke touwen opvrat. Het gekrijs van doodsbange dieren mengde zich al met dat van de mensen. Sorrel zag een kind dat viel en toen ze probeerde het te helpen opstaan, werd ze zelf omver gelopen. Voeten vertrapten haar.

Moge Licht je beschermen, Alyssa, was haar laatste gedachte, waarna iets zwaars haar hoofd raakte en ze wegzakte in een zwarte duisternis.

Sorrel kwam bij haar positieven, maar was als verdoofd. Ze keek om zich heen, maar kon niet vaststellen waar ze was. Het duurde ook even voordat ze het bezorgde gezicht van Sakson Vos herkende. Hij keek haar bezorgd aan.

'Welkom terug,' zei hij toen zacht. Er was nu geen vrolijke grijns meer op zijn gezicht.

Ze ging zo snel rechtop zitten als haar oude botten dat wilden toestaan en werd daarvoor beloond met pijn. Ze trok een bijpassend gezicht.

'Rustig maar, oude vrouw. Ik ben Sakson Vos, van circus Zorros. Of wat daar nog van over is.'

'Ik weet wie je bent,' zei ze schor. 'Waar is mijn kleindochter?'

'Dat had ik graag van ú gehoord.'

Ze schudde voorzichtig haar hoofd. 'We zijn in de paniek uit elkaar geraakt. Wat is er gebeurd?'

De circusartiest zuchtte. 'Wie kan het zeggen? Het ene moment staan we te buigen, het volgende staat de tent in de fik.' Hij haalde zijn schouders op, maar op de karakteristieke manier die bij één volk hoorde.

'Je bent een Klook,' zei ze, want nu herkende ze ook de lengte, het blonde haar en de felle kleuren van de ogen. Om over het lichte accent in zijn stem nog maar te zwijgen.

Hij keek alsof hij beledigd was. 'Natuurlijk. Waarom zou ik anders zo knap zijn?' Het was een geforceerde poging tot humor. 'We zijn vanavond zowat alles kwijtgeraakt. Veel van onze exotische dieren. De hele tent is in de as gelegd, maar onze woonwagens zijn gespaard. Een cadeautje van de goden. Zes van onze troep zijn dood.'

Hij zweeg toen Greta – de vrouw van het touw – met een blad vol bekers arriveerde.

'Hier, drink dit.' Ze was kwaad en in de gegeven situatie kon Sorrel zich daar wel iets bij voorstellen.

Ze nam een beker van het blad. 'Wat is het?'

'Iets wat een verzachtende werking heeft,' zei de vrouw slechts, waarna ze zich omdraaide en wegliep.

Sorrel keek om zich heen. Er zaten en lagen verschillende mensen op de grond, in verschillende graden van verdoving en verwarring. Ze zag een van de mooie brango's daar dood liggen – een misvormd en deels verkoold kadaver. Ze nam een slokje van de thee en herkende in de bittere smaak het kruid rimmis. Dat was de juiste keuze. Het zou helpen.

'Is dat je echtgenote?'

Sakson lachte hees. 'Nee. Ze was de vrouw van mijn overleden broer.'

Sorrel ging netjes rechtop zitten. 'Ze maakt goede thee. Ik moet nu weg om Alyssa te zoeken.'

'Ik zal u helpen,' zei hij resoluut.

'Waarom? Volgens mij heb je hier al genoeg chaos aan je hoofd.' Ze keek hem indringend aan. Welk belang had hij bij Alyssa?

'Ze is een mooi meisje en ze vliegt heel aardig,' zei hij, en ze kon in zijn stem geen onoprechtheid ontdekken. 'Ik ben hier een poosje nutteloos. Laat me u tenminste naar uw huis begeleiden.'

'We wonen hier niet, meester Vos. We zijn reizigers. Maar je mag meelopen naar de Korenschoof. Dat zou ik waarderen.' Ze had vreselijke hoofdpijn.

'Zeg maar Sakson,' zei hij, terwijl hij haar hielp opstaan.

In de herberg heerste vooral verwarring. Fraggelham was geschokt. Negen dorpelingen hadden het leven verloren, en zes van de circusartiesten. Alyssa was niet in de herberg, en van degenen die haar kenden, had niemand haar gezien.

Sorrel stelde vast dat ook Goth niet aanwezig was. Vooral dát vond ze alarmerend. Ze probeerde een link te leggen met Alyssa, maar ze bespeurde niets. Dat verbaasde haar niet. Zoals de meeste begiftigden, kon ze een dergelijke link alleen tot stand brengen als de wederpartij niet te ver weg was – tenzij ze een speciale band hadden, zoals zij die had met Merkhud. Ze had nooit gehoord van iemand anders dan hen beiden, als het ging om links over een grote afstand.

Ze trok de circusman mee naar een rustig hoekje. Ze had besloten dat ze hem moest vertrouwen.

'Sakson, heb je ooit gehoord van inquisiteur Goth?'

De man spuwde tussen twee vingers door op de grond. Ook een specifieke gewoonte van de Kloken. 'Wie niet?'

'Wel, hij is hier in het dorp en heeft een meer dan oppervlakkige belangstelling voor Alyssa laten blijken. Nog vanmiddag heeft hij haar... eh... laten we zeggen... willen compromitteren.'

Saksons paarse ogen schoten vuur. Sorrel zag het en wist genoeg. Het ging hier om méér dan het helpen van een oma en haar kleinkind.

'Denkt u dat hij haar heeft?'

Nu was zij het die haar schouders ophaalde. 'Misschien.' Sorrel wilde gewoon niet geloven dat Alyssa in de paniek was omgekomen, hoewel die gedachte ook al bij haar was opgekomen. Maar haar lichaam was niet gevonden, dus ze hoopte dat haar beschermeling nog leefde.

'Dan zal ik hem vinden. Blijf hier, oude vrouw. Ik beweeg me sneller zonder u.'

'Vind haar! Bescherm haar!' zei ze hees. Ze voelde het effect van de rimmis nu echt. Haar gedachten begonnen zweverig te worden.

Ze hoorde niet meer dat Sakson binnensmonds iets mompelde. 'Daarvoor hebben ze mij gestuurd.'

Toen de paniek uitbrak en Alyssa van Sorrel werd losgerukt, besefte ze dat het geen zin had om tegen de stroom in te vechten. Het was verstandiger om mee te geven. Ze was geschrokken van het vuur dat zich zo snel verbreidde en de tent verslond waaronder ze enkele minuten geleden met hun allen hadden gezeten. Ze hoorde Sorrel zeggen dat ze naar de herberg moest gaan, maar vooralsnog was dat onmogelijk. Eerst moest ze op de akkers buiten het dorp veiligheid zoeken en daarna kon ze naar het dorp lopen. Samen met het groepje waarin ze zich bevond, hield ze op met rennen. De mensen om haar heen leken te weten waar ze naartoe wilden.

Achter zich hoorde ze nu het geluid van een enkel paard dat hun kant op kwam. De vier mensen die nog bij haar waren, stapten opzij om de weg vrij te maken. En ze zag een ruiter verschijnen, die zijn paard inhield.

Hij keek op haar neer. 'Is ze dit?'

Alyssa fronste haar voorhoofd. Wat betekende dit? Een van de mannen met wie ze mee was gerend, stapte naar haar toe en rukte haar armen achter haar rug. Een vrouw bond ze daar vast. Alyssa verzette zich en schreeuwde, maar ze negeerden haar en richtten zich tot de ruiter.

'Het geld?'

De ruiter wierp een beurs met munten naar de man, die zich toen omdraaide en naar haar grijnsde. 'Veel plezier vannacht,' zei hij. Zijn lol was aanstekelijk, want ze lachten nu allemaal.

Ze draaide zich met een ruk om naar de vrouw met wie ze had gesproken. 'Help me...'

De vrouw meesmuilde. 'Ze heeft hulp nodig, Fil.'

De man greep Alyssa om haar middel en zette haar achter de ruiter op het paard. Toen spoorde de ruiter zijn rijdier aan met een zweep en reden ze in galop weg, niet naar het dorp Fraggelham, maar een andere kant op.

Eindelijk snapte ze het. Alyssa wist dat aan het einde van de rit Goth op haar wachtte.

❧

'Welkom, liefje.' Alleen zijn stem maakte haar al misselijk. 'Bedankt, Drell.'

De ruiter knikte en vertrok. Ze hoorde de hoefslagen van zijn paard in de verte wegsterven, samen met haar enige hoop op ontsnapping. Alyssa voelde de kille aanraking van wanhoop en liet zich daar even door beroeren. Maar toen veranderde ze de wanhoop in afschuw. Afschuw voor dit stuk vuilnis, dat zich een glas wijn inschonk en zich mijmerend afvroeg aan welke gruwelen hij dit meisje eens zou onderwerpen voor zijn genot.

Hij nam een slok en liet de droge wijn in zijn misvormde mond ronddraaien. 'Kom, drink met me mee. We hebben nog een lange nacht te gaan samen. Laten we het plezierig maken.' De mond verwrong zich tot een walgelijke grimas.

Alyssa vond haar stem en was trots dat deze niet haperde. 'Is dit de enige manier waarop je aan een vrouw kunt komen, Goth? Dat je ze laat vastbinden en dat je ze verkracht?'

Ze verbaasde zichzelf over de kracht die ze voelde. Haar minachting was snijdend. 'Miezerig, mismaakt mormel. Ga je gang dan maar en dood me daarna, want anders zal ik jou doden voor wat je gedaan hebt.'

Ze zag spiertrekkingen in zijn geschonden gezicht. Zijn ogen werden zwarte stippen. Goth was in verwarring. Dit was niet zoals het behoorde te zijn. Ze hoorden te jammeren en te grienen, en dan om genade te smeken, en dan lief te doen, in de hoop het allemaal minder erg te maken. Des te wreder werd hij dan. Hij vond het heerlijk ze doodsbang te zien. En hij hield er níét van zijn spelletje op deze manier verpest te zien. Zeker, hij zou haar verkrachten en dan doden, maar pas na haar pijn te hebben gedaan en de doodsangst uit haar ogen te hebben opgeslurpt. En daarna – om geen enkele twijfel te laten bestaan aan de diepte van zijn haat – zou hij op jacht gaan naar de grootmoeder, die nu ergens bij de smeulende wrakstukken rondschuifelde om haar geliefde meisje te zoeken.

De brandstichting had prima gewerkt. Hij hield van vuur. Het was een geïnspireerde wandaad geweest, want in één klap had hij het meisje te pakken én afgerekend met dat ontaarde circusvolk, waaraan hij zo de pest had. Hij zou graag al die zwervers uitmoorden, maar helaas werden ze beschermd door een belachelijke oude asielwet.

Hij besefte opeens dat zijn geest was afgedwaald. Zij stond hem uit te lachen om zijn vermeende besluiteloosheid. Dat kon natuurlijk niet. Ze moest sterven in een waas van angst en afschuw, niet in triomf.

'Zoals je wilt, lieve schat. Ik zal zeker mijn genoegen beleven aan je lekkere rijpe lijfje. En als je de dood liever hebt dan mij, dan kun je hem krijgen. Dat is wel het minste wat ik je voor je diensten kan teruggeven.'

Hij zette zijn glas neer en zag tot zijn genoegen dat ze even achteruitdeinsde. 'En na afloop, Alyssa, want zo heet je toch? Na afloop zal ik je lieve oma martelen en doden. Ik ben haar namelijk speciale dank verschuldigd voor haar interruptie vanmiddag.'

Hij had willen brullen van het lachen toen hij zag hoe haar uitdagende houding in elkaar stortte. Wat een stomme meid was ze, dat ze had geprobeerd met hém de degens te kruisen!

'Zullen we nu eerst die leuke kleertjes eens uittrekken, liefje?'

In twee grote stappen was hij bij haar. Hij trok een dolk uit de schede aan zijn riem en sneed door haar bloes en alles wat eronder zat, inclusief haar huid. Er vloeide bloed uit de snee. Het was maar een oppervlakkige wond, maar hij deed pijn en dat wist Goth. Alyssa moest hard op haar lip bijten om het niet uit te schreeuwen, maar ze schreeuwde wel geluidloos, via een link, naar de enige persoon van wie ze wist dat hij het zou horen.

Hij had de Korenschoof al met een grimmige blik verlaten, klaar om Goths kop van zijn romp te rukken, toen Sakson Vos deze noodkreet van Alyssa in zijn hoofd hoorde. Hij bleef meteen stokstijf staan.

Waar? bulderde hij, tegelijk opgelucht dat hij haar stem hoorde en bezorgd om de paniek die ze erin uitdrukte.

Terwijl Goth zogenaamd meelevend deed toen hij het bloed zag en zich bukte om de druppeltjes tussen haar borsten op te likken, legde Alyssa Sakson zo goed mogelijk uit hoe hij haar kon vinden.

Wees snel, vliegende man, ik ben zo goed als dood.

De snijdende pijn die ze voelde toen haar folteraar in het zachte vlees rond haar tepel beet, dwong haar de link te sluiten. In plaats daarvan ging ze op zoek naar de Kleuren.

Tor had haar dit geleerd. Hij kon zichzelf op die manier in een soort trance brengen en steeds dieper in zijn innerlijk wegzakken, tot de verblindende kleuren hem geheel omringden. Hoewel ze zelf nooit méér had bereikt dan een zacht zweven in het serene, sensuele Groen, was het een plek waar ze graag vertoefde en waarheen ze nu vluchtte. Ze moest aan Goth ontsnappen. Het had geen zin om haar vermogens tegen hem te gebruiken, want hij werd beschermd door de schouwsteen aan de ring om zijn vinger. Deze reflecteerde alle magie naar de afzender. Toch scheen hij niet in staat te zijn geweest haar talenten te ontdekken. Ze begreep dat niet, maar dit was niet het moment om erover na te denken. Ze liet zich wegzakken in het Groen en bad dat Sakson haar zou vinden voordat Goth genoeg van haar had. Ze spendeerde haar laatste gedachte aan Tor. Was híj het maar aan wie ze nu haar maagdelijkheid moest offeren!

Goth was opgewonden geraakt door de smaak van haar bloed. Hij was van plan geweest zich een lange nacht van kwellen en martelen te gunnen, maar het meisje had hem geïrriteerd en de smaak van bloed had zijn wellust zowat onstuitbaar gemaakt. Het waren nu zijn eigen verlangens die het tempo dicteerden. Er was geen tijd meer voor spelletjes. Maar ze was heel mooi in haar naaktheid, dat moest hij toegeven.

Hij rukte de leren veter los waarmee ze haar haren had opgebonden en zag haar goudblonde lokken alle kanten op vallen toen hij haar op een strooien matras neerdrukte.

'Daar gaan we dan, liefje,' zei hij. Maar tot zijn onuitsprekelijke ergernis was haar hele lichaam opeens zo slap als een vaatdoek en verzette ze zich zelfs niet meer met een vinger om hem te prikkelen. Ze had haar ogen dicht. Hij sloeg haar hard.

Ergens in het Groen wist Alyssa dat haar lichaam pijn werd gedaan, maar haar zintuigen waren gelukkig buiten werking gesteld en ze bleef vredig zweven waar ze was, hopend op verlossing straks, hoe dan ook.

'Teef!' Hij stompte haar hard tegen haar maag. Toen ging hij staan en schopte haar verschillende keren. Zijn laars deelde enorme dreunen uit. Maar het meisje verzette zich niet. Het leek alsof ze al dood was, alsof hij haar de laatste adem had benomen. Het geweld dat hij uitoefende, maakte Goths aanzwellende begeerte alleen maar onbeheerster. Hij moest het nu doen. Als hij langer wachtte, verspilde hij zijn geilheid misschien aan de groezelige deken waarop hij haar had neergegooid.

Hij trok jachtig zijn kleren uit en glimlachte grimmig toen zijn door brandwonden akelig toegetakelde borst ontbloot was. Vrouwen schrokken zich te pletter als ze hem zagen. Jammer dat deze sloerie niet keek. Maar het vuur had datgene wat zich aan zijn onderbuik verhief, niet aangetast. Hij greep het vast en boorde het diep in Alyssa's lichaam, zonder iets te merken van een futiele weerstand binnenin. Hij probeerde door ruwe, schokkerige stoten zijn woede af te reageren over al de kreten die ze hem had onthouden.

Terwijl Goth haar maagdelijkheid roofde, loste het veilige Groen op en zag Alyssa een tafereel voor haar geestesoog.

Ze zag twee schepsels achter struiken verscholen, niet echt mensen, niet echt dieren – iets vreemds ertussenin. Ze lachten. De ene stak zijn hand uit naar... wat was het? Een bos? Nee, een stralende helling waarop de prachtigste bloemen zich baadden in warm zonlicht en gestreeld bogen voor een mild briesje. Ze kon hun zoete aroma bijna ruiken. Er was daar ook een beekje, in een krul om een dikke boomstronk heen, waarvan het water zachtjes murmelde over gladgesleten stenen en schitterde in het zonlicht. En op de oever stonden een man en een vrouw, die elkaar dicht tegen zich aan trokken. Ze waren prachtig. De een had een bleke huid en vlaskleurig haar, de andere was knap in een donkere tint.

Een van de mensachtige wezens achter de struiken stak zijn handen uit en tilde iets op van de grond. Ze zag niet meteen dat het een baby was. Ze kromp ineen. De baby slaakte een kreetje. Het sneed als een mes door Alyssa's hart. De dieven lachten en renden weg met het kind, dat steeds harder huilde.

Ze zag de gechoqueerde uitdrukking die op de gezichten van het mooie paar verscheen, maar ze zetten geen achtervolging in. Waarom niet? Alyssa probeerde achter de baby aan te rennen, maar haar voeten waren vastgenageld. Ze schreeuwde en schreeuwde en schreeuwde.

Aha, dat begint erop te lijken, dacht Goth, die zich nog dieper in het meisje naar binnen boorde. Nu kon ze eens voelen wat een krachtpatser hij was! Hij genoot ervan wanneer ze hun angst hysterisch uitschreeuwden. Het verhoogde zijn opwinding.

Goth had hem anders misschien wel horen komen. Nu merkte hij pas dat ze bezoek hadden gekregen toen hij hardhandig van Alyssa werd gerukt en met botte kracht tegen een muur werd gesmeten. Daar zakte zijn lichaam kwijnend ineen, terwijl zijn liefdesvocht in zwakke golfjes over zijn been stroomde, een zielig restantje van zijn passie.

Alyssa was terug in haar veilige Groen toen ze iemand naar haar hoorde roepen. Het klonk als van ver weg, maar het was een stem die ze vertrouwde en die toebehoorde aan iemand die was gestuurd om haar te beschermen. Ze rende naar die stem toe. Als ze hem kon bereiken, wist ze, was ze in veiligheid.

Haar ogen openden zich en keken in het gezicht van Sakson Vos. En daarna zagen ze de verfrommelde verkrachter, die slap tegen de muur aan lag. Sakson begroef zijn gezicht in haar blonde haren en hield haar stevig vast, want ze beefde van ontzetting.

Je bent nu helemaal veilig, fluisterde hij in haar geest.

Sakson hing zijn mantel om Alyssa heen, nadat zij onwennig rechtop was gaan staan. Tot haar bevreemding zag ze dat Sakson toen een masker voor zijn gezicht deed. Ze deinsde geschrokken achteruit toen de inquisiteur zich bewoog. Kennelijk kwam hij bij bewustzijn.

'Ik ben blij dat je wakker bent. Ik wilde graag dat je dit zag,' zei Sakson.

Goth kreeg geen tijd om te protesteren. Sakson greep hem met zijn ene hand tussen zijn benen en hanteerde met de andere zijn vlijmscherpe dolk. Er spoot bloed op de vloer. Alyssa rende toen uit de hut naar buiten, weg bij de bloedstollende kreten van Goth en de aanblik van wat Sakson had gedaan. Ze zoog diepe teugen koele nachtlucht naar binnen toen ze zag dat het bewijs van de lust van de inquisiteur over haar dijen naar beneden droop.

Binnen lag Goth te janken en kwijlen in een plas van zijn eigen bloed. Hij was zo goed als dood, vreesde hij, maar toch durfde hij niet uit te spuwen wat deze ontketende torenhoge woesteling in zijn mond had gestopt. Hij kon door de vorm wel raden wat dit zachte vleespakketje was. De enige hoop die zijn stervende geest nog ontwaarde was een bungelende lantaarn, die hij door de deuropening in de verte zag aankomen.

'Sterf langzaam, Goth. En moge je daarna in een eeuwige duisternis rotten,' snauwde de vreemdeling.

Sakson had de naderende lantaarn ook gezien. Hij wist ongezien weg te komen en galoppeerde op het geleende paard naar het akkerland achter de hut, om daarvandaan met een boog naar het dorp terug te rijden. Alyssa zat voor hem op de rug van het paard en hij hield zijn lange armen stevig om haar lichaam geklemd. Ze was nog steeds naakt, op zijn mantel na.

'Heb je hem gedood?' vroeg ze hardop.

'Ja,' zei hij effen. Hij voelde dat ze onder zijn jas nog steeds beefde. 'We moeten vannacht al verdwijnen. Jij en je grootmoeder moeten met ons mee reizen.'

'Ze is niet mijn grootmoeder.'

Hij kuste haar op haar achterhoofd. 'Dat weet ik.'

❧

'Heb je hem gedóód?' Sorrels onthutste blik getuigde van haar schrik. 'Mogen de goden ons beschermen!'

Ze was tot het moment van hun terugkeer versuft geweest en liep nu zenuwachtig op en neer in de kleine kamer, terwijl Alyssa haar handen afdroogde en Sakson een zware stilte liet hangen. Alyssa had zich achter een kamerscherm zo goed als het kon gewassen, terwijl ze de oude vrouw hakkelend vertelde wat er was voorgevallen. Nu was haar energie op.

'Daarom moeten we ons zo ver mogelijk van dit dorp verwijderen,' zei Sakson ten slotte.

'Waarheen dan, gek?'

Hij kromp ineen wegens Sorrels woede.

Alyssa probeerde haar te sussen. Ze sprak op een kalme toon. 'Sorrel, we kunnen hier niet blijven. Ze gaan nu snel op zoek naar de moordenaar van Goth en het kan best dat wij daarbij betrokken raken. Mijn sjaal ligt er nog, mijn schoenen...'

Ze keek smekend naar Sakson om het van haar over te nemen, want ze was aan het einde van haar krachten.

Sakson probeerde het, maar niet op een zoetsappige manier. 'Luister, oude vrouw. Jullie enige hoop is dat jullie nog deze nacht verdwijnen. Ik ken Zorros. Hij is momenteel bezig alles bij elkaar te rapen wat nog heel is en daarna vertrekt hij zo snel hij kan, met zijn hele hebben en houden.'

'Jij bent degene die een moord heeft gepleegd, vriend Vos. Niet ik, niet dit meisje. We hebben niets te vrezen.' Sorrel geloofde het zelf niet.

'Als u dat denkt, bent u zélf de gek,' snauwde Sakson. 'Als u uzelf niet wilt redden, laat mij dan tenminste Alyssa beschermen tegen zijn vriendjes. Ze zullen achter jullie aan gaan en jullie beiden ophangen of stenigen. En geen magie zal haar redden!'

Sorrel keek alsof iemand alle lucht uit haar longen had gestompt. Toen draaide ze zich naar Alyssa. Haar gezicht drukte angst en ongeloof uit.

'Ik... ik heb het hem gezegd,' gaf het meisje toe, om Sakson na zijn indiscretie in bescherming te nemen.

Alyssa zag het niet aankomen. Sorrel sloeg haar zo hard op haar wang, dat ze tuimelend omviel. 'Dan ben je nog stommer dan hij,' fluisterde Sorrel op een broze toon. Haar verzet leek opeens gebroken.

Sakson was in één stap bij Alyssa. Hij tilde het duizelige meisje van de vloer.

Zijn stem was kil van woede. 'We gaan nu. U kunt meekomen of hier blijven, maar ik haal haar hier weg.'

Hij draaide zich om en klom behendig uit het venster, terwijl Alyssa over zijn schouder hing, met een arm slapjes om zijn nek geslagen.

Sorrel zag dat hij met vaste voet over het dak van de herberg liep en daarvandaan naar een belendend dak, waarna hij uit haar gezicht verdween. Ze schudde haar hoofd om het te bevrijden van angsten en zorgen. Alyssa, een essentieel stuk in deze legpuzzel, was haar zojuist afgepakt. Hoe had dat zo snel kunnen gebeuren? Merkhud zou haar vermoorden!

Nee, ze moest meegaan. Wie deze vreemde Sakson Vos ook was, hij hoorde er nu bij. Hij deelde hun geheim.

Het kostte haar maar enkele minuten om hun spullen bij elkaar te zoeken en de herbergier te betalen. Ze haalde Kythay uit zijn stal en liet zich door hem naar de smeulende resten van het circus dragen.

❦

Zelfs Goth verbaasde zich over zijn talent om de dood van zijn lijf te houden. Deze was nu al voor de tweede keer vergeefs bij hem op bezoek geweest. Omdat de rimmis naar zijn mening niet snel genoeg werkte, nam hij nog een nieuwe snuif uit zijn potje met krill om de pijn te verdoven. De bleke en zwetende dokter was ondertussen bezig zijn gemaltraiteerde kruis te behandelen. De man sprak met trillende stem, zó akelig en angstwekkend vond hij de wond.

'U boft nog, inquisiteur Goth... als dat mogelijk is in deze omstandigheden... Waren we iets later geweest, dan hadden we de bloeding niet meer kunnen stelpen. U zult een aantal dagen verzwakt zijn, maar u blijft leven.'

De dokter begon nerveus zijn gereedschap in zijn tas te stoppen.

'En mijn...'

'Dat kan ik niet redden,' zei de heelmeester vlug. Zijn gespannenheid straalde van hem af.

Alleen al in één kamer te zijn met deze man was een angstaanjagende ervaring. Goth was erom berucht dat hij gewetenloos moordde. Maar enfin, de dokter was er dik voor betaald. Hij moest er nu alleen nog even voor zorgen dat hij de zaak afrondde en dan zo snel mogelijk verdween. Maar zijn nervositeit liet zich niet onderdrukken.

'Uw voortplantingstijd is voorbij.' In zijn zenuwen liet hij zich ook nog ontvallen: 'En u moet voortaan hurken als een vrouw om te plassen.'

Goth voelde een hete golf van woede door zich heen gaan. De teef en haar handlanger – wie die sterke vent ook geweest mocht zijn – zouden hiervoor boeten! Hij zou die twee opjagen en hij zou ze doden. Hoe zwak hij ook was, hij boog zich naar voren en greep de transpirerende dokter bij zijn keel en kneep hem half dicht.

'Als je hierover ook maar één woord loslaat tegenover wie ook, kom ik je in stukken hakken, nadat ik je hele gezin de buik heb opengesneden en aan de dorpshonden heb gevoerd. Een leuke vrouw, plus twee mooie dochters, meen ik?'

De dokter staarde naar de zwarte vlekken van ogen van zijn waanzinnige patiënt en voelde dat zijn blaas zich leegde toen Goth zijn keel losliet.

'Ik heb niemand iets te melden, meneer,' zei hij schor, in de hoop dat hij deze keer de juiste woorden koos.

Goth keek de van angst versteende man nog steeds boosaardig aan.

'Wegwezen, dokter. Ga een schone broek aantrekken. Staat mijn man nog buiten?' De rimmis begon eindelijk te werken. Hij moest de versuffing nog even trotseren. Hij zag dat de dokter voorzichtig knikte. 'Stuur hem naar binnen. En vergeet je belofte niet, want ik ben een man van mijn woord.'

De heelmeester vluchtte. Even later verscheen er een inquisiteur aan Goths zijde. Het was Rhus. Hij bukte zich diep om zijn baas te verstaan.

'De mensen die me hierheen hebben gebracht...' De man knikte. 'Weet je wie het waren? Hoeveel?'

'Ja, heer Goth. Met hun vieren hebben ze u gered. Een gezin dat Horris heet. De ouders hebben u verzorgd en de zoon werd weggestuurd om de dokter te halen. Zijn kleine zusje bleef hier bij haar ouders. Ze verwachten uw dank.'

Geen woord te veel. Rush wist dat de hoofdinquisiteur gemakkelijk in drift ontstak.

Goth zuchtte van opluchting. 'Mooi zo. Dood ze allemaal, ook de dokter en zijn gezin. Doe het nu meteen en laat geen sporen achter.'

14

Sakson de Klook

Sorrel hoorde Alyssa's lach opklinken vanaf een kleine open plek in de nabijheid van hun kamp. Ze waren daar onlangs neergestreken in het noordelijke deel van het Grote Woud dat zich bijna over de volle lengte van het koninkrijk uitstrekte.

Ze was verrast geweest toen de jonge Caerys was opgedoken bij hun kar, die werd getrokken door Kythay, en kwam zeggen dat ze een kamp gingen opslaan. Zoals de meeste Tallinezen had ze enorm veel ontzag voor het Grote Woud. Men zei dat het betoverd was en hoewel ze er persoonlijk niet bang voor was – anders dan veel andere mensen – zag ze er niet verlangend naar uit om hier een of zelfs meer nachten door te brengen. Maar het scheen dat de zwerverstroep van het circus Zorros geen besef had van de oeroude notie dat dit woud een wereld op zichzelf was.

Zorros kuierde even ontspannen langs de rij van karren en wagens alsof ze hier halt hielden bij een nette herberg. Sorrel had besloten zich te schikken in haar lot. De goden hadden haar al eeuwen beschermd, dus waarom zouden ze haar dan nu opeens willen doden, nog voordat ze haar taak had volbracht? Ze had haar ongerustheid weggeslikt. Op dit moment hing een ketel soep te pruttelen boven een vuur en kon ze ontspannen met haar rug tegen een oude boom zitten en eens rustig nadenken over de afgelopen dagen.

Toen ze die vreselijke avond naar de brink van Fraggelham terugkeerde, was deze al verlaten en zag ze in de verte de bungelende lantaarns van de circuskaravaan verdwijnen. Ze had haar pech vervloekt en Kythay aangespoord om haast te maken, maar het stomme beest had natuurlijk zijn eigen tempo gekozen, dus het had lang geduurd voor ze bij de wagen was waarop Alyssa ineengedoken naast Sakson zat. Geen van beiden leek verbaasd haar te zien.

Sorrel zag dat Alyssa's gezicht een ziekelijke kleur had en dat haar ogen dof keken. Eerst vreesde ze dat ze het meisje een bedwelmend middel hadden gegeven, wat haar oude woede op Sakson opnieuw deed oplaaien, maar voordat ze iets kon zeggen legde hij uit dat ze last had van de brute schoppen en klappen die ze van Goth had gekregen. En dat hij zich zorgen maakte, want hij wist dat Zorros de hele nacht zou doorrijden om zo ver mogelijk bij Fraggelham vandaan te komen.

Samen hadden ze haar in de wagen gelegd, en toen Sakson daarna weer op de bok was geklommen, hadden ze wat privacy en had ze Alyssa uitgekleed. Zelfs in het grillige licht van een enkele kaarsvlam was de aanblik van het mishandelde lichaam een vreselijke schok voor haar geweest. Sorrel had haar vele dagen onafgebroken moeten verzorgen om het meisje door de eerste, gevaarlijke fase van het herstel te helpen. Ze had steeds hoge koorts en lag te ijlen en te gillen in haar onrustige slaap.

Sorrel behandelde de ergste snijwonden en bedekte alle gekwetste delen met kompressen. Het vergde al haar kennis van kruiden om de inwendige kwetsuren te behandelen. Ook had ze het meisje gedwongen een zwart drankje te slikken om eventuele gevolgen van Goths walgelijke zaad uit te wissen. Gelukkig was het meisje kort daarna ongesteld geworden. Dit leek trouwens een keerpunt te zijn, want vanaf dat moment verliep haar genezing snel en voorspoedig.

Sorrel merkte op dat Alyssa's vriendschap met Sakson zich verdiepte. Het was niet zo dat Sakson het meisje het hof maakte, zoals Sorrel aanvankelijk had gemeend. Hij scheen veeleer een vaderfiguur voor haar te zijn. Sorrel was nu blij dat hij in hun leven was gekomen en zij genoot even intens van zijn intelligente, geestige gezelschap als Alyssa zelf.

Op advies van Sakson waren ze dit hele eind met het circus meegereisd in noordwestelijke richting. Hij had voorgesteld zo lang mogelijk in dit veilige gezelschap te blijven, om pas later nog verder noordelijk te gaan, naar Ildagaarde.

Sorrel roerde nog eens in de soep. Bijna gaar. Ze hoorde Alyssa's stem en toen ze die kant op keek zag ze het meisje griezelen, want Caerys demonstreerde haar de beginselen van het slangslikken. Ze luisterde naar hun gebabbel en glimlachte om Alyssa's gilletje toen haar vriendje een felgroene slang uit een juten zak tussen hen in haalde.

'Deze vind ik érg akelig, zeg – hoe heet hij ook alweer?'

'Dit is Jinn. Mijn favoriet, zoals je best weet. Doet het altijd heel netjes, zonder me pijn te doen.'

Alyssa gruwde zichtbaar van de gedachte alléén al.

Caerys praatte enthousiast verder. 'Nu doe ik het nog een keertje voor en dan wil je het misschien zelf eens proberen,' bood hij aan.

'Ja, lekker. Behalve dat zelf proberen, natuurlijk.' Ze giechelde.

Sorrel wist dat Caerys niet minder in Alyssa's ban was dan de andere jongelui binnen de troep. Wie kon het hun kwalijk nemen?

Caerys zuchtte. 'Hoe kun je dit ooit leren, als je het niet uitprobeert?'

Ze keek hem vernietigend aan en hij capituleerde.

'Ik heb Jinn meteen zijn angel uitgedaan, anders zou hij me veel kwaad kunnen doen. Het smaakt heel raar. De eerste keren maakte het mijn gehemelte ruw. Een wat visachtige smaak en de schubben raspen wat als je hem terugtrekt.'

'Getver.' Alyssa rilde. 'Hoe bedoel je?'

'Nou, een slang wringt zich gemakkelijk in een krap gat naar binnen, en dat gaat gladjes, maar het schuurt dus als je ze naar buiten trekt. Jinns kop gaat ongeveer zó diep mijn keel in.' Hij liet met zijn duim en wijsvinger zien hoe ver. 'En er liggen nog wat kronkels in mijn mond. Je ziet dat ik hem bij zijn staart vast heb, maar wat je niet ziet is dat ik hem een kneepje geef, zó, en dan schiet hij nog een eindje verder.'

Hij zag dat ze het nog steeds niet helemaal begreep.

'Waarom glijdt hij dan niet nóg verder je keel binnen?'

Caerys glunderde. 'Slim hoor, Alyssa! Dat zou hij zeker doen, inderdaad. Maar ik ben ook niet gek! Ik hou zijn staart met mijn nagels stevig vast, als een tang, want hij is erg glibberig en ik mag hem niet loslaten.'

Hij deed het voor. Alyssa vond het niet nodig om het van zó dichtbij te bekijken, dus ze bedankte hem en wachtte niet af tot hij de ongelukkige Jinn weer uit zijn mond naar buiten begon te trekken. Ze haastte zich naar Sorrel en ging in de soep roeren.

'Leuke trucs kan onze Caerys uithalen met een slang,' zei Sorrel, terwijl ze nog wat kruiden in de ketel strooide.

'Ja, hij is daar erg goed in. Hij kan ook dolken en messen slikken. Ik heb het hem zelfs eens zien doen met een scherp zwaard!' Alyssa zei het vol ontzag.

Sorrel deelde aardewerken borden uit. 'Komt Sakson bij ons eten?'

'Nee, hij is bij zijn familie.'

'Die vrouw is jaloers op je, weet je dat?'

Alyssa knikte. 'Ja, ik weet het. Ik heb haar eens een keer onvriendelijk over mij horen praten tegen hem. Hij is heel goed geweest voor haar en de jongens, sinds zijn broer is omgekomen, maar ze doet soms erg onaardig tegen hem.' Haar stem klonk zacht, afstandelijk.

Sorrel was echter blij dat Alyssa zich toch een beetje blootgaf, want gewoonlijk vermeed ze in hun gesprekken alles wat naar het persoonlijke neigde. Misschien was dit een geschikt moment.

'Weet je, toen je zo ziek was en ik dag en nacht aan je zijde zat, op die kar, herhaalde je in je ijldromen steeds weer dezelfde naam.'

'Is dat zo?' Alyssa leek geamuseerd. Ze doopte een stukje brood in haar smeuïge soep.

'Ja, echt. Je noemde hem Tor. En je bleef hem maar smeken om tegen je te praten.'

'Weet ik niets meer van.' Alyssa stelde zich behoedzaam op tegenover de oude dame.

Sorrel liet zich niet zo gemakkelijk afschepen.

'Wie is hij?' Ze probeerde het luchtig te laten klinken en deed alsof ze voornamelijk aandacht had voor haar soep.

'Een vriend.'

'Mis je hem, meisje?'

Deze keer dacht Alyssa even na. 'Meer dan hij ooit zal weten.'

'Wil je over hem praten?'

'Ooit wel.'

Toen Alyssa haar grote ogen bij dit antwoord op Sorrel richtte, verscheen Sakson in hun gezichtsveld en dat verbrak het lichte onbehagen van dat moment. Hij haalde een fles uit zijn zak, nam een slok en bood de fles toen aan Sorrel aan. Zij aanvaardde het aanbod, waarna ze een rustig gesprek begonnen, terwijl het kamp zich gereedmaakte voor de nacht.

'Zorros is op weg naar Ardeyran, helemaal in het noorden. Je zult afscheid moeten nemen bij Bebberton, dat ligt vlak onder Ildagaarde. We zullen daar optreden, als hij denkt dat het veilig is. We moeten geld verdienen om voedsel voor onszelf en onze dieren te kopen. Geen winst, puur om te overleven, in dit stadium.'

Alyssa koos een betere positie, dichter bij het vuur. De avonden werden kouder.

'Hoe kunnen Sorrel en ik daarbij helpen?'

'Wel, daar heb ik over nagedacht. We kunnen jou een paar trucs leren. Ik was bezig aan een nieuw nummer met de jongens, waarbij we een vierde man nodig hadden. De jonge Maze is niet sterk genoeg om het aan te kunnen, maar jij wel, nadat je wat training hebt gehad.' Hij praatte snel verder en kwam met zijn idee voor Sorrel. 'Jij zou wat medicijnen kunnen bereiden en een paar van onze vrouwen les kunnen geven in het behandelen van wonden en infecties. Ik weet dat Zorros dit als een zeer waardevolle bijdrage van jouw kant zou beschouwen.'

Sorrel haalde haar schouders op. 'Dat is wel het minste wat ik kan doen, maar over het deelnemen van Alyssa aan jouw act ben ik niet zo zeker, Sakson.'

Alyssa weigerde om over zich te laten praten alsof ze een kind was, of, erger nog, afwézig. 'Ik wel, Sorrel, al is het maar om te bedanken voor de bescherming die deze mensen me hebben geboden. Ik kan het heus wel. Sakson doet mee en ik ben helemaal niet bang.'

Alyssa voelde zich eigenlijk nogal opgetogen omdat hij in zijn plannen een rol voor haar had gereserveerd. 'Wat vindt Greta hiervan?'

'Zij hééft niets te vinden,' zei hij botweg. 'Mooi, ik ben blij dat dit geregeld is. Morgen beginnen we aan je training.'

Sorrel overwoog om in haar eentje te vertrekken. Ze wist dat Alyssa altijd kon terugvallen op haar vermogens, mochten Saksons stunts te gevaarlijk blijken, maar in een samenleving die het gebruik van de Vermogenskunsten eeuwenlang bloedig had vervolgd vond zij Alyssa's nonchalante toepassing ervan nog steeds erg verontrustend. Ze zakte die nacht weg in een woelige slaap en ze wist dat ze Merkhud moest inlichten over de nieuwe stand van zaken. Maar ze dacht dat het wel kon wachten tot de volgende dag.

❧

In de veiligheid die het Grote Woud bood, had het circusvolk geen haast om verder te reizen.

'Téllen, verdomme! En niet op de vijfde tel springen, maar op de zésde!' bulderde Sakson. Hij en Alyssa hadden afgesproken in familieverband gewoon hardop te praten.

'Ik dacht dat je wilde dat ik op de vijfde tel losliet,' protesteerde Alyssa verontwaardigd, terwijl Milt en Oris geamuseerd luisterden. Ze balanceerde op hun verstrengelde armen.

Sakson haalde diep adem. 'Nee. Vijf. Dan springen.'

Ze deed wat haar werd opgedragen.

'Dat was een mooie sprong, Alyssa,' zei Milt.

Sakson snoof minachtend. Milt vond álles mooi wat Alyssa deed. 'Hopeloos. Ze moet dit honderd keer oefenen, anders kost het haar leven. Nog eens!'

'Sakson, ik heb er voor vandaag genoeg van.' Deze keer deed ze haar best om haar boosheid uit haar stem te houden.

'Je blijft het herhalen, tot ik – en niet een verliefd iemand als Milt – zegt dat het goed is.' Hij draaide zich om, beschaamd dat hij had uitgehaald naar de onschuldige Milt, die hevig stond te blozen.

Oris fluisterde in haar oor. 'Het heeft geen zin om ruzie met hem te maken. Hij wint altijd. Hij is precies zoals onze vader was.'

Het laatste klonk weemoedig en toen Alyssa naar zijn ogen keek, las ze er verdriet in. Ook zij miste een vader.

'Laten we het nog eens proberen,' zei ze en ze zakte een eindje door haar knieën, terwijl zij hun armen iets dieper lieten hangen om haar als in een katapult te zetten. Op de vijfde tel wierpen de jongens haar omhoog. Tijdens de vlucht maakte ze een salto, maar ze kwam ongelukkig op Saksons rug terecht en niet op zijn schouders.

Deze keer draaide hij zich abrupt om, met woede op zijn gezicht en zijn handen gebald tot grote vuisten. Ze had die onheilspellende blik in zijn ogen al eerder gezien en ze wist dat het vorige slachtoffer vernietigd was... gedood.

'In naam van Licht, Alyssa! Je moet élke keer op mijn schouders terechtkomen, niet zo nu en dan. Anders kan ik je niet zien en dus ook niet opvangen.' Zijn ogen schoten vuur, zo verontwaardigd was hij.

Ze liet zich op de grond zakken, zelf niet minder kwaad dan hij, en stomverbaasd om zijn vijandigheid.

Ze opende hun link. *Ik wil dit niet meer.*

'Ga terug en herhaal het,' zei hij hardop. Hij daagde haar uit om ongehoorzaam te zijn. Het woud om hen heen zweeg, terwijl zij elkaar als opgehitste roofdieren aankeken.

Alyssa was ziedend, maar ze capituleerde en klom weer op de armenlus van de geduldige jongens. Ze zou het hem eens laten zien!

Deze keer deed ze tijdens haar sprong haar ogen dicht en tastte met een fractie van haar vermogen de plek af waar Sakson zich bevond. En terwijl ze hoog in de lucht een salto maakte, liet ze al haar angst varen en vertrouwde ze op haar zintuigen.

Sorrel voelde een zindering van magie toen ze zich bukte om een paar schafferbladeren op te rapen en Sakson voelde het ook. Hij stond met zijn rug naar het meisje toe en wachtte tot ze haar voeten op zijn schouders plantte. Toen dat gebeurde greep hij snel haar enkels vast om te verhinderen dat ze achterover zou vallen, maar hij wist dat het deze keer niet nodig was. De twee jongens stonden te juichen en ook een paar anderen die hadden toegekeken grijnsden en klapten, hoewel ze zich afvroegen waar al deze drukte om ging.

Sakson was tevreden en Alyssa voelde zijn stilzwijgende lof, al probeerde hij deze niet te laten doorklinken in zijn stem. 'Deze keer was het goed. Binnenkort zul je in staat zijn na deze sprong altíjd goed te landen, op elk moment, vanaf elke plek, en desnoods geblinddoekt.'

De volgende twee dagen bleven ze precies volgens Saksons instructies met hun vieren oefenen, tot Zorros liet weten dat de karavaan de volgende avond verder zou trekken. Het was de bedoeling twee avonden later een voorstelling te geven in Moeras Schokkelton.

Tijdens deze reis reed Sorrel voor de afwisseling mee met Greta. Voor het eerst sinds Sakson had afgerekend met Goth waren Alyssa en hij met z'n tweeën. Ze reden enkele uren in een aangename stilte, tot Sakson het woord nam.

'Sorrel houdt je scherp in het oog.'

Alyssa lachte. Hij besefte hoe leuk hij de rimpeltjes boven haar neus vond als ze zo lachte en hoe mooi ze wel was.

'Nou en of. Ze dacht dat je een oogje op me had.'

Dat ontlokte hem een glimlach. 'Dat heb ik ook. Maar niet op de manier die zij vermoedde.'

Alyssa wist niet goed of ze hierover opgelucht dan wel teleurgesteld moest zijn. Hij was een bijzonder knappe man en hun relatie was op een eigenaardige manier heel intiem. Ze wilde graag in zijn nabijheid zijn en hij kon haar aan het lachen maken, kwaad maken, aan het huilen maken. Maar vooral gaf hij haar een veilig gevoel. Het was een zorgwekkende gedachte dat ze binnenkort uit elkaar moesten gaan en dat Sorrel en zij tijdens de rest van de reis naar Ildagaarde weer alleen zouden zijn.

Ze schoof dichter tegen hem aan en voelde zijn warmte door haar rok heen. 'Ik zou willen dat ik wist wat je daarmee bedoelt, Sakson. We hebben er nooit over gepraat. Waarom zijn we hier bij elkaar? Leg het me uit.' Hij hoorde een smekende klank in haar stem en die kon hij niet negeren.

'Ik zal je zeggen wat ik weet.'

Ze hield haar adem in en concentreerde zich op de oren van Kythay, die naar voren en weer terug kantelden, terwijl hij op zijn gemak voortstapte. De karavaan vorderde goed, maar haastte zich niet. Ze stond Sakson toe haar via de link toe te spreken en liet hem zijn verhaal vertellen.

Hij was geboren als zoon van een timmerman en een moeder die de was deed voor klanten in de omliggende dorpen. Hun eigen dorp, Herting, lag in het zuidelijk deel van het koninkrijk. Het gezin leefde gelukkig en comfortabel, maar weinig meer dan dat. De twee zonen waren weliswaar geboren in Tallinor, maar mochten nooit vergeten dat ze van Klookse afkomst waren. De cultuur van dat kleine eiland werd hun door hun vader 's avonds bij het haardvuur onderwezen, terwijl hij een handgesneden pijp rookte en zachtjes heen en weer schommelde op zijn door hemzelf in elkaar getimmerde stoel. Hij was als kind naar het vasteland meegekomen met de rest van de familie, die aan de armoede op het eiland wilde ontsnappen, maar oude Klookse tradities in ere hield.

Sakson en zijn broer Lute, die een zomer ouder was, waren erg nauw met elkaar verbonden. Ze maakten ruzie en vochten met elkaar, zoals broers dat doen, maar alle meningsverschillen waren snel weer vergeten. Volgens Sakson vertoonde Lute al jong acrobatisch talent en hij werd door een rondreizend circus opgemerkt. Via die weg kreeg circus Zorros hem in het oog en hem werd een interessant loon aangeboden als hij zich aan zou sluiten en een acrobatische act beginnen.

Het was geen verrassing – hoewel het triest was voor de ouders – dat Sakson, die zonder zijn broer leek weg te kwijnen, zich eveneens bij het circus aansloot. Hij was niet zo lenig als Lute, maar had meer lef en flair, en was altijd bezig nog gevaarlijker stunts te bedenken om het publiek te imponeren.

De twee hadden al spoedig de reputatie van grote talenten en het verbaasde niemand dat Lute ene Greta ontmoette en met haar trouwde, en dat ook zij bijzonder lenig, snel en vermetel bleek te zijn. Lute en Sakson leerden haar alles wat zij hadden ontwikkeld, en toen ze vijf kinderen hadden gekregen, waaronder de tweeling, werden ook deze onderwezen in het vak van de Vliegende Vossen. De groep was inmiddels al even beroemd als het circus Zorros zelf.

Wat is er met Lute gebeurd?

Het was Alyssa's eerste interruptie in het lange, kalme verslag.

Hij kwam om. Er klonk verdriet in zijn stem.

Een ongeluk?

Nee. Geen ongeluk. Het was gedoemd om te gebeuren, maar het zou vermeden zijn als zijn broer niet per se dit grote risico had willen nemen. Het was te horen dat deze herinnering nog steeds een open wond was.

Ze wilde hem liever niets afdwingen, maar ze had het gevoel dat dit iets belangrijks was. *Vertel het me.*

Sakson zweeg een hele tijd. Hoewel de stilte onaangenaam dreigde te worden, weerstond Alyssa de aandrang om iets te zeggen of te doen. Ze wierp hem alleen een zijdelingse blik toe en zag dat hij worstelde met zijn tranen.

Het was een act die ik 'de vlucht' had genoemd. Erg gevaarlijk. Lute was briljant als hoge trapezewerker en vlieger in de lucht. Hij leek mijn armen, benen, schouders altijd blindelings te kunnen vinden. Zelf was ik beter als vanger en evenwichtskunstenaar. Om die reden liet hij me spectaculaire nummers uitvoeren op het hoge koord.

In de zweefnummers combineerden we elkaars talenten, maar daarbij was alles zo nauw op elkaar afgestemd dat ik geen haarbreed mocht afwijken van de plek waar ik behoorde te zijn, anders zou Lute me nét missen, en dat kon tot een vrije val leiden en tot zware verwondingen... of tot de dood.

Alyssa liet zich meeslepen door zijn verdriet en huilde met hem mee. Hij vervolgde zijn relaas.

We hadden het dikwijls geoefend, maar Lute wilde het nooit in de voorstelling doen, want hij vond het risico te groot. Dus we lieten het erbij.

Maar op een zomeravond hadden we de eer dat koning Lorys en koningin Nyria aanwezig waren. Het hele circus was in rep en roer door hun onaangekondigde aanwezigheid. Circus Zorros was toen al drie maanden in Tal –

zo populair waren we – maar dit was de eerste keer dat het koninklijk paar naar ons kwam kijken.

En toen dacht jij: ik zal hun iets spectaculairs laten zien, concludeerde Alyssa.

Precies. Lute weigerde het, zoals altijd, maar ik dramde door, op mijn gewone manier, tot hij toegaf. Hij glimlachte er verlegen bij en haalde zijn schouders op.

Hij wachtte ermee tot we bijna klaar waren met ons optreden, zo sterk was zijn weerzin. Zorros was al op weg naar de piste om te delen in het applaus voor de Vliegende Vossen en het volgende nummer aan te kondigen. Tot de dag van vandaag weet ik nog steeds niet waarom Lute opeens mijn zin deed en me met zijn opgestoken duim het teken gaf.

Alyssa had het gevoel dat ze nu voldoende had gehoord, maar het leek alsof er bij Sakson een sluis was geopend. Zijn spraakwaterval was niet meer te stoppen.

Ik stond nog op het hoge koord en had de hoge trapeze in mijn handen. Greta besefte welk gebaar Lute had gemaakt en gilde vanaf de grond dat we het niet moesten doen. Ik herinner me nog heel goed dat ik mijn broer vanuit de diepte naar me zag glimlachen. Het was de liefste, warmste grijns die iemand zich kan wensen. Ik hield erg veel van hem, nu hij me toestond deze act voor de koning en de koningin uit te voeren. We deden de rode hoofdbanden af die we in die dagen droegen en bonden ze in plaats daarvan voor onze ogen. Voor ik dat deed zag ik aan zijn lipbewegingen dat hij iets naar me fluisterde – mis me niet, broertje, anders zul je me érg missen. Ik lachte erom. We waren na al die jaren heel goed in het liplezen, moet je weten.

Alyssa vroeg zich af of hij deze pijnlijke geschiedenis ooit eerder met iemand had gedeeld, behalve met zichzelf. Ze pakte hem bij een hand.

Lute zwaaide nu aan zijn trapeze. Zelfs geblinddoekt wist ik dit, omdat er tromgeroffel klonk. Ik geloof dat we allemaal meteen al toen hij losliet beseften dat het verkeerd ging. Ik schreeuwde zo hard mogelijk naar hem, maar desondanks, en ook boven de kreten van het publiek uit, hoorde ik een ziekmakende plof toen zijn lichaam de grond raakte. Dat geluid zal ik nooit vergeten. Hij miste me... nou op hoogstens een haarbreedte dus. Eigenlijk deden we het bijna perfect. Een been van hem raakte mijn schouder en ik raakte uit balans en viel ook en kwam boven op hem terecht.

Ze huilden nu beiden openlijk.

De goden toonden een beetje genade. Hij heeft geen pijn geleden. Hij was onmiddellijk dood toen hij de grond raakte.

Toen zweeg zijn stem in haar hoofd en lieten zijn handen de leidsels los, maar het paard en Kythay sloften uit zichzelf door. Alyssa reageerde instinctief. Ze sloeg haar armen om zijn brede torso en omhelsde hem krachtig. Ze streelde zijn haren – die wonderlijk, zijdezacht aanvoelden

– en kuste toen teder zijn stoppelige wang, die nat was van tranen. Zonder te weten waarom ze dat deed draaide ze toen zijn gezicht naar zich toe en kuste hem zacht op zijn lippen.

Ze voelde hoe verrast hij was, maar toen hij haar niet onmiddellijk van zich af duwde, kon ze zich niet inhouden en stopte ze in haar kus alle passie en al het verdriet en alle eenzaamheid die ze met hem deelde.

Oneindig zacht en behoedzaam schulpte hij zijn grote handen om haar gezicht en trok haar lippen los van de zijne. Met een tragische droefenis op zijn gezicht – waarvan ze intuïtief wist dat deze niets met zijn broer te maken had – schudde hij zijn hoofd.

Nee, mijn liefste Alyssa. Ik ben niet de ware, fluisterde hij teder.

Alyssa voelde zich alsof ze een oorvijg had gekregen.

Sakson voelde aan dat ze op het punt stond boos en gekwetst te reageren. Hij sloot hun link en legde zijn vingers op de lippen die hij nog proefde.

Hij sprak nu hardop, maar zacht. 'Ik hou van je, Alyssa, maar het is me niet toegestaan om van je te houden op de manier die je op dit moment van me verlangt. Er is iemand anders. Hij zal op een dag bij je komen en jij zult weten dat hij de ware is.' Sakson zei het met een vaste stem en op een resolute toon.

Ze wreef met haar hand over haar mond om de kus weg te vegen. Ze voelde zich erg jeugdig en onnozel.

Sakson voelde dit aan. 'Mijn verhaal was nog niet af, Alyssa. Mag ik het afmaken?'

Toen ze haar blik neersloeg en niets zei, vervolgde hij zijn relaas.

Hij vertelde haar dat hij al vanaf zijn allerjongste jaren een steeds terugkerende droom had. Daarin hoorde hij de stem van een vrouw. Hoewel hij haar nooit had gezien, wist hij dat ze heel mooi was, want haar stem was dat ook – klaterend en kristalhelder, als een bergbeekje in de lente. Ze was hem in zijn hele leven vaak komen bezoeken en zij was het ook geweest die had gezegd dat hij Lute moest volgen, hoewel hijzelf in die tijd liever het beroep van zijn vader had gekozen. Hij gaf toe dat er eigenlijk geen enkele periode in zijn leven was geweest, dat de stem in zijn dromen hem niet had onderricht over een merkwaardig groepje van tien personen, de Paladijnen, die samen de Paladijn vormden. Het waren beschermers en bewakers. En ze waren gekozen uit het oudste volk van Tallinor.

'Wie bewaakten ze?' vroeg Alyssa, nu toch gefascineerd.

'Ze bewaakten een gevaarlijke gevangene. Ze beschermden de mensen die hij probeerde te kwetsen.'

Alyssa fronste haar voorhoofd. 'Maar waarom heeft deze droomspreekster jou dit allemaal verteld?'

'Omdat ik een van de Paladijnen ben,' zei hij, opeens met een afwezige blik in zijn ogen. Zelfs zijn stem leek nu vager te klinken.

Hij hernam zichzelf en ging verder met zijn verhaal. Na de dood van Lute had de droomvrouw hem opgedragen om bij het circus te blijven en verantwoordelijkheid te nemen voor Greta en haar kinderen.

'En je deed gewoon wat ze vroeg?'

'Waarom niet? En waar moest ik anders naar toe, Alyssa? Greta was een jonge weduwe met vijf kinderen om voor te zorgen. Ik voelde me verantwoordelijk voor de dood van Lute. Zonder mij was er geen trapezenummer meer over en zelfs mét mij was het niet veel bijzonders meer, maar we begonnen er hard aan te werken. Met name de jongens hebben zich na de dood van hun vader volledig ingezet en binnen een jaar of twee hadden we weer een leuke act. Misschien leuker dan de vorige, want ik weigerde om nog risico's te nemen en zocht het nu meer in de theatrale effecten.'

'Ga door,' zei ze.

'Nou... dat ging zo een paar jaar zijn gangetje. We reisden door het hele koninkrijk, gaven voorstellingen, werden een soort gezin. Ik werd een vader voor de kinderen...'

'Maar nooit een echtgenoot voor Greta?' Ze schaamde zich diep voor de jaloezie die uit haar vraag sprak.

Hij grijnsde breed en wreef verlegen over zijn kin. 'Een keertje. Maar het gaf ons geen goed gevoel.'

Alyssa voelde verontwaardiging van binnen. Ze had gelijk gehad. Er zat achter Greta's vijandigheid méér dan de onwil om een paar extra monden te voeden.

Sakson wilde dit onderwerp graag snel afronden. 'We besloten samen te leven, maar zonder iets van verliefdheid of zo te veinzen. Ik bewonder en respecteer Greta en ik ben dol op de kinderen, en zo hoort het ook. In mijn ogen zijn ze mijn gezin en blijven ze dat.'

'Nou, haast je dan maar verder met de belangrijke punten van je verhaal, Sakson. Het interesseert me verder niet met wie je het bed hebt gedeeld.'

'Echt niet?' Hij had nu weer een plagerige glinstering in zijn ogen.

'Nee! Vertel me de rest of zwijg anders.'

Hij fronste zijn wenkbrauwen en begon toen aan het laatste deel van zijn verhaal.

'Ik kan de tussenliggende jaren gerust overslaan, tot we kort geleden in de buurt van Fraggelham arriveerden. In die tijd kreeg ik weer dromen en nu kwamen ze elke nacht, dus niet meer zo af en toe eens een keer. Ik heb deze vrouw nog steeds nooit gezien, moet je begrijpen, maar ze is al vanaf mijn kinderjaren bij me, dus ik vertrouw haar volledig.'

Hij keek haar nu op een intense manier aan. Alyssa voelde dat haar nekhaartjes rechtop gingen staan.

'Haar naam is Lys. In alle jaren dat ze in mijn dromen is binnengedrongen, heeft ze erop gehamerd dat ik moest uitzien naar een specifieke jonge vrouw. Ik heb dat al zo lang en zo vaak gehoord, dat ik er op het laatst nauwelijks nog op lette. Ze zei dat deze persoon van essentieel belang was voor de toekomst van ons land. Ik heb het nooit begrepen.'

Alyssa wilde dat hij ophield met praten. Ze wilde zijn stem stopzetten en dit gesprek ook, want het was niet meer fascinerend, het werd beangstigend. Maar hij wilde niet ophouden met praten en de kar bewoog zich al even onstuitbaar door het donker.

'Vlak voordat we Fraggelham binnenkwamen, manifesteerde ze zich met bijzondere klaarheid – als dat het juiste woord is – in mijn droom. Ik had bijna kunnen zweren dat ik die keer alleen van haar en van jou droomde, Alyssa. Ze zei dat je nabij was en dat mijn ontmoeting met jou datgene was waar mijn hele leven op gericht was geweest.'

'Stop! Zeg niets meer, Sakson. Ik wil dit niet horen.'

Alyssa leek aanstalten te maken om van de kar te springen, maar hij greep haar bij de arm en legde opnieuw een link met haar.

Je zult dit horen, omdat je het moet horen en je zult je niet afkeren van je lot, zoals ik me niet heb afgekeerd van het mijne.

Je maakt me bang en toch zeg je dat je van me houdt.

Ik hou echt van je, Alyssa. En je moet me vertrouwen.

Ze liet zich weer op de houten bank van de bok zakken.

Veel meer is er trouwens niet te zeggen, zei hij. Hij nam de teugels weer in zijn handen. Niet dat hun paard of Kythay meer sturing nodig had dan de andere kar die ze voor zich uit zagen rijden.

In de vroege uurtjes van de dag van de brand, juist toen ik bijna wakker werd, kwam ze bij me. Zoals altijd kon ik haar niet zien, maar haar parfum was geuriger dan ooit en haar stem was zo duidelijk alsof Lys naast me lag.

Ze vertelde me dat jij die avond in mijn leven kwam en dat ik je onmiddellijk zou herkennen. En in die vreemde wereld tussen dromen en waken wist ze me de belofte te ontfutselen dat ik je zou beschermen... desnoods met mijn leven. Ik ben een van de Paladijnen, bracht ze me in herinnering.

Hij hield op met praten en Alyssa gebruikte de stilte om een paar keer diep adem te halen. Het was hard nodig. In Lichts naam, wat had dit allemaal te betekenen?

En héb je me herkend, Sakson? Onmiddellijk, bedoel ik.

Meteen op het moment dat ik de piste betrad en voor het eerst naar het publiek keek. Daar zat je. Je wangen rood van opwinding, je glanzende haren, die gele jurk. Ik wist wie je was en ik voelde vrede in mijn hart, omdat ik je eindelijk gevonden had.

Weer haalde hij zijn schouders op, deze keer alsof hij wilde zeggen: de rest weet je.

Ze bleven een poosje zwijgen.

Ten slotte sprak zij weer. *Wist je van Goth?*

Nee.

Ze schudde haar hoofd. *Wel, tegen wie of wat moet je mij dan beschermen... afgezien van hem? Ik bedoel, je neemt toch niet aan dat ik zomaar accepteer dat het jouw levensdoel is om op mij te passen... of wel?*

Zeker wel! En je moet het accepteren.

Alyssa voelde een nieuwe boosheid opkomen. Deed hij met opzet zo bot? Een eindje verderop zag ze dat anderen van hun karren en uit hun wagens sprongen om hun benen te strekken. Binnen een paar minuten zou iemand tot bij hun kar komen slenteren.

Is er nog meer waarvan je denkt dat ik het moet weten? vroeg ze vlug.

Hij gaf haar een liefhebbend kneepje in haar hand. *Je weet nu alles wat ik weet. Vanaf dit moment heb ik geen idee wat we moeten verwachten of wat er van mij wordt verwacht.*

De zwaardslikker was deze keer als eerste bij Alyssa. Sakson greep de kans aan. 'Ha, Caerys, neem jij het hier even van me over? Dan ga ik eens bij mijn gezin kijken.'

Sakson sprong soepel van de bok en liep meteen met grote stappen weg. Alyssa verborg de verwarring in haar gemoed, na het ingewikkelde verhaal dat ze daarnet had gehoord, en ook haar schrijnende jaloezie op Greta, en ze glimlachte Caerys liefjes toe. De jongen was in de wolken dat hij naast haar mocht zitten.

Hoe gaat het met je, vriend Nanak? vroeg Merkhud via de link.

Mij gaat het goed, Merkhud. Je klinkt bijna vrolijk, voor iemand die zulke zware lasten torst, antwoordde de Hoeder.

Ik ben vandaag zeer, zéér gelukkig.

Wil je die vreugde met me delen, Merkhud? Licht weet dat we op deze godverlaten plek wel wat goed nieuws kunnen gebruiken. Zijn stem klonk vermoeid.

Merkhud wist dat zijn informatie zo belangrijk was, dat Nanak door het dolle heen zou zijn. Het was nieuws waarop de Hoeder van de Paladijn al zijn leven lang wachtte.

Nanak, zei hij ernstig, *Sakson heeft zich getoond!*

Hou me niet voor de gek, gromde de anders altijd zo onbewogen stem.

Dat doe ik niet, vriend, op mijn woord! Sakson heeft zich geopenbaard.

Vertel me alles, fluisterde de Hoeder vol ontzag.

Sakson de Klook – voor ons: de Zesde – is nu de reisgenoot van Alyssa. Je hoeft de details niet te weten, alleen dat hij wedergeboren is. Hij is bij haar.

Sakson... Nanak wilde de naam graag vaak herhalen. De dappere, sterke Klook, die zijn pijn zo lang had verdragen, en die de belegering door Orlacs fluisteringen en machtsvertoon decennia had weerstaan, om uiteindelijk toch ten onder te gaan.

Merkhud gunde hem deze momenten van zwijgen. Hij wist wat de informatie voor de Hoeder betekende.

Sakson werkt in een circus, zei hij toen. *Kennelijk is hij erg goed.*

Het was de eerste keer, meende Merkhud, dat hij Nanak hoorde lachen. Het was een aangenaam geluid. Hij hoopte van harte dat hij het nog eens vaker mocht horen.

Ze keren terug, Nanak. Allemaal, ik durf het te zweren. Ik begrijp het nu. Ze ontvluchten Orlac en scharen zich rond degenen die ons zullen redden. Je moet krachtig volharden. Bid, smeek, bedel, commandeer, wát je maar wilt, dat Figgis en Themesius en vooral Arabella ter wille van mij volhouden. Ik heb nog werk te doen, ik moet tijd hebben om dit plan nader vorm te geven.

Ik zal je die tijd geven, Merkhud. Wij allemáál zullen dat doen. En beloof me dat je tot die valk zult spreken, Clout, en dat je hem zult zeggen dat Nanak trots op hem is. Zeg hem dat de gehele Paladijn trots op hem is.

Maar, Nanak, hij kan niet praten. Hij heeft geen teken laten zien van enig vermogen.

Zeg hem die woorden, Merkhud. Als hij de Paladijn Clout is, zal hij ze verstaan.

De link sloot zich deze keer met een hoopvolle klank. En dat was voor het eerst, na verschillende eeuwen vol wanhoop.

15

Goth neemt wraak

Het was twee manen voor de aankomst van circus Zorros in Bebberton, aan de rand van de beroemde stad Ildagaarde. De reis was kalm en voorspoedig verlopen. Ze hadden in een paar dorpen een voorstelling gegeven en waren tevreden over hun nieuwe succes. Ze waren de schok van de brand nog lang niet te boven, maar het genezingsproces was begonnen en het circusvolk zag de toekomst weer met vertrouwen tegemoet. Het verhaal over hun verliezen had de ronde gedaan en het publiek was genereus.

Zorros hoopte dat het circus rond Nieuwblad in staat zou zijn een deel van de omgekomen exotische dieren te vervangen en hij had ook al een nieuwe tent besteld, zo optimistisch was hij. Iedereen was blij verrast dat de burgemeester van Ildagaarde de circusmensen welkom kwam heten en hen uitnodigde om zo lang te blijven als ze wilden, op kosten van de stad, op een terrein dat ze de Kromming noemden, een prachtige weide op slechts een uurtje gaans van het stadscentrum. Dit was een ongehoord staaltje van gastvrijheid.

De burgemeester liet Zorros een brief zien van koning Lorys persoonlijk. Deze had vernomen van de ramp in Fraggelham en gaf blijk van zijn medeleven.

Sakson was verbaasd over al deze goede berichten. 'Hij is een goede man,' zei hij over de koning.

'O, je kent hem zeker goed?' vroeg Alyssa plagend. Zelfs Greta's gewoonlijk nogal zure gezicht plooide zich tot een glimlach.

'Nee, maar dat weet ik. Ik heb hem gezien, bestudeerd. Hij geeft om zijn mensen en hiermee bewijst hij het weer.'

Ze zagen dat Zorros de brief van de koning met veel ceremonieel in ontvangst nam. Er waren mensen gekomen die hem toejuichten, dus ze moesten harder praten.

'Ik zou hem een veel betere koning vinden als hij ophield mensen te vervolgen,' riep Alyssa.

Sommigen knikten. 'Hij kan gemakkelijk die oude wet buiten werking stellen, die mensen als Goth de kans geeft om overal in het rijk iedereen op te pakken, te verminken en te doden waarvan hij vindt dat ze niet in onze samenleving passen. Die mensen zijn vogelvrij.' Meer toehoorders knikten instemmend. Alyssa praatte verder. 'Als Goth en zijn smeerlappen beweren dat jullie talent aan een trapeze magisch bepaald moet zijn, kan hij zich achter die oude wet verstoppen en jullie troep laten ontbinden, in het beste geval. Of doden, als hij zin heeft. Kan het een goede koning zijn, die dát toestaat?'

Alyssa wist dat ze nu haar mond moest houden. Sorrel had haar arm al vastgepakt bij wijze van signaal dat niet was mis te verstaan, dus ze was opgelucht toen Sakson met haar instemde.

'Ja, daar heb je natuurlijk gelijk in. Van die wet snap ik ook niks.' Hij schakelde over naar hun link. *Maar nu Goth dood is, wordt die bende lafaards misschien ontbonden.*

Dán zou ik een hoge dunk hebben van onze koning. Ze glimlachte naar hem om te tonen dat ze geen wrok koesterde, maar besloot met: *Tot dan veracht ik hem.*

Alyssa was somber gestemd. Het gevreesde moment was gekomen en ze wist gewoon niet hoe ze vaarwel moest zeggen tegen Sakson en het gezelschap dat de afgelopen maanden haar thuis was geweest. Sorrel had gezegd dat ze vanmorgen afscheid zouden nemen van circus Zorros. Hun eigen eindbestemming, Carembosch, lag maar een halve dag lopen van Ildagaarde, maar voor Alyssa leek die afstand een eeuwigheid. Zelfs als het circus vele weken in de stad zou blijven, zou ze waarschijnlijk nooit meer zo dicht bij Sakson zijn als nu.

'Wel, meisje,' zei Sorrel op zakelijke toon, in een ruwe onderbreking van haar gemijmer, 'we moeten nu verder reizen. Laten we ons afscheid niet nodeloos rekken.'

Sorrel begon glunderend vaarwel te zeggen tegen degenen die bij haar in de buurt stonden. Sommigen omhelsde ze, anderen bedankte ze voor hun vriendschap. Alyssa voelde zich misselijk worden. Ze volgde Sorrel en probeerde dapper te zijn. Ze zag dat hun bezittingen al op Kythays rug waren gebonden. Hij bewoog onrustig zijn oren en wilde de geluiden en geuren van Bebberton graag zo snel mogelijk verlaten.

De mensen knuffelden haar en zelfs Caerys wist eindelijk de moed op te brengen om haar een kusje te geven. Ze hoefde niet te zoeken om te zien waar Sakson was. Naast Greta. Allicht, waar anders. Ginds, aan de rand van de menigte. Zijn glimlach spoorde haar aan om flink te zijn.

Toen was de familie Vos aan de beurt. Ze stonden allemaal tegenover elkaar en niemand wist goed wat te zeggen. Als ze Sakson nu in de ogen keek, wist Alyssa, zou ze zeker haar zelfbeheersing verliezen.

'Dag, Oris.' Ze omhelsde hem stevig. Milt boog om zich ook te laten omhelzen, maar ze gaf hem impulsief een kus op zijn wang. 'Bedankt, Milt, dat je zo lief voor me bent geweest.' Het verbaasde haar dat hij minder van de kaart leek dan zijzelf, hoewel ze toch wist dat hij verliefd op haar was. Hij grijnsde verlegen.

Sorrel en Alyssa omhelsden de jongere kinderen tot ze erom giechelden. Daarna bedankten ze Greta oprecht voor haar vriendelijke ontvangst, toen zij nergens anders heen konden. Alyssa omhelsde haar hartelijk, ondanks haar gemengde gevoelens tegenover haar, en verbaasde zich opnieuw, nu over de gelaten manier waarop Greta dit afscheid leek te ondergaan.

Ten slotte was er nog maar één persoon over die bedankt moest worden.

Ze deed het instinctief. Ze richtte haar blik op Sakson en probeerde hem te haten om zijn brede grijns en zijn gevoelloze reactie op dit zo vreselijk moeilijke moment voor haar. Ze trok een scherm op en weigerde hem in haar hoofd toe te laten.

En in haar plaats sprak Sorrel tot hem. 'Sakson, je bent onze redder geweest. Alyssa en ik...'

'Zeg maar niets.' Hij stak een hand omhoog. 'Dat is niet nodig.'

Hij boog zich diep naar voren en tilde het oude vrouwtje op om haar te omhelzen. Ze slaakte een gilletje en smeekte hem om haar weer op de grond te zetten. Het ondermijnde Alyssa's stoerheid en ze verweet haar ogen verraad, want ze begonnen zomaar uit zichzelf te huilen. Toen hij zich even later haar kant op draaide, stond ze te snikken.

'Bij Licht, meisje! Wat is er dan?'

'Kom maar mee, Alyssa. Een snel vaarwel is altijd het beste,' mompelde Sorrel, die in de richting van Kythay begon te lopen.

Sakson zag Sorrel voor zich langs lopen en richtte zich toen weer tot Alyssa.

'Waarom huil je?' vroeg hij.

Ze zag toevallig dat Greta stond te meesmuilen. Alyssa schraapte haar keel en begon achter Sorrel aan te lopen. 'Ik ben gewoon verdrietig. Ik zal jullie allemaal érg missen.'

Ze haastte zich naar Kythay en hielp de oude dame op de ezel te klimmen. Ze kon dit aan, ze wist dat ze het kon. Ze trok Kythay al mee toen ze haar hand overspeelde door om te kijken en nog een keer te wuiven. Hij stond daar nog steeds breed te grijnzen, lang en knap, met vrolijk dansende lichtjes in zijn ogen. Ze rukte haar blik van hem los en schonk de anderen een onechte glimlach.

Maar hij riep haar na. 'Krijg ik geen knuffel?' En hij sloeg zijn armen theatraal om zichzelf heen. De rest van het gezin begon te lachen.

Dit was voor Alyssa de laatste druppel. Ze liet de teugels los, rende terug naar Saksons uitgestoken armen en begon hem tegen zijn borst te stompen. Ze deed echt haar best om hem pijn te doen, maar hij bleef lachen en had haar spoedig in bedwang, waarna hij haar armen achter haar rug geklemd hield. Zo bleef hij haar vasthouden tot haar woede was uitgeraasd en ze ophield zich te verzetten. Ze hijgde zwaar en er stroomden tranen over haar wangen.

Hij bracht zijn mond dicht bij haar oor. 'Ik ga met je mee,' fluisterde hij, en toen liet hij haar los.

Ze draaide zich met een ruk om. 'Wat?'

'Je hebt me wel verstaan. Ik ben gestúúrd, weet je nog?'

Alyssa hoorde zijn woorden, maar het was alsof ze hun betekenis niet begreep. Het was de lieve Caerys die haar bij zinnen bracht.

'Het is waar. Hij heeft ontslag genomen bij het circus. Hij zegt dat hij bij jou zal blijven.'

Nu stond iedereen te lachen. Sorrel liet zich van Kythay zakken en kwam terug om te kijken waarom er vertraging was. Ze hoopte vurig dat Sakson niet had voorgesteld om met hen mee te gaan. Ze keek naar Sakson en toen naar Alyssa, en een nadere toelichting was niet nodig.

'Hij zegt dat hij met ons mee gaat,' zei Alyssa. Haar stem klonk ongelovig.

'Als je het goedvindt, Sorrel?' Sakson keek haar aan, maar ze wist dat er achter die beleefde woorden iets veel dwingenders verscholen was dan een verzoek. Hij vroeg het alleen uit beleefdheid tegenover haar.

'Nou, Sakson, je overvalt me. We gaan naar Carembosch en ik heb geen idee hoe daar de situatie voor ons zal zijn, laat staan voor een mannelijke metgezel. Ik... eh... weet niet zeker of we...'

'Daar kunnen we ons later zorgen over maken. Mag ik alvast mee tot bij de poort?'

Sorrel kneep haar ogen tot spleetjes. 'Ken je Carembosch?'

'Natuurlijk. Iedereen die zo veel door het koninkrijk reist als wij kent de verhalen, de legenden.'

Al haar oude achterdocht met betrekking tot zijn intenties kwam weer naar boven. Maar het was Alyssa die met het meest voor de hand liggende bezwaar op de proppen kwam.

'En Greta en de kinderen dan? Die kun je toch niet alleen laten?'

'We hebben hem niet nodig,' liet Greta zich nu horen, niet onvriendelijk. 'We hebben iemand die voor ons zal zorgen.'

Ze glimlachte er ondeugend bij. Alyssa had niet verwacht dat Greta die speelsheid in zich had.

'Ik snap er helemaal niets meer van!' riep ze uit.

Caerys kon zich niet inhouden. 'Greta gaat trouwen met Zorros. Hij is altijd verliefd op haar geweest!'

'Het is waar,' bevestigde Greta, die het ongeloof op Alyssa's gezicht zag. 'Hij houdt al jaren van me, maar ik heb zijn avances altijd afgewezen en me te lang vastgeklampt aan mijn herinneringen aan een dode man.' Ze zuchtte. 'Maar de kinderen hebben een vaderfiguur in hun leven nodig en het is niet fair om Sakson altijd maar de verantwoordelijkheid van zijn broer te laten overnemen. Lute heeft zelf zijn keuze gemaakt. Hij kende het risico en heeft het genomen. Daarvan hoeft niemand de schuld te krijgen. Eindelijk heeft Sakson nu gevonden wat hij écht wil in zijn leven. Ik kan niet zeggen dat ik het hem kwalijk neem, want je bent erg mooi, en ik heb besloten toe te geven aan Zorros en zijn romantische ideeën over ons beiden. De kinderen zijn dol op hem, dus dát deel van het arrangement kan alvast niet mislukken.'

Alyssa kon haar ogen nauwelijks geloven: er was een stralende, bijna wulpse glimlach op Greta's gezicht verschenen.

'En het trapezenummer dan?'

'Als de circuseigenaar je man is, hoef je alleen nog maar op te treden tussen de lakens,' zei Greta met een knipoog. 'Milt en Oris willen misschien doorgaan, maar de jongsten zullen een leven leiden buiten de piste, als het aan mij ligt.'

Zorros was komen aanlopen. Hij legde zijn arm om zijn aanstaande vrouw. 'Aha, ik zie dat jullie op de hoogte zijn gebracht. Hoor ik daar gelukwensen?'

'Natuurlijk!' zei Alyssa meteen, maar ze vroeg zich nog steeds af wanneer deze droom eindigde en ze ergens onderweg naar een oud heiligdom wakker zou worden naast een oude ezel en een nog oudere dame.

Ze legden de luttele mijlen naar Carembosch sneller af dan ze hadden verwacht. Sorrel zat op Kythay, terwijl Sakson en Alyssa in een stevig tempo naast haar liepen. Alles was kalm en vredig op die mooie dag. In de verte zagen ze een uitloper van het Grote Woud.

Sorrel had besloten Saksons aanwezigheid te aanvaarden. Van wat hij had opgestoken tijdens zijn reizen moest hij hebben onthouden dat dit geen plaats was voor mannen, maar er zou vast wel iets geregeld kunnen worden. Terwijl ze tijdens de rit daarover nadacht, kwam het ineens bij haar op dat zijn aanwezigheid eigenlijk een zegen was. Alyssa was duidelijk in haar nopjes met zijn gezelschap en dat leek haar een goed voorteken, met het oog op de moeilijke aanpassingen die een leven op de Academie van haar zou vergen.

Sorrel had Alyssa uitgelegd dat de Academie een instantie was die het recht had asiel te verlenen en dat ze daar dus een poos volkomen veilig zouden zijn. Als het verblijf daar haar beviel, zou ze wellicht een acoliet willen worden. Die beslissing werd geheel aan Alyssa zelf overgelaten. Sorrel had haar ingelicht over het schijfje van archaliet en wat het betekende als ze dit zou accepteren. Het meisje was slim. Ze begreep het. Ze had zelfs plechtig beloofd een dergelijke toekomst te zullen overwegen, maar eerst wilde ze het eens uitproberen. Op de korte termijn was de Academie een plek waar ze konden uitrusten en op krachten komen. Ze waren al zeer lang onderweg. Sorrel wist dat de afgelegenheid van de Academie Alyssa wel zou bevallen. Maar nog belangrijker was het, dat daar vriendschap op haar wachtte. Meisjes van haar eigen leeftijd zouden haar welkom heten en misschien kon Alyssa zo aan het nieuwe leven beginnen waarnaar ze smachtte.

Aan de zijkant van de weg zagen ze ommuurde boomgaarden. Dit was het buitengebied van de Academie.

Kythay bleef gehoorzaam staan om Sorrel de kans te geven om iets te zeggen. 'Luister. De poort is niet ver hiervandaan. Zal ik vooruitrijden en onze komst aankondigen? Kom later achter me aan, wanneer jullie schaduw voor je uit valt.'

Het was eigenlijk geen vraag. Ze knikten beiden en zagen Sorrel wegrijden, nadat ze de ezel met haar hielen zacht had aangespoord. Het gebeurde zelden dat het dier haar zo vlot gehoorzaamde en zelfs zo actief was dat het wat stofwolken opwierp.

Zelf gingen Alyssa en Sakson bij een haag zitten. Het was nogal een warme dag en door de stoffige wandeling vanaf Ildagaarde hadden ze een laagje zweet op hun gezicht. Alyssa veegde het hare schoon met een zakdoek en keek toen om zich heen.

'Denk je dat ze het erg vinden als we een paar van die pruimen plukken?' Ze klom al over het muurtje heen.

'Zou dat je tegenhouden?' vroeg Sakson geamuseerd. Hij volgde haar.

'Je zult ze vreselijk missen, denk je niet?' Ze zei eindelijk hardop wat al een hele poos aan haar knaagde.

Hij beet in een pruim en het sap liep over zijn kin en het smalle gleufje daarin.

'Het gezin? Ja. Maar Greta heeft een verstandig besluit genomen en Zorros houdt van haar, dat staat vast. Hij zal goed voor hen zorgen, speciaal voor de jongsten. Ze heeft gelijk: ze hebben er niets aan als de broer van hun dode vader maar blijft rondhangen.'

'Nou, zó waardeloos ben je nou ook weer niet,' plaagde ze, terwijl ze een pruim naar hem toe wierp.

'Ach, misschien. Maar ik maak me wat zorgen over de twee oudste jongens. Milt en Oris zijn in een moeilijke leeftijd en ze hebben een strenge hand nodig, plus het geduld en de ervaring van een vader. Ik weet niet of Zorros dat wel heeft.' Hij schudde zijn hoofd. 'Ik moest dreigen met zweepslagen voor het geval ze achter ons aan kwamen.'

Alyssa was verbluft. 'Dat dóén ze toch zeker niet?'

'Nou en of!' Hij lachte even. 'Dát, of sterven aan een gebroken hart wegens de afwezigheid van de lieftallige Alyssa.'

Ze glimlachte weemoedig. 'Hoe kunnen ze ons volgen?'

'Verliefdheid kan een wrede meester zijn, Alyssa. Ze zouden niet aarzelen om een kar te stelen en achter ons aan te rijden. Ze weten van vroeger wel ongeveer waar ze Carembosch kunnen vinden.'

Alyssa wilde niet meer denken aan de jongens, die de man van wie ze hielden als van hun vader, kwijt waren geraakt. 'Zullen we verder gaan?' vroeg ze.

'Eh... laat mij voorop gaan, Alyssa.'

'Nee. Waarom? We gaan samen.'

'Nou, noem het de achterdocht van een oude man. Ik wil gewoon even controleren of de kust veilig is. Het duurt niet lang, dat beloof ik. Alleen eventjes rondkijken van tevoren. Dan kun jij nog wat pruimen eten,' besloot hij hoopvol.

Ze keek hem kritisch aan. 'Heeft je vriendin Lys je voor het een of ander gewaarschuwd?' Ze voelde een eerste tinteling van angst over haar rug gaan.

'Nee, niet direct. Maar ze heeft terloops iets gezegd wat me voorzichtig maakt, Alyssa. Meer is het niet, hoor. Gewoon voor alle zekerheid. Ik voel me geruster als ik op alles ben voorbereid, snap je?' Hij ging staan.

'Vooruit dan, maar ik begin al te tellen,' zei ze, en ze begon hardop te tellen, terwijl hij wegsprintte.

Alyssa ging staan en liep langzaam naar de rand van de boomgaard. De muur eromheen strekte zich zo ver uit als haar blik reikte. Hij was over de volle lengte gemetseld van een roze gesteente en liep vermoedelijk om het gehele terrein van de Academie heen.

Sorrel had over de Academie zelf niet veel verteld, waarschijnlijk omdat Alyssa niet nieuwsgierig was geweest. Voor haar was alleen van belang dat het een veilige haven was, zoals Sorrel had beloofd. En er lag de vraag of ze wel of niet een schijf van archaliet zou accepteren. Zoals Alyssa zich vandaag voelde, sloot ze het niet uit, al deed ze zodoende afstand van elke hoop op een man. Anderzijds was er toch maar één man voor haar, en hij was al uit haar leven verdwenen. Ze hield van het idee dat ze zou studeren en haar vaardigheden zou ontwikkelen. Sorrel zei dat de Academie een omvangrijke bibliotheek bezat en archieven vol oeroude documenten en kostbare boeken. Dat was voor Alyssa een opwindend vooruitzicht. Ze zou zich daarin kunnen begraven en hopelijk zou de herinnering aan Tor in die stoffige omgeving vanzelf wegslijten.

Terwijl ze naar die lange roze muur keek, bedacht Alyssa opeens dat ze zich een heel eind lopen kon besparen als ze dwars door de boomgaard liep en daarginds over de muur naar buiten klom. Had ze al lang genoeg gewacht? Nee. Ze moest zich houden aan haar belofte. Om nog wat tijd te verdoen klom ze in een perenboom en plukte een paar vruchten. Als ze niet zo in zichzelf was opgegaan, en genoten had van de vredige omgeving, en zelfs een liedje was gaan neuriën, had ze misschien het geluid van hoefgetrappel in de verte gehoord.

Nadat ze drie peren in drie verschillende zakken in haar kleren had gestopt, ging ze achter Sakson aan, tevreden dat ze hem alle tijd had gegeven om te kijken of de kust veilig was. Wat vreesde hij eigenlijk? Goth was dood. Hij was toch de enige die voor haar een bedreiging vormde? Alyssa weigerde om zich verder nog bang te laten maken. Ze zette haar eigen onduidelijke angsten van zich af en liep een paar honderd passen door de boomgaard tot aan een deel van de muur dat dicht naast de weg stond.

Er stond daar een hoge boom aan de binnenzijde en dat kwam goed uit voor iemand die over de muur wilde klimmen. Sorrel zou woedend zijn als ze zich op die manier presenteerde. Terwijl ze de muur naderde, hoorde ze mannenstemmen. Dat waren mensen uit het dorp, nam ze aan, of fruitplukkers die in de tuinen hadden gewerkt. Ze trok de katoenen rok omhoog, die ze van Sorrel had moeten aantrekken, en begon in de boom te klimmen. Dat ging gemakkelijk. Net als vroeger, met Tor.

Alyssa was in een euforische stemming. Dit was een nieuw begin voor Sorrel en haarzelf. Eindelijk een vaste woonplaats. En bovendien was Sakson nog bij haar. Hopelijk mocht hij dichtbij wonen en kon hij werken voor de Academie. Voor het eerst sinds tijden voelde ze zich zorgeloos. Zelfs Tor was ze bijna vergeten. Ze dacht de laatste tijd steeds minder aan hem en haar verdriet was gestold tot zoiets als een gladde, harde steen in haar hart – dat was tenminste zoals zij het zich voorstelde. Ze had al een poosje geleden besloten die steen daar op te sluiten en hem slechts af en toe nog eens even aan te raken. En die momenten lagen steeds verder uit elkaar. Ook was ze opgehouden met haar pogingen om Tor via een link te bereiken. Daarmee had ze nooit iets anders bereikt dan een troosteloze, ontgoochelende leegte.

Met enige moeite wist ze in de boom tot aan de bovenrand van de tuinmuur te klauteren. Duizelend van ongeloof zag ze het tafereel daar voor zich uit. Ze had zicht op het grote plein voor de poort. Daar bevonden zich paarden en mannen met een paarse sjerp om hun borst – minstens tien. Ze zag het in één bloedstollende oogopslag, en ook de vrouwen die vanaf een hoge balustrade toekeken, aan de veilige kant van de Academie. Sorrel bevond zich in hun midden. Alyssa zag haar bleke gezicht.

Maar in het centrum van het voorplein, op zijn knieën gedwongen, bevlekt – net als zijn gouden haren – door bloed dat uit verschillende wonden sijpelde, zat Sakson. Zijn kleren waren gescheurd, zijn mooie lichaam was mishandeld. De mannen sloegen hem met knuppels, maar hij weigerde om in elkaar te zakken.

Alyssa's schreeuw sneed door de lucht. Toen Sakson zijn hoofd haar kant op draaide, zag ze donkere holten op de plek waar zijn opvallende paarse ogen hadden gezeten en daarvandaan stroomde bijna pikzwart bloed over zijn gezicht.

Zijn lieve stem klonk door al haar angst en paniek heen.

Ik weet dat je er bent. Wees kalm, mijn kind. Alsjeblieft, alsjeblieft, red jezelf! Gebruik op dit moment alle vermogens waarover je beschikt! Dood ons allemaal, als dat nodig is, maar red je leven!

En toen – het was niet te geloven! – hoorde ze vanaf de voorhof de stem die ze het meest haatte van allemaal. Het hoge timbre was onmiskenbaar. Daar was hij, aan de zijkant. Hij stond te glunderen.

'Aha, ben je daar, Alyssa? We hebben op je gewacht en amuseerden ons ondertussen met je vriend hier. Ik vond al meteen dat hij me erg onbeschoft aankeek, dus ik heb zijn lelijke ogen uitgestoken. Ik had gehoopt dat hij zou gillen en dat je hard was komen aanrennen, maar deze moedige klootzak kreunde alleen maar. Daar beleven wij geen lol aan. Maar jij zult ons heel wat meer plezier bezorgen.' Hij lachte zijn akelige, meisjesachtige lach.

Alyssa viel bijna flauw en moest zich vastgrijpen aan een tak boven haar hoofd. Dit kon niet waar zijn! Goth was toch dood?

Sakson probeerde zich op te richten, maar ze knuppelden hem genadeloos neer en hij rolde op zijn rug. Hij gaf geen kik, maar opstaan deed hij ook niet.

Sakson, blijf liggen... smeekte ze hem via de link. Ze proefde zoute tranen op haar lippen. *Spaar je kracht, blijf leven...*

Zijn stem was nog maar een fluistering. *Met mijn leven, kind. Ik moet je beschermen met mijn leven.*

Ze antwoordde met een snauw. *Ik lever me over aan zijn genade als je nog één keer beweegt. Ik zweer het!*

Er klonk een andere vertrouwde stem. Het was Sorrel, die Goth vanaf de balustrade uitschold. Ze wonnen er wat tijd mee.

'Wel, verdomme, het is die oude heks. Ik had gehoopt dat je in de fik was gegaan, daar in Fraggelham, overjarige hoer. Waarom gaan jullie geen van allen dood als ik dat wil?'

De inquisiteurs lachten. Goth amuseerde zich kostelijk. Zijn prooi zat helemaal klem. Ze konden niet vluchten en er was ook geen toegang tot binnen de Academie, de wijkplaats waar hij geen zeggenschap had.

De Academie van Carembosch was een onaanraakbare asielplaats, beschermd door de koning en door oude wetten, en omgeven door mysterie. Zelfs Goth zou het niet wagen dit heiligdom binnen te vallen. Maar dat hoefde ook helemaal niet. Alyssa zat buiten in de val, terwijl haar stomme, krijsende grootmoeder binnen was en haar gespierde, geknakte vriend aan zijn voeten lag. Hij zou haar binnen een paar minuten te pakken hebben, maar voorlopig was dit dolle pret en een mooie manier om hun zijn walgelijke verminking betaald te zetten. Om te beginnen.

Maar juist op dat moment verschenen Milt en Oris op het plein. Alyssa begreep dat ze dus écht een kar hadden gestolen om achter haar aan te gaan. Of misschien waren ze te voet gekomen. Maar Licht, eigenlijk begreep ze ook wel waaróm! In hun ogen was Sakson altijd hun váder geweest en ze weigerden simpelweg om door hem in de steek gelaten te worden.

Maar hun lieve glimlach stierf meteen weg toen ze het tafereel voor hun ogen zagen. Ze deinsden geschrokken naar achteren. Alyssa gilde dat ze moesten wegrennen, maar ze waren als verlamd door de aanblik van Sakson, die daar bloedend, vernederd op de grond lag, en ze hielden elkaar vast en wisten niet wat ze moesten doen.

'Milt, rennen!' schreeuwde Alyssa door haar eigen tranen heen.

Sakson liet zich zwak horen in haar geest. Zijn pijn was evident in zijn stem. *Zijn de jongens hier?* Hij draaide zijn hoofd instinctief hun kant op.

Stommelingen! Ja, ze zijn hier.

Sakson hakkelde. Het was duidelijk dat hij de link nog maar met veel moeite in stand kon houden. *Alyssa, luister nu goed naar mij. Er zijn nog maar enkele tellen. Zit je al in een boom? Klim zo hoog mogelijk naar boven.*

Waar heb je het over? antwoordde Alyssa op schrille toon. Ze zag dat Goth met zijn zweep naar de jongens toe liep en dat hij zijn tweede man een opdracht gaf.

Sakson spande zich tot het uiterste in. *KLIMMEN, VERDOMME!* bulderde hij.

En met zijn gewone stem – en ongetwijfeld zijn laatste krachten –

riep hij naar zijn jongens: 'De vlucht! Jullie moeten nu de vlucht uitvoeren, jongens. Doe het nu meteen, heerlijke zonen van me. En doe het perfect!'

Alyssa schreeuwde van angst en wanhoop. Ze begreep meteen wat Sakson wilde dat ze deden. En ze wist dat het haar enige kans was, maar als ze zichzelf in veiligheid bracht, wist ze ook, zouden de mannen daar beneden, van wie ze hield, waarschijnlijk sterven. Er was echter geen tijd meer om na te denken. Ze begon hoger in de boom te klauteren, en nog hoger. Ze zag dat de jongens deden wat Sakson had bevolen. Ze verbonden hun armen met elkaar, pols aan pols, en liepen wat verder het voorplein op, tot dichter bij de muren van de tuin en de Academie zelf.

'Wat zijn die idioten verdomme nóú van plan?' vroeg Goth.

Bij die woorden werd de poort van de Academie opengegooid en stormde Kythay naar buiten – snuivend, krijsend en wild om zich heen trappend. Hij wist vier inquisiteurs tegen de grond te werken voordat iemand begreep wat er gebeurde; de anderen stoven uiteen, met Goth in hun midden.

Sakson legde weer een link. *En nu vliegen, Alyssa. Vlieg voor mij, kind. En laat me niet nóg eens falen.*

Alyssa probeerde haar geest zo leeg mogelijk te maken, sloot haar ogen, liet zich omringen door het kalmerende Groen – en sprong toen. En deze keer tastte ze om zich heen met haar vermogens, die als een ontketende fontein magie om zich heen spoten, en vloog ze tuimelend en wel naar Milt en Oris toe, die schrap stonden om haar op te vangen. Het leek een eeuw te duren. En terwijl Kythay doorging de inquisiteurs aan te vallen en Goth een kreet van ongeloof slaakte, kwam Alyssa op de lus van de gebogen armen terecht, die voor haar als een gespannen veer werkten en haar meteen terugkaatsten in de richting van de balustrade. En met behulp van haar vermogens vloog Alyssa, tollend om haar as, moeiteloos tot die onhaalbare hoogte door. Daar viel ze in de krachtige greep van Sorrel en een paar vrouwen die om haar heen stonden.

Alyssa had nooit eerder een zo krachtig mengsel van angst en magische vermogens ervaren en de emotionele aanslag op haar geest deed haar bijna flauwvallen. Maar ze had de veiligheid van de Academie bereikt, hoewel er op verschillende plekken perensap uit haar kleren droop – als bloed. Veilig!

In de paniekerige momenten die volgden, wist Kythay op mysterieuze manier door de poortopening terug te vluchten, waarna de poort hard werd dichtgeslagen.

De jongens leken ontwaakt uit een droom en stonden te lachen nu ze begrepen wat ze hadden gedaan en hoe hoog Alyssa had gevlogen. Sorrel zag – ziek van walging – dat Goths furie nu alle grenzen van de krankzinnigheid overschreed. Hij pakte een knuppel op en begon op Sakson in te slaan tot deze languit op zijn buik in het stof van de voorhof lag en uit alle poriën van zijn lichaam leek te bloeden. Pas toen de acrobaat zich niet meer bewoog, hield Goth zich met de jongens bezig.

Op zijn hysterische commando werden hun ranke lijven beschoten. Milt werd geraakt door vier pijlen, Oris door drie. Toen ze in elkaar zakten vielen ze tegen elkaar aan, nog arm aan arm, met om hun lippen nog steeds een spoortje van een verwonderde en trotse glimlach om hun fenomenale prestatie.

Goth riep omhoog naar de balustrade. Hij klonk als een waanzinnige.

'Ik ben een geduldig mens!'

Alyssa hoorde hem niet. Ze was in het Groen verdwenen en vluchtte daar naar de donkerste plek om zich te verstoppen.

16

Tor op reis

Het meisje speelde met het koord dat zijn broek boven zijn heupen gebonden hield en trok een pruillip.

'Waarom zo snel?'

Tor kuste haar zacht. 'Ik moet voor mijn werk in het paleis zijn.'

'Je hebt hier óók werk, dokter.' De pruillip werd iets sterker aangezet.

'Cassandra, schaam je!'

Hij sloot de volgende glazen knoop van zijn witte kraagloze overhemd, dat hem kenmerkte als een heelkundige, maar Cassandra maakte een andere knoop even snel weer los.

'Ophouden nu!' Strengheid gemengd met geamuseerdheid. 'Ik zie je snel genoeg terug, maar nu moet ik gaan, lieve dame.'

Tor draaide zich van haar weg en keek om zich heen of er na het nachtje plezier nog spulletjes van hem in de kamer lagen. Hij zag zijn zwarte jasje liggen.

Cassandra sprak met een klaaglijke stem. 'Dat zeg je altijd. Maar dan moet ik wachten en in de rij aansluiten achter Dorothea of Shally. Betsy zegt dat je zelfs Sissie Baton een beurt hebt beloofd. Als je het met háár doet, vermoord ik je!'

Tor lachte. Hij pakte zijn hoed, gaf haar een kusje op haar wang en kneep liefkozend in een van haar jonge borsten. 'Vergeet het niet, Cassie. Jou vind ik het liefste van allemaal.'

Ze pakte een kussen en gooide het naar hem toe toen hij de deur opende.

'Jij bent namelijk onweerstaanbaar,' zei hij, en na een laatste knipoog sloot hij de deur achter zich en liep hij met twee treden tegelijk over de trap naar beneden.

Daar waren meisjes in diverse gradaties van ontkleding bezig afscheid te nemen en verschillende ervan riepen hem na dat het bij zijn volgende nachtje plezier hún beurt was. Tor stapte uit het bordeel van madame Gracia naar buiten en kneep zijn ogen dicht tegen het felle daglicht. Een grote valk streek geruisloos op zijn schouder neer. Niemand keek ervan op. Iedereen wist dat Tor die majestueuze vogel altijd bij zich had.

De valk schudde zijn veren en legde een link met Tor. *Dat je dolt met die meiden moet je zelf weten, maar als je te laat komt voor je paleisronde, ontploft Merkhud van woede.* De verontwaardigde vogel klakte nog nét niet met zijn tong.

Tors succes bij vrouwen was in paleiskringen algemeen bekend. Eigenlijk was hij zelfs een soort mascotte van de Koninklijke Garde. Zelf had Tor absoluut geen moeite met die reputatie. Sinds die ene nacht met Eryn was hij dol op vrouwelijk gezelschap. De meiden van het bordeel kenden hem als een genereuze en attente minnaar en waren jaloers, zoals Cassandra, wanneer hij niet de hele nacht met een en dezelfde doorbracht. Zijn goede manieren en vriendelijke karakter waren de redenen waarom hij zo geliefd was. Het maakte bijna niets uit dat hij zich daarenboven had ontwikkeld tot een buitengewoon knappe jongeman. Voor de werkende meisjes was dat niet meer dan een bonus.

Tor droeg zijn donkere, dikke haar tegenwoordig langer. Terwijl de vorm van zijn gezicht smaller en geprononceerder was geworden, echt mannelijk dus, waren het toch vooral zijn ogen die de aandacht trokken. Ze hadden een opvallende kleur blauw, zó stralend, dat het bijna verontrustend was voor degenen die hem voor het eerst ontmoetten. Maar het was geen intimidérende blik, want er was altijd een verscholen glimlach in te zien en Tor zelf lachte vaak en aanstekelijk.

In de afgelopen jaren had hij zich ontwikkeld tot iemand met zelfvertrouwen. Nog maar zelden sloeg hij die blauwe ogen verlegen neer. Hij liep met opgeheven hoofd. Jaren van training in de Garde onder Cyrus hadden zijn spieren massa en kracht gegeven. Tor had nu het lichaam dat paste bij zijn grote lengte.

Zijn opleiding bij Merkhud kostte hem niet de minste moeite en zijn aanleg voor het medische vak was zonneklaar. Hij was inmiddels steeds de eerste die bij een zieke hoveling werd geroepen en stond de koning en de koningin op permanente basis bij. Hij was alleen ondergeschikt aan Merkhud, die stilzwijgend vaststelde dat de jongen in sommige dingen nog beter was dan hijzelf. De mensen zeiden dat hij zijn leerling goed had onderwezen, maar Merkhud wist wel beter. Hij had hem bijna niets geleerd. Tor ontwikkelde zijn eigen talenten en zijn vermetele gebruik van zijn vermogens baarde de oude man nog dagelijks zorgen. Het gevaar van ontdekking bleef immers altijd aanwezig.

De valk, Clout, praatte tegen hem, maar Tors gedachten dwaalden die stralende ochtend af naar vroeger. Hij dacht aan Alyssa en was benieuwd wat zij van zijn succes zou vinden. Tor geloofde nog altijd dat hij haar op een dag zou weerzien. Ondanks alle vrouwen die van hem hielden en met wie hij zo vaak zijn genoegens had, was er nog niemand geweest die zich met Alyssa kon meten.

Terwijl zijn vriend hem lesjes in verantwoordelijkheid gaf, bleef Tor op de terugweg naar het paleis in een peinzende stemming.

Hij betrapte zichzelf op een onrust, die sinds Nieuwblad geleidelijk was aangegroeid. Hij had geprobeerd deze te negeren. Was zijn leven niet benijdenswaardig? Waarom zou hij zich zorgen moeten maken over wát dan ook? Maar het leek alsof zijn gezonde verstand dit gewoon niet wilde of kon aanvaarden.

Hij onderbrak de vogel. *Clout, is het nooit bij je opgekomen dat de mensen ons een raar stel moeten vinden? Dat ik vaak rondloop met een roofvogel vlak naast mijn oor?*

Clout knipperde met zijn ogen. *Nee. Nooit. Ik denk dat ik jouw aanblik juist schitterend maak. Waarschijnlijk komt het vooral door mij dat al die vrouwen aan je voeten liggen. Ik geef je een tikkeltje wreedheid... en een flinke portie romantiek.*

Tor trok een lelijk gezicht. *Ik ben serieus!*

Clout wist goed wat Tor bedoelde.

Ik heb beloofd dat ik het zal melden wanneer Lys zich weer laat horen, maar ze heeft de afgelopen vijf jaar gezwegen. Sinds jouw aankomst in het paleis heb ik niet meer van haar gedroomd. Als ze nog taken voor me heeft, dan is me dat niet bekend.

Tor liep door. Met zijn grote stappen legde hij de afstand tussen het bordeel en de nettere delen van de stad snel af. Hij groette bijna iedereen die hij tegenkwam met een knikje, een handgebaar, een glimlach, maar zijn gedachten waren nog steeds elders.

Maar wat zou ze voor mij in gedachten hebben, denk je? De toon van zijn vraag gaf uitdrukking aan zijn oude frustratie over deze onzekerheid.

Clout berispte hem zachtzinnig. *De meeste mensen kunnen alleen maar dromen over de privileges die jij tegenwoordig voor vanzelfsprekend houdt. Nog los van het comfort waarin je leeft... alle mannen vinden je aardig, vrouwen worden verliefd op je. Ik geloof dat zelfs onze koningin een zwak voor je heeft. Je oefent een vak uit en je bent er niet zomaar goed in, je bent de béste. Wat kun je verder nog wensen?*

Dát wist Tor heel precies. *Uitleg over Lys, over jou, over mijn bizarre vermogens en over Alyssa! Waar is zij? Waarom kan ik haar niet meer bereiken, zoals vroeger? Moet ik haar gewoon maar proberen te vergeten? Maakt dit allemaal deel uit van het plan?* snauwde hij de arme Clout toe.

Aha, dus dáár wringt de schoen. Ik dacht dat we dit hoofdstuk hadden afgesloten, jongen. Jij hebt jouw weg gekozen en Alyssa koos de hare. Je bent nu vijf zomers weg uit Vlakke Weiden. Als ze dat had gewild, zou ze je toch wel geantwoord hebben? Per brief desnoods. Of via iemand anders. Waarom haal je deze oude koeien uit de sloot?

Tor dacht hierover even na, ook om zijn kalmte te herwinnen. Hij zwaaide naar een moeder en haar zoon aan de overkant van de straat. Hij had het kind niet lang geleden van de groene koorts gered. Niemand had ooit gehoord dat een zieke van die aandoening kon genezen en het had voor heel wat ophef gezorgd. Tegen alle instructies van Merkhud in had Tor zijn vermogen ingezet en niet zijn inmiddels respectabele kennis van kruiden, want de laatste, zo had hij meteen gezien, zouden ontoereikend zijn om het kind nog te redden.

Terwijl de mensen in de stad hadden gesproken over een wonder, was Merkhud zó ziedend geweest dat hij Tor dagenlang niet eens had willen zíén. Toen het ten slotte tot hun confrontatie kwam, was Tor blij dat de westertoren van het paleis dikke muren had, anders was Merkhuds woede in de hele stad te horen geweest. Merkhud had zijn leerling in furieuze bewoordingen verweten dat hij zijn opdracht had genegeerd om in zijn geneeskundige professie nooit, maar dan ook nóóit gebruik te maken van zijn magische vermogens.

Tor had zijn mentor toen verbaasd door op kalme, maar vastberaden manier te antwoorden dat hij zijn vermogens zou toepassen als het hém wenselijk leek. Op dat moment was er tussen hen beiden iets geknapt. Tor had het gevoel gehad dat hij zich moest bevrijden van Merkhuds verstikkende greep en dat hij voortaan zijn eigen leven moest gaan leiden.

Hij had geen angst voor inquisiteur Goth of om ontdekt te worden, en hij weigerde te aanvaarden dat zijn vermogens niet gebruikt mochten worden om er mensen in nood mee te helpen. Welk nut hadden ze anders? En dan was er Clout. Zelf had hij geleerd te aanvaarden dat zijn vriend de gedaante van een valk had, maar wie zou dat verhaal ooit geloven? Wie kon geloven dat die prachtige vogel ooit een zielige, kreupele en mismaakte zonderling was geweest?

Hij zuchtte. Cyrus zou het geloven. Ze hadden nooit meer gesproken over zijn redding in het Kernwoud, maar vanaf dat moment was Cyrus een bondgenoot binnen het paleis geworden.

Hij had ervoor gezorgd dat Tor zwaardvechten leerde en ook de andere vechtkunsten waarin hij zijn manschappen drilde. Licht mocht weten waarom, had Tor gedacht, want eigenlijk had hij geen wapens nodig. Met zijn vermogens kon hij elke vijand aan. Cyrus had hem ook les gegeven over de betere wijnen en hem alles verteld wat hij wist over vrouwen en wat hij vond van trouw aan koning Lorys en respect voor hem. Tor wist dat Cyrus een soort grote broer voor hem was geworden, maar het was in al die jaren zo geleidelijk gebeurd dat hij pas de laatste tijd was gaan beseffen hoe nauw hij zich met de militaire commandant verbonden voelde.

Cyrus had de valk geaccepteerd vanaf het moment waarop Tor en Clout zich in het bos aan hem vertoonden en hem redden van een gruwelijke dood. Hij had ter wille van Tor zelfs gelogen tegen de koning. Waarom?

En wie was Lys? Waarom had zij Clout naar hem toe gestuurd? Tegen wie of wat moest Tor door hem beschermd worden? Het waren vragen die voortdurend door zijn hoofd gingen, vandaag noch voor het eerst, noch voor het laatst.

Clout had nog niets gezegd. Tor wist dat hij hem zélf eerst nog een antwoord schuldig was.

Omdat ik van haar hou, Clout. En achteraf gezien kan ik me niet aan de indruk onttrekken dat Merkhud haar van me heeft afgepakt. Ik kan zelfs haar aanwezigheid niet meer voelen. Tor stak zijn hand omhoog en streelde de valk over zijn kop. *Ik wil haar vinden.*

Hij hoorde Clout zuchten.

En ik wil hier een poos weg om eens uit te zoeken wat het leven eigenlijk met me van plan is. Ik wil met Lys spreken. Ik wil dat het Kernwoud weer eens tegen me praat. En ik wil eindelijk wel eens een gebakje van jouw Lekkere Batt proeven!

Clout grinnikte om Tors poging het gesprek een luchtige wending te geven, maar ze wisten allebei dat het hier ging om een zwaarwichtige beslissing.

❧

Tor liep in zijn eentje door de koele gangen van het paleis en dacht na over zijn uitbarsting tegenover Clout en over zijn eigenaardige beslissing. Hij had vandaag geen zin om te werken. Het ging alleen maar om de gewone snijwonden, tandpijn, verrekte spieren en andere kwaaltjes van alledag.

Nadat hij een hoek was omgeslagen, zag hij door de gang een jongen met strokleurig haar en veel sproeten zijn kant op komen rennen. Hij verbrak Tors gedachten aan eeltknobbels en ook de magnifieke steenpuist in de nek van Peggy Weltsit, die vandaag misschien de juiste graad van rijpheid had bereikt om er iets aan te doen.

'Dokter Tor!' De jongen zag bleek en praatte onbeheerst. Aan zijn hijgen te horen, had hij al een hele tijd gerend.

'Wat is er, Peagon. Waarom die haast?' Hij bukte zich om de jongen in de ogen te kijken. Het verbaasde Tor soms zélf hoe lang hij was geworden.

'Alstublieft, meneer, we hebben u gezocht! Het is de koningin, meneer!'

Tor was er nog steeds niet aan gewend dat mensen het in hun hoofd haalden om hem 'meneer' te noemen. Hij fronste zijn voorhoofd. De koningin was gisteren nog gezond geweest, toen hij haar zag.

Hij hield zijn hoofd schuin. 'Is ze ziek?'

'Ja, meneer.'

'Erg?'

Peagon haalde diep adem. 'Ja, meneer. Heel erg, geloof ik... eh... meneer.'

'Vlug, jongen. Is ze in haar kamer?'

Hij zag dat de jongen knikte en begon toen zelf te rennen, door zijn lange stappen de hijgende jongen al snel achter zich latend. Tor wist de weg naar de kamers van hare majesteit. Hij had ze blindelings kunnen vinden, of achteruit lopend, vanuit elk deel van het paleis. Hij nam de treden van de trap in de oostvleugel met drie tegelijk. Hij zag af van de beleefdheid om zich te laten aankondigen, maar liep door. De wachters kenden hem en stapten meteen opzij. Hij kon bijna ruiken hoe opgelucht ze waren hem te zien.

Binnen liep hij langs twee hofdames, die bedrukt keken. Ze leken geschokt door zijn brutale binnenvallen, maar aan zijn gezicht zagen ze dat protesteren zinloos zou zijn. Een van de twee wees met een gemanicuurde vinger naar de slaapkamer.

Tor duwde de deur open en zijn blik zocht de koningin. Ze zag er even sereen uit als altijd, maar nu toch bleker dan ooit. Zelfs haar lippen waren even kleurloos als de roomwitte zijden nachtjapon die ze droeg.

Nyria zat in haar grote vergulde hemelbed met haar rug tegen een stapeltje kussens aan. Haar ogen waren gesloten. Koning Lorys, die nog zijn rijkleren droeg, worstelde met de grote geborduurde sprei. Zijn brede schouders leken totaal misplaatst in de krappe ruimte waarin hij naar voren gebogen stond. Het zou een komische aanblik zijn geweest, als hij niet zo terneergeslagen en verdrietig had gekeken.

Tor zag meteen dat de koningin ten dode opgeschreven was. Daar had hij geen magisch talent voor nodig. Er waren nog enkele hooggeplaatste hovelingen aanwezig, waaronder inquisiteur Goth. Vandaag ongetwijfeld in zijn bespottelijke rol van paleispriester, dacht Tor. Privé haatte de inquisiteur de koningin, maar in het openbaar gedroeg hij zich overdreven onderdanig tegenover haar. Tor liet zich daardoor niet voor de gek houden, en Nyria evenmin. Goth was beslist niet hier om haar een voorspoedig herstel te wensen.

Tor zag dat ook Cyrus aanwezig was. Hij stond nu op gedempte toon met de koning te praten. Lorys knikte, waarna Cyrus zich terugtrok in een hoek van de kamer.

Naast het grote panoramavenster, vanwaar men uitzicht had over de vallei waarin de hoofdstad gelegen was, stond Merkhud. De oude man staarde naar de weelderige heuvels van de Zuiderglooiing in de verte. Zijn anders zo rechte schouders hingen een beetje naar beneden. Hij moest Tors aankomst meer gevoeld dan gezien hebben, maar nu keek hij zijn kant op. Tor zag dat hij op zijn lip beet. Dit was iets wat de oude man deed wanneer hij boos of van streek was... of allebei tegelijk.

Lorys verbrak de geladen stilte. 'Tor, jongen. Je bent onze laatste...' Eventuele volgende woorden werden gesmoord.

Merkhud kwam snel naar hem toe en fluisterde de koning iets in het oor. De koning kuchte even.

'Ja, natuurlijk. Heren, laten we onze heelmeesters de rust en de ruimte geven voor hun inspanning.'

De koning wees naar de aangrenzende kamer, maar Cyrus was al begonnen de mensen naar buiten te sturen.

'We wachten daar,' zei de koning, met een blik op Merkhud. Die knikte.

De koningin had nog steeds haar ogen niet geopend. Haar ademhaling was erg oppervlakkig.

Allen volgden Lorys, maar Goth pas nadat hij Tor een van zijn hatelijkheden had toegebeten. De twee verborgen hun minachting voor elkaar slechts zelden.

'Zo snel u kunt, inquisiteur,' spoorde Tor hem aan. Hij kon het niet laten. Hij zag dat Cyrus een wenkbrauw optrok – dat was veelzeggend.

'Priester, alsjeblieft.' Goths kille ogen blikkerden in het mismaakte, trillende vlees van zijn gezicht.

Tor was zo verstandig het hierbij te laten en sloot de dubbele deur achter degenen die vertrokken waren. Toen draaide hij zich om naar Merkhud.

De oude man sprak zacht, maar op een beschuldigende toon. 'We hebben uren naar je gezocht, Tor.'

'Clout heeft me gevonden, meneer.'

'Een vogel? Wat hebben we dááraan?' Het klonk verongelijkt.

Veel meer dan u ooit zult weten, dacht Tor, maar niet wrokkig. Waarom zou hij wrokkig zijn? Hij was deze oude man heel veel verschuldigd. Méér nog, hij hield van hem. Maar Merkhuds geagiteerdheid was deze keer tastbaar, dus Tor begreep dat hij heel voorzichtig moest optreden. Daarom koos hij voor een zakelijke aanpak om er het schuldgevoel dat hem werd aangepraat achter te verbergen.

'Zeg me wat we weten,' zei hij. En daarmee bereikte hij het gewenste effect.

Merkhud zuchtte. 'Heel weinig. Natuurlijk is het haar hart. Dat is zwak, zoals je weet. Misschien moet Cyrus het vertellen. Hij was aanwezig.'

Tor keek naar Cyrus, die nog in de kamer was. De primaat schraapte zijn keel. Hij kwam niet van zijn plaats, maar zijn stem was helder en hij bracht op een militaire manier rapport uit.

'Hunne majesteiten hadden een rustig ritje genoten en waren op weg naar huis. Pas toen ze stopten om een glaasje wijn te drinken, klaagde de koningin dat ze zich zwak voelde. Ik geloof dat koning Lorys zich herinnert dat ze de woorden "buiten adem" gebruikte. Het was snel over, dus we reden verder, maar al spoedig moesten we weer halt houden. Deze keer was het zo ernstig dat de koning mijn advies opvolgde. Hij en het kleine gezelschap dat bij hem was, bleven bij de koningin, terwijl ik koeriers op weg stuurde om ofwel dokter Merkhud, ofwel jouzelf te halen.' Hierna zweeg Cyrus.

Tor keek nu weer naar de oude man. Hij was niet verbaasd, maar ontdaan, toen hij hoorde hoe diens stem trilde toen hij verslag deed van zijn aankomst ter plekke. Hij wist dat Merkhud buitengewoon gesteld was op de koningin – dat wist iedereen – maar pas op dit moment drong het tot hem door dat het wel eens echte verliefdheid kon zijn geweest. Het leek een buitenissige gedachte, maar waarom eigenlijk? Ze was altijd een mooie, charmante en begeerlijke vrouw geweest. Tor realiseerde zich tot zijn schrik dat hij al in de verleden tijd aan haar dacht.

Hij legde zijn hand op Merkhuds arm. 'En toen?'

Merkhud schudde zijn hoofd. 'Toen ik arriveerde had Nyria het bewustzijn al verloren en was ze buiten mijn bereik. Nu ligt ze hier in schoonheid te sterven.' Hij wendde abrupt zijn gezicht af.

'We laten haar niet sterven, Merkhud... ik beloof het.'

De stem van de oude man was dik van emotie toen hij via een link met Tor sprak. Kennelijk wilde hij niet dat Cyrus dit hoorde.

Hoe kun je me zoiets nu beloven, jongen? We kunnen doden geen nieuw leven inblazen, en zelfs stervenden niet.

Tor haalde diep adem en wees naar zijn koningin. 'Mag ik?' vroeg hij hardop.

De oude man knikte. Hij zag er vermoeid uit en leek zich in het onvermijdelijke te schikken. *We moeten alles doen wat we kunnen... ter wille van Lorys.*

Cyrus begaf zich in de richting van de deur. 'Willen jullie dat ik ga?'

Toen beide dokters nee schudden, liet hij de deurklink los en trok zich weer terug in zijn schemerige hoek.

'We zijn haar kwijt, Tor,' zei Merkhud triest.

'Gun me een paar momenten, Merkhud. Alstublieft... ga even zitten.'

Tor deed alles op een respectvolle manier. Dit vergde een behoedzame aanpak, want wat hij wilde proberen zou zijn mentor van de afgelopen vijf jaar zeker choqueren.

Tor boog zich over Nyria heen en bewoog zijn handen vlak boven haar lichaam, zo dicht mogelijk erbij, maar zonder haar aan te raken. Toen verdween hij naar elders. Merkhud en Cyrus, de mensen in de aangrenzende kamer, het paleis, alle geluiden – wég was het allemaal. Niets anders was nog overgebleven dan de wisselwerking tussen zijn zintuigen en die van Nyria's lichaam.

Merkhud had gelijk. Het was haar hart. Er was daar een stremming. Ze zou sterven. Binnen enkele uren al, in het ergste geval. In het beste geval over een dag of twee. Hij zag het helder voor zich. Hij voelde hoe haar haperende hartslag worstelde om een vast ritme vol te houden. Bijna kon hij haar gedachten lezen, die troebel, bang, fragmentarisch waren. En toen laaiden de Kleuren in hem op. Ze namen hem volledig in hun bezit, fel en zuiver als ze waren, en tezamen van een ongekende intensiteit. Tor legde zijn hete handen op Nyria's borst.

Merkhud en Cyrus riepen iets naar hem, maar Tor hoorde het niet. Hij hoorde alleen de taal van Nyria's lichaam. De Kleuren vloeiden over van hem naar haar, via zijn handen naar haar hart. En daar wikkelden ze zich om het beschadigde orgaan. Zijn eigen hartslag vertraagde tot het ritme gelijk was aan het hakkelende, zwakke kloppen van Nyria's hart.

Langzaam, heel voorzichtig, dwong Tors hartslag toen het hart van de koningin tot rust en kracht. En regelmaat. En tot een versnelling, slag na slag, zo lang tot beide harten in hetzelfde ritme klopten. En de Kleuren werkten als bezeten en ze heelden wat de natuur niet had kunnen helen.

Terwijl Tors lichaam langzaam heen en weer deinde boven zijn koningin, keek Merkhud toe, gefascineerd en bijna gek van angst door Tors uitdagende gedrag. Hij zag de Kleuren niet die de jongeman in lichterlaaie zetten, maar hij voelde dat Tors machtige vermogen aan het werk was. Het was een gewaarwording alsof er van alle kanten hard tegen zijn eigen zintuigen werd gebeukt. Het was een krachtige sensatie, maar hij besefte dat hij maar een fractie van de werkelijke energie bespeurde.

Hij had met Tor de juiste keuze gemaakt. Deze jongeman was de Triniteit. Het hoe en waarom ontging Merkhud, maar hij wist nu zeker dat zijn eigen rol bijna was uitgespeeld.

Hij probeerde Tor weer aan te spreken, maar opnieuw zonder succes. Hij raakte hem aan en schrok van de hitte die hij voelde. In al zijn jaren had Merkhud nooit eerder zoiets als dit gezien.

Er was achter de deur nu een onrustig geroezemoes te horen. De koning klopte zacht aan en fluisterde een vraag. Toen Merkhud geen antwoord gaf – hij wist echt niet wat hij moest zeggen – herhaalde de koning zijn vraag op een dringender toon.

Anderen voegden zich bij hem, het zachte kloppen ging over in een harder kloppen, en toen in een ongeduldig bonken.

'Merkhud, in naam van Licht, wat dóé je daarbinnen?' riep de koning. Zijn stem was schor van wanhoop.

Merkhud voelde zich hulpeloos. Cyrus maakte aanstalten om de deur te openen, maar Merkhud begreep dat Goth dit niet mocht zien. Hij schudde zijn hoofd. Gelukkig was de primaat niet op de hand van de inquisiteurs. Merkhud wist dat de soldaat even veel van Tor hield als hijzelf. De oude man wist weliswaar niet precies waarom dat zo was, maar hij vermoedde dat er iets was voorgevallen toen Cyrus in het Kernwoud gevangen werd gehouden. Nogmaals schudde hij zijn hoofd. De lucht in de kamer zinderde van een potente magie die hijzelf niet begreep. De morrende geluiden achter de deur waren steeds luider geworden.

'Niet lang meer, majesteit.' Merkhud kon het niet op een natuurlijke toon uit zijn mond krijgen. De woorden klonken geforceerd en iedereen hoorde dat.

'Open de deur, verdomme!' riep de koning. Het klonk alsof hij er een trap tegen gaf.

'Wachters!' Dat was Goth. Zijn hoge stem klonk bijzonder onheilspellend.

Deze keer moesten verschillende mensen hun schouder tegen de dubbele deur hebben gezet, want Merkhud hoorde het hout kraken en daarna versplinteren. Nu zouden ze elk moment binnen kunnen vallen. Cyrus schreeuwde dwars door de deuren heen naar zijn wachters dat ze moesten blijven staan, maar ze waren niet meer te houden. Een directe order van de koning gold als hoogste bevel.

Merkhud opende in zijn wanhoop een link, die hij als een reddend anker naar Tor wierp, maar meteen werd hij omspoeld door zulke felle kleuren dat hij zich verblind en verzwakt voelde. Hij had geen idee wat hem overkwam, maar van een zó overweldigende samenballing van magische energie was hij pas één keer eerder getuige geweest. Van schrik trok hij zich onmiddellijk terug, verbrak de link en strompelde terug naar zijn stoel.

Toen de deuren het ten slotte begaven en de wachters zich naar binnen stortten, met Goth en koning Lorys op hun hielen, trok Tor zijn handen juist terug van de koningin. Merkhud voelde dat de magie in een oogwenk geheel en al in het niets opging.

'Klootzakken!' Lorys voelde niets meer voor beleefdheid, zelfs niet tegenover zijn beste vriend en diens sympathieke leerling.

'Hoogheid!' riep Cyrus, waarmee hij de koning weerhield van een woedende tirade.

Iedereen keek zijn kant op en toen naar de koningin. Haar oogleden trilden, maar toen openden ze zich. Haar blik was zo helder en stralend als altijd. Er was zelfs een licht blosje op haar wangen teruggekeerd en haar gezicht plooide zich tot een ingetogen glimlach.

'Lorys... mijn geliefde. Wat gebeurt hier?' Haar stem klonk krachtig. 'Hallo, Cyrus. Merkhud, oude vriend! En Tor.'

De gardisten lieten zich meteen op hun knieën zakken en de hofdames bedekten hun mond om het niet uit te schreeuwen en lieten zich toen eveneens op de vloer zakken. Merkhud verhief zich moeizaam uit zijn stoel, opeens doodmoe, en knielde toen ook.

'Welkom terug, majesteit,' fluisterde hij, en er stroomde opluchting en vreugde door zijn hele lichaam. Hij schaamde zich ervoor dat hij Tor liefhad omdat hij haar leven had gered en vooral daarvoor dat hij woedend op hem was omdat hij dit had gedaan met behulp van zijn magie.

Tor kwam tot zichzelf en knielde naast Cyrus neer, die hem met intense nieuwsgierigheid bekeek. Alleen Goth negeerde het protocol en bleef rechtop staan. Zijn gezicht verried niets, want dat vertoonde in alle omstandigheden dezelfde stuiptrekkingen als nu, maar zijn indringende, woedende blik maakte volkomen duidelijk hoe walgelijk hij het vond dat deze vrouw nog leefde. Erger, ze zag er gezonder uit dan ooit!

De koning omhelsde haar krachtig, en op zijn gezicht stond hetzelfde ongeloof te lezen als op dat van alle andere getuigen die aanwezig waren.

❧

Tor zat uitgeteld op een stoel in een van Merkhuds stille kamers met zijn hoofd in zijn handen. De westvleugel van het paleis was een eenzaam en stil oord, want zo had de oude man het graag. Tor hief zijn hoofd op en keek om zich heen naar de donkere flesjes, dozen en zware potten, ieder met hun geheimzinnige inhoud, die tot aan het plafond op de planken stonden. Ze concurreerden om ruimte met bestofte boeken en zware perkamentrollen waarin oeroude kennis over planten en kruiden was verzameld. Hij had er vele bestudeerd en kende hun geheimen.

Slechts weinigen waagden zich in de westvleugel en nog minder waren er door Merkhud uitgenodigd in zijn privékamers. Tot hen behoorden de koning en de koningin. Niemand wist echter dat de oude dokter elders een collectie oude geschriften bewaarde die niet alleen over geneeskunde handelden. Sommige eeuwenoude boeken uit die geheime voorraad behandelden een heel ander ambacht: de kunst van de magie, ofwel de toepassing van de Vermogenskunsten.

In de vijf jaar van zijn verblijf bij Merkhud had ook Tor die geheime teksten slechts zelden te zien gekregen, zó bang was de oude man dat iemand zijn talenten zou ontdekken, die hij al zo ontzettend lang verborgen had weten te houden.

Tor was moe. De opeenvolging van een hele nacht rollebollen met Cassandra en daarna de genezing van koningin Nyria had hem uitgeput. Een geluid bij het open venster zou een ander hebben laten schrikken, maar Tor wist dat het Clout was. De valk schudde zijn prachtige veren en keek zijn vriend toen met zijn gele ogen strak aan.

Tor voelde zich verlegen onder die blik. Het was te zien aan het trillen van een mondhoek. *Heb je het gehoord?*

Voordat hij antwoordde, maakte Clout een klakkend geluidje. Dat was zijn manier om ergernis te tonen, zoals een ouder over fouten die kinderen telkens weer herhalen.

Dat hoefde niet. Ik heb het gemérkt.

Echt waar? Ik heb je aanwezigheid niet gevoeld, antwoordde Tor, die oprecht verbaasd was.

Nee? Dan had je het zeker te druk. Koninginnen weer tot leven wekken zal nogal inspannend zijn, neem ik aan?

Begin niet zó, Clout. Niet jij ook.

Wat had je dan gedacht, Tor? Je gelooft toch niet dat Goth dit over zijn kant laat gaan? Het hele paleis gonst ervan. Iedereen wist dat ze stervende was. De koning wist het. Hij was eigenlijk al begonnen met zijn rouw. Zelfs de oude man had het geaccepteerd. Waarom kon jij dat niet?

De valk hupte geagiteerd over de vensterbank. Wat Tor had gedaan, was miraculeus, maar tegelijk stom. In Lichts naam, hoe kon dit worden weggeredeneerd?

Goth heeft je al jaren op het oog. Nu heb je hem het excuus gegeven dat hij nodig heeft...

Om wat te doen? Mij te beschuldigen van magie? Welk bewijs heeft hij dan? Niets! Zijn stomme schijfje archaliet aan zijn ring glanst niet eens op als hij bij mij in de buurt is, hoe graag hij dat ook zou willen. Hoe vaak moet ik het jou en Merkhud nog zeggen? Hij maakt me niet bang!

Clout zuchtte. *Goed. Rustig maar. Ik weet dat je gelijk hebt met wat je zegt. Maar je speelt met vuur, ben ik bang. Hij zal een manier vinden om je kwaad te doen, Tor. Dat wéét ik gewoon, dus het wordt hoog tijd dat je rugdekking zoekt. Hoe is het trouwens met haar?*

Met de koningin?

Nee, met Peggy Weltsit en haar rijpe steenpuist, nou goed?

Hun gelach verstomde meteen toen Merkhud binnenkwam.

'Aha, ik zie dat de vogel je alweer heeft gevonden, Tor. Daar schijnt hij erg goed in te zijn.'

Tor had al besloten dat hij zich niet zou laten provoceren door de oude man. Hij wist dat Merkhud graag een woordenstrijd met hem zou aangaan na zijn optreden die ochtend. Hij zweeg dus nu. Clout wist wanneer zijn aanwezigheid niet gewenst was en hij sprong van de vensterbank af en zweefde gracieus naar het bos aan de rand van de koninklijke tuin.

'Het verdomde creatuur schijnt precies te snappen waarover we praten,' mompelde Merkhud geërgerd. 'Hier, drink dit.' Hij reikte hem een beker aan.

Tor trok een vies gezicht. 'Wat is het?'

'Wil je het volledige recept of volstaat het als ik zeg dat het de effecten vermindert van slaapgebrek en een overmaat van activiteiten?'

Weer negeerde Tor de hatelijkheid. Hij nam de beker aan en dronk hem leeg. Netel, ridderspoor en een snufje iriswortel, noteerde hij in gedachten. Merkhud had hem goed onderwezen.

Hij zette de beker neer. 'Dank u.'

Merkhud ging aan zijn tafel zitten. 'Laten we praten.'

Toen Tor niet antwoordde, maar in plaats daarvan door het venster naar buiten keek, vervolgde Merkhud: 'Laten we praten over wat je vandaag hebt gedaan.'

'Ik heb haar genezen.'

'Ik wil weten hoe.'

'Ik weet niet hoe ik het heb gedaan.'

'Het heeft er de schijn van dat je dit al eens eerder hebt gedaan. O ja, er was die jongen... iemand die de groene koorts had. Nu weet ik het weer. Ging het toen op dezelfde manier?'

Tor bewoog zich onbehaaglijk. 'Vergelijkbaar.' Hij had tegenover Merkhud nooit de gevallen Clout en Cyrus genoemd.

'En jij kunt een dode nieuw leven inblazen?' Er klonk sarcasme in Merkhuds stem, maar ook een ondertoon van ontzag.

'Ik heb het nooit geprobeerd, meneer.'

Voordat Merkhud met een antwoord kon komen, ging Tor staan. Hij wilde een einde maken aan dit gesprek.

'Ik dacht dat u blij zou zijn. Ik weet hoeveel u houdt van Lorys en Nyria. Ik dacht dat iedereen zich zou verheugen.'

Het was niet de juiste aanpak. Dit gaf Merkhud de kans die hij zocht om zijn woede te ventileren. En die kans greep hij.

'Blij, omdat ze nu weten dat we een tovenaar in het paleis hebben? Blij, omdat we je nu kunnen martelen en breidelen en je daarna als mismaakte, zielige verschoppeling voor de rest van je leven naar een werkkamp ergens in een niemandsland kunnen sturen?'

Er verscheen speeksel aan Merkhuds mondhoeken, zo kwaad was hij. Hij was ook gaan staan en liep met grote passen door de kamer. Het was alsof die stappen zijn woedende woorden accentueerden.

'Ik heb je verboden deze krachten op zieken toe te passen. Ik heb je zelfs verboden ze wáár dan ook buiten deze vier muren te manifesteren. Waar of niet?' bulderde hij, maar hij wachtte Tors antwoord niet af.

'Ik heb je ook verboden elke vorm van ongewenste belangstelling op te wekken vanwege die slager Goth en zijn bende van debielen. Hij loert op een kans om je te grazen te nemen, Tor. Hij haat je. Je hebt geen magisch talent nodig om dat te weten. Zijn haat is zo tastbaar, dat je hem in plakjes kunt snijden om op je brood te doen. En als hij jou niet kan pakken, dan grijpt hij degenen die van je houden. Wat dacht je van je ouders? Je vrienden? Je verdomde vogel? Of Alyssa?'

Dit laatste was een fout. Hij zag dat Tors lichaam verstijfde. Hij wees met een benige vinger naar hem. 'En ik ontzeg je ook je vrijheid om in de bordelen rond te hangen. Je zult nooit meer te laat arriveren voor je paleisronde, want je zult het terrein nooit meer zonder mijn toestemming verlaten. Ik verbied je om te pronken met je bekwaamheden en ik verbied je om me nog ooit ongehoorzaam te zijn.'

Toen hij in die ontwapenende blauwe ogen keek, wist Merkhud meteen dat hij een verschrikkelijke fout had gemaakt. De stem die hem antwoord gaf was zo ijskoud dat het bloed van de oude man bijna stolde in zijn aderen. Het was alsof er opeens ijswater door zijn lichaam stroomde.

'U verbiedt me niets meer, nooit meer.'

Tor leek opeens tien mijl lang en tien jaar ouder. En zoals zijn stem klonk, zo stond zijn gezicht. 'Ik ga weg, meneer.'

'Ik sta het niet toe!' snauwde Merkhud.

Tors woorden staken toe als ijspunten. 'En hoe wilt u me tegenhouden, oude man?'

'Zo nodig laat ik je onder bewaking stellen.' Merkhud wist dat dit een belachelijk dreigement was, maar hij klampte zich vast aan de scherven van zijn autoriteit. Hij was Tor kwijt. Hij had de druk op de jongen te hoog opgevoerd. Hij had het meisje nooit mogen noemen.

Tor bewoog een vinger en opeens was hij onzichtbaar. Maar er opende zich een link in Merkhuds geest en Tor fluisterde: *Hoe kunnen ze me vinden?*

Merkhud was geschokt door het gemak waarmee Tor een truc uitvoerde die de meeste magiërs zelfs na decennia nog niet onder de knie hadden. Hij had zich niet gerealiseerd dat Tors bekwaamheid zich zo ver had ontwikkeld. Maar hij herstelde zich snel. 'Ik kan je aanwezigheid voelen, Tor. Je vergeet dat ik óók talenten heb.'

'Maar veel minder, vrees ik,' zei Tor, minder vriendelijk dan hij had bedoeld. Hij schermde zijn aanwezigheid af met een soort magie die Merkhud nooit eerder had ervaren en die een nieuwe golf van angst door hem heen joeg. Merkhud tastte naar hem met al zijn zintuigen en magische vermogens, maar hij kon zijn leerling nergens meer vinden. Hij bleef zoeken – kwaad en in verwarring. Dit deugde niet! Merkhud wist dat hij van alle begiftigden in het land momenteel de machtigste was. Daaraan had hij nooit getwijfeld, want zijn magie was versterkt door de goden zelf. Toch zette zijn pupil hem nu voor gek.

Tor dook weer op. Ook zichzelf had hij verrast, want hij had deze truc nooit eerder uitgehaald en hij bleek al meteen perfect te werken. Hij draaide zich om en wilde weglopen.

Merkhud stak zijn trillende hand uit en pakte Tor bij zijn arm. Hij was door het laatste optreden van de jongen tot in zijn ziel geschokt. Hij mocht de jongen niet geheel verliezen, anders was de Triniteit gedoemd te falen!

Zijn stem klonk opeens erg oud en droop van wanhoop. 'Tor, ik... alsjeblieft... het spijt me. Ik heb niet het recht om op die toon tegen je te praten. Vergeef me, jongen, maar ik ben zo bezórgd om jou.'

Tor draaide zich om. Hij vond het niet prettig, wat hij de oude man daarnet had aangedaan. *Overmatig vertoon van je kunnen zal je altijd verdriet brengen*, had Alyssa hem vaak bezworen. Zijn gezicht kreeg een zachtere uitdrukking en hij legde zijn hand op die van de oude man. De ijzige toon was weg, zijn stem klonk deze keer zo mild als een lentebuitje.

'Merkhud, ik hou van u, maar ik moet hier nu weg. Ik moet meer te weten komen over wie ik ben en wat mijn bestemming is. U hebt me een bevoorrechte positie gegeven, maar mijn hart zegt me dat mijn leven eigenlijk om iets anders draait. Ik weet dat u geheimen voor me hebt. Hoe komt het dat ik sterk de indruk heb dat u een bedoeling met me hebt en dat het geen toeval was dat u mij hebt gevonden en meegenomen?'

Merkhud moest zich beheersen om het antwoord niet uit te schreeuwen. De jongen mocht het nog niet weten. Dit was niet het juiste moment.

Tor praatte verder. Hij fronste zijn voorhoofd, terwijl hij zijn gedachtegang hardop uitsprak. 'Dat vermoeden koester ik al zo lang ik me kan herinneren, Merkhud, maar dit is voor het eerst dat ik het onder woorden breng. Het lijkt alsof u me gezocht hebt, en op een gegeven moment vónd. U hebt me toen bij mijn ouders weggehaald. Misschien hebt u ook Alyssa weggehaald. En u hebt me hierheen gebracht en een knappe dokter van me gemaakt. Maar u hebt nog andere plannen met me, waar of niet?'

Merkhud trok zijn hand los. Hij sloeg zijn armen defensief over elkaar en drukte zijn vingernagels diep in hun huid. Hij mocht Tor niets zeggen... nog niet.

'Je hebt een erg hoge dunk van jezelf, jongen, als je denkt dat ik mijn leven lang naar jou op zoek ben geweest.' Zijn stem klonk hol.

'Waarom hebt u dan nooit eerder een leerling genomen?'

'Omdat ik er geen nodig had. De dood zal me nu niet lang meer ontzien, vrees ik. Ik ben oud geworden en daarom werd het tijd om een opvolger in te werken.'

Tor dacht erover na. Het klonk plausibel. 'Alyssa?'

'Hoezo?'

'Waar is ze?'

'Waarom denk je dat ik dat weet?' zei Merkhud, maar hij vermeed Tors blik.

'Weet u het?'

'Nee,' loog hij, zonder verdere uitleg.

Tor keek hem strak aan. 'Hoe dan ook,' zei hij toen op een zakelijke toon, 'dat verandert niets aan mijn besluit. Ik ga hier weg. Vandaag nog.'

'Maar waarom?'

'Om dit alles, Merkhud,' zei Tor, terwijl hij met een zwaai van zijn arm naar de kamer om hem heen wees. 'Dit is niet waarvoor ik in de wieg ben gelegd. Dat is me nu duidelijk. Ik ben er goed in, omdat u een goede leraar bent. U zegt dat ik een hoge dunk van mezelf heb, maar dat is niet waar. Ik heb juist veel te lang getwijfeld aan mezelf en mijn capaciteiten. Ik heb niet op mijn vermogens vertrouwd, ik ben er te veel jaren van mijn leven bang voor geweest. Ik moet nu ontdekken wat mijn eigenlijke bestemming is – want die ís er, dat voel ik.'

Zo, nu heb ik het hardop uitgesproken, dacht Tor. Hij voelde opluchting. Eindelijk had hij zichzelf iets toegegeven wat al jaren in zijn onderbewustzijn broeide. Hij had dat smeulende onbehagen nu een naam gegeven: bestémming. Hij was iemand die een bestemming had.

Merkhud ging zitten. Hij was duizelig van angst en zijn geest werkte koortsachtig om manieren te vinden om de schade die hij had aangericht, te beperken. Hij had tijd nodig om na te denken, intriges te verzinnen, maar die tijd had hij niet. Tor stond op het punt van vertrekken. Weg bij alle mooie plannen die Merkhud met hem had.

'Tor, wil je me een glas wijn brengen, alsjeblieft?' vroeg hij.

Tor werd uit zijn mijmering gerukt en zag opeens hoe kwetsbaar Merkhud eruitzag. Hij begaf zich naar de zijkamer. Hierdoor won Merkhud wat kostbare tijd. Zijn brein werkte op topsnelheid. Er borrelde een idee op en hij bekeek het van alle kanten. Het zou kunnen werken, concludeerde hij.

Er werd hem een glas aangereikt en hij bibberde bijna toen hij ervan dronk. Tor vroeg ongerust of hij nog iets anders voor hem kon doen.

Grijpen, die kans!

'Ik heb sinds gistermorgen niets meer gegeten, bedenk ik nu,' zei Merkhud, die zijn stem licht liet trillen. 'Ik zal wel flauw zijn van de honger... al deze opwinding is niet goed voor een oude man als ik.' Voor de zekerheid liet hij zijn handen ook nog even bibberen.

Tor voelde zich weer de jonge leerling, die braaf aan alle grillen van zijn meester gehoorzaamt. Hij had bewondering voor Merkhud, en hoewel hij wist dat hij dit moment moest aangrijpen om zichzelf te zijn en zijn eigen weg te zoeken, maakte hij zich zorgen om de oude man.

'Zal ik in de keuken iets voor u halen?'

'Ja, jongen. Het spijt me, maar je kunt een kop soep van de kokkin voor me halen, of iets anders.'

Tor ging weg. Meteen nadat hij de deur achter zich dicht had gedaan, stond Merkhud op en begon hij door de kamer te ijsberen, piekerend over het plan dat steeds duidelijker vormen aannam. Hij opende een link, die hij effectief afschermde tegen derden. De andere kant reageerde prompt.

De dingen gaan sneller dan we hebben verwacht. De jongen vertrekt vandaag.

Wat? Ben je gek aan het worden, oude man?

Nog niet, lieve, zei hij zacht in haar hoofd. *Hoe gaat het met haar?*

Ze is een geweldig kind. Een vrouw, tegenwoordig. In het antwoord klonken liefde en warmte door. *Wat kan ik verder nog zeggen? Ze studeert hard. Ze is capabel, talentvol en erg mooi. Ze is nogal op zichzelf. Ze heeft een speciale vriendin, een andere student hier.*

Kunnen we dit laten werken, denk je? Het gebeurde niet vaak dat ze onzekerheid in zijn stem hoorde.

Natuurlijk. Ze dwong zich om het zelfverzekerd te laten klinken, maar eigenlijk was ze altijd gewend geweest dat híj de touwtjes in handen hield. Het was griezelig om hem nu te horen twijfelen over de vreselijke reis die ze samen al zo lang maakten. *Het is nu verder in de handen van de goden.*

Hij huiverde toen deze woorden tot zijn geest doordrongen. *Dat neem ik ook aan. Hoe is het met de Klook?*

Onveranderd. Toegewijd.

Zal dat een probleem zijn?

Dat zou ik niet toestaan, zei ze opstandig. *Daarvoor zijn we ondertussen té ver gekomen!*

Merkhud hoorde Tors voetstappen op de trap. *Ik moet gaan, lieve. Ik spreek je later nog.*

Hij sloot de link op het moment dat Tor de deur opende. Hij droeg een blad met daarop een kom, die losjes was bedekt met een doek. Maar wat Merkhud niet had verwacht was de kokkin zelf, die meteen na Tor breeduit naar binnen stapte.

'Wat is er aan de hand, oude man?' vroeg ze op hoge toon.

De kokkin had voor alle kwalen – van een lopende neus tot gewrichtspijn – één onfeilbare remedie: voedsel. Ze had een recept, zei ze, waarmee ze elke aandoening in het land kon verzachten. De meeste mensen, inclusief Merkhud zelf, waren geneigd haar te geloven. Haar kippensoep was befaamd in het hele paleis en hij rook de heerlijke geur ervan toen Tor het blad op de tafel zette. De dampen kwamen onder de losse doek uit en voegden zich bij die van het verse brood dat naast de kom lag. Het was een goddelijke combinatie, waaraan niemand weerstand kon bieden. De kokkin – zij was de enige die zich dit kon permitteren – was begonnen Merkhud verwijten te maken.

'Eet dit maar eens gauw op, domme oude man, en als je mijn maaltijden nóg eens durft over te slaan, kom ik je oude botten persoonlijk straffen.' Ze wierp hem een servet toe, nam haar rok op en verdween puffend door de deuropening. Ze hoorden haar hijgend via de nauwe trap naar beneden lopen. Tor lachte. Merkhud grinnikte onderdrukt.

'Doet ze je aan iemand denken, Tor?'

'Precies mijn moeder!'

'Een heerlijk mens, vind je ook niet?' zei Merkhud, toen hij had gehoord dat de hoofddeur van de toren was dichtgegooid. Hij stelde zich voor hoe de kokkin nu over de binnenhof beende, dwars door jong grut en kakelende kippen heen. 'Wat zouden we zonder haar moeten beginnen?' besloot hij op eerbiedige toon.

'Ik zou maar snel beginnen te eten, als ik u was, anders komt ze meteen terug,' zei Tor.

'Wil je nog bij me blijven, Tor, terwijl ik eet? Ik heb je iets te zeggen.'

Als Tor naar zijn drie stenen had gekeken – die door Merkhud de Stenen van Ordolt waren genoemd – zou hij hebben gezien dat ze stralend oplichtten.

Deze keer waren het de waarschuwingskleuren.

Merkhud had geen trek, maar hij moest de schijn wekken dat hij at als iemand die uitgehongerd was. De soep van de kokkin was trouwens nooit te versmaden. Tor kwam bij hem aan tafel zitten en at zelf wat noten en gedroogde vruchten die hij uit de keuken had meegegraaid.

'Heb je ooit gehoord van een stad die Ildagaarde heet, Tor?'

'Ja. De koningin heeft me verteld dat haar wandtapijten en de sprei op haar bed zijn geborduurd door meesters in Ildagaarde. De stad is beroemd om zijn kunstambachten.'

'Heel goed,' zei Merkhud tussen twee happen door. Ze waren nu weer even in hun rollen van meester en leerling. 'En heb je gehoord van een plaats bij Ildagaarde die Carembosch heet?'

'Nee, meneer, nooit.'

Merkhud nam nog een lepel soep en daarna een hap brood. Lekker.

'Carembosch is een soort klooster, zal ik maar zeggen. In de loop van de eeuwen is het een toevluchtsoord geworden voor vrouwen die ook maar het geringste talent tonen voor magische vermogens. Het instituut is opgericht om vrouwen die begiftigd zijn te beschermen tegen inquisiteurs. Natuurlijk slagen de meeste begiftigde vrouwen er niet in deze veilige, afgesloten wijkplaats te bereiken. Zij zijn voordien al afgemaakt door Goth en de generaties slagers vóór hem. Maar degenen die het asiel wél halen, zijn dan beschermd tegen de samenleving. Ze worden met het grootste respect behandeld. Dat is merkwaardig, Tor. Ze verschillen niet van een begiftigde vrouw in een willekeurig dorp, maar door de lange traditie van Carembosch worden de vrouwen die daar vandaan komen nu gezien als een soort priesteressen. Onze eigen koning, die begiftigden laat breidelen, zou een vrouw uit Carembosch aan zijn tafel toelaten.'

'Waarom vluchten ze dan niet allemaal daarheen?' vroeg Tor, wiens belangstelling geprikkeld was. Hij wist niet wat hij van Merkhud had verwacht, maar dít gespreksonderwerp in elk geval niet.

'Goede vraag.' Merkhud knikte. 'Maar Carembosch ligt erg afgelegen in het verre noordwesten en velen verbergen hun talent maar liever en verkiezen een normaal leven met een man en met kinderen boven een kloosterbestaan. Bovendien is het talent, dankzij het eeuwenlange optreden van de Inquisitie, geleidelijk schaarser geworden. Er zijn steeds minder vrouwen met aanleg voor magie. En dan is het ook nog wat ik noem de "wilde" magie, en dat is niet het type dat lang geleden van de ene generatie naar de volgende werd doorgegeven.'

'Is dat wat ík heb?'

'Hoogstwaarschijnlijk. Geen van je ouders heeft het talent, toch?' Merkhud keek opeens geschrokken. Misschien had hij dit vitale punt over het hoofd gezien. Maar de Gynts hadden hem geen aanleiding gegeven om te denken dat ze zelf ook begiftigd waren.

'Nee,' zei Tor snel. Zoals zijn vader hem had aangeraden, had hij

Merkhud nooit verteld hoe hij in het gezin van Jhon en Ailsa Gynt was terechtgekomen. Hij hield de schijn op dat hij hun natuurlijke zoon was.

'Dan ben je simpelweg gezegend, Torkyn Gynt.'

De blik die ze wisselden, maakte duidelijk dat ze beiden de ironische ondertoon in die woorden beseften. Begiftigd zijn was tegenwoordig geen onverdeeld genoegen.

'Waarom krijgen deze vrouwen voorrechten als ze eigenlijk niet verschillen van andere vrouwen met aanleg voor magie?'

'Wel, ze vatten hun verblijf in Carembosch op als een soort religieuze ervaring. Ze studeren daar intensief. En later gaan ze onderwijzen wat ze geleerd en geoefend hebben, en dat is vooral geavanceerde kruidenkennis. Die kennis geven ze genereus door aan dorpsdokters en anderen. In die zin zijn ze dienaressen van het hele land, beter kan ik het niet onder woorden brengen. Maar ze hebben geen toestemming om te trouwen. Ze mogen niet eens geslachtsgemeenschap hebben. Dat is natuurlijk erg jammer, want vaak vluchten die meisjes al heel jong naar dat klooster om aan breideling te ontkomen. Ze beseffen dan vaak nog niet wat ze opgeven in ruil voor hun veiligheid.'

'Wat gebeurt er als ze worden betrapt met een man?'

'Dan zouden ze worden gekruisigd en gestenigd.' Merkhud zei het op een harde toon. Tor voelde aan dat die woorden een boodschap bevatten.

'Nogal definitief dus,' zei hij grijnzend.

Merkhud glimlachte niet mee. 'Ze hebben hun keuze gemaakt en moeten zich aan de regels houden. Daarom zei ik aan het begin dat het om een soort kloosterorde gaat. Dan geven de vrouwen hun aardse leven op ter wille van de goden. Deze vrouwen offeren het ten dienste van het land.'

Tor stak de laatste noot in zijn mond en knikte langzaam. 'Goed, ik snap het. Waarom vertelt u me dit?'

'Omdat het de bedoeling was dat jij en ik naar Carembosch zouden gaan.'

'Wat?' Tor ging rechtop zitten.

'Ja, zo is het,' loog Merkhud. 'Elk decennium vindt er in Carembosch een festival plaats. Het is een prachtig evenement. Meestal zijn de koning en de koningin aanwezig, maar dat is deze keer natuurlijk uitgesloten. Ik heb het voorrecht gehad elke keer uitgenodigd te worden, sinds ik deze familie dien.' Merkhud glimlachte, zó lang duurde dit al voort.

'Wanneer is dat festival?' vroeg Tor.

Merkhud bolde zijn wangen en blies de lucht toen langzaam uit. Hij krabde aan zijn baard. 'Wel... even nadenken. Bij de komende volle maan beginnen de festiviteiten. Die duren een aantal dagen en de gasten komen op verschillende momenten.'

'Wat vieren ze?'

'Vooral dat ze nog bestáán, denk ik,' antwoordde Merkhud impulsief. 'Nee, dat klopt niet helemaal. De ware zin is in de loop van de eeuwen in de vergetelheid geraakt, maar het festival is zo verankerd in de traditie dat de mensen in het noorden het altijd erg belangrijk vinden.'

'En wij werden geacht aanwezig te zijn?'

'Ja. Het leek me goed voor jou om zoiets zeldzaams eens mee te maken. Bijzonder weinig mensen krijgen de kans...' Hij maakte de gedachtengang bewust niet af.

Tor keek ongelukkig.

'Maar hoor eens, Tor,' hernam Merkhud op een opgewekte toon, alsof hij zojuist een goede inval had gekregen. Hij kon zelf nauwelijks geloven dat hij zijn valse woorden op een zo joviale toon kon uitspreken, want hij deed het de jongen met grote tegenzin aan. Erger nog, hij vond in zijn hart dat hij beter zijn tong kon afbijten dan deze onschuldige knaap nóg dieper in het web van bedrog weg te duwen dat hij vijf jaar tevoren voor hem had gespannen.

'Ik begrijp het niet helemaal, maar ik heb goede nota genomen van de punten die je vandaag met zoveel passie naar voren hebt gebracht. Misschien ben ik te streng voor je geweest, maar als dat zo is, dan omdat ik van je hou, jongen. Als een vader.' Hij glimlachte en nuanceerde het toen. 'Nou, laten we zeggen als een grootvader.'

Tor haalde zijn schouders op. Hij voelde zich opgelaten.

'Ik heb niets voor je verborgen gehouden, jongen, maar ik heb altijd gewild dat je de allerbeste zou zijn. Je talenten zijn verbluffend. Ook ik weet niet wat deze wereld uiteindelijk voor jou in petto heeft, maar ik heb altijd gehoopt je te kunnen beschermen tegen verspilling van je begaafdheid. Want dát is wat zou gebeuren, als je in handen viel van Goth en zijn trawanten.'

'Maar Goth ziet er helemaal niets van, Merkhud. Niemand anders dan u – en misschien nog enkelen zoals u en ik – zien het. Waar bent u dan eigenlijk bang voor?'

Tor had natuurlijk gelijk. Goth had in het geheel geen weet van de machtige magie die pal onder zijn lelijke neus werd bedreven. Het was iets wat Merkhud op zichzelf tevreden stemde.

'Jongen, Goth heeft voldoende autoriteit om jou eerst te doden, en daarna pas vragen te stellen. Hij heeft de pest aan jou. Hij heeft nog maar weinig aansporing nodig, dan verzint hij een smoes om met jou af te rekenen.'

Tor lachte. Het geluid kwam diep uit zijn keel en klonk oprecht. Merkhud schrok ervan.

'Denkt u dat hij tegen mij is opgewassen?' Dit was van Tors kant geen arrogantie. De jongen was in een stemming om realistisch te zijn, niet om te snoeven. 'Hoe kan hij me lang genoeg vasthouden om me te laten doden, Merkhud?'

Allemaal waar, moest de oude man in stilte bekennen.

'Je vergeet wat ik daarstraks al zei, Tor. Hij hoeft niet per se jou persoonlijk aan te pakken. Er zijn subtielere manieren om je te kwetsen, namelijk door de mensen pijn te doen om wie jij geeft.'

Tor knikte. Merkhud had gelijk. Goth was een man zonder scrupules en zou zonder aarzelen een man als Cyrus doden als hij wist dat hij Tor daardoor kon treffen.

'Ja, dat is een reden te meer om van hier te vertrekken,' zei Tor.

Merkhud greep de kans. 'Maar niet op déze manier, Tor! Niet door kwaad weg te lopen, waarna de mensen die je leven hebben gedeeld en die van je houden nooit meer iets van je zien of horen!'

Tor keek hem vragend aan. 'Hebt u een andere suggestie?'

'Jazeker. Ga namens mij naar Carembosch. Vertegenwoordig Lorys, Nyria en mijzelf.'

Een fladderend geluid bij het venster kondigde de terugkeer van Clout aan.

Merkhud maakte een afkeurend geluid. 'Ben je het met me eens, jongen, dat die vogel alles afluistert wat we zeggen? De valk zal ongetwijfeld met je meegaan, maar toch zul je in wezen alleen op stap zijn.'

'Ik weet niet wat ik moet zeggen.'

'Zeg dan niets. Je hebt mijn verlof om te vertrekken. We zullen je geld, een paard en voedsel meegeven. Je representeert de koninklijke familie. Ik hoop dat je het als een eer ziet.'

'Ik zal u niet teleurstellen, Merkhud.' Tor had de oude man willen omhelzen. Hoe was het mogelijk dat zijn wereld het ene moment naar links en het volgende zomaar opeens naar rechts draaide?

Merkhud stak zijn handen uit en sloot ze om die van Tor. Hij kneep er hard in. 'Ik wil dat je me nu belooft dat je mijn waarschuwing ter harte zult nemen. Ik zeg het je met de grootste nadruk,' fluisterde de oude man in alle ernst. 'Vergeet nooit, nooit, dat de vrouwen van Carembosch niet voor niets de "Onaanraakbaren" worden genoemd.'

Tor knikte, maar Merkhud kneep nog harder in zijn handen. 'Tor, ik meen het serieus. Je hebt een reputatie. Ik weet hoe dol je bent op het gezelschap van vrouwen. Maar van de vrouwen in Carembosch mag geen háártje beroerd worden door een man. Dat zou het einde zijn van dat meisje én van de overtreder!'

Hij zweeg even. 'Ze zullen geen moment aarzelen om bruut af te rekenen met een dergelijk stel.' Hij keek de jongen indringend aan om zijn woorden kracht bij te zetten.

'Ik heb uw waarschuwing begrepen, Merkhud. Ik beloof u dat ik me onberispelijk zal gedragen.'

Merkhud was daar niet zo zeker van en hij voelde zich op een akelige manier al bij voorbaat schuldig.

17

Het Kernwoud

Het was vijf dagen na hun vertrek uit Tal. Het landschap van de weelderige wijngaarden in het zuiden was hier in het midden-noorden overgegaan in een ruiger heuvelland.

Tor was in een optimistische stemming. Hij had geen spijt van zijn vertrek uit het paleis, hoewel het hem hinderde dat hij geen afscheid had genomen van zijn grote vriend Cyrus. Het was een gedachte die als een zwarte wolk boven zijn geluk zweefde, maar die hij meestentijds wist te verdringen. Cyrus zou zijn briefje ontvangen en er begrip voor hebben.

Clout deelde die mening niet.

Wat had ik dán moeten doen? Wachten tot hij op zesdag misschien weer in de stad zou zijn? Niemand wist hoe lang ze deze keer op kamp zouden blijven.

Hij verdient beter, hield de valk vol.

Ze hadden onderweg meer van zulke ruzietjes gehad en Clout maakte er meestal een einde aan door de link abrupt te sluiten en een poosje weg te vliegen. Tor was het in stilte eens met de valk, maar vroeg zich af welk alternatief hij had gehad. Na zijn confrontatie met Merkhud had hij geen andere keuze meer dan vertrekken en de oude man had trouwens zelf aangedrongen op haast, wilde hij Ildagaarde voor de komende vierdag bereiken.

Tor hoorde een schril geluid in de hoogte. Dat haalde hem terug naar het nu. Hij zag dat Clout boven zijn hoofd een rondje draaide, een moeiteloos zweven, dat zijn ontzag wekte, waarna de vogel zijn kop boog en aan een bloedstollende zweefduik begon. Zijn lichaam werd als een pijl en het stortte als een steen naar beneden.

Waarschijnlijk had hij weer een konijn zien lopen, dacht Tor, wiens maag zich omdraaide bij de gedachte dat zijn vriend warme ingewanden zou opslurpen.

Hij liet zijn paard zelf zijn weg zoeken over het smalle pad dat ze volgden en keerde terug naar zijn gemijmer.

Koningin Nyria had het natuurlijk beseft. Tor zag nog voor zich hoe ze hem aankeek toen hij afscheid kwam nemen. Ze wisten beiden dat ze gezond genoeg was om op de voorhof van het paleis te staan, maar ze speelde het spel mee en liet zich door haar dienstmeisjes een zware sjaal om haar schouders wikkelen. En toen had ze zwaar op de arm van de koning geleund en was voetje voor voetje naast hem gaan lopen, alsof het haar inspanning kostte om haar ziekbed te verlaten. Maar de uitdrukking op haar gezicht had hem tijdens hun vaarwel een heel ander verhaal verteld. Ze wenste hem een voorspoedige reis en een snelle thuiskomst.

'Blijf niet te lang weg, Torkyn Gynt.'

Hij had zich gebogen om haar uitgestoken hand te kussen en kon het niet laten via zijn lippen een scheutje liefde aan haar door te geven. Hij zag aan de schittering in haar ogen dat dit kleine blijk van magie en genegenheid haar niet ontging.

'Mevrouw.' Hij had nog een diepe buiging gemaakt, maar durfde niet meer naar haar te kijken. Zelf had ze ook geen woord meer tegen hem gesproken.

Daarentegen kon de koning hem helemáál niet aankijken. Tor vreesde dat zijn soeverein in tweestrijd was. Lorys begreep heus wel dat alleen magie zijn koningin gered kon hebben van de dood. Licht wist dat ze nog amper in leven was geweest! Ter wille van zijn liefde voor Nyria had Lorys niettemin genegeerd wat er was voorgevallen. Hoewel het in tegenspraak was met alles waarin hij geloofde en wat hij verdedigde, had hij dit laten passeren, omdat deze keer diegene gered werd van wie hij meer hield dan van wie of wat ook. Tors maag verkrampte echter bij de gedachte aan de talloze arme slachtoffers die wél gestraft en gemarteld en verbannen waren in het kader van de uitroeiing van alles wat naar magie riekte.

Het moeilijkste voor Tor was de wetenschap dat Lorys écht een goed mens was. En een uitstekende koning. In de jaren dat Tor in het paleis woonde, had Lorys dit keer op keer bewezen. Hij leefde mee met zijn onderdanen, zijn liefde voor zijn koninkrijk stond als een paal boven water. Als de koning nu alleen maar eens de moed kon vinden om af te rekenen met Goth en al die misplaatste angst voor begiftigde mensen, dacht Tor voor de zoveelste keer. Het was een bijkomend argument voor zijn vertrek. Hij moest weggaan bij de hypocrisie waarmee Lorys op dit punt regeerde.

Talloze anderen hadden zich verzameld om afscheid van hem te nemen. Diep in zijn hart vroeg Tor zich af of hij hen ooit zou weerzien. Hij wist niet zeker of hij zou terugkeren, hoewel hij natuurlijk de schijn van het tegendeel ophield.

Hij had hier veel goede vrienden gehad. Zelfs de jonge pages waren er. En de oudere soldaten – degenen die niet met Cyrus mee op kamp waren – salueerden voor hem. Niet zonder enige trots besefte hij opeens dat élk gezicht dat bij het paleiscomplex behoorde hem bekend was. Hij had menigeen behandeld en genezen tijdens zijn leerperiode en daarna. Hun talrijke aanwezigheid bij dit afscheid – zo bracht de kokkin hem onder zijn aandacht – was een zeldzaam evenement, dat gewoonlijk alleen bij het vertrek van de koning of de koningin te aanschouwen was. De volksoploop bewees hoe populair hij was geworden.

Tor dwong zichzelf om te kijken waar Goth stond. Daar was hij, vlak naast de koning en met zijn gewone meesmuilende grijns op zijn smoel. Dát was tenminste iemand die blij was dat hij oprotte. Vermoedelijk was hij alleen gekomen om dat met eigen ogen vast te stellen. Hij vroeg zich af hoe Goth aankeek tegen de herstelde gezondheid van de koningin. Hij had toch zeker ook wel gezien dat ze op sterven na dood was – een kwestie van uren, hoogstens van dagen. Maar het was één ding om een boertje of een boerenmeid van het gebruik van magie te beschuldigen, maar iets heel anders om de populairste bewoner van het hele paleiscomplex – op het koninklijk paar zelf na – voor hetzelfde aan te klagen. Goth zou die aanklacht moeten onderbouwen met bewijzen, en die waren moeilijk te produceren. Toen hij Tor spottend aankeek, wisten ze beiden dat ze nog een rekening met elkaar te vereffenen hadden. Dat kon wachten. Het moest ook wachten.

Als laatste had Tor Merkhud omhelsd. Hun wederzijdse affectie was echt, maar zoals dat met vaders en zonen gaat – het was nodig dat ze uit elkaar gingen. Essentieel, zelfs.

Toen Tor buiten de stadspoort was en het hele gezelschap afscheidnemers achter zich had gelaten, was Clout laag naast hem komen vliegen. Ze hadden beiden gelachen toen Tor zijn nieuwe jonge merrie, Timara, een cadeau van de koning, tot een galop had aangezet. Hij liet haar pas vaart minderen toen ze een heel eind verder waren en de stad Tal volgens Tor ver genoeg weg was.

Pas nu, terwijl hij het paard met zijn knieën stuurde, zoals Cyrus hem had geleerd, haalde hij het beursje tevoorschijn dat hij op een geheime plek had bewaard sinds Jhon Gynt het hem had gegeven. Het was een schok voor hem dat de Stenen van Ordolt, die de afgelopen jaren dof en levenloos waren geweest, nu opeens weer kleurig fonkelden en straalden.

Hij begreep er niets van, maar had geleerd gevolg te geven aan wat zijn instinct hem ingaf. Deze stenen, die zijn ouders – zijn echte ouders – hem hadden nagelaten, waren zijn enige tastbare band met het verleden. En om een onbenoemde reden wist hij dat hij ze moest vertrouwen.

❦

Drie dagen later arriveerden Clout en Tor in het dorpje Zadelwaard. Tor huurde een sobere kamer in de herberg Paard en Lam. Clout besloot in het nabije bos te overnachten.

Tor was bezig een hartige hutspot te verorberen toen Clout een link met hem legde. *Tussen haakjes, welk excuus wil je Cyrus wijsmaken voor het feit dat je bent vertrokken zonder afscheid van hem te nemen?*

Tor bleef kauwen. *Waarom vraag je dat?*

Nou, ik geloof dat je de kans krijgt om het eens uit te proberen.

En meteen na die woorden werd de deur van de gelagkamer opengesmeten en kwam Cyrus naar binnen gestormd. Zijn gezicht stond grimmig. Als zijn stoel niet met zijn rug tegen de muur had gestaan, zou Tor van schrik achterover zijn gevallen.

Cyrus was zichtbaar vermoeid door de rit. Zijn gewoonlijk smetteloze kleren zaten onder het stof en zijn grijze ogen waren spijkerhard van kwaadheid. 'Waarom?' Zijn stem had een gevaarlijke ondertoon.

Tor wist dat het zinloos was om het tegenover Cyrus met uitvluchten te proberen. Alleen eerlijkheid werkte wanneer de primaat in deze stemming was. Hij verdoezelde zijn schrik door te slikken en nam een moment om tot zichzelf te komen.

'Eet u mee?' vroeg hij toen schuldbewust.

De primaat negeerde die vraag. Het was stil geworden in de gelagkamer. De andere aanwezigen voelden dat er een confrontatie in de lucht hing en keken nieuwsgierig toe.

Tor schraapte zijn keel en stak zijn beker omhoog in de richting van de herbergier. Toen stak hij twee vingers op. De man knikte en schonk bier in voor de jongeman en de nieuweling die zojuist was binnengekomen. Die vertrouwde bezigheden verminderden de spanning in de zaak. De meeste klanten hernamen hun gesprekken.

Ook Tor was opgelucht. Hij keek nu weer naar Cyrus, die nog steeds woedend was. Zou de primaat hem slaan? Hij leek er kwaad genoeg voor.

'Het is iets wat ik moet doen, Cyrus. Ik begrijp het zelf ook niet goed, maar een leven in het paleis is voor mij niet langer...' Hij zocht het juiste woord. 'Genoeg.'

Hij stak zijn hand op toen hij zag dat Cyrus aan een verontwaardigd weerwoord wilde beginnen.

'Wacht even,' zei Tor resoluut. 'Laat me proberen het uit te leggen... En ga alstublieft zitten. Drink een glas bier. U ziet er vreselijk uit.'

Een meisje plempte twee bekers bier voor hen neer en Tor gaf haar een paar munten. Cyrus ging stijfjes zitten. Tor voelde dat Clout in een boom tegenover de herberg was neergestreken.

Alles in orde? vroeg de vogel.

Ik weet het niet zeker. Cyrus wil een verklaring.

Veel geluk. Clout zweeg verder.

Cyrus dronk bijna zijn hele beker in één teug leeg. Daarna keek hij Tor vanaf zijn kant van de tafel strak in de ogen. Tor werd verrast door wat hij vervolgens vroeg.

'Heeft je vertrek iets te maken met wat er in het Kernwoud tussen jou en mij en de valk is voorgevallen?'

Tor knipperde met zijn ogen. Het was een onwillekeurige reactie op de onverwachte vraag, maar Cyrus wist nu dat hij doel getroffen had. Hij praatte verder.

'We hebben nooit besproken wat er toen eigenlijk gebeurd is, Gynt, maar het wordt nu tijd om dat te doen, niet?'

Tor vond zijn stem terug. 'Waarom bent u zo kwaad?'

Het leek wel alsof Cyrus over de tafel heen naar hem toe wilde springen. De primaat moest vechten om zijn drift in te tomen. 'Omdat je in Tal een belangrijke ról had,' snauwde hij. 'Mijn mannen moeten jouw vaardigheden in hun nabijheid weten. Je lessen als zwaardvechter zijn nog lang niet klaar en... verdomme... je hebt me niet eens een réden gegeven, alleen een beknopt briefje. Waarom in Lichts naam wil je dat alles weggooien en via een rare reis naar het andere eind van het koninkrijk verdwijnen om naar een of ander raar festival te gaan, waarvan niemand het fijne weet?' Hij was steeds harder gaan schreeuwen.

'Daar gaat het niet om,' antwoordde Tor zacht, opnieuw in verlegenheid nu de gasten weer allemaal hun kant op keken. 'U bent niet alleen ontstemd, u bent báng voor me... ik bedoel: voor mijn afwezig zijn.'

Voorzichtig, Tor, waarschuwde Clout.

'Eruit!' Cyrus sprong zo onbeheerst overeind dat zijn stoel kletterend op de vloer viel. De gasten zetten grote ogen op.

'We willen geen problemen, heren,' riep de waard.

'Naar buiten!' brulde Cyrus.

Het is goed dat hij schreeuwt, merkte Clout op. *Cyrus is altijd veel gevaarlijker wanneer hij zachtjes praat, vind je ook niet?* Clout schraapte zijn keel. Misschien was dit niet het juiste moment om zulke karakterdetails te bespreken.

Tor had geen verdere aansporing nodig. Hij stond op en volgde de primaat gedwee naar de deur. Een paar van de klanten, vooral boeren, maakten aanstalten om Cyrus de weg te versperren. Tor was geroerd door die poging om zijn huid te redden. Het zag er waarschijnlijk slecht voor hem uit, maar eigenlijk was hij het eens met Clout. Een schreeuwende Cyrus was minder dodelijk dan een zwijgende Cyrus.

De primaat rukte zijn jas open, waardoor zijn uniform en rangteken zichtbaar werden, waarna de toegesnelde mannen zich meteen uitputten in verontschuldigingen.

'Het is goed,' zei Cyrus. 'We zijn vrienden.'

Een grappige opmerking, in de gegeven omstandigheden. In het paleis deden veel verhalen de ronde over de beruchte driftaanvallen van Cyrus. Tor voelde geen behoefte om er nog een aan toe te voegen, met hem als lijdend voorwerp. Aan de andere kant wilde hij zijn vriend niet vernederen door de magie toe te passen, die hij in zijn binnenste voelde bruisen.

'Hou deze vast,' zei Cyrus, nadat hij een van de boeren zijn jas had aangereikt.

De man gehoorzaamde. Iedereen zag in stilte dat de primaat met grote passen naar buiten liep, terwijl de lange jongeman hem met soepele bewegingen volgde. Buiten draaide Cyrus zich naar Tor om. Hij was zo verstandig om nu op normaal volume te praten, maar in de oren van Tor klonk het nog even lelijk.

'Je hebt verdomd gelijk dat ik bang ben! Denk je dat ik niet weet dat je magie gebruikt om je patiënten te genezen? Denk je dat ik even stom ben als Goth? Hij ziet het niet met zijn schouwsteen – Licht mag weten waarom niet! – maar je vergeet dat je me daar in het bos hebt aangeraakt, jongen. Het is lang geleden, maar sindsdien voel ik je magie.'

'Echt waar?' De woorden ontglipten Tor.

'Ja,' bevestigde Cyrus met fonkelende ogen.

'Waarom hebt u er nooit iets over gezegd?'

'Waarom zou ik dat doen? Jouw vermogens hebben mijn leven gered. Ik was op sterven na dood, net als onze koningin. En we leven beiden op miraculeuze manier voort om ons verhaal te vertellen, enkel en alleen omdat jij hebt verkozen ons in leven te laten.'

Cyrus schudde zijn hoofd. De woedevonken waren even snel uit zijn blik verdwenen als ze erin waren ontvlamd. Hij zag er verslagen uit. De soldaat liet zich op een baal hooi zakken. Clout kwam stilletjes uit het donker en streek op Tors schouder neer.

Goed luisteren, jongen. Dit is belangrijk, zei de vogel.

Tor had geen flauw idee hoe Clout dat kon weten, maar die gedachte verdween meteen uit zijn hoofd toen Cyrus het begon uit te leggen.

'Ik heb de laatste tijd dromen gehad. De vrouw van wie ik de stem had gehoord in het woud – ze zei dat je op weg was om me te helpen. Wel, ik heb haar opnieuw gehoord.'

'Lys...' Tor fluisterde haar naam.

'Ja, zij. Ze waarschuwde me dat je Tal verliet voor een lange reis. Toen ik in het paleis arriveerde, gonsde het daar van de geruchten over je haastige vertrek.'

Cyrus stond weer op en kwam vlak voor Tor staan. Hij scheen te worstelen met de woorden die hij wilde uitspreken. 'Wat betekent dit allemaal?'

Tor was evenzeer in verwarring als Cyrus.

'Cyrus, ik zal u iets vertellen. Die keer dat we naar u toe kwamen in het bos, reden we 's nachts. U weet dat het onmogelijk is in één nacht van Hatten naar Brewis te rijden, maar dat hebben wij gedaan.'

'Jij en die vogel hier, bedoel je?'

Tor voelde zich onbehaaglijk. 'Ja.'

Opeens voelde hij de blik op zich gericht waarvoor de soldaten van de Koninklijke Garde hem hadden gewaarschuwd. Die blik had Tor niet meer hoeven te doorstaan sinds Cyrus op deze manier naar hem had gekeken in de Lege Bokaal.

'Tor, ik ben maar een gewone soldaat, maar het loont niet om zelfs maar de simpelste mens te onderschatten. Ben je dan vergeten dat je bij onze ontmoeting de naam hebt genoemd van de kreupele die met zijn oor aan een paal was gespijkerd?'

Tor keek hem bevreemd aan. Cyrus hielp zijn geheugen. 'Toen ik hem achterlijk noemde, of zoiets, heb je zijn naam gezegd. Ik ben er toen niet op ingegaan, ik liet jou maar doorbabbelen.'

Tor sloeg beschaamd zijn ogen neer. Hij was vakkundig in de val gelokt. Hij kon zich die fout nu goed herinneren.

Clout sprak. *Zeg het hem.*

Tor kon niet geloven dat Clout hem dit adviseerde.

Dit is geen moment voor spelletjes, drong de vogel aan.

Cyrus was zich niet bewust van deze stille conversatie, maar hij bleef Tor indringend aankijken. 'Zeg me de waarheid, jongen. Is deze valk de mismaakte man die door Corlin werd gefolterd?'

'Ja,' mompelde Tor.

'Wel, ik mag dóódvallen!' De primaat klapte in zijn handen. Hij begon zelfs te lachen. Het klonk demonisch. 'Ik wíst het! En jij hebt hem veranderd?'

Tor schudde zijn hoofd. Hij voelde zich diep ongelukkig. 'Nee, dat is in het Kernwoud gebeurd, nog voordat we u hadden gevonden.'

'Wie dan wel?' Cyrus liep om Tor heen en keek nieuwsgierig naar Clout. De valk was hem ter wille. Hij draaide zich met zijn beste kant naar de primaat toe en tilde zijn vleugels op om de schitterende kleuren van zijn borstveren te showen.

'Kort na onze aankomst in het Grote Woud heeft hij deze transformatie ondergaan.'

Cyrus hield op met rondjes lopen en werd weer serieus. 'Is de vrouw erbij betrokken? Deze Lys?'

Tor knikte. 'Ja. Verder weet ik er niet meer van dan u. Ik zei al dat we in Hatten waren. Om precies te zijn, ik was in een bordeel...'

'Hoe bestaat het!' zei Cyrus, die zijn humor weer terug had.

Tor negeerde de steek. 'En opeens riep Clout in mijn geest dat u in ernstige problemen was en dat we meteen naar Brewis moesten gaan.'

Cyrus onderbrak hem. 'Mocht de valk dan met jou mee dat bordeel in?'

'Nee...' Tor haalde diep adem en vervolgde: 'Clout kan met me communiceren... in mijn hoofd.'

'En jij ook met hem.'

Het klonk niet als een vraag, maar Tor gaf niettemin antwoord. 'Ja.'

De soldaat zuchtte verwonderd. 'Heb jij deze Lys ooit gezien of ontmoet?'

'Nee. Ze is nooit bij me geweest. Ik heb haar stem nooit gehoord, ook niet in mijn dromen. Ze is alleen op bezoek geweest bij Clout... en bij uzelf natuurlijk.'

Tor voelde aan dat Cyrus al had besloten zijn nuchtere verstand voorlopig maar uit te schakelen. Hij had nu Clout geaccepteerd, en magie, en het bestaan van links, en zelfs Lys. Hij gedroeg zich alsof hij een rapport door een van zijn manschappen in ontvangst nam. Tor constateerde het met eerlijke bewondering.

De soldaat dácht niet alleen op een zakelijke manier, hij praatte ook zo. 'En waar gaat het nu om? Waarom ren je weg van het paleis?'

Tor gaf graag antwoord. Het was plezierig dit eindelijk eens kwijt te kunnen aan iemand die hij vertrouwde.

'Ik ben het totaal oneens met onze Inquisitie, maar u zei het zelf al: Goth en zijn bende kunnen me niets maken. Ze hebben misschien vermoedens, maar geen bewijzen, en ik ben goed beschermd.'

Tor trok zijn vingers door zijn haren. Hij wist het zelf ook niet meer precies. Weinig dagen tevoren was het allemaal zo glashelder geweest.

'De koning vermoedt dat ik de Vermogenskunsten heb toegepast, maar heeft dat schijnheilig genegeerd, omdat hem dat beter uitkwam. Ik kon niet meer verdragen in zijn omgeving te blijven. De koningin kan het nu voelen, dat begrijpt u. Ze heeft er niets over gezegd, maar ik weet dat ze Goth tóch al had willen executeren, als het aan haar lag, omdat hij een moordzuchtige smeerlap is. Wat haar betreft, wordt de Inquisitie nog vandaag ontmanteld. Maar de koning schijnt bang te zijn voor krachten uit het verleden en houdt daarom die antieke wet in stand. Ik moest weg, vond ik. Verder moet ik zeggen dat Merkhud weet wat ik ben. Hij is op de hoogte van mijn vermogens en weet dat ik ze gebruik in mijn geneeskundige werk. Hij is doodsbang dat ik betrapt word. We hebben woorden gehad... ruzie. Het was echt beter dat ik vertrok. En toen zei hij dat ik dán ook maar de kans moest aangrijpen om meer over de geschiedenis van het koninkrijk te leren. Als ik de historische achtergrond van de Inquisitie ken, zo redeneert hij, zal ik misschien voorzichtiger en toleranter worden. Ik geloof dat hij vooral hoopt dat ik dan beter zal gaan oppassen.'

Cyrus leek niet overtuigd. 'Begrijp ik goed dat hij je dus eigenlijk op deze zotte missie naar Ildagaarde gestúúrd heeft?'

Tor dacht even na. In zijn hart wist hij dat het een dubieuze, maar niet onware formulering was.

'Welbeschouwd is het best een goed idee. Ik was toe aan een verandering van decor. Ik wil terugkeren naar het Kernwoud en ik wil proberen meer te weten te komen over Lys. In zekere zin lijkt zij in het brandpunt van dit alles te staan.'

Cyrus knikte. 'Op dát punt kunnen jij en ik het eens zijn. Het is waarom ik met je mee ga.'

'U gaat wát?' vroeg Tor geschrokken.

'Je hebt me verstaan. Ze heeft het me al opgedragen, dus je hoeft niet tegen te sputteren. Bespaar je de moeite. Ik ben evenzeer haar marionet als jij en de vogel dat zijn. En ik heb de afgelopen zes dagen mijn paard niet bijna dood gereden om je in te halen, om nu rechtsomkeert te maken.'

'Maar hoe kunt u weg? Wat moet het paleis zonder u beginnen?' Tor praatte bijna wartaal.

'Mocht het je ontgaan zijn, jongen, ik bén al weg. En ze kunnen het daar allemaal zonder mij even goed af als zonder jou. Ik begrijp er helemaal niets van en van jou ook niet, maar ik weet dat we met elkaar verbonden zijn, Torkyn Gynt, en ik weet ook dat ik samen met jou deze rare reis moet maken.' Hij keek Tor recht in diens stralend blauwe ogen. 'Laten we ons dus niet verzetten. Laten we het gewoon aanvaarden. Ik ben zo terug.'

Cyrus liep met grote, vastberaden stappen weg.

Tor keek naar Clout en blies zijn wangen bol. Hij was nu compleet in verwarring. *Wat vind jij ervan?*

Ik vind niks, ik concludeer, Tor. Cyrus heeft gelijk. Als Lys tegen hem ge-

sproken heeft, is zij kennelijk degene die voor ons beslist.

Maar wat betekent dat?

Stel me geen vragen die ik niet kan beantwoorden. Ik weet alleen dat wij drieën op een of andere manier met elkaar verbonden zijn. Wij beiden wisten dat trouwens allang. We moeten doen wat zij wil. Is er een alternatief?

Tor dacht erover na. *Je hebt gelijk. Maar er is iets waar ik sinds ons vertrek over gepiekerd heb: ik had eigenlijk veel meer verzet van de kant van Merkhud verwacht. Hij leek me té gemakkelijk in te stemmen met mijn afscheid. Ik denk dat hij meer weet dan hij me zegt.*

Clout was het met hem eens. Hij was zeer wantrouwend als het om Merkhud en diens beweegredenen ging.

❧

Na een goede nachtrust zette het eigenaardige trio zijn reis noordwaarts voort. Enige uren later streek Clout op Tors arm neer.

'Is er iets aan de hand?' vroeg Cyrus nonchalant aan Tor. Hij schudde zijn hoofd om aan te duiden dat hij het niet wist, want het was ongebruikelijk dat Clout op zijn arm kwam zitten.

Clout zocht eerst een juiste positie voor zijn poten. *Ik zeg dit nu pas, omdat ik erover wilde nadenken.* De valk keek Tor met één geel oog aan. *Lys is vannacht bij me geweest.*

Tor trok abrupt aan Timara's teugels en zij zette haar kalme drafje meteen stil.

'Er is dus wél iets aan de hand,' constateerde Cyrus, die zijn eigen paard ook liet stoppen.

Tor sprak hardop. 'Clout heeft zojuist besloten ons te melden dat Lys hem vannacht een bezoek heeft gebracht.'

Cyrus leek niet bijzonder verbaasd. 'En?'

We wachten, liet Tor Clout weten via hun link.

De vogel negeerde de hatelijke toon. *Een paar mijl ten westen van hier is een uitloper van het Grote Woud. Ze wil dat we die kant op gaan.*

En er was natuurlijk weer geen uitleg of toelichting bij, zei Tor geïrriteerd.

Wel, nou je erover begint, ik geloof dat ze ons uitnodigt voor een picknick in het bos. Het sarcastische antwoord van de wegvliegende valk bracht een blos op Tors wangen.

'Zeg op,' zei Cyrus botweg.

'Onze grote vriendin wil graag dat we een eindje in westelijke richting rijden tot we een uitloper van het Grote Woud bereiken.'

'En dan?'

'Dat is het. Meer weten we niet.'

Iets in de ongeruste uitdrukking op Tors gezicht maakte Cyrus duidelijk dat hij niet verder moest aandringen. 'Mooi. Ik weet wat ze bedoelt. Drie of vier mijl hiervandaan maakt de bosrand een flauwe bocht, waarna hij zich abrupt terugtrekt, zal ik maar zeggen. Dat halen we wel voor de avond, als we een beetje tempo maken.'

Hij praatte echt als een soldaat. Er bleek geen emotie uit zijn stem en vraagtekens plaatste hij niet meer. Dát was iets waarvoor Tor hem dankbaar was.

❧

Al voordat ze het Grote Woud in het oog kregen, voelden ze alle drie de vreemde aantrekkingskracht daarvandaan. Cyrus was er zich sterker van bewust dan zijn metgezellen. Toen ze langs de rand van het woud reden, werd hij steeds stiller en nadat de koele avond was gevallen, hoorden ze hem helemáál niet meer. Tor maakte zich zorgen. Sinds ze hadden besloten zich door Lys te laten leiden, had Cyrus roddeltjes uit paleiskringen verteld om hen allen afleiding te bezorgen van sinistere gedachten over hun eigen vreemde avontuur. Nu Cyrus zweeg, was er des te meer ruimte voor akelige verwachtingen.

Wat doen we nu? vroeg Tor aan Clout.

Nog niet het bos in gaan, zou ik denken. Lys wilde dat we een specifieke plek zouden vinden. We zijn er dicht bij, naar mijn gevoel.

Hoe kun je dat weten?

Vertrouw me maar. Ze wijst het ons wel aan.

Clout streek op zijn schouder neer. Hij had de hele dag hoog boven de hoofden van zijn metgezellen rondgezworven en het was fijn hem weer dicht in zijn buurt te hebben, moest Tor zichzelf stilzwijgend bekennen.

Ik denk dat we nu ons kamp moeten opslaan, dan kunnen we ons morgen bezighouden met het woud. Cyrus gedraagt zich hier ongewoon en in het duister kan een mens zich vergissen. De sfeer hier is al magisch genoeg, ook zónder dat iemand van ons de kluts kwijtraakt.

Tor knikte. 'Precies,' beaamde hij, iets te luid en iets te opgewekt. Hij hoopte Cyrus uit zijn broedende stemming los te rukken. 'Ik ga wat brandhout zoeken.'

Ik ga kijken of ik een maaltijd kan vinden, riep Clout, die al hoog boven de bomen zweefde. *Blijf alert*, waarschuwde hij nog.

Tor hield zich onledig met het aanleggen en ontsteken van een kampvuur, maar ook hij voelde het woud – het was alsof hij geroepen werd. Hij herinnerde zich de eerste keer dat hij dit vermogen had gevoeld, die dag waarop de transformatie van Clout had plaatsgevonden. Die keer had het vermogen hem verontrust, maar nu voelde hij zich erdoor beschermd.

Hij keek naar Cyrus, die zijn klusjes meer uit automatisme leek te doen dan omdat hij er met zijn hoofd bij was. Toen ze er hun gemak van hadden genomen en in de behaaglijke warmte op gedroogd vlees en brokken kaas zaten te kauwen, begon Tor een liedje te neuriën dat hij van zijn moeder had geleerd. Het had voor hem een kalmerend effect op de constante roep van het woud en de onrust die Cyrus uitstraalde. Tor had een aardige stem en hij zong nu ook de woorden van het slaapliedje. Toen hij naar de primaat keek om hem welterusten te wensen, zag hij tot zijn verrassing dat de soldaat stilletjes zat te huilen. Hij hield op met zingen.

'Dat was het lievelingsliedje van mijn vrouw.'

'Neem me niet...'

'Nee, nee, geeft niets. Leuk om het weer eens te horen. Ik heb het in de eerste jaren zo diep verdrongen, dat ik het helemaal vergeten was.'

'Mist u haar nog steeds, Cyrus?'

'Heel erg. Elke dag,' antwoordde hij.

'En er is nooit iemand anders gekomen?' Tor had zijn tong willen afbijten na die botte directheid.

'Vaak zat. Ik ben dol op vrouwen, net als jij, maar net als jij hou ik het oppervlakkig. Nee, er zal nooit iemand anders komen met wie ik mijn leven wil delen. Als je de ware liefde hebt gekend, zoals ik, dan neem je niet eens meer de moeite om ernaar te zoeken.' Er klonk geen spijt in zijn stem, alleen berusting.

Tor schudde zijn hoofd. 'Het moet beangstigend zijn om zó van iemand te houden.'

'Het is de enige manier om van iemand te houden. Ben jij nooit echt verliefd geweest, Tor?'

'Een keer. Maar ik ben haar kwijtgeraakt.'

'Dood?' Cyrus leek geschrokken.

'Nee. Althans, dat denk ik niet. Zij is nóg een reden waarom ik het paleis heb verlaten. Ik heb een vaag gevoel dat ik haar kan vinden, als ik hard genoeg zoek.'

Tor haalde zijn schouders op en gaf de wijnzak aan Cyrus, die er een dronk mee uitbracht.

'Op alle verloren zielen en liefdes dan maar,' zei hij, nu eindelijk met een glimlach.

Tor greep de kans aan. 'Cyrus, mag ik vragen wat er vandaag gebeurd is?' Hij hoopte dat zijn gevoel voor timing vanavond scherp genoeg was. 'Ik bedoel, waarom u zo in uzelf gekeerd was.'

De primaat zuchtte diep en strekte zich uit in zijn slaapzak. Hij draaide zich op zijn zij, met zijn rug naar de donkere schaduwen van het bos verderop.

'Heb jij het niet gevoeld?' vroeg hij.

'Wat?'

'Misschien lag het dan aan mij.' Cyrus fluisterde bijna. Zijn oogleden vielen dicht.

'Wat hebt u dan gevoeld, Cyrus?' Tor hield zijn eigen angst op afstand door zijn handen te warmen boven de vrolijk voortdansende vlammen van het vuur.

'Er kwam een golf van diepe droefenis over me heen. Het leek alsof alle verdriet dat ik in mijn leven heb gekend, alle melancholie, me opnieuw overweldigde... en toen was het opeens verdwenen.'

'Verdwenen?'

'Weggepoetst. Nu voel ik niets anders meer dan een brandende aandrang om het woud in te gaan. Ik ben bang voor dat gevoel. Voor wat het kan betekenen.'

Tor wurmde zich nu ook in zijn slaapzak. 'Maar Clout is erg blij dat hij nu weer hier is,' zei hij bij wijze van troost.

'En er is meer,' mompelde Cyrus. 'Ik heb ook een dwingend gevoel van... een lot dat me wacht.'

❧

De primaat was al een volle achtdag niet meer gezien. Herek was gewend aan zijn wisselende stemmingen; soms was het beter om Cyrus maar gewoon een poos met rust te laten. Hij had een complex karakter en kon dagenlang blijven broeden – soms op iets van vroeger, soms op iets van recente datum. Hij was iemand die diep nadacht en zelden met overijlde besluiten kwam.

Dit had een van die keren geleken dat het beter was Cyrus nergens mee lastig te vallen. Herek had daar geen moeite mee. Cyrus was nu eenmaal hun primaat. Ze waren meteen uit het zuiden teruggekeerd toen ze hoorden dat dokter Gynt het paleis had verlaten om naar het grote festival in Carembosch te gaan. Hij vertegenwoordigde dit jaar het koninklijk paar in plaats van dokter Merkhud, die zich niet lekker voelde.

Het was een logische gedachte om Gynt in zijn plaats te sturen, maar Cyrus had er merkwaardig op gereageerd. Hij was meteen na het horen van het nieuws in een rothumeur geweest en dat was uitgelopen op een van zijn inktzwarte perioden – en dan maakte de hele compagnie een grote boog om hem heen. Twee dagen later had hij Herek gezegd dat hij in het noorden een paar privézaken te regelen had en hem het bevel overgedragen tot hij terug was. Dat was nu al acht dagen geleden en

Herek begon zich zorgen te maken. Cyrus had er tijdens de patrouille slecht uitgezien. Hij had geklaagd over onrustige nachten en een vermoeiende opeenvolging van dromen. Herek had er op dat moment niet bij stilgestaan, maar besefte achteraf dat Cyrus toen al van slag was geweest.

Misschien gunde de primaat zichzelf een korte vakantie? Maar als professioneel soldaat zou hij dat zijn plaatsvervanger zeker hebben gezégd. Cyrus was er de man niet naar om zonder nader bericht langdurig te verdwijnen en toch was dat precies wat hij nu had gedaan. Hij had zijn paard meegenomen, wat proviand, wat spullen, en was vertrokken. Hij had niet eens formeel afscheid genomen van het koninklijk paar en ook dat was iets wat voor hem bijna ondenkbaar was. Herek kon echt niet meer ontkennen dat hij zich zorgen maakte en daarom had hij deze ochtend een gesprek met de koning gevraagd.

Hij wachtte in een aangrenzende kamer tot hij naar binnen mocht. Treek kwam meteen aan zijn laarzen snuffelen en liep toen achter hem aan de kamer in. Herek maakte een diepe buiging voor koning Lorys.

'Aha, Herek. Welkom. Een drankje misschien? Zelf dacht ik daarnet aan een koel biertje.'

'Nee, dank u, majesteit. Niet... in diensttijd.'

'Mooi, goed. Je wilde me spreken?'

'Ja, sire.' De soldaat stond nog steeds in de houding.

'Herek, ga zitten man, op je gemak.' Lorys wees hem een stoel aan.

Herek was liever blijven staan, maar ging zitten om de koning een plezier te doen. De hond kwam op zijn voeten zitten en dat was een onfrisse en onprettige ervaring. Herek schraapte zijn keel.

'Wat kan ik voor je doen?' De koning was bezig papieren op zijn bureau te ondertekenen.

'Het gaat over de primaat, majesteit.'

De koning keek op. 'Cyrus? Wat is er met hem?'

Herek vroeg zich opeens af of deze audiëntie wel een goed idee was. Cyrus kon elk moment terugkeren en dan had hij vast wel een hartig woordje te zeggen over het feit dat Herek achter zijn rug om, als een bezorgde oude tante, was gaan klikken bij de koning.

Hij schraapte nogmaals zijn keel.

Lorys keek hem nu strak aan. 'Spreek op, man. Wat zit je dwars? Wat is er met Cyrus gebeurd?'

'Hij is weg, sire.'

'Waarheen? Waarom?'

'Dat is het nu juist, hoogheid. Ik weet het niet.'

De koning legde zijn veer neer. 'Verdwenen, bedoel je? Zoals de vorige keer?'

'Ja... eh... niet precies, majesteit.' Herek voelde zich slecht op zijn gemak en trok aan de halsboord van zijn uniform. De hond maakte zijn voeten te warm en hij had spijt dat hij hierheen was gekomen. 'Hij vertrok vrijwillig en had het over privézaken.'

'Hoe lang geleden?'

'Acht dagen, majesteit. Maar het is niets voor hem om te vertrekken zonder informatie te geven over zijn bestemming of zonder nadien nog iets te laten horen.'

'Dat ben ik met je eens, Herek.' De koning krabde aan zijn korte baard. 'Hij komt me altijd melden wanneer hij op een missie vertrekt. Je maakt je terecht zorgen.'

Op dat moment werd de komst van Goth aangekondigd. Herek maakte aanstalten om op te staan, maar de koning wenkte dat het niet hoefde. Treek had zijn grote lijf niet in beweging gebracht en gromde zelfs wegens de storing.

'Laat hem binnen,' zei Lorys tegen zijn secretaris.

Goth kwam meteen en boog onderdanig voor de koning. Herek kreeg een knikje. De soldaat verachtte de inquisiteur en zag met leedvermaak dat Treek nu wel was opgestaan en aan Goths kruis snuffelde, tot zichtbare ergernis van de man in het zwart.

'Mijn koning,' zei hij, terwijl hij de enorme snuit van de hond van zich af duwde.

Treek was tevreden met het onbehagen dat hij bij deze ongewenste bezoeker had opgeroepen en drentelde bij hem weg.

'Goedendag, Goth. Je bent vroeg.'

'Stoor ik, majesteit? Moet ik straks terugkomen?'

'Nee, nee, je bent nu hier. Ik had juist een interessant gesprek met Herek hier. Kennelijk is primaat Cyrus verdwenen.'

Goth keek Herek aan met zijn varkensoogjes, die klein en donker waren, en nooit iets verrieden.

'Lieve help, dat zijn er al twee in een week. Eerst Gynt en nu de primaat. Misschien zijn ze bij elkaar?'

Lorys stond op en liep naar het venster. Herek greep zijn kans om nu ook op te staan.

'Lijkt me onwaarschijnlijk, Goth,' antwoordde de koning.

'Nou, ze zijn erg goed met elkaar. Misschien maken ze er een sport van om te verdwijnen en elkaar dan terug te vinden.'

De koning glimlachte om het grapje. 'Maar Gynt is op weg naar Ildagaarde en dan naar Carembosch, terwijl Cyrus... waar zei je ook alweer dat hij heen ging?' vroeg de koning aan Herek.

De soldaat wilde zo weinig mogelijk kwijt in het gezelschap van Goth. 'Naar het noorden, majesteit. Meer heeft hij me niet gezegd.'

'Ziet u wel, majesteit? Hoeveel noordelijker dan Carembosch kan een mens komen?' vroeg Goth.

De koning schudde zijn hoofd. 'Er moet ook een réden zijn, Goth. Maar het is inderdaad een vreemde zaak. Bedankt dat je me bent komen inlichten, Herek. Als we de komende twee dagen nog geen bericht ontvangen, kun je misschien een paar van je mannen op pad sturen om eens rond te kijken, ja?'

Herek was opgelucht en maakte een buiging. 'Zoals u wilt, majesteit.'

Goth mengde zich in het gesprek. 'Niet nodig, sire. Ikzelf vertrek binnenkort naar het noorden. Mijn mannen en ik zullen graag uitkijken naar een teken van de primaat. We zullen er echt werk van maken en overal de nodige vragen stellen om hem te vinden.' Hij glimlachte liefjes naar Herek, maar de soldaat kon bijna ruiken hoe huichelachtig die glimlach was.

'Nou, je hoort het, Herek,' zei de koning opgewekt.

Herek bedankte de mannen tandenknarsend en verliet de kamer. Dit zou Cyrus hem nooit vergeven. Hij bad dat de primaat terug mocht zijn vóór Goth de lol zou hebben om hem officieel te hebben opgespoord.

❧

De nasmeulende as van het vuur gaf in die koude nacht nog wat licht en warmte, maar de twee mannen waren weggezakt in een droomloze slaap. Clout daarentegen voelde zich rusteloos. Hij amuseerde zich in het gebladerte door het doen en laten van een kleine woelmuis gade te slaan, tot een beweging aan de rand van het bos zijn aandacht trok. Het wonder begon.

Tor! riep de valk in het hoofd van zijn slapende vriend. Hij liet zich van zijn tak naar beneden vallen en begon wild met zijn vleugels te fladderen.

Het was Cyrus die als eerste wakker werd en opsprong, met schrik in zijn ogen. 'Wel verdo...' Verder kwam hij niet, want hij werd sprakeloos van verbazing.

Tor stapte nu slaapdronken uit zijn slaapzak en alle drie zagen ze verbluft hoe een smal pad oplichtte en hun kant op kwam vanaf de rand van het Grote Woud tot de plek waar zij kampeerden.

Tor herinnerde zich de gouden druppels die de god van het woud op Clout had laten regenen toen deze zijn transformatie onderging. Nu zag hij ze opnieuw en tegen de achtergrond van de zwarte nacht waren ze nóg mooier. Hun hoeder, Darmud Coril van het Kernwoud, was erbij. Hij stond daar met uitgestoken armen en van zijn vingertoppen spatten die druppeltjes af. Er klonk een zacht getinkel, alsof glazen belletjes elkaar raakten door een briesje.

'Het lijkt de hemel wel,' zei Tor.

'Het lijkt op thuis,' zei Cyrus dromerig.

Wij moeten over het pad lopen, Tor, zei Clout zacht. Zijn stem was vol ontzag.

Cyrus was er al mee begonnen. Hij had een afwezige uitdrukking in zijn blik. Tor, met Clout nu op zijn schouder, volgde hem en legde een hand op Cyrus' schouder. Het leek hem gepast dat zij drieën het Kernwoud als één entiteit betraden.

Geen van de drie wist wat hun te wachten stond, maar Tor voelde dat magie van de krachtigste soort hem omringde. Zijn huid tintelde. De vorige keer dat dit gebeurde, had hij zijn vriend verloren. Hij zette die gedachte snel van zich af en concentreerde zich op de magie, waarvan hij de specifieke geur in zijn geheugen prentte.

De gouden druppels bleven lieflijk tinkelen. Toen ze tot bij Darmud Coril waren gekomen, torende hij hoog boven hen uit, als was ook hij een boom. Zijn kleren hadden boskleuren – een steeds wisselend palet van groene en bruine tinten. Zijn lange baard, die bijna tot de grond reikte, was stralend bespikkeld met kleurige bloemen die ze nooit eerder hadden gezien, en zo ook zijn zilvergrijze haren. De geïmponeerde bezoekers liepen door tot ze onder het bladerdak van het woud waren en daar lieten ze zich instinctief op hun knieën zakken en bogen ze hun hoofd.

Darmud Coril stak zijn hand uit en streelde Clout. Toen hij sprak, bleek zijn stem diep en zacht te klinken.

'We zijn blij in ons hart dat je thuis bent, Clout.'

Toen verschoof hij zijn hand tot deze op Tors schouder lag. 'Welkom terug, vriend van het woud.'

Tor dwong zichzelf op te kijken naar de vriendelijke groene ogen. 'Dank u,' kon hij slechts fluisteren.

Wees steeds veilig in ons midden, fluisterde Darmud Coril hem in zijn geest toe, zo zacht als een neerdwarrelend blaadje. Tor was zo geroerd dat hij wel had willen huilen. Hij weerstond zijn aandrang het spoor van de magie terug te volgen tot bij de god, maar prentte de signatuur ervan in zijn geheugen. Die zou hij nooit meer vergeten.

Toen was het de beurt aan Cyrus. Tor voelde dat de soldaat beefde.

De god sprak weer. 'Zo... Cyrus. Het Kernwoud is blij dat je geest en je leven weer in ons midden zijn teruggekeerd. Hoor je de Vlammen van het Firmament? Ze zingen voor jou, Kyt Cyrus. Ze heten je welkom thuis.' Zijn stem klonk zo oprecht meelevend, dat Cyrus zachtjes huilde van ontroering en verdriet.

'Stil maar,' zei Darmud sussend. 'Je bent hier thuis en in veiligheid, mijn jongen.'

Niemand van de drie begreep precies wat Darmud Corils woorden te betekenen hadden, maar ze beseften dat er iets wezenlijks plaatsvond. Achteraf zou Tor zijn eigen gebrek aan inzicht vervloeken, maar Clout zou beweren dat ze het geen van beiden hadden kunnen raden. Vooralsnog voelden ze zich alle drie gelukkig en blij binnen de beschutting van het Grote Woud en het Kernwoud zelf.

Ze genoten een diepe slaap. Toen ze wakker waren, legde Clout aan Tor een paar regels van het woud uit, want de twee mannen verbaasden zich over de genereuze hoeveelheid voedsel die voor hen klaarlag.

Alles wordt ons verstrekt. Zelf mogen we het leven hier niet doden, noch fruit of bessen plukken van de bomen en struiken. Ook mogen we geen vis vangen uit de beken, noch bomen of takken verbranden. Hij wachtte tot Tor deze woorden had herhaald voor Cyrus.

'Wie zorgt voor dit alles?' vroeg Tor.

Het bos, antwoordde Clout simpel.

Tor richtte zich weer tot Cyrus, maar deze stak zijn hand op. 'Hoeft niet. Ik kan het wel raden. Laat hem maar verder praten.'

Clout schudde zijn veren en nam een gewichtig air aan. *Heren, maak kennis met Solyana.*

Een grote wolvin, waarvan de zilveren vacht aan de puntjes wit gevlekt was, verscheen op de open plek. Ze bewoog zich met de soepele geruisloosheid van haar soort, maar haar ogen – glimmend zwart, ondoorgrondelijk – waren niet als die van andere wolven. Ze kwam op een drafje hun kant op. Beide mannen vertrouwden Clout, maar Cyrus greep niettemin naar zijn zwaard. Dat hing echter niet meer aan zijn zijde.

De wolvin sprak tot ieders geest, ook die van Cyrus. Voor hem was het een nieuwe ervaring. Het was alsof er een lemmet door zijn hoofd sneed, pijnloos maar koud. Zijn adem stokte.

Haar stem was fluwelig. *Ik zal jullie gids zijn. Samen reizen we door het woud en over een paar dagen arriveren we binnen een dagreis afstand van je bestemming, Torkyn.*

Dat kán toch niet? Het is nog zeker vier dagen rijden naar Ildagaarde.

Als wolven konden glimlachen, had Solyana het nu gedaan. Haar geamuseerdheid was in haar slimme ogen te zien.

In het Kernwoud zijn geen paarden nodig om te reizen en geen afstanden om voortgang te meten. Vertrouw me, Torkyn. Ik breng je sneller naar je doel dan via traditionele manieren en routes mogelijk is.

Tor knikte. Hij begreep dat hij op de magie van het woud moest vertrouwen en bovendien had hij nu al sympathie voor Solyana. Hij was benieuwd hoe het was om samen met een wolvin te reizen... en nog wel een bijzonder grote.

'Dus zó communiceren jullie met elkaar,' zei Cyrus. De verbazing in zijn stem deed Tor glimlachen.

'Mag ik het eens proberen?' vroeg Cyrus de wolvin.

Ze antwoordde met zijdeachtige stem in zijn geest. *Ik wil waarschuwen dat je alleen een link kunt openen als je een band hebt. Jij hebt die band niet, Kyt Cyrus. Maar er komen staaltjes van vreemde magie voor in ons Kernwoud, dus je mag het gerust proberen.*

Cyrus maakte een beleefde buiging voor de wolvin en kneep toen zijn ogen dicht. Hij trok grimassen alsof hij pijn had. Tor lachte.

'Lach me niet uit, lummel,' mopperde Cyrus hardop, maar goedgehumeurd. 'Je moest eens weten hoe frustrerend het is als jullie achter mijn rug om hele conversaties voeren.'

'Clout gelooft dat hij heeft verstaan wat u ons daarnet probeerde duidelijk te maken.'

Cyrus staakte zijn inspanning en keek Tor vol verwachting aan.

'Hij zegt: wat zou oorlog gemakkelijk zijn als je op deze manier met je manschappen in contact kon blijven.'

Cyrus keek verbaasd. 'Hoe weet hij dat? Kon je me horen, arm vogeltje?'

'Kennelijk goed gegokt, zegt hij,' antwoordde Tor, die zijn schouders ophaalde.

Solyana kwam met aanvullende instructies. *Eet goed, allemaal. We hebben vandaag een lange reis voor de boeg, maar we zullen een kalm tempo aanhouden.*

En onze spullen, Solyana? Moeten we wat dingen uitzoeken die we te voet kunnen meedragen?

Dank je, Torkyn, dat was ik bijna vergeten. Nee, laat alles hier, alsjeblieft. Er zal voor worden gezorgd. Jullie hebben voor je comfort niets nodig. Het woud zorgt voor rust, warmte, voedsel en badwater. Jullie zijn hier te gast en het bos is jullie gastheer.

Ze zag dat Cyrus iets wilde zeggen, maar ze was hem voor. *Voor de paarden zal goed worden gezorgd, Torkyn, en jullie krijgen ze terug als we de noordelijke rand van het bos hebben bereikt.*

Cyrus vond het lichtelijk irritant dat de wolvin zich met betrekking tot deze reis steeds alleen tot Torkyn leek te richten, maar hij zei er niets over. Ze knikten instemmend en gehoorzaamden toen aan hun knorrende magen, zonder zich zorgen te maken over de merkwaardige situatie waarin ze zich bevonden.

Tor bakte de vis boven een vuurtje dat door Cyrus was aangelegd van wat aanmaakhout en dode takken. Ze aten heerlijke bessen, die ze nooit eerder hadden geproefd, en gedroogde noten. Hun onbekende drankje was volgens Solyana melk van een gurgoon.

'Zulke dingen kunnen we beter niet vragen,' zei Cyrus, die de stroperige, boterkleurige vloeistof met smaak opdronk.

'Smaakt lekker,' zei Tor, die zijn lippen aflikte. 'Wat zou een gurgoon zijn?'

En ons ook niet áfvragen, waarschuwde Clout, die bezig was zijn snavel af te vegen. Voor hem was vers vlees klaargelegd. *Wat is woelmuis toch heerlijk!* zei hij toen pesterig tegen Tor, die hem het genoegen deed bijna te kokhalzen.

Solyana zei dat ze hun afval gerust konden laten liggen. *Ik snap het al*, zei Tor. *Daar zorgt het bos natuurlijk óók voor*. De klank van haar aangename lach vulde zijn hele hoofd.

Daarna vertrokken ze in een opperbeste stemming. Clout vloog behendig tussen de boomtoppen door en Solyana had aan een kalm drafje genoeg om de grote stappen van Tor en Cyrus bij te houden. Onderweg wisselden ze verhalen uit. Solyana vertelde over haar leven in het bos en Cyrus hoorde nu voor het eerst Tors verhaal vanaf het begin – die breideling in Kruising Tweevoorde.

Hoewel de dagen al aanzienlijk koeler waren geworden en ze hoog in het noorden waren, terwijl de winter snel naderde, hadden de twee mannen geen dikkere kleding nodig. In het bos liepen ze in een prettige warmte over de zachte bodem, met vlinders om zich heen – soorten die zelfs in het zuiden allang dood waren in deze tijd van het jaar. Het werd pas laat donker, maar toen wel snel en drastisch, op een manier die het bos iets spookachtigs gaf.

Zou dit een geschikt plekje voor de nacht zijn? vroeg Solyana beleefd.

Cyrus zag dat onder een van de bomen een voorraadje voedsel klaarlag. Hij schudde verbaasd zijn hoofd. 'Zeg onze wolvin dat het een ideale plek is, bedankt.'

Ze leek dit te begrijpen zonder dat Tor het hoefde te herhalen. Ze wenste iedereen een aangename nachtrust en verdween toen tussen de bomen. Cyrus legde een vuurtje aan en Tor stelde uit de proviand een avondmaal samen.

Slaapzakken hadden ze niet nodig. De bodem was donzig. Clout ontspande zich deze keer volledig en doezelde weg in een vogelslaapje, terwijl de twee mannen na het eten zacht zaten te praten. Tor liet zich overhalen om een liedje te zingen en hij koos een pikante ballade over een man die verliefd werd op elke vrouw die hij tegenkwam. Het amuseerde Cyrus en Tor vond het fijn hem weer te horen lachen. Kort daarna lagen ze beiden in een diepe slaap.

De tweede dag verliep volgens hetzelfde patroon. Solyana verscheen toen de mannen zaten te ontbijten. Er volgde een lange, incidentloze wandeling. De wolf leidde het gezelschap in noordelijke richting over een pad door het bos dat zich telkens nét enkele passen voor hem uit scheen te vormen.

Ze waren ook die avond niet moe, evenmin als de vorige, en voelden zich op hun gemak en optimistisch toen ze ten slotte in de beschutting van de bomen in slaap vielen.

Maar deze nacht droomden ze beiden.

18

Het verhaal van Orlac

Tor voelde tijdens zijn slaap de aanwezigheid van Lys. Toen ze zich eindelijk aan hem bekend maakte, was hij noch geschrokken, noch verbaasd. Maar hij had veel vragen voor haar.

Aanvankelijk sprak ze niet. Hoewel hij sliep, voelde Tor dat de stenen die hij in een zakje om zijn hals droeg, vonkten in felle kleuren. Tor bespeurde macht. Immense macht.

Hallo, Lys.

Wat goed dat je me kent! Het stemmetje was zo kwetsbaar als een sneeuwvlok.

Ik heb u verwacht, vervolgde hij, zelf verbaasd over zijn kalme gedrag.

Het spijt me dat ik zo lang heb gewacht voordat ik me aan jou bekend maakte, Tor.

Het beviel hem als ze hem Tor noemde. *Wilt u me uitleggen wat er gaande is?*

Zo goed als ik dat op dit moment kan, fluisterde ze. *Stel je vragen, Tor Gynt.*

Hoe lang kent u me?

Je hele leven. Zelfs al vóór je geboorte.

Hij wilde dat meteen al tegenspreken, maar beheerste zich.

De mensen die mij hebben opgevoed, Jhon en Ailsa Gynt, zijn pleegouders, niet mijn echte vader en moeder.

Is dat een vraag? zei ze vriendelijk.

Hij bloosde van verlegenheid en probeerde het op een andere manier.

Wie zijn mijn echte ouders?

Je vader heet Darganoth en je moeder heet Evagora.

Zijn ze begiftigd?

Nou en of! Haar stem verried dat die vraag haar amuseerde.

Mij is gezegd dat ze dood waren. Is dat zo?

Nu was haar stem ernstig. *Ze leven.*

Dat choqueerde hem. Hij besloot het onderwerp voorlopig te laten rusten.

Maar ze houden in alle eeuwigheid van je, zei ze nog.

Hij vroeg verder. *Leeft Alyssa?*

Dit was een vraag die Lys graag leek te beantwoorden. Hij hoorde het enthousiasme in haar stem. *Ze leeft. Ze is een buitengewoon innemende vrouw.*

Denkt ze ooit aan mij? Die vraag ontglipte hem.

Vroeger was haar hoofd elke dag vol van jou. Nu denkt ze nog maar zelden aan je. Het doet haar pijn. Alyssa heeft nu een nieuw leven.

Houdt ze van iemand anders? Zelfs na vijf jaar was dat een onverdraaglijke gedachte.

Dat heb ik niet gezegd. Alyssa heeft na jou geen enkele romantische liefde meer gekend. Maar ze is gelukkig met het leven dat ze leidt.

Kan ik haar vinden? Wilt u me helpen?

Ja, op beide vragen. Tor, er is iets wat wij met elkaar moeten delen voordat je wakker wordt.

Tor besefte dat hij nog heel veel vragen voor haar had en dat het onzeker was wanneer en óf ze elkaar weer zouden spreken, dus hij praatte op gejaagde toon.

Waarom ben ik zo bijzonder, Lys?

We zijn allemáál bijzonder, Tor.

Sufferd. Stel niet zulke stomme vragen! Hij was kwaad op zichzelf. *Ben ik voorbestemd tot iets speciaals, Lys?*

Zeer zeker.

Wilt u me zeggen wát?

Laten we dit voorlopig als je laatste vraag beschouwen, jongen. En in plaats van antwoord te geven, laat ik je liever iets zien, als je het niet erg vindt.

En in zijn slaap voelde hij een briesje over zijn gezicht waaien, terwijl er mistslierten om hem heen kringelden. Het was opeens koud. En toen de nevel optrok, zag hij een paleis voor zich. Het weelderigste paleis dat hij ooit had gezien. En hij bewoog zich door marmeren gangen en zag de prachtige zalen en kamers. Iedereen in dat paleis was uitzonderlijk mooi: de groten en de kleinen, alle huidskleuren. Stuk voor stuk waren die mensen magnifiek. Maar hoewel hij veel zag, kon Tor niets horen.

Nu keek hij in een grote, helder verlichte zaal met hoge boogvensters en een schitterende mozaïekvloer en hoge marmeren pilaren. Hij zag een vrouw die zojuist een baby met gouden haartjes had gebaard. Het kind huilde en de vrouw snikte van blijdschap, alle barensnood al vergeten nu ze haar volmaakte zoontje in haar handen hield. Tor zag een lange man die de zaal binnen kwam rennen. De vroedvrouwen bedekten snel het nog ongewassen lichaam van de moeder en knielden toen allemaal met gebogen hoofd voor de man.

Hij had donker krullend haar en stralend blauwe ogen. Hij knielde naast het bed en streelde het vlasblonde haar van de vrouw, waarna hij met zichtbare trots op zijn knappe gezicht heel voorzichtig het handje van de boreling vastpakte.

Opeens was Tor buiten. Hij zag trompetters, maar nog steeds hoorde hij niets. Er had zich een menigte verzameld. Het paar verscheen op het balkon. Hun zoon – nu iets ouder – werd door zijn vader vastgehouden. Het publiek juichte en klapte. Tor zag het echtpaar langzaam verkrampen, toen de stroom van bezoekers maar aanhield en de vader telkens weer gevraagd werd om de baby in de hoogte te houden.

Tor nam aan dat het jongetje een prins was en dat de koning en de koningin kennelijk geen andere kinderen hadden. Dat kon verklaren waarom er zo emotioneel werd gereageerd op deze geboorte.

Goed, hoorde hij Lys in zijn hoofd fluisteren.

Toen zag hij de moeder huilen. Ze legde iets uit aan de koning, die knikte. Vervolgens zag Tor het koninklijk paar door een mooi, zonverlicht bos slenteren. Alleen zij tweeën en het kind. Geen hovelingen. Ze waren gelukkig en hadden nu rust. De baby was gegroeid tot een peuter die kraaiend in moeders armen lag.

Voor hen uit verscheen trillend een bergweide die nog mooier was dan het bos waarin het koninklijke gezelschap wandelde. Ze bleven staan. Hun verbijstering veranderde in nieuwsgierigheid... althans bij de koning. De koningin bleef voorzichtig.

Tor zou graag de conversatie hebben gehoord, maar hij kon alleen maar toezien. Er stroomde daar een beekje naar beneden, waarvan het sprankelende water onnatuurlijk fel glinsterde. Bloemen van een soort die hij zich alleen in een droom kon voorstellen, deinden sierlijk in een licht briesje. Hij verbeeldde zich dat hij hun zware, exotische geuren kon ruiken.

De koning trok zijn echtgenote zacht mee naar de bergweide. Tor voelde gevaar. Hij wilde schreeuwen dat ze moesten blijven staan. Lys suste hem. Ze deed het door een vederlichte aanraking, heel even maar.

Ik laat je iets zien wat lang, lang geleden is gebeurd, Tor.

Waarom?

Omdat je dit moet weten.

Ja, maar...

Sst. Kijk, drong ze aan.

Het stel zat nu op de weide, het jongetje tussen de benen van zijn vader. Tor verbaasde zich over de verschillen tussen de twee. Niemand zou vermoed hebben dat ze vader en zoon waren. Het kind had licht golvend gouden haar en paarse ogen, terwijl de haren van de koning bijna zwart waren en zijn ogen blauw.

Lys, er gaat iets ergs gebeuren. Tor durfde bijna niet meer te kijken.

Lys zei niets. Tors maag kromp ineen toen hij zag dat de koningin ging liggen. De koning was al weggedoezeld. Even later vielen ook de oogleden van de koningin dicht.

Tors aandacht concentreerde zich nu op het kind, dat was weggedribbeld om bloemen te plukken. Het was een erg mooi jongetje. Tor vermoedde dat hij zich zou ontwikkelen tot een knappe man. Geen wonder dat zijn ouders trots op hem waren. Hij was een perfecte erfprins voor hun troon... waar die ook stond.

Tor kon niet zien van wie de arm was die vanuit de donkere achtergrond naar het kind reikte. De jongen zelf zag de arm ook niet aankomen, hij had het te druk. Zijn moeder schrok wakker en keek paniekerig om zich heen, en ze wekte de koning toen ze hem of het kind bij zijn naam riep. Juist toen de koningin zich omdraaide en haar zoon zag, die drie fleurige bloemen in de hoogte stak, greep de indringer het kind beet. En hij trok de prins weg, een mistige grijze holte in.

Tor bevond zich opeens aan de andere kant van dat grijze gat. Hij zag vol afschuw dat de dieven – ze waren half mensen, half beesten – uit een bosje wegrenden en een zandpad volgden. Ze jaagden elkaar op en droegen de prins bij zich.

Tor had geen tijd voor meer dan een glimp. Achter die scheur in het transparante, trillerige scherm kon hij de twee zien: de koningin op haar knieën gezakt, de koning met een gezicht dat tot een grimas van verdriet was bevroren.

Nu zag hij het dievenpaar opnieuw, maar in andere kleren en op een andere plaats. Ze legden een bundeltje achter wat struiken en gingen een nabije herberg binnen. Ze waren duidelijk niet uit die plaats, maar de andere klanten schenen hun aanwezigheid heel normaal te vinden. Ze dronken staande ieder een beker bier, heel snel, en toen wees een van hen naar een man die over een tafel gebogen lag. De andere grijnsde. Ze liepen naar hem toe en vroegen hem waarschijnlijk of ze bij hem mochten komen zitten. Hij scheen geen antwoord te geven, maar ze namen niettemin plaats. Er was iets aan die man dat aan Tors onderbewustzijn knaagde. De man zag de nieuwkomers met zijn diepliggende, verdrietige ogen aan. Het leek alsof hij daar in de kroeg zijn ellende zat weg te drinken.

De drie kwamen met elkaar in gesprek en Tor maakte uit de lichaamstaal van de derde man op dat hij nu belangstelling had voor wat de twee dieven hem vertelden. De drie keken schichtig om zich heen, nadat de derde man met een van de dieven knokkels tegen knokkels had geslagen. Tor wist hiervan dat het in vroeger eeuwen een ritueel was geweest dat van alles kon betekenen, van een simpel welkom tot en met de bezegeling van een overeenkomst.

In dit geval leken ze een handeltje te hebben afgesproken.

De man volgde de dieven naar buiten. In het donker leken ze alle drie nerveus te zijn. Het bundeltje werd overhandigd. De man die hem bekend voorkwam, sloeg een hoek van de deken op en Tor zag dat zijn gezicht zich verzachtte door een glimlach, die hij goed kende, maar toch nog niet kon thuisbrengen. Toen haalde hij een beurs uit zijn zak, die hij de dieven toewierp. Ze waren meteen daarna weg.

Nu zag Tor hem een huis binnengaan. Er verscheen een vrouw. Ze bracht haar hand naar haar mond om een gil te onderdrukken. De man praatte snel en legde haar het kind in de armen.

Weer knaagde er iets aan Tors geest toen hij de man zag. Hij herkende hem niet, maar toch zag hij er vertrouwd uit. Hij zag dat het paar het kind liefdevol behandelde en vaak kuste, precies zoals hij het de echte ouders nog maar enkele minuten eerder had zien doen.

Het visioen vervaagde, de mistflarden keerden terug. Tor was weer alleen met Lys. Hij wilde heel graag zien hoe het verder ging met dit kind.

Je hebt gelijk, Tor. De jongen is een prins. Maar hij is geen gewone prins. Hij is een prins van de Kring.

Van de goden? vroeg Tor ongelovig.

Ja. Er bestaat een fenomeen, vervolgde Lys, *dat bekend staat als de Bergweide. Het kiest zelf wanneer het zich manifesteert, waar dat gebeurt en aan wie van de Kring. Het is een plek die zindert van hoge magie, want ze heeft de capaciteit om andere werelden aan te raken. Binnen de Kring waarschuwt men elkaar om zich nooit de Bergwei op te laten lokken. Deze koning had beter moeten weten... en wist ook beter.*

Het zijn goden, Lys! Waarom konden ze hun zoontje niet redden?

Omdat het goden met hun machtige vermogens niet is toegestaan een andere wereld binnen te gaan. Dat zou beide betrokken werelden instabiel maken en het weefsel van hun structuur vernielen.

Waarom heeft het kind dan geen ravage veroorzaakt?

Nou, dat kwam nog, zuchtte ze. *Laat het me verklaren. Een pasgeboren kind is zich niet bewust van zijn vermogens. Het is ook nog te zwak om daar veel mee uit te richten. Toen de jongen geroofd was, heeft hij het land waarin hij binnenkwam dus amper verstoord. Maar als de koning en de koningin iets anders hadden gedaan dan passief toezien, zou hun wereld nu stervende zijn – en die van jou ook*, legde ze uit.

En de dieven die in die andere wereld graaiden om de jongen te stelen?

Ze worden Vuilophalers genoemd. Leden van een ras dat leefde van de kruimels die andere rassen lieten liggen. Zwervers die geen domein hebben dat ze het hunne kunnen noemen. Gelegenheidsdieven. In de loop van de eeuwen zijn ze uitgestorven.

Wat er is met de jongen gebeurd?

Ze zuchtte. *Hij groeide op zonder iets van zijn afkomst te weten, net zomin als zijn nieuwe ouders dat wisten. Zij hebben ervoor gekozen hem niet te vertellen dat hij niet echt hun kind was.*

Had hij vermogens?

Máchtige vermogens! Gelukkig waren deze ouders zelf ook begiftigd. Vooral de vader, die een echt talent was. Je moet weten dat dit plaatsvond in een periode van bijzondere harmonie en tolerantie, toen de mensen met magische vermogens vredig samenleefden met de mensen die ze misten. Er was toen geen Inquisitie.

Tor kon zich een wereld zonder inquisiteurs bijna niet voorstellen.

Lys vervolgde haar relaas nu in een wat hoger tempo. *Hij groeide op als een ontevreden, rusteloze jongen, maar wist dus niet waarom. Zijn ouders besloten dat ze hem het beste naar de Academie in Goudsteen konden sturen. Jij kent die plaats nu als Carembosch. Daar werd hij als acoliet aangenomen onder het bewind van meester-tovenaar Joromi. Alles leek een jaar of twee goed te gaan, maar toen begon de prins zich te vervelen en werd hij ongedurig in alles. Hij was veel machtiger dan iemand zich ooit had kunnen voorstellen en toen hij oud genoeg was om dat zelf in te zien, begon hij zijn vermogen in te zetten tegen de harmonie binnen de Academie. Ze hadden geen verweer. De jongen was te onvoorspelbaar en te gevaarlijk geworden. Zijn ouders besloten tot een gevaarlijk experiment, namelijk een bundeling van hun eigen krachten om de zijne te beknotten. Zoiets was nooit eerder geprobeerd – het was ook nooit eerder nódig geweest – maar als ze de jongen konden 'dempen', wat volgens een oude theorie mogelijk moest zijn, zouden ze tijd winnen om over een meer permanente oplossing na te denken. De jongen kreeg lucht van het plan. Jaren van opgebouwde frustratie en woede kwamen tot uitbarsting. Goudsteen werd op gruwelijke wijze verwoest.*

Heeft hij een hele stád geruïneerd? Was Tor wakker geweest, dan zouden zijn ogen hebben geglommen van ontzag.

En binnen enkele momenten meer dan tweeduizend mensen gedood, antwoordde Lys op droeve toon. *Ik ben al te lang bezig met dit verhaal, Tor. Sta me toe het nu snel af te ronden. Ik heb de pleegvader van de jongen bezocht en hem bijna een hartstilstand bezorgd met mijn verhaal. Ik heb hem uitgelegd dat zijn zoon een prins van de goden was, maar opgesloten in een sterfelijk lichaam. We hebben een plan bedacht. Het was gewaagd. De vader lokte zijn zoon naar een plaats in de buurt van Goudsteen, die Rune heette.*

Het is een van de zeldzame poorten die ons toestaan met de Kring te communiceren. De vader heeft zijn zoon het ware verhaal verteld en hem gedwongen te praten met zijn echte ouders. Van onze kant was het natuurlijk puur, gemeen verraad. Er was geen sprake van een gesprek. In plaats daarvan heeft de Kring een link gelegd en met gebruikmaking van de vader als medium een buitengewoon knappe en gecompliceerde demping geweven. Ik zal nooit vergeten hoe schril de jongen zijn vertwijfeling uitschreeuwde toen hij besefte wat hem overkwam.

Had hij niet gewoon...

Terug kunnen keren? vulde Lys aan.

Ja.

Tor hoorde haar verdrietige zucht. *Ik heb je gezegd dat werelden daardoor uit balans kunnen raken. Het is te gevaarlijk. In plaats daarvan heeft de Kring hun prins in de krachtigste betoveringen gevangengezet. Op hun eigen manier hebben ze hem zo beschermd.*

Tor fronste zijn voorhoofd. *Lys, wie bent u zélf?*

Hij had een gevoel alsof hij haar zag glimlachen. *Ik zwerf tussen de werelden door, Tor. Ik behoor niet tot de Kring en ik ben ook niet iemand uit jouw volk. Ik ben een soort hoeder van werelden. Ik help de balans in evenwicht te houden.*

Het was Tor duidelijk dat ze niet alles vertelde en dat ze haar woorden met zorg koos. Ze praatte verder.

Ik heb tien bewakers bij elkaar gezocht, één uit elk van de belangrijkste volken die toen in de Vier Koninkrijken woonden. Deze tien vormden de Paladijn. De Paladijnen hebben hun gevangene in zijn toverkerker van licht naar een geheime plek gebracht.

Bedoelt u dat hij nog leeft?

Hij leeft. De Paladijn bewaakt hem nog steeds, maar hun inspanningen beginnen te falen. Eeuwenlang heeft hij zich hevig verzet tegen de magie van de Kring en het uithoudingsvermogen en de talenten van zijn cipiers. Langzaamaan begint hij dit duel te winnen. Hij kent geen genade. Hij voedt zich met zijn haat en zijn wanhoop na het verraad door allebei zijn vaders, en met zijn onwrikbare wraakzucht.

Tor slikte moeilijk. *Zal hij losbreken?*

Vrijwel zeker. En dan zal hij terugkeren naar Tallinor om af te maken waarmee hij begonnen was.

Lys, fluisterde Tor, die een paniek voelde opkomen, *waarom hebt u mij dit verhaal verteld?*

Omdat jij hem moet tegenhouden, Torkyn Gynt, antwoordde ze. Haar stem stierf weg.

Wacht! riep hij. *Wat is zijn naam?*

In jouw wereld heet hij Orlac.

Tor voelde dat Lys zich van hem verwijderde. En er brak bewustzijn tot hem door. Hij was bezig wakker te worden.

Lys... alstublieft, zeg me hoe zijn aardse pleegvader heette! Ik moet het weten!

Haar antwoord drong als een fluistering van heel ver weg in zijn geest binnen. *Zijn naam is Merkhud.*

Toen werd Tor wakker.

Ook Cyrus droomde die nacht. Lys kwam bij hem en sprak teder als een minnares.

Solyana komt je nu snel halen, dappere soldaat.

Moet ik haar volgen? Zijn stem klonk verdrietig.

Het is je lot, antwoordde ze.

Ik zou liever dicht bij Tor blijven.

Nee, Cyrus, je tijd met Tor is vooralsnog over. Hij heeft zijn weg te gaan en jij de jouwe. Je hebt nu een veel grotere taak voor de boeg. Het is een buitengewoon kostbaar geschenk dat we je geven.

Ik ben bang, Lys. Ik heb de dood vaak onder ogen gezien, maar deze keer ben ik er bang voor.

Het is niet je lot om te sterven, vriend van het Kernwoud. Je moet lang leven. Het bos omarmt je als iemand van de zijnen. Het houdt van je. Je hebt sterk en vol overtuiging weerstand geboden ter wille van de Paladijn. Nog slechts drie ervan houden zich staande. Spoedig zal Orlac losbreken en we moeten andere taken voltooien voordat hij ontsnapt. En jouw taak is de belangrijkste van allemaal.

Cyrus had geen idee waarover ze het had, maar er jeukte iets in zijn geheugen toen ze de Paladijn noemde.

Lys... Tot zijn verbazing hoorde Cyrus angst in zijn stem. *Wie ben ik?*

Jij bent een van de Paladijnen. Je bent een bewaker. Ze is al hier, Cyrus. Wees kalm. Ook zij houdt van je.

Cyrus keek om zich heen. Hij zag Tor half in elkaar gerold op de zachte grond liggen, en andere vertrouwde dingen, plus de gestalte van Solyana, die daar roerloos stond te wachten. Haar ogen straalden eeuwige vriendschap uit.

Kom je mee? Haar ontspannen toon stelde hem gerust.

Vaarwel, Cyrus, riep Lys hem na.

Hij was vergeten wat hij daarnet zo dringend had willen vragen. Het was hem ontschoten op het moment dat Solyana tegen hem sprak. Dus nu volgde hij haar langzaam. Het leek alsof zijn voeten de zachte grond amper beroerden. Solyana liep slechts een halve pas voor hem uit, geruisloos. Cyrus legde zijn hand op haar dikke zilveren vacht. Ze vond het niet erg. De wolvin leidde hem door een smalle passage die zich voor hen opende en ze waren al snel ver bij Tor vandaan. Cyrus hoopte dat Clout oplette, maar in zijn hart wist hij dat de valk hem niet had zien vertrekken.

Hij zuchtte toen hij in zijn droomwandeling een open plek bereikte. Er hing daar een zware geur. Het leek alsof wel duizend bloemen tegelijk zich hadden geopend om hem welkom te heten. Boven de rand rondom de open plek hing een overhuiving van dicht gebladerte, die betoverend werd verlicht door de Vlammen van het Firmament, die dansten en flikkerden en een zacht rinkelend geluid maakten. In het midden van deze sprookjesachtig verlichte cirkel stond Darmud Coril. Om hem heen hadden zich dieren van het Kernwoud verzameld – allemaal magisch – om getuige te zijn.

Cyrus voelde dat zijn lichaam tot kalmte werd gebracht. Zijn hartslag werd trager, zijn ademhaling dieper. Hij besefte dat zijn ogen open waren en keek naar zijn hand, die diep in de vacht van Solyana was gestoken. Haar onverstoorbare houding stelde hem verder gerust.

Welkom in onze familie, Cyrus, zeiden de dieren in zijn geest.

Hij huilde, zo blij was hij erbij te mogen horen.

Darmud Coril wachtte even tot de soldaat zich had vermand. Toen Cyrus de moed vond hem in zijn ogen te kijken, was hij niet meer bang, maar voelde hij zich opgetogen. Cyrus glimlachte en de god van het Kernwoud beantwoordde die glimlach.

Je hebt in ons midden je bloed vergoten, Kyt Cyrus. Je bent een broeder van de schepselen in het bos en je bent door de godin Lys als beschermer gekozen. Darmud Coril sprak zacht, maar was helder te verstaan.

Er volgde stilte. Zelfs het tinkelen van de vlammen was verstomd. Geen blad verroerde zich.

Beschermer van wat, almachtige? vroeg Cyrus met gefronst voorhoofd.

Van wie, corrigeerde de god hem vriendelijk. *Je zult te zijner tijd meer vernemen, zoon. Weet nu alvast dat je bent verkozen. Je bent kostbaar. En voortaan zal het Kernwoud jou beschermen.*

Toen richtte Darmud Coril zich tot zijn schepselen. *Sluit hem in jullie hart, kinderen.*

Cyrus zag dat de vuurtjes hoog oplaaiden en een feller schijnsel verspreidden dan tevoren, en het geluid van tinkelend glas klonk weer op in de stille nacht.

De schepselen sloten zich in die kring van licht hecht aaneen en Cyrus, die zich nog steeds vasthield aan de vacht van de wolvin Solyana, werd welkom geheten en opgenomen in de Ring van het Kernwoud. Zijn laatste gedachte was een inzicht, een begrijpen.

Aha, Solyana, dáárom sprak je alleen tot Tor over onze reis door het woud. Zelf ga ik niet verder mee.

Helaas kwam deze boodschap niet bij haar aan, want Cyrus had geen band met de wolvin. Nog niet.

Tor schrok wakker. Hij herinnerde zich alle droomscènes die Lys hem had laten zien en ook haar schokkende onthulling over Merkhud. Hij schudde ongelovig zijn hoofd, maar wist dat het waar was. Lys had geen reden om te liegen.

Clout landde op de grond naast hem. De vogel zag er ontdaan uit.

Cyrus is weg.

Tor keek om zich heen. *Wat bedoel je met weg?*

Verdwenen. Vertrokken. Afwezig. Niet meer hier.

Waarheen dan? Het ontviel Tor.

Tor, als ik dat wist, had ik niet vanaf zonsopkomst boven het bos hoeven te vliegen om hem te vinden. Cyrus is niet meer bij ons.

Tor sprong verontwaardigd overeind. *Wat een onzin! Waarom zou hij weggaan? En nog wel zonder ons iets te zeggen? Waar wil hij naartoe?*

Precies. Dat zijn de dingen die ik me al honderd keer heb afgevraagd.

De valk kon het inderdaad zelf ook nauwelijks geloven. Clout wist zeker dat hij het grootste deel van de nacht alert was geweest. Hij had een scherp gehoor en zou zelfs tijdens zijn lichte slaap door het kleinste geluidje gewekt zijn.

Tor harkte met zijn hand door zijn haren en keek hulpeloos om zich heen, alsof hij door een bezorgde blik alléén Cyrus terug kon toveren.

Juist op dat moment verscheen Solyana. Haar woorden smoorden hun vragen in de kiem.

Wees niet ongerust, Torkyn. Kyt Cyrus is in veiligheid. Hij is waar hij thuishoort.

En waar is dat dan wel? vroeg Clout. Hij zag dat Tor hem verwijtend aankeek wegens zijn sarcastische toon.

Hij hoort thuis in het Kernwoud, vriend Clout. Vannacht hebben we hem formeel welkom geheten.

Tor beet op zijn lip en proefde bloed. Alweer een vriend kwijt aan Lys. Hij was een stommeling. Hij had dit meteen moeten zien aankomen, vanaf die vlammetjes en hun begroeting door Darmud Coril!

Solyana, zeg je ons nu dat Cyrus hier zal blijven? Dat hij niet verder met ons mee reist?

Zo is het.

Reden voor nieuwe ongerustheid. *Waarom?*

Omdat hij dit moet. Omdat Lys hem heeft uitgekozen. Omdat Darmud Coril hem welkom heeft geheten als lid van het Kernwoud. Omdat, besloot ze op weemoedige toon, *het zijn lot is.*

Tor legde een link met Clout. Hij wist dat Solyana hem niet kon horen.

Cyrus zei iets in deze geest voordat we het woud binnengingen. Hij was bang. Hij had het over een dwingend gevoel van een lot dat hem wachtte.

Clout sprong op Tors schouder. Het voelde veiliger aan als ze elkaar nu aanraakten. *Dan moeten we doorgaan. Als Lys deze weg voor hem heeft gekozen, is dat een onderdeel van het grotere patroon dat zij weeft.*

Hoe kun jij dat zo gelaten accepteren, Clout? Hij keek naar Solyana, die geduldig stond te wachten.

Doordat ik ben wat ik nu ben. Ik was een kreupel gedrocht van een mens. Ze heeft me in deze valk veranderd. Ik geloof in de toverkracht van het Kernwoud. Het heeft ons uitsluitend veiligheid en liefde gegeven. Ik vertrouw het bos. Als het Lys welkom heet, dan hebben wij ook van háár niets te vrezen. We moeten haar vertrouwen... en we weten bovendien dat Cyrus in veiligheid is.

Nu sprak de wolvin. *Misschien willen jullie iets eten?* stelde ze beleefd voor. Ze richtte haar blik op het voedsel dat een eindje verder op boombladeren was klaargelegd. *En dan moeten we verder. Het zal onze laatste reisdag samen zijn. Vanavond bereiken jullie Ildagaarde.*

19

Xantia

Alyssa stapte achter Xantia langs toen ze de eetzaal van de Academie verlieten. Zoals altijd was het middagmaal een luidruchtige bedoening geweest. Zij gaf de voorkeur aan de stilte van de bibliotheek.

'Weer naar je kerker?' riep Xantia haar na. 'Bang voor zonlicht?'

Alyssa keek om naar de jonge vrouw die haar plaaggeest was geworden. Ze wist dat Xantia en haar meelopers haar probeerden te provoceren en alleen een excuus zochten om haar te ergeren.

Ze kon zich niet herinneren wanneer precies hun vriendschap in het tegendeel was omgeslagen. Tot dan toe hadden ze een prachtig paar gevormd: Alyssa, met haar gouden haren, zachtgroene ogen en ingetogen gedrag, had fraai gecontrasteerd met Xantia's ravenzwarte haar, donkere huid en vurige temperament. Beiden waren opgegroeid tot prachtige vrouwen en voordat de welvingen van de volwassenheid zich om hun botten hadden gevormd, waren ze vriendinnen geweest.

Toen Alyssa vijf jaar geleden op spectaculaire wijze via het dak in Carembosch arriveerde, was Xantia een opstandig meisje van ongeveer dezelfde leeftijd als zij. Ze had geen vriendinnen op de Academie en compenseerde haar eenzaamheid door een hooghartige houding. Die middag in de vroege herfst waren de meeste vrouwen in Ildagaarde. Elke achtdag stond de Academie haar leden toe daar naar de markt te gaan en de meesten maakten gebruik van deze vrijheid. Xantia werd door de anderen maar zelden meegevraagd, want iedereen wist dat ze humeurig was en de leuke ontsnapping aan de regels en plichten vaak bedierf. Wanneer zij in haar eentje over de markt liep, terwijl de anderen in groepjes plezier maakten, voelde Xantia zich nóg eenzamer. Daarom bleef ze vaak in Carembosch.

Zo kwam het dat Xantia die dag een van de eersten was die de opschudding voor de poort hoorde en de allereerste die naar het dak was gegaan. Daar was een vreemde naast haar komen staan, de dame die eerder die dag met ouder Iris had gesproken. Ze was overstuur en riep dat haar kleindochter Alyssa buiten de muren van de Academie belaagd werd en in de val zat. Anderen waren erbij gekomen, maar te laat om het jonge meisje weg te sturen. Xantia had daardoor gezien hoe de verachte inquisiteurs en hun gehate leider een hulpeloze man hadden gemarteld. Ze hoorde van de ontdane bezoekster dat het Sakson Vos van het circus Zorros was en dat hij samen met haar en hun kleindochter voor de inquisiteurs op de vlucht was.

Tijdens haar jaren op de Academie was Xantia er vaak van beschuldigd dat ze een kille aard had. Sommigen fluisterden zelfs dat ze harteloos was. Ze haatte haar leven in gevangenschap – want zo zag zij het – en de saaie routine van alledag. Elke afwisseling, zelfs een bloedige, was welkom. Toen Sakson gefolterd werd, viel het haar op dat hij bijna geen geluid maakte, op een zacht, dierlijk gegrom na. Ze was ook getuige geweest van de moord op de jongens. Hun verwonderde glimlach na Alyssa's toverachtige acrobatiek was om een of andere merkwaardige reden nog steeds op hun gezicht te zien toen hun dode lichamen naar binnen waren gebracht.

Iedereen was geschokt geweest door het geweld, maar de nieuweling zelf was wekenlang in die toestand gebléven. Alyssa staarde alleen maar met glazige ogen voor zich uit en reageerde noch op woorden, noch op aanrakingen. Zelfs maaltijden leken voor haar een beproeving te zijn. Ze wilde niets anders eten dan brossen – de lokale dunne maaltijdsoep – en zelfs deze moest haar worden opgedrongen. Xantia, die gefascineerd werd door de nieuwkomers, wist zeker dat Alyssa toen gestorven zou zijn als Sorrel haar niet met krachtige hand had gevoed en verzorgd.

Pas nadat de man die door de inquisiteurs voor dood was achtergelaten, strompelend in Alyssa's kamertje was verschenen, was Alyssa geleidelijk weer een beetje normaal gaan doen. In het begin had ze gebeefd en was ze uren blijven huilen.

Xantia had vrijwel meteen gevraagd of ze de nieuwkomers mocht helpen. De ouderen hadden haar toestemming gegeven, blij dat hun acoliet eindelijk eens wat medeleven en belangstelling voor anderen toonde. Dus had ze vele middagen het samenzijn van de Klook en Alyssa gadegeslagen. Ze voelde dat er een band was tussen hen beiden, maar er werd nooit een woord gesproken. Xantia wilde daar dolgraag méér van weten.

Sakson had zijn leven behouden dankzij de inspanningen van Sorrel en de ouderen, maar hij had er een hoge prijs voor betaald. Na de aanvallen door de inquisiteurs had hij geen ogen en geen tong meer. De laatste was uit zijn mond gesneden en aan de honden gevoerd. Zijn verbrijzelde armen waren niet goed genezen en hingen scheef aan zijn lichaam. Zijn benen waren zo ernstig misvormd dat hij nauwelijks kon lopen en zelfs Xantia zag dat zijn rug nooit meer recht zou worden. Hij zou de rest van zijn leven mank en gebukt strompelen als een oude man. En wat zijn spraak betrof, liever dan te grommen verkoos hij te zwijgen en slechts te communiceren door middel van knikjes en andere hoofdbewegingen, en af en toe een schouderophalen. Het was echter duidelijk dat hij Alyssa aanbad en juist dát maakte Xantia zo nieuwsgierig.

De weken verstreken die herfst en winter zonder dat de gasten aanstalten maakten om te vertrekken. De ouderen stelden Alyssa voor om lid te worden van de Academie. Ze hadden met Sorrel gesproken en wisten dat het meisje met magie begiftigd was. Alleen de Academie kon haar bescherming bieden.

De oude dame had het genereuze aanbod in dank aanvaard, op voorwaarde dat ook Sakson mocht blijven. Dat mocht, maar hem was niet toegestaan in het gebouw zelf te komen. In plaats daarvan verzorgde hij de dieren en deed hij andere klussen op het terrein. Hij sliep in de hooischuur en at zijn maaltijden eenzaam in een van de kleinere tuinen.

Wanneer ze Alyssa nu zag, herinnerde Xantia zich nog steeds dat háár onvermoeibare inzet het meisje ten slotte uit haar lethargie had gerukt. Sakson had dan misschien haar gezonde verstand weten te redden, maar het was Xantia die haar levenslust had hersteld. Wie haar nu zag, vijf jaar later, kon nauwelijks geloven dat deze vrouw dezelfde was als dat timide meisje van toen. Alleen op zeldzame momenten was nog te zien dat ze littekens meedroeg. Ze weigerde om over haar leven te praten en verstijfde onmiddellijk wanneer de naam Goth viel.

Alyssa antwoordde op Xantia's aanval. 'Ik heb nog veel werk te doen in het archief.'

Xantia liet haar daarmee niet wegkomen, zeker niet nu ze een gehoor van twee jonge, gemakkelijk te imponeren acolietjes bij zich had.

'Alyssa, ben je niet wijs? Heb je niet gehoord wat ouder Mai heeft aangekondigd? Er kan elke dag een bezoeker uit Tal arriveren. Er is een ijlbode geweest. Koningin Nyria is ziek, zodat noch zij, noch onze knappe koning hier op bezoek kan komen.'

'Het interesseert me niet erg.'

Xantia stootte een van haar vriendinnen aan. 'Doe niet zo vroom. We weten dat we nergens aan mogen komen, maar we zijn van vlees en bloed. We hebben nog het recht om te...' Ze zocht naar het juiste woord en koos voor 'kwijlen', waarmee ze inderdaad een lacherige reactie aan de twee jongere meisjes ontlokte.

Alyssa wilde niet betuttelend overkomen, maar zelf had ze het gevoel dat ze in haar gesprekken met Xantia altijd het akelige Brave Zusje uithing. 'Je speelt met vuur. Waarom je druk maken over een man, als je er toch nooit een mag hebben?'

Xantia negeerde het antwoord en grijnsde naar de andere meisjes. Heel even moest Alyssa denken aan de vriend waar ze zo dol op was geweest.

'Ik hoorde dat ze meestal die oude dokter sturen en die is helemaal niet lollig. Maar deze keer niet, dat heb ik van ouder Mai zelf gehoord. Er komt dus misschien iemand die jong en lang en knap is.' Xantia deed alsof ze al zwijmelde.

'Maar het kan ook een middelbare dikkerd met een slechte adem zijn,' merkte een van de meisjes op.

Zelfs Alyssa moest erom glimlachen, maar ze wilde nog steeds weg. Xantia zou de conversatie zo dadelijk wel weer misbruiken voor een lelijke steek haar kant op, en Alyssa had geen zin om dat af te wachten.

Xantia sloeg haar armen theatraal over elkaar. 'Geen sprake van. Deze keer niet. Ik weiger dat te geloven.'

'Waarom maak jij je hierover zo druk?' vroeg een van de meisjes.

'Omdat het de enige keer per tien jaar is dat we de kans krijgen om met een man te dansen, sufferd! Tijdens het festival zijn de regels versoepeld. En onze Alyssa hier...'

Daar komt het, dacht Alyssa.

'... is een schoonheid, waarmee iederéén toch wel een hele avond wil dansen?'

Alyssa keek Xantia minachtend aan. 'Je kunt je geest beter op je werk richten dan op mannen. Weet je niet meer wat je status is?'

Ze had meteen spijt van die woorden, want ze wist dat ze Xantia hiermee precies gaf wat ze nodig had.

'Hoe kan ik die ooit vergeten?' snauwde ze. 'Ik zou willen dat ik hier nooit naar toe was gebracht. Ik had liever mijn kansen tegenover Goth geriskeerd!'

Voordat ze in de gang verdween, zag Xantia dat Alyssa's gewoonlijk beheerste gezichtsuitdrukking onmiddellijk ijskoud werd. Ze haalde haar schouders op, zeer content dat ze Alyssa weer een wrede slag had kunnen toebrengen.

Xantia vond het verschrikkelijk dat ze in de Academie gevangenzat. Ze was niet bang voor Goth, ondanks het feit dat haar eigen begiftigde moeder door de inquisiteurs was aangepakt. Als ze ooit de goed bedoelende dorpelingen tegenkwam die haar naar de Academie hadden gebracht, zou zij ze de huid vol schelden. Die oude woede was in Xantia nooit bedaard. Ze had een hekel aan álles wat bij de Academie hoorde:

de vroomheid, de ijzeren routine, de onnatuurlijke houding tegenover mannen en vooral het feit dat ieders talenten gedwongen onder curatele werden gesteld. Anders dan de meeste andere vrouwen daar had zij niet vrijwillig voor Carembosch gekozen. Xantia wist dat ze een veel krachtiger talent had dan haar moeder, en ze was graag vrij gebleven.

Ze raakte het schijfje archaliet op haar voorhoofd aan. Ze probeerde voortdurend een manier te bedenken om ervan af te komen, maar dat was onmogelijk. Ze had alles geprobeerd. Het was een ondoordringbaar schild. Als jonge acoliet had ze vaak tot bloedens toe geprobeerd het schijfje los te peuteren. Bij een van die gelegenheden hadden de ouderen haar met treurige stem in herinnering gebracht dat een schijfje archaliet op het voorhoofd van een begiftigd meisje daar voor altijd vastzit.

'Er bestaat geen macht in het koninkrijk, noch brute kracht, noch magisch vermogen, die sterk genoeg is om het te verwijderen. Je moet het zien als een deel van jezelf, meisje,' had ouder Iris haar aangeraden.

Maar Xantia kón er gewoon niet aan wennen en werd geobsedeerd door het verlangen haar leven als acoliet te kunnen ontvluchten.

Toen twaalf manen geleden Helene was gestorven, werd aangekondigd dat uit de oudere acolieten iemand tot ouder zou worden benoemd. Xantia kon haar oren niet geloven. Ze was al zeventien jaar op de Academie en in al die tijd was nog nooit iemand tot ouder gepromoveerd. Dit was haar kans. Eindelijk een gelegenheid om de boeien te verbreken en een zekere mate van vrijheid, status en autoriteit te verwerven. Zelfs een kans om in het koninkrijk rond te reizen.

Xantia begon te dagdromen. Ze zag zichzelf in de toekomst als hoofdouder. Dát was iets om naar te streven! Het idee van toekomstige macht sprak haar zodanig aan, dat ze aan niets anders meer kon denken. Binnen de kortste keren had ze er zichzelf van overtuigd dat niemand geschikter was voor die positie dan zij. Zij was immers jaren langer dan alle andere acolieten op de Academie. En ze was buitengewoon intelligent, dat gaven zelfs haar grootste opponenten toe. En het belangrijkste van alles: haar specialiteit was een onderwerp dat de anderen links lieten liggen. Ze had de Duistere Kunsten tot haar domein gemaakt en niemand kon zich zelfs maar in de verte met haar meten als het ging om kennis van deze krachten en hun geschiedenis. Haar publicaties over de Duistere Kunsten kenden in het hele land geen weerga.

Maar toen was de klap gevallen. Toen ze een kortere weg via een tuin nam, hoorde ze daar bij toeval twee van de meest gerespecteerde ouderen praten over de waarschijnlijkste keuze uit de vier kandidaten voor de vrijgekomen positie van ouder. Tot wanhoop van Xantia hadden beiden zich resoluut uitgesproken voor steun aan Alyssa. Ze wist dat hun stem gewicht had onder de ouderen. Als Alyssa die stem kreeg, waren haar eigen kansen bijna verkeken. Erger nog, ze wist maar al te goed dat de hoofdouder zelf ook tot de bewonderaars van Alyssa behoorde.

Zonder dat ze het bewust van plan was, was Xantia zich vanaf die lentedag geleidelijk tegen haar hartsvriendin gaan keren. Aanvankelijk had zich dit gemanifesteerd in de vorm van nukkigheid en daarop had de immer geduldige Alyssa met haar gewone gelatenheid gereageerd. Tegen de komst van de zomer had Xantia kritiek op bijna alle aspecten van hun vriendschap.

Het was haar jongste strategie om te proberen Alyssa een figuur te laten slaan in de ogen van haar mede-acolieten. Tot nu toe was dat niet gelukt. Alyssa kwam telkens onbezoedeld uit de zwartmakerij. Wel had Alyssa aan het begin van Doodblad eindelijk haar geduld verloren. Ze beschuldigde Xantia van leugens en intriges. Xantia had Alyssa toen verweten dat ze aan een zielige vorm van waanideeën leed.

Vanaf dat moment had Alyssa het opgegeven. Ze aanvaardde dat er tussen hen beiden geen vriendschap meer over was. In de drie maanden hierna had ze een beleefde afstand in acht genomen, terwijl Xantia elke kans had aangegrepen om haar te provoceren.

Zoals ook die ochtend weer. Ze was niet eens echt gesteld op de twee meisjes die om haar heen hingen, maar ze leek er populair door en had er een gewillig publiek aan als dat nuttig was. Maar nu had ze voorlopig genoeg van de twee novicen en vroeg ze hun om alleen gelaten te worden. De meisjes hadden hun nut weer even gehad.

Daarna liep Xantia een beetje doelloos door de gangen van de Academie, waarvan de meeste prachtig beschilderd waren. Ze zag niets van die kunstwerken. Haar geest was elders en haar ogen waren blind. Toen ze weer tot zichzelf kwam, bleek ze in het grote voorportaal te zijn aangekomen, onder de hoge bogen. Die marmeren constructie maakte altijd diepe indruk op de bezoekers. Xantia woonde nu al bijna haar hele leven in deze pracht, maar ze besteedde er zelden aandacht aan.

Wie wel haar aandacht trok, was Sakson, die over de voorhof naar de poort strompelde. Wat was die blinde gek van plan? Het was niet een van de dagen dat er dingen bezorgd werden en dat gebeurde trouwens meestal via de achterpoort. Ze zag dat hij het luikje van het kijkgat opende en zijn oor bij de opening bracht. Wat moest hij ánders, dacht ze wreed. Daarna opende hij een iets groter luikje, waarna hem een rol perkament werd toegestoken. Deze was niet verzegeld en viel open.

Xantia herkende met haar scherpe blik het koninklijke wapen in het lakzegel dat aan de brief hing. Ze zag dat Sakson het betastte met zijn vingers.

'Licht, hij is er al!' fluisterde ze.

Xantia zag dat Sakson de poort opende, waarna hij nederig knikte naar de lange man die te paard naar binnen kwam rijden. Saksons handen zochten naar de teugels van het paard. Toen gaf hij de reiziger de brief terug en wees in de richting van het voorportaal, waar Xantia stond. Ze voelde zich betrapt en dook weg achter een van de pilaren – net op tijd, naar ze hoopte. Toch gluurde ze nog even. De man was adembenemend.

De blik van zijn onwaarschijnlijk blauwe ogen richtte zich zoekend op de schaduwen van ruimte waarin zij zich verborgen hield. Xantia had het gevoel dat al haar gebeden beantwoord waren. Dit was nu eens een schitterende kans om het gezelschap van een man te genieten. De volgende gelegenheid zou zich pas over een tien jaar voordoen, maar tegen die tijd zou ze een oude vrouw van bijna dertig zijn.

Deze kans zou ze niet verspillen.

Terwijl hij doorliep naar de entreehal, lapte Xantia het hele protocol aan haar laars. Ze haalde diep adem, streek haar rok glad en stapte uit de schaduwen.

'Goedemiddag, meneer, welkom in de Academie.'

Ze boog diep en was blij dat de snit van haar acolietenkleren mooi paste bij haar ranke figuurtje en dat ze haar glanzende haren vandaag los droeg.

Hij bleef staan. 'Aha, ik meende al dat ik iemand had zien bewegen. Dank u... eh...'

'Ik ben Xantia. Het spijt me dat u niet de ontvangst krijgt die we voor onze koninklijke gasten reserveren, maar we hadden u niet zo snel verwacht.' Ze glimlachte naar hem en greep de gelegenheid aan om zijn oogstrelende verschijning goed te bekijken.

Tor was geamuseerd. Hij kwam in de verleiding om haar te vragen hoe ze wist dat hij namens de koning kwam, maar het was te lang geleden dat hij een schoonheid van deze allure had gezien. Na Eryn niet meer, om precies te zijn, en van haar dwaalden zijn gedachten onwillekeurig af naar Alyssa. Hij besloot dus maar liever van dit moment te genieten, zonder plagerij, hoewel hij zich Merkhuds waarschuwing nog ten volle bewust was. Het meisje stond beleefd te wachten.

'Ja, ik heb sneller kunnen reizen dan ik had gedacht. Ik hoop dat mijn voortijdige aankomst geen problemen oplevert, Xantia?'

Zelfs zijn stem was verrukkelijk.

'Helemaal niet. Het is een welkome afwisseling voor ons allemaal, meneer,' antwoordde ze flirterig en ze genoot van het effect van haar kokette woorden, want dat herkende ze aan de fonkeling in zijn ogen.

'Mijn naam is Torkyn Gynt. Ik ben de plaatsvervangende lijfarts van het koninklijk paar en ik zie het als een grote eer dat ik hier mag zijn.'

Hierna kondigde het geluid van geagiteerde stemmen de komst van de ouderen Iris, Mai en Ellyn aan, dus van meer conversatie kon geen sprake zijn.

Xantia maakte blozend een reverence.

'Acoliet Xantia!' zei ouder Iris berispend.

Er zou ongetwijfeld straks nog iets voor haar zwaaien, wist Xantia, maar ze bleef zedig naar haar tenen kijken. De regels mochten tijdens de feestweken dan wat losser zijn, Xantia was nu te ver gegaan. Ze zag het aan hun strakke gezichten, toen ze een schuine blik in die richting waagde.

'Ouderen,' zei hun bezoeker en hij maakte een diepe buiging.

Daarna stelde hij zich nogmaals formeel voor.

'Ik ben plaatsvervangend lijfarts Torkyn Gynt, gezant namens hunne majesteiten koning Lorys en koningin Nyria, en hier aanwezig in plaats van dokter Merkhud, die zich dit jaar te zwak voelde om te reizen. Ik moet me verontschuldigen voor mijn onverwachts vroege aankomst.' Hij gaf hun geen gelegenheid om iets terug te zeggen. 'Ik geloof dat ik de blinde man bij de poort verkeerd heb begrepen. Hij zei niets, maar uit zijn gebaren leidde ik af dat hij wilde dat ik hier zou wachten.'

Hij laste een korte pauze in om de charme van zijn glimlach royaal de kans te geven de drie gezichten die hij zag te ontdooien. Het schoot nog niet op.

'En uw zeer attente Xantia, die toevallig langskwam, heeft me beleefd begroet. Ze wilde u gaan halen, maar ik ben bang dat ik haar even heb opgehouden door over de prachtige architectuur van dit voorportaal te beginnen.' Hij wees met beide handen naar de pilaren en gewelfbogen en gaf tevens een knipoog aan Xantia.

Ze moest zich inhouden om zichzelf niet dieper in de problemen te werken. Hij had geknipoogd! Ze aanbad hem.

'Misschien kan Xantia tijdens mijn verblijf uw permissie krijgen om me die delen van de Academie te tonen waarin ik toegang heb?'

Ze kon haar oren niet geloven en had moeite om haar gezicht in de plooi te houden. De ouderen konden hem dit niet publiekelijk ontzeggen. Nu kuste hij de dames een voor een de hand, zoals dat formeel hoorde, en gaf ouder Iris de brief van de koning die hij bij zich had.

Haar stem was nog wat koel, maar Xantia constateerde dat de oude dame begon te ontdooien. 'Wel, dokter Gynt, we zijn blij dat uw reis snel en voorspoedig is verlopen. Hoe gaat het met de koningin?'

'Ik zag haar nog vlak voor mijn vertrek uit het paleis en ze herstelt uitstekend.' Hij wachtte beleefd. Zijn stralende blauwe ogen waren ontwapenend.

'Dat is goed nieuws.' Ze deed warempel een poging te glimlachen.

'En onze lieve vriend, dokter Merkhud?'

'Hij is goed vooruitgegaan, ouder Iris. Nog wat broos na een recente ziekte, maar het gaat steeds beter. Hij is natuurlijk bijzonder teleurgesteld dat hij tijdens dit bijzondere feest niet bij u kan zijn.'

'We zullen hem missen,' liet nu ook ouder Mai zich horen.

Xantia voelde dat de sfeer was opgeklaard en was blij dat ze haar aanwezigheid waren vergeten.

Ellyn, de minst stoffige van de ouderen, glimlachte nu eindelijk ook. 'Heeft Sakson uw bagage van u overgenomen, dokter Gynt.'

'Dat heeft hij, dank u. Misschien kan ik wat stof van de reis van me af wassen en me dan straks bij u voegen? Ik heb nieuws en cadeaus van Merkhud bij me.'

Ze bogen.

Ouder Iris sprak nu tegen Xantia. 'Wijs onze gast zijn kamers.'

Xantia was verrast en verheugd dat deze taak haar werd toevertrouwd. Ze maakte een snelle buiging voor haar ouder.

'En Xantia...'

Ze draaide zich om en zag dat het gezicht weer streng keek. 'Ja, ouder Iris?'

'Het vrije uur is bijna afgelopen. Daarna meteen weer aan je werk, alsjeblieft.' Er was iets in haar toon dat Xantia waarschuwde dat ze zich voorlopig zeer stipt aan de regels moest houden.

'Dank u,' mompelde ze bij het weglopen tegen Tor.

'Niets te danken. Zijn ze altijd zo vrolijk?' vroeg hij.

'Ik begrijp u niet – ouder Iris was opgetogen.' Ze lachte om haar grapje. 'Meende u dat, over die rondleiding?'

'Natuurlijk! Maar ik weet niet of de Zusters van Blijdschap het toestaan.'

Xantia lachte onderdrukt om deze oneerbiedige kenschets van de vrouwen die ze als haar cipiers zag. Torkyn Gynt was een heerlijke frisse windvlaag in haar leven en ze zou proberen elk moment van zijn aanwezigheid te genieten. Ze koos de langste route die ze kon bedenken om hem naar het bijgebouwtje naast de stallen te brengen, dat al weken geleden in gereedheid was gebracht.

'Zijn we er al?' vroeg hij toen.

Dat vraagje heeft ze later ettelijke keren in haar geest herhaald. Hoorde ze een vleugje spijt in zijn mooie stem?

'Ik hoop dat het u hier zal bevallen, dokter Gynt,' zei ze, waarna ze de deur opende en opzij stapte.

Sakson kwam naderbij gestrompeld. Tor vond het moeilijk om niet naar de lege oogkassen van de man te staren. Hij probeerde zich voor te stellen hoe een zo gruwelijke verwonding had kunnen plaatsvinden. Sakson wees naar Tors zadeltassen, die hij al in de kamer had gezet, en verdween toen naar de stal.

'Dat is een man van weinig woorden,' zei Tor.

'Nou, dat komt misschien doordat hij niet kan praten. Goth heeft zijn ogen uitgestoken en zijn tong weggesneden, om een paar dingen te noemen.' Xantia zag de schok op Tors gladde, open gezicht. 'O, u kent de hoofdinquisiteur natuurlijk.'

'Ik zou willen van niet,' antwoordde hij op kille toon. 'Het spijt me vreselijk dit akelige verhaal te horen.'

'Nou, het is nog veel erger. Maar dat is een lang verhaal, en ze villen me als ik niet op tijd terug ben.'

'Dank je, Xantia. Ik vond het leuk je te ontmoeten en hoop dat we de kans krijgen om nog eens met elkaar te praten. Ik zou graag Saksons héle verhaal horen.'

Hij nam haar hand en gaf er een licht kusje op. Er ging een rilling door haar hele lichaam.

Tor, wees voorzichtig, waarschuwde Clout hem via hun link. De valk zat op het dak van de Academie.

Vlieg op, vogel, en ga een andere prooi zoeken, antwoordde Tor.

Je speelt met vuur, drong de vogel aan. *Ik heb honger en ga inderdaad jagen, maar jij zou de jacht voorlopig moeten opgeven, vind ik!* En toen haalde hij zijn gewone truc uit door de link eenzijdig te verbreken.

❧

Xantia was vast van plan de dokter weer te zien, met of zonder permissie. Ze bloosde om haar eigen gedachte, maar haastte zich toen weg, deze keer via een route die langs de kamer van ouder Iris voerde, zodat deze vanachter haar werktafel vol papieren met eigen ogen kon zien dat ze echt naar de studiezaal terugkeerde.

Daarna werd ze hulpeloos naar hem teruggelokt, via gangen die ramen hadden waardoor ze hoopte een glimp van hem op te vangen, en ze had het geluk dat ze hem bij de bron zag staan. Hij had zijn hemd uitgetrokken en zijn gezicht en haren waren druipnat. Ze wist dat hij haar niet kon zien, dus ze voelde zich veilig, weer achter een behulpzame pilaar, en durfde zijn mooi gespierde lichaam in alle rust te bekijken.

Tor wist natuurlijk dat ze naar hem staarde. Hij lachte van binnen en rekte zich speciaal voor haar een paar keer uit en schudde zijn haren droog. Als ze dan tóch een man zag, mocht ze er ook van genieten. Hij vond het vreselijk dat een leuke jonge acoliet als zij hier zou wegkwijnen tot ze een verdord oud dametje zoals die ouderen was geworden.

Xantia durfde niet al te lang te treuzelen en liep op haar tenen verder. Tor voelde dat ze vertrok en dacht aan Alyssa, die nu ongeveer even oud was als deze lieftallige jongedame. Puur automatisch probeerde hij een link met Alyssa te leggen, hoewel hij na al die jaren van stilte niets verwachtte. Inderdaad stuitte hij op de welbekende wand, maar leek het alsof deze nu iets minder ondoordringbaar was? Hij hield ermee op en droogde eerst zijn haren en gezicht. Toen probeerde hij het nog eens. Jawel, het was anders dan anders. Niet zo meedogenloos afwerend.

Hij voelde een spoor van opwinding. Lys had hem gezegd dat Alyssa in leven was en dat zij hem zou helpen haar te vinden. Misschien was dit een eerste stap. Misschien was ze niet eens erg ver weg.

Alyssa was niet furieus, zoals Xantia had gehoopt, maar wel van haar stuk gebracht. Dat gebeurde steeds als Goth ter sprake kwam. Ze kon zich de weken na de aanval amper herinneren en ze wílde dat ook niet. Het aanzien van de pijn van Sakson, de moord op die jonge jongens... Nee, daar wilde ze nooit meer aan denken.

In die eerste weken was het wegdromen in het Groen haar enige toevlucht geweest. Dus ze was geschokt toen Sakson zich opeens met zijn geestelijke stem had laten horen, zoekend naar haar. Hij was toch dood? Hoe kon hij dan nog met haar praten? Ze dacht dat ze het zich inbeeldde, maar ze ging er toch op in en zocht naar de bron van zijn stem, en toen ze eindelijk haar ogen opende, zag ze dat het waar was. Hij leefde nog!

Hij zag er nu heel anders uit, maar de zwarte wondgaten op de plek waar zijn stralende ogen hadden gezeten, maakten haar niet bang. Zijn misvormde ledematen – ooit deel van een sterk en prachtig acrobatenlichaam – boezemden haar geen weerzin in. De stem die haar via hun link bereikte, was nog dezelfde en dat was genoeg. Ze had zich in zijn geknakte, scheefgegroeide armen geworpen en had zich veilig en kalm gevoeld.

Alyssa was zich lange tijd niet bewust geweest van Xantia, hoewel ze achteraf begreep dat de jonge vrouw vanaf het begin bij haar moest zijn geweest – altijd attent, altijd behulpzaam. Alyssa sprak met Sakson en Sorrel via een link, tot haar dit vermogen een paar jaar geleden werd ontnomen op het moment dat ze werd geaccepteerd als acoliet van de Academie.

Sorrel had haar bevestigd dat ze door de ouderen waren aanvaard en dat ze wisten dat Alyssa een begiftigde was. Ze boden hun bescherming aan. Alyssa was naar de grote zaal gegaan, waarin alle leden van de Academie zich hadden verzameld. Na een korte ceremonie had ouder Iris een mooi groen schijfje uit een fluwelen zakje gehaald en het op haar voorhoofd gedrukt. En daar zat dat schijfje nu nog steeds. Ze was daardoor een volwaardig lid van Carembosch geworden, een Onaanraakbare. Dat gaf haar een veilig gevoel.

Xantia had voorzien in haar behoefte aan een vriendin. Het meisje was grappig. Ze maakte Alyssa aan het lachen en ze werden snel dikke maatjes, hoewel Alyssa nooit iets onthulde over haar leven. Dit was voor haar een nieuw begin. Haar kalme leventje aan de Academie beviel haar goed en ze gaf al spoedig blijk van een ongeëvenaarde aanleg voor archiefwerk.

'Sinds ouder Amie hebben we nooit meer iemand gehad die zo toegewijd en vindingrijk met onze bibliotheek omgaat,' had ze ouder Iris eens horen zeggen.

Het was waar. Alyssa voelde zich volledig op haar gemak tussen haar boeken en perkamentrollen, en ze las bijna alles wat haar onder ogen kwam. Ze was er veel wijzer van geworden en bovendien had ze in de bibliotheek een vloerluik ontdekt, waarvan niemand het bestaan leek te kennen.

Het ging schuil onder een boekenkast en Alyssa had het alleen gevonden doordat ze een grote schoonmaak van de hele bibliotheek op zich had genomen. Een kolossaal karwei. Ze was al bijna een jaar aan het zwoegen en was nog niet eens op de helft. Met hulp van Sakson had ze die boekenkast weggezet en toen had ze de losse vloertegel ontdekt.

Een speurtocht onder die tegel had niets opwindends opgeleverd, behalve twee zeer oude, bestofte boeken. Voor Alyssa vormden ze een schat, maar voor de andere acolieten, die hadden gehoopt op toch minstens een kistje met juwelen, waren ze een teleurstelling. De ouderen waren allang blij dat er geen verdachte skeletten waren gevonden en droegen de boeken met een gerust hart over aan Alyssa's goede zorgen.

'Ze zijn in een taal die ik nooit heb gezien,' zei ouder Ellyn, die waarschijnlijk de geleerdste van alle ouderen was.

Alyssa had die gecompliceerde lettertekens ook nooit eerder gezien, maar ontdekte tot haar verbijstering dat ze kon lezen wat er stond. Ze begreep niet hoe en waarom.

Ze had juist het eerste van die zorgvuldig geschreven boeken uit, toen de bel voor het middagmaal haar uit haar bibliotheekkelder wegriep. Alyssa gaf niet veel om eten, maar ze had Sorrel beloofd om geen enkel middagmaal over te slaan, niet enkel wegens het eten, maar vooral wegens haar contacten met de andere vrouwen. Sorrel vond deze contacten zeer belangrijk, maar Alyssa had er sinds de breuk tussen haarzelf en Xantia steeds meer moeite mee. Het was zo triest! Een hechte vriendschap in diggelen, en waaróm eigenlijk? Alyssa had haar hersenen al ontelbare keren gepijnigd met die vraag: waarom gedroeg Xantia zich zo agressief?

Nu ze terug was in de bibliotheek, nog steeds kwaad op Xantia, omdat deze haar doelbewust de naam Goth in het gezicht had geslingerd, was Alyssa niet in de stemming om meteen aan het tweede oude boek te beginnen, al zag de leren band er nog zo uitnodigend uit. Verrassende onthullingen in het vorige boek hadden haar ervan overtuigd dat de volksverhalen over de oude tovenaar Orlac, die deze plaats eeuwen geleden verwoest had, niet zomaar legenden waren. Dat was een angstaanjagende ontdekking en ze had besloten dat nog aan niemand te vertellen.

Ze had de boeken opzijgelegd en maakte aanstalten om een tekst over te schrijven voor ouder Ellyn, toen ze een rukje in haar geest voelde. Ze wist dat dit een vergissing moest zijn. Ze was al jaren niet meer in staat om een link te openen of zelfs maar te laten openen. Haar laatste communicatie op dit niveau was haar afscheidswoord tot Saksons stem geweest.

Ze fronste haar voorhoofd. Nu had ze het opnieuw gevoeld. Als ze zich niet zo scherp had geconcentreerd, zou ze er niets van gemerkt hebben, maar nu concludeerde ze dat er wel degelijk iets aan haar geest plukte. Alyssa raakte het schijfje op haar voorhoofd aan. Het was er nog. Allicht. Maar elke link was onmogelijk zolang het schijfje op zijn plaats zat. Ze schudde haar hoofd. Het was hier zo stil, dat ze zich dingen begon in te beelden.

Toch deed het voorval haar denken aan Tor. Even vroeg ze zich af wat híj op dit specifieke moment aan het doen was. En gunde ze zich één moment de bevredigende hypothese dat hij misschien had geprobeerd met haar in contact te treden. Toen verklaarde ze zichzelf voor gek. Tor was nu een herinnering. Aan hem behoorde ze niet meer te denken. Ze zou hem nooit terugzien.

Alyssa dwong zichzelf om die tekst voor ouder Ellyn ter hand te nemen. Even later was ze verdiept in haar werk.

❦

'Acoliet Xantia is vatbaar voor indrukken. Ze is nooit... laten we zeggen... gelukkig geweest met haar status in Carembosch.'

Tor wist dat hem een bedekte waarschuwing werd gegeven. 'Kiezen vrouwen er niet zélf voor om tot de Academie toe te treden?' vroeg hij, in een poging om het onderwerp van de conversatie te veranderen.

'Niet altijd, dokter Gynt. Xantia, bijvoorbeeld, is hier als baby afgeleverd toen ze pas vier manen oud was. Haar begiftigde moeder was gebreideld door de inquisiteurs en dorpsgenoten vreesden voor de veiligheid van het kind.'

'Dat is begrijpelijk...'

'Nee, wacht even,' onderbrak ze hem. 'Toen Xantia oud genoeg was om in te zien dat ze haar vrijheid had afgestaan, heeft ze daartegen bezwaar gemaakt en dat is ze sindsdien blijven doen. Van al onze acolieten is Xantia het felste gekant tegen dit leven van opoffering. Ze had een goede ouder kunnen worden, maar dat zal helaas nooit gebeuren. Ze is zeer intelligent en weet verbluffend veel van de Duistere Kunsten. Niet dat we daar iets mee doen,' zei ouder Iris snel, 'maar ze begrijpt heel precies hoe mensen ten prooi kunnen vallen aan die duistere verlokkingen.'

'Is dat wat Xantia studeert?' Het intrigeerde Tor.

'Ja. Ze kent al die oude spreuken en betoveringen, die al lang uit het gewone leven verdwenen zijn. Het is haar natuurlijk verboden ze te gebruiken. Onze taak beperkt zich tot het vastleggen van de historie. Xantia's inspanningen op dit terrein zullen in de komende eeuwen van onschatbare waarde voor Tallinor blijken te zijn.'

'Aha,' zei hij, waarna hij een slokje nam van de warme citroenthee die ze in een van de vele prachtige kamers van de Academie zaten te drinken. Hij drong aan. 'Uw instituut is prachtig van architectuur, ouder Iris. Ik zou er heel graag meer van zien, maar ik begrijp dat ik niet in mijn eentje door de schitterende gangen kan gaan dwalen... en dat ik dus een gids moet hebben.'

Haar stem werd onvriendelijker. 'Dokter Gynt, ik zal Xantia toestaan uw gids te zijn, want ik zie dat u vastbesloten bent haar gezelschap te hebben. Dat kan ik u niet kwalijk nemen. Het idee dat een van ons ouderen u zou begeleiden, lijkt me voor u inderdaad een minder aantrekkelijke optie...' Ze stak haar hand op om zijn protest te smoren.

'Voor haar zal het óók goed zijn. U bent drie dagen bij ons voordat de festiviteiten beginnen en mij bevalt de gedachte dat u ze gebruikt om meer over Carembosch te weten te komen. Maar sta me toe u te herinneren aan de wetten die we hier gehoorzamen.'

Deze keer stak Tor zijn hand op. 'Neem me niet kwalijk dat ik u onderbreek, ouder Iris. Dokter Merkhud heeft zich grote moeite getroost om me goed in te prenten wat de Academie te betekenen heeft en welke regels hier gelden voor de bevoorrechte en beschermde leden.' Hij boog zijn bovenlichaam naar voren en zette zijn eerlijkste gezicht op. 'Ik ben hierheen gekomen om te leren. Ik heb absoluut niet de intentie om uw regels op te rekken, laat staan om ze te verbreken. Ik begrijp uw voorzichtigheid heel goed. Maakt u zich geen zorgen, ouder. Ik heb niets anders dan mijn educatie op het oog.'

Ze knikte ernstig. 'Dan zal ik Xantia instructies geven. Misschien is het voor haar een leerzame ervaring. Ik hoop dat u de gelegenheid benut om met alle ouderen kennis te maken. U zult dit een interessante omgeving vinden, dokter Gynt.'

'Dank u,' antwoordde hij vergenoegd. 'Thuis in het paleis zal ik mooie verhalen kunnen vertellen.'

'Vergeet niet onze bibliotheek te bezoeken. Daar zult u de mooiste verhalen van allemaal aantreffen. Zorg ervoor dat Xantia u voorstelt aan onze archivaris.' Ouder Iris glimlachte droef. 'Uit zichzelf zal ze het niet doen, moet ik erbij zeggen. Ze zijn rivalen voor de positie van ouder, die we binnenkort gaan benoemen, en tot mijn spijt heeft dat de mooie vriendschap tussen deze meisjes bedorven.'

Tor voelde dat hij met deze woorden werd weggestuurd, maar hij vond het niet erg om aan de schrandere blik van de oude dame te ontsnappen. Xantia kwam niet lang daarna op de grote binnenplaats naar hem toe.

'Goedemorgen, dokter Gynt.'

Tor moest wederom vaststellen dat dit een vrouw was naar wie alle mannen zouden omkijken. Ze droeg haar glanzende zwarte haar vandaag in een kunstige vlecht, hetgeen haar opvallende ovale gezicht des te beter deed uitkomen. Hij zag in het zonlicht dat haar olijfkleurige huid haar sneeuwwitte tanden en glanzende ogen extra deed stralen.

Hij besefte opeens dat ze hem verwonderd stond aan te kijken.

'Pardon?'

Ze lachte. 'Ik vroeg hoe u het voor elkaar hebt gekregen.'

'De Zusters Zuur zijn gevallen voor mijn charme.'

'Dat geloof ik echt niet. De Ouderen herkennen de charme van een man niet eens als ze erdoor bij hun...'

'Hallo, ouder Mai. Xantia vertelt me net dat uw werk met kruiden van grote klasse is.' Tor sprak de oude dame aan die achter hem de binnenplaats overstak.

Ze antwoordde dat ze hem graag in haar kamer zou ontmoeten, als hij dat wilde, en hij nam de uitnodiging dankbaar aan. Met zijn blik waarschuwde hij Xantia dat ze voorzichtiger moest zijn.

Voor haar ging die ochtend veel te snel voorbij. Tor – zoals ze hem nu moest noemen – was aangenaam gezelschap. Hij was geestig en intelligent. Ze vond het heerlijk om met hem over het terrein van de Academie te wandelen en was trots toen hij zich geïmponeerd toonde door haar kennis van zaken.

Ze vond het erg vervelend dat ze gestoord werden door de bel voor het middagmaal.

'Eet u met ons mee? Ik zou de andere acolieten graag jaloers maken door u mee te nemen.' Ze lachte verleidelijk.

'Het klinkt aanlokkelijk en ouder Iris heeft gezegd dat ik jullie archivaris moet ontmoeten. Ze schijnt fascinerende verhalen te weten?' Hij zag dat Xantia's gezicht betrok. 'En dat ben ik vast van plan, hoor, maar vandaag ga ik niet mee naar de eetzaal, Xantia, dank je. Ik moet een paar brieven naar Tal schrijven. We krijgen het straks allemaal druk en ze kunnen niet wachten.'

Tor redeneerde dat ouder Iris – als ze in de eetzaal was – zeker zou appreciëren dat hij niet té ver ging in zijn omgang met Xantia.

'Maar ik hoop je vanmiddag weer te zien,' besloot hij, waarna hij vertrok.

Terwijl Tor naar zijn kamer liep, streek Clout zacht op zijn schouder neer.

Hoeveel heilige regels heb je vanmorgen al verbroken? vroeg de vogel.

Geeneen.

Ach, de dag is nog jong, zei Clout, en hij schudde zijn veren.

Er brandde een vuurtje in Tors kamer en hij hield dit voor een van Saksons stille weldaden, zoals ook het blad met voedsel. Daar lag een briefje van ouder Iris bij, waarin ze de hoop uitsprak dat hij een plezierige ochtend achter de rug had en hem smakelijk eten wenste. Tor glimlachte voor zich uit. Zijn besluit om in zijn eentje te eten was heel verstandig geweest.

Sorrel had Merkhud onmiddellijk ingelicht over Tors aankomst. De oude man had zich verbaasd over de snelheid waarmee zijn plaatsvervanger door het koninkrijk was gereisd. Hij vroeg haar zelfs of ze het wel zeker wist.

Sorrel reageerde geïrriteerd. *Natuurlijk! Hij heet toch Torkyn Gynt?*

Ja, ja. Maar ik snap het niet. Het had hem minstens zeven of acht dagen moeten kosten om dat hele eind over het vlakke land en de bergpassen te reizen.

Tja, ik kan alleen maar herhalen dat hij hier is. Ik vermoed dat jouw zorgvuldig gearrangeerde ontmoeting morgen zal plaatsvinden.

Wie is bij hem?

Niemand, antwoordde ze bits.

Geen vogel, geen soldaat?

Merkhud, ik geloof dat je hard aan rust toe bent. Geen vogel? Nee, waarom zou hij een vogel bij zich hebben? En ook verder is hij alleen.

Vreemd...

Zijn stem stierf langzaam weg en de link ook.

20

Ruw gewekt

Alyssa kon niet slapen. Nadat ze formeel tot de Academie was toegelaten, werd ze hetzelfde behandeld als de andere acolieten en was ze in een kamer gehuisvest die ze deelde met Xantia en nog twee meisjes. Ze hoorde nu de kalme en diepe ademhaling van alle drie, en benijdde hun die rust.

Er was iets wat aan haar knaagde.

Haar gedachten gingen steeds opnieuw heen en weer tussen de geheime boeken en de vreemde gewaarwording van iemands poging om een link met haar tot stand te brengen. En nu, in de stilte van de nacht, werd ze geplaagd door gedachten aan Tor. Geërgerd door haar rusteloosheid en de vredige slaapgeluiden van haar kamergenoten, schopte ze haar deken van zich af en voelde de koude lucht. Ze trok snel een kamerjas aan, pakte haar schoenen en liep op haar tenen de kamer uit.

Alyssa hield van stilte. De duisternis hinderde haar niet toen ze zich door de doolhof van gangen naar haar bibliotheek spoedde. Ze dacht aan niets anders dan het openen van het tweede boek, maar onderweg zag ze opeens het schijnsel van een kaars achter het raam van het bijgebouw naast de stallen. Het leidde haar af.

Ze bleef staan. Wat kon dit betekenen? Sakson sliep in de hooischuur. Toen herinnerde Alyssa zich dat ze bezoek hadden namens het koninklijk huis. Hoe had ze dat kunnen vergeten, na Xantia's eindeloze litanie over hoe knap hij was en hoe blauw zijn ogen waren en hoe mooi zijn stem klonk. En over zijn charmante gedrag en gewaagde humor. Ze was bijna het hele uur doorgegaan met haar loftuitingen en Alyssa was ten slotte blij geweest dat ze kon ontsnappen.

Ze trok haar kamerjas dichter om zich heen en keek naar het lichtschijnsel. Nu voelde ze een schokje toen het silhouet van een gestalte er voorlangs liep. De kaars werd gedoofd. De gestalte van die lange vreemdeling had best die van Torkyn Gynt kunnen zijn, dacht ze. Of was dat gezichtsbedrog? Ze bleef nog een poosje staren naar het zwarte vierkant dat zojuist nog verlicht was geweest. Hij was het natuurlijk niet. Ze dacht de laatste tijd wel érg vaak aan Tor!

'Stel je niet zo aan, Alyssa,' fluisterde ze zacht voor zich uit, waarna ze stilletjes de wenteltrap naar het archief begon af te dalen.

Beneden was er licht van onregelmatig geplaatste toortsen, die op last van de ouderen voortdurend brandden. Deze keer was Alyssa daar blij om. Ze drong dieper door in de onderaardse gewelven, waar het kouder was en op een plezierige manier naar aarde rook.

Toen stak ze twee kaarsen aan en nam ze mee naar een afgeschermde nis tussen twee boekenkasten en een gewone kast. Er lag daar ook een deken en nadat ze de boeken had gepakt, installeerde ze zich comfortabel in de grote stoel en trok de deken om zich heen. Ze geeuwde. Nee, nú was het te laat om te gaan slapen.

Ze opende het tweede boek, maar begon niet te lezen. In plaats daarvan vroeg ze zich opeens af waarom iemand deze boeken eigenlijk had verbórgen. Als het verhaal over Orlac een verzinsel was, alleen geschikt om de kleintjes 's avonds bij de haard bang te maken, waarom was dat alles dan zo precies genoteerd in een oeroud schrift? Maar als het allemaal wáár was wat ze had gelezen over deze god die uit een andere wereld was gestolen, dan was dat een goede reden om voorzichtig te zijn met deze boeken.

Alyssa geloofde dat het opgeschreven verhaal werkelijk een verslag was. Ze vermoedde dat een lid van de vroegere Zetel van Geleerdheid de gruwelijke gebeurtenissen van eeuwen terug had vastgelegd tot nut van latere generaties. En dat gaf haar een onbehaaglijk gevoel. Zoals ook de verontrustende toevalligheid dat een man die Merkhud heette de sterfelijke pleegvader van de jonge god Orlac was geweest.

Het was bijzonder vergezocht, maar ze kon het niet laten een verband te leggen met een andere man die Merkhud heette, namelijk de lijfarts van de koning, geliefd als dokter, beroemd als geleerde. Tevens de man die Tor van haar had gestolen. De naam Merkhud was ongewoon, nee, zeg maar gerust uiterst zeldzaam. Ze studeerde al jarenlang in honderden boeken en was de naam Merkhud nérgens tegengekomen. Alleen in deze context – de aardse vader van Orlac.

Kon het dan een toevalligheid zijn dat ene Merkhud de jongeman had opgespoord wiens magische talent niet was opgemerkt door de inquisiteurs?

Er waren vele jaren voorbijgegaan sinds Alyssa de identiteit had ontdekt van de oude man op de brink van Minstede, voor wie ze na de bloemendans zo bang was geweest. Ze had nooit begrepen waarom de beroemde lijfarts op zoek was geweest naar Tor en waarom ook Tor die dag zo geschrokken was toen hij hem zag. En hoe kon het dezelfde man zijn? Kon iemand na al die eeuwen nog leven? Een bespottelijk idee! Maar toen keek haar soepele geest er eens op een andere manier tegenaan.

Waarom eigenlijk niet? Als zijzelf en Tor in staat waren hun magische vermogens verborgen te houden voor lieden die niets anders deden dan er verbeten naar zoeken, waarom kon een man dan niet de magie bezitten om eeuwen in leven te blijven?

Alyssa legde het stukje Merkhud netjes op zijn plaats in de puzzel die ze in haar geest voor zich zag. Hij was de vader van Orlac. Zo ja, waarom leefde hij dan nog en waarom had hij belangstelling voor Tor? Dat moest te maken hebben met Tors vermogens. Zelfs zij had al begrepen dat deze fenomenaal waren.

Vervolgens dacht ze rustig na over wat ze tot nu toe van deze vreemde, maar fascinerende tekst had geleerd. Ze had ontdekt dat de auteur Nanak heette. Ze had sterk het gevoel dat dit niet zomaar een klerk was. Uit het elegante handschrift en de exacte formuleringen van zijn kroniek leidde ze af dat hij een bijzonder iemand moest zijn geweest. Ze kon het mis hebben, maar ze wilde graag geloven dat hij een van de meesters zelf was geweest.

Nanak verhaalde dat een zeer getalenteerd jongetje door zijn ouders naar Goudsteen was gebracht. Pas veel later werd die vader, Merkhud, bij name genoemd. Orlacs vermogens waren zonder weerga in de hele geschiedenis. Hij was een verbluffend geval en Nanak had opgetekend hoe opgewonden de meesters waren omdat een zo machtige magiër in hun midden was. Ze hadden hooggespannen verwachtingen van hem.

Orlac werd ook beschreven als 'mooi', wat Alyssa in het begin merkwaardig vond, maar naarmate ze meer over hem las kon ze het beter geloven. Het duurde maar een paar jaar, las ze, voordat de jongen zijn eigen vermogens begon toe te passen. Nanak registreerde in zorgvuldige bewoordingen dat Orlac een prikkelbaar iemand was, die zonder aanwijsbare reden blijk gaf van veel wrok en bitterheid.

Alyssa herinnerde zich Nanaks korte samenvatting van de gebeurtenissen die tot Orlacs val leidden. Dat hij heel Goudsteen had gechoqueerd door de meesters uit te dagen en dat hij het sluwe plan ontdekte om zijn magie te dempen. Nanaks woorden getuigden van grote droefenis waar ze de ondergang van de Zetel van Geleerdheid beschreven, toen Orlac, door zijn nooit eerder vertoonde krachten te ontketenen, de hele academie en de stad eromheen in puin had gelegd. En dat hij in zijn toorn zodoende meer dan tweeduizend mensen had vermoord, voordat hij naar de onderaardse gangen onder de stad vluchtte. Daar had hij zich dagenlang verborgen gehouden.

De weinige meesters die nog over waren, riepen de ouders van de jongen bij zich en vernamen dat Orlac niet hun eigen kind was, maar dat hij hun als klein jongetje was verkocht door Vuilophalers. Op deze plek was de naam Merkhud voor het eerst vermeld, herinnerde Alyssa zich, maar de naam van de moeder werd niet genoemd. Nanak beschreef vervolgens dat Merkhud was weggestuurd om de herkomst van zijn kind nader te onderzoeken. Daar eindigde het eerste boek.

Alyssa wreef zich in haar ogen. Ze was nu moe en had nog steeds geen woord gelezen in het tweede boek, dat ze geopend voor zich had.

Een gewoon gruwelverhaal werd nooit zo uitvoerig gedocumenteerd en zeker niet uitgeschreven door een professionele klerk, laat staan door een meester in de Vermogenskunsten. Het werd hoogstens mondeling doorverteld van de ene generatie naar de volgende en dan ergens beknopt op papier gezet. Nee, Alyssa was ervan overtuigd dat het hier niet om een volksverhaal ging. Dit was de waarheid. Ze las in deze boeken een kroniek van de echte gebeurtenissen die eeuwen geleden hadden plaatsgevonden, toen de huidige Academie inderdaad de Zetel van Geleerdheid was geweest en het centrum vormde van een welvarend stadje. Ze vermoedde dat de auteur, Nanak, de boeken zelf had verstopt. Waarom? Wat vreesde hij? Wie? Dat kon alleen Orlac zijn!

En de oude Merkhud moest plannen hebben met de vermogens die hij in Tor had ontdekt. Maar waarom? Wat wilde hij van hem? Zijn eigen zoon – pleegzoon – had bijzondere vermogens bezeten, maar dat was verschrikkelijk afgelopen. Orlac was gevangengezet, maar Merkhud zwierf eeuwen later nog steeds door het land.

Misschien wilde Merkhud de krachten van Tor gebruiken om Orlac te verlossen. Alyssa nestelde zich nog wat knusser in haar stoel om deze gedachte van alle kanten te bestuderen. En geleidelijk, zonder dat ze het merkte, zakte ze weg in een diepe slaap, waarin ze droomde van een zilveren wolf die haar welkom heette in een woud.

Mijn excuus, lieve, voor het late uur.

Sorrel hoorde de gespannenheid in Merkhuds stem. *Ben je niet lekker, Merkhud?*

Moe.

Ze voelde haar irritatie tegenover hem wegsmelten nu ze hoorde hoe uitgeput hij klonk. *Zijn we dicht bij het einde, mijn lieve?*

Ik voel dat we het steeds dichter naderen, dat weet je. Tor en Alyssa komen elkaar nu spoedig tegen. Ik weet niet wat er dan gebeurt, maar hoe het zich ook ontwikkelt, jij moet bij Alyssa blijven en hun weg volgen.

En jij, lieve? vroeg ze fluisterend via de link.

Ach, ik wacht gewoon. Jij zult mijn ogen zijn en ik zal wachten tot ik van je hoor. Het klonk vreselijk.

Merkhud, het duurt al zo lang. Zal ik je... ooit... weerzien?

Ik weet het echt niet, Sorrel, maar ik heb je innig lief. Ik hoop je lieve glimlach ooit weer te zien. Er klonk geen overtuiging in zijn stem.

Het festival begint over twee dagen, zei ze, om van onderwerp te veranderen.

Sorrel, misschien vertoont Goth zich in Carembosch.

Wát? Haar schrik was duidelijk te horen.

Wees niet bang. Jullie zijn gewaarschuwd. Neem de nodige voorzorgsmaatregelen, zei hij gedecideerd. *Laat tegenover het meisje geen angst blijken. Ze moet de kans hebben haar besluit te nemen zónder dat het gevaar van Goths kant haar beïnvloedt. We moeten er nu op vertrouwen dat ze de juiste route kiezen.*

Maar, Merkhud, ze wéten niets! Ze weten niet wie wij denken dat Tor is en zelfs wijzelf hebben geen idee wat nu eigenlijk de rol van Alyssa is.

Precies, we weten het niet. Dat is des te meer reden om nu op henzelf te vertrouwen en op de machten door wie ze worden begeleid. We moeten wel, Sorrel. Het kan niet anders. Ik heb verder geen plannen, geen intriges. Het hangt nu af van Tor. Hij moet ons tonen wie hij is en wat hij kan. Waarom hij hierheen is gestuurd.

En als hij de Ene niet is?

Hij is het wel, luidde het korte antwoord. *En vergeet mijn waarschuwing niet.*

Merkhud sloot de link.

❧

De volgende morgen was Xantia vroeg wakker. Ze kleedde zich met zorg aan, maar zag tot haar ergernis dat Alyssa kennelijk al een eeuw op was. Haar beddengoed zag er koud en onbeslapen uit. Er was ook niets te zien van een ontbijt, al was dat niet ongewoon. Maar vandaag was Xantia vooral bezeten door de gedachte dat ze straks Torkyn Gynt weer zou zien. Ze moest hem meenemen naar Alyssa, daar had ouder Iris nadrukkelijk om gevraagd. Xantia nam zich voor om daar iets amusants van te maken door tegenover Alyssa te pronken met deze jongeman, van wie ze helemaal ondersteboven was.

Ze verliet de eetzaal met de andere kwebbelende acolieten, maar hield zich, zoals meestal, buiten hun gesprekken. Deze keer was ze blij met haar reputatie van eenling, want ze was met haar gedachten elders. Ze had een visioen uitgewerkt om de Academie te verlaten en met Torkyn Gynt mee te reizen. Zou hij haar aanvaarden? Ze betwijfelde het, wegens de archaliet op haar voorhoofd en wat dit schijfje symboliseerde. Haar status als Onaanraakbare was zelfs hoog boven zijn eigen, toch niet geringe niveau verheven. Maar Xantia had het helemaal niet nodig dat Tor haar liefde beantwoordde. Ze was al dik tevreden als ze voortdurend bíj hem kon zijn.

Ze zag ouder Iris, maar zou hebben gedaan alsof dat niet zo was als de oude vrouw haar niet had gewenkt.

'Goedemorgen, Xantia.'

'Ik hoop dat u goed hebt geslapen, ouder Iris,' zei ze, en ze maakte een buiging, want dat respect kwam alle ouderen van de Academie toe.

'Als een blok. En jij?'

'Rustig, dank u,' antwoordde Xantia, die de licht opgetrokken wenkbrauw van de ouder negeerde.

'Ik hoor dat je onze geachte gast gisteren een fijne rondleiding door de studielokalen hebt gegeven. Wat zijn je plannen voor vandaag, kind?'

De lichte nadruk op het woord 'kind' ontging Xantia niet. Haar bloed kookte, maar ze hield haar gezicht in de plooi en haar stem nederig.

'Als u het goedvindt, ouder Iris, dacht ik dokter Gynt vandaag mee te nemen naar de bibliotheek.'

'Een uitstekend idee, Xantia. Ik weet zeker dat jij en Alyssa hem zullen kunnen boeien.'

Wéér die bedekte ironie onder haar beleefde woorden. Xantia deed alsof ze niets merkte en vervolgde: 'En daarna, zo hoopte ik, wilt u me misschien permissie geven om een van de wagens te nemen om dokter Gynt wat rond te rijden in Ildagaarde.'

'Ik zal erover nadenken, maar ondertussen kun je alvast informeren of Sakson tijd heeft om onze gast vanmiddag de stad te laten zien.'

'Dat ga ik meteen doen,' zei Xantia liefjes, en ze hoopte dat ze er even lief bij keek.

Sakson was bezig houtblokken te laden in manden die aan weerszijden aan Kythay hingen. Het werd inderdaad koud genoeg om de haarden van de Academie dagelijks aan te steken. Xantia stelde haar vraag en wilde pas weggaan toen ze zeker wist dat de zwijgende knik van Sakson betekende dat hij het begreep en dat hij klaar zou staan. Die oude gek had het tochtje zo vaak gemaakt, net als zijn ezel, dat ze het allebei blindelings konden doen.

'Fijn,' zei ze, in de wetenschap dat haar mooie plannetje steeds meer kans van slagen kreeg.

Xantia rekende erop dat ouder Iris haar de begeerde toestemming zou geven om de Academie te verlaten en enkele uren met Tor alleen te zijn, buiten het genadeloze toezicht door de ouderen. Ze trof hem aan op het voorportaal, waar hij onder de indrukwekkende bogen met een paar van de jongste acolieten stond te praten. Ze giechelden zoals zulke jonge meisjes dat doen en Xantia voelde een steek van jaloezie. Ze zag dat Tor breed glimlachte en toen iets fluisterde waardoor ze allemaal een lachstuip kregen, waarna hij met een zwierige buiging afscheid nam. Hij had Xantia zien aankomen, maar deed alsof hij haar nu pas opmerkte.

Xantia dwong zichzelf tot een glimlach. 'Ik zie dat u al populair bent bij ons jonge grut.'

'Het zijn schatjes. Sieraden voor de Academie,' zei hij ontwapenend.

'Zeker.' Ze onderdrukte haar jaloezie en was geschokt door het verlangen dat ze voelde om deze man aan te raken. Ze kon het niet verdragen – zelfs niet van meisjes van tien – dat iemand hem ook maar even met haar deelde. Ze sprak zichzelf streng toe en zette haar fysieke verlangens vooralsnog van zich af. Ze zocht een veilig onderwerp en vroeg hem stralend hoe hij had geslapen.

'Als een prins in een donzen bed,' zei hij.

Ze bloosde hevig bij de gedachte aan zijn naakte lichaam op een donzen matras en veranderde opnieuw van onderwerp.

'Een van de ouderen zei vanmorgen bij het ontbijt dat ze een prachtige slechtvalk boven de Academie had zien cirkelen.'

'Echt waar?'

'Ja, ze was erg opgewonden. Een slechtvalk is in dit deel van het land al tientallen jaren niet meer waargenomen.'

Tor grijnsde. 'Hij is van mij.'

Ze geloofde hem niet en hield het voor plagerij. 'Pure fantasie!'

'Nee, ik zweer het. Hij is van mij en een mooiere valk kun je in heel Tallinor niet vinden.'

'Is hij tam?'

'Zeker. Je moet hem leren kennen.'

Xantia genoot van de frivoliteit van dit soort conversatie, nadat ze zich hier haar leven lang onderdrukt had gevoeld. 'Zo, een formele introductie? Dan kan die vogel van u zeker praten?' zei ze, terwijl ze naar de gang wees die ze in moesten.

'Natuurlijk kan hij dat. Maar alleen tegen mij.' Hij knipoogde naar haar en nam haar bij de arm.

Xantia had zich nog nooit zo opgewonden gevoeld. Het was een simpel beleefdheidsgebaar, maar de aanraking stuwde haar bloed nu al voor de tweede keer binnen enkele hartslagen naar haar gezicht. Ze voelde zich draaierig worden. Dit was een nieuwe, onbekende ervaring. Ze durfde niets te zeggen, uit angst de ban te verbreken. Maar dat deed Tor zelf wel.

'Wat ben je vandaag met me van plan, mooi gidsje?' Hij liet haar arm los, want hij zag ouderen naderen.

Ze voelde een snijdende teleurstelling toen de aanraking werd opgeheven. 'Ik wil u meenemen naar onze bibliotheek in de kelder en u kennis laten maken met onze archivaris.'

'Aha. Dat schijnt een bijzondere dame te zijn.'

Xantia zei niets, bang dat ze zich iets zou laten ontvallen waar ze spijt van zou krijgen en wat aan de ouderen kon worden doorverteld.

Tor praatte al verder. Hij was zich niet bewust van de consternatie die hij bij haar veroorzaakte. 'Ouder Iris zei dat ze niet alleen zeer geleerd, maar ook heel mooi is.'

Xantia knikte met tegenzin en wees naar links. Via de gangen daar zouden ze bij de bibliotheek komen.

'Een fatale combinatie,' zei hij achter haar rug.

Alyssa was meteen wakker toen haar twee kostbare, in leer gebonden boeken van haar schoot schoven en op de stenen vloer vielen. Ze sprong geschrokken overeind en zag dat ze de nacht in haar kelder had doorgebracht. Zonder daglicht kon ze niet schatten hoe laat het was. Haar twee kaarsen waren opgebrand. Gelukkig brandden er verderop in de bibliotheek nog toortsen, anders had ze hier in het stikdonker gezeten. Haar maag maakte haar duidelijk dat het ontbijtuur al lang voorbij was, maar ze vond de honger minder erg dan het besef dat ze bij het ontbijt gemist was door Xantia, Sorrel en helaas ook ouder Iris. Die was het hoofd van de Academie en zag graag dat alle leden van de gemeenschap ten minste één keer per dag allemaal bij elkaar waren.

Ze wreef zich in haar ogen en probeerde haar ongekamde haren glad te strijken. Ze moest nu proberen via minder gebruikte gangen ongezien naar haar kamer terug te sluipen. En daar kon ze maar beter meteen mee beginnen, besloot ze.

Toen ze zich bukte om de gevallen boeken op te rapen, bevroor ze in die houding. Ze hoorde het gedempte geluid van stemmen en het kwam vanaf de top van de trap die naar het archief leidde.

Ze spitste haar oren. De stem van Xantia herkende ze.

Dit werd erg pijnlijk. Ontdekking door een ouder zou al heel vervelend zijn, maar Xantia zou het overal rondbazuinen. Wat had ze hier trouwens te zoeken? Xantia had een grote hekel aan deze kelder. Alyssa vermoedde dat Xantia een andere acoliet bij zich had, dus ze haastte zich niet. Ze raapte de boeken op, legde ze rustig op haar bureau en was juist teruggelopen naar haar stoel om de deken op te vouwen toen de bezoekers bij haar kwamen.

'Hallo?'

'Een momentje,' riep ze vanachter de boekenkast.

'Waar ben je?'

'Hier,' zei Alyssa, terwijl ze uit haar kunstmatige nis naar voren stapte. Tot haar verbazing zag ze niet alleen Xantia's rug, maar tevens die van een lange man.

Ze draaiden zich beiden om toen ze haar stem hoorden. En onmiddellijk verdween zijn hartverscheurend vertrouwde glimlach van zijn gezicht. Doffe geschoktheid verdreef de stralende helderheid van zijn onwaarschijnlijk blauwe ogen, die ze zich nog al te goed herinnerde.

Xantia zag dat de gewoonlijk zo onberispelijke acoliet er nogal verfomfaaid uitzag. 'Lieve hemel, Alyssa, heb je weer in je bibliotheek zitten slapen?' Ze lachte schril, verrukt door de verlegenheid die ze van Alyssa's gezicht kon lezen.

'Laat me je voorstellen aan...'

'Torkyn Gynt,' vulde Alyssa aan.

Xantia was gepikeerd door deze interruptie. Dit was háár moment van glorie, niet dat van Alyssa! 'Goed geraden,' zei ze vlot. 'Dokter Gynt, dit is...'

'Alyssa,' zei hij zacht.

Xantia keek verward van de een naar de ander en toen weer terug. Er hing een loodzware stilte tussen hen beiden.

'Kennen jullie elkaar?'

Hij knikte, maar durfde zijn blik geen moment af te wenden van de verbijsterend mooie Alyssandra Qyn. Zelfs met verwarde haren en rode vlekken op haar wang – waar deze op de harde stoelleuning had gerust – en in een onflatteuze kamerjas was ze oogverblindend prachtig.

Alyssa kwam als eerste bij zinnen en zette een stap naar voren. Ze maakte een reverence, zoals de beleefdheid dat voorschreef, maar weigerde in de ogen te kijken die als gefixeerd op haar gericht waren.

'Neem me niet kwalijk, dokter Gynt. Uw komst overvalt me. Ik heb inderdaad de nacht in het archief doorgebracht, dus u moet me een paar momenten gunnen om mezelf wat op te knappen.'

Toen richtte ze zich tot Xantia. 'Ik kom zo terug.'

En daarna vluchtte ze en rende ze zo snel naar boven als haar lange kamerjas dat toestond. Ze zigzagde willekeurig door allerlei gangen, meer uit angst dan met een doel in gedachten, hoewel het haar niet verwonderde dat ze uiteindelijk bij de stallen uitkwam. Daar liet ze zich in een hoekje zakken, buiten adem, niet door het rennen, maar door haar schrik, en ze was doodsbang dat hij haar had gevolgd.

Ze gilde het bijna uit toen een gestalte zich uit de schaduw losmaakte. Ze had meteen Saksons karakteristieke bochel moeten herkennen, maar Alyssa was totaal van slag.

Alyssa had zich gewassen en droeg nu haar acolietenkleren. Ze had haar haren in een vlecht gebonden. Door die routineklussen was ze opgehouden met beven, maar ze was nog steeds overstuur.

Dus het was tóch zijn silhouet geweest dat ze gisteren had gezien en hij was degene geweest die had geprobeerd een link met haar te leggen. Verwarring, kwaadheid en angst vormden het akelige mengsel dat in haar binnenste kolkte toen een jonge novice haar kwam vragen zich in de werkkamer van ouder Iris te melden.

Toen Alyssa de binnenhof overstak, kwam Sakson naar haar toe. Hij gaf haar een briefje en een kneepje in haar arm, en hinkte toen weer weg. Ze bleef hem even nakijken en concludeerde dat ze nu geen tijd had het briefje te lezen. De novice had duidelijk gezegd dat ze meteen moest komen, zonder enig dralen.

Ouder Iris begroette haar hartelijk. Ze was dol op Alyssa en haar toewijding aan de Academie. Deze jonge vrouw zou eerder een ouder worden dan de meesten hier en ze zou een prachtig voorbeeld zijn voor de jongere meisjes om tegen op te zien en als rolmodel te dienen. Ouder Iris zag nu dat het meisje beleefd voor haar boog. Ze getuigde altijd van zelfbeheersing en ingetogenheid. Iets... koninklijks had ze. Dat was het woord dat ze zocht.

'Kom binnen, mijn kind, en ga zitten,' zei ze gastvrij. 'Ben je wel gezond? Ik miste je vanmorgen bij het ontbijt.'

'Ja, het spijt me, ouder Iris, ik...'

'Was weer in slaap gevallen in de kelder?' suggereerde de oude vrouw vriendelijk.

Alyssa knikte. Hoe wist zij dat?

'Alyssa, ik heb begrepen dat jij onze koninklijke gezant eerder hebt ontmoet en dat jullie elkaar van lang geleden kennen. Wel, we hebben weinig vernomen over je vroegere leven en ik wil je niet uithoren, dus daar zullen we het bij laten, hoewel dokter Gynt bij me is geweest.'

'Ja? Ik moet bekennen dat ik even totaal van slag was en nogal gehaast ben weggerend... Wat kwam hij zeggen?' Alyssa probeerde haar stem zo neutraal mogelijk te laten klinken.

'Ach, niet veel, eigenlijk. Hij zei dat jullie beiden aan twee tegenover elkaar liggende kanten van een dal zijn opgegroeid, hij in Vlakke Weiden en jij in Moeras Mallee.' Ouder Iris grinnikte, hetgeen Alyssa erg verraste. 'Dokter Gynt zei dat je hem vaak hebt geplaagd toen jullie allebei veel jonger waren.'

Alyssa zette een geforceerd vrolijk gezicht op.

'Ik denk dat jullie heel wat hebben bij te praten,' vervolgde de oude dame.

'Ouder Iris, ik heb Tor vele jaren niet gezien en kan me onze kinderjaren nauwelijks herinneren. En hemzelf ook niet, trouwens.'

'Kom, Alyssa, maak me niets wijs. Jouw verstand behoort tot de beste die we hier hebben. Ik geloof geen moment dat jij zulke details vergeet.'

Alyssa bloosde. 'Het was voor mij een onaangename verrassing dat Xantia en onze gast opeens in het archief voor mijn neus stonden, toen ik nog maar net wakker was.' Ze glimlachte en hoopte maar dat ze het innemend genoeg deed. 'Heb ik u teleurgesteld, ouder Iris?'

'Welnee, kind. Eigenlijk help je me uit een lastig parket. Ga zitten, dan leg ik het uit.'

Alyssa nam het kopje kruidenthee aan dat haar werd aangeboden, en ook het koekje erbij. Die bezigheden gaven haar kostbare tijd om na te denken. De oude dame was veel te slim om zich voor de gek te laten houden.

'Alyssa, Xantia heeft me dringend gevraagd of zij dokter Gynt tijdens zijn verblijf hier mocht begeleiden. Je weet het waarschijnlijk niet, omdat je altijd over je boeken gebogen zit, maar hij arriveerde hier drie dagen eerder dan wij hadden verwacht en ik wist niet wat ik met hem moest aanvangen. Ik deed het tegen beter weten in, maar hij scheen het wel leuk te vinden dat Xantia zijn gids was.'

Alyssa begon te hoesten en camoufleerde haar reactie door een slok thee te nemen.

'Ja, inderdaad,' zei de ouder, die Alyssa's gedachten volledig doorzag. 'Ik begrijp best waarom Xantia het die kant op heeft gemanipuleerd en het verbaast mij niet dat hij geniet van het gezelschap van een zo geestdriftig lid van onze Academie.'

Alyssa knabbelde aan een koekje en dacht koortsachtig na. Ouder Iris was niet op haar achterhoofd gevallen.

'Hoe dan ook, dokter Gynt heeft me verzekerd dat hij puur en alleen voor zijn eigen educatie hier is. Merkwaardigerwijs kwam hij even geleden bij me om te vragen of Xantia meteen van haar verplichtingen tegenover hem ontheven kon worden.' De oude dame zag hoe verbaasd Alyssa reageerde. 'Is dat geen grappig toeval? Hij loopt een jeugdvriendinnetje tegen het lijf, dat nu een mooie jonge vrouw is, en heeft opeens geen belangstelling meer voor de iets minder boeiende acoliet.'

Ze stak haar hand op om Alyssa's protest voor te zijn.

'Dat is helemaal niet erg, Alyssa. Er is niets mis mee om door een man bewonderd te worden, maar als Onaanraakbaren moeten we altijd beseffen dat dát ook het punt is waar we moeten stoppen.'

Alyssa knikte. 'Ik heb onze regels altijd gerespecteerd, ouder,' zei ze plichtsgetrouw.

'Maar ik weet niet zo zeker of Xantia dat volhoudt. Gelukkig is je vriend de dokter fijngevoelig genoeg om te merken dat haar belangstelling voor hem te... vurig wordt, zal ik maar zeggen. Dat kan ook gevaarlijk zijn voor zijn eigen carrière, natuurlijk. Dus hij is zo slim om geen pijnlijke situatie te laten ontstaan. Net als ik.'

'Heeft hij gevraagd of ik de rest van zijn verblijf de rol van gids mag overnemen?' Alyssa probeerde haar stem effen te houden.

'Ja, mijn lieve, dat vermoeden heb je terecht en ik weet ook niemand die er geschikter voor is dan jij. Je bent de betrouwbaarheid zelf. We kunnen erop rekenen dat jij de juiste afwegingen maakt.'

Alyssa zette haar kopje neer, uit angst dat het anders uit haar hand zou vallen. Ouder Iris dronk graag uit het duurste porselein dat in Ildagaarde gebakken werd, dus die kopjes kon je maar beter niet in scherven laten vallen.

'Ouder Iris, ik heb het erg druk met de manuscripten. Kan acoliet Sallie het niet overnemen?' vroeg ze wanhopig.

'Kom, kom, Alyssa. Niemand in de Academie heeft meer waardering voor je goede werk dan ik, maar zelfs een verdorde oude vrouw als ik weet dat er af en toe ontspanning moet zijn... speeltijd. Je werkt te lang en te hard. Ik hoop dat je me niet vraagt het op te dragen. Ik heb liever dat je de taak op je neemt omdat ze eigenlijk wel leuk is. Het duurt trouwens maar tot morgenavond. Dat kan toch geen kwaad?'

Dat is zéér de vraag, dacht Alyssa, maar ze besefte dat ze deze discussie nooit kon winnen. 'Wat wilt u dat ik met hem onderneem?'

'Dank je, Alyssa. Ik wist dat ik op je kon rekenen. Sakson is vanmiddag beschikbaar om jou en onze bezoeker naar Ildagaarde te rijden. Xantia wilde hem de stad laten zien en door de straten lopen waar het feest zal plaatsvinden. Het is een goed idee en je kunt er aardig wat tijd mee doden. Je hoeft niet vroeg terug te zijn. Blijf gerust tot vanavond in de stad, ik vertrouw je volledig.'

Alyssa keek benauwd. 'Blijft Sakson bij ons?'

'Natuurlijk.'

'En Xantia?'

De oude dame jaagde haar de deur uit. 'Laat Xantia maar aan mij over.'

Xantia zat op haar bed. Ze had zitten wachten tot Alyssa kwam, die nu snel wat benodigdheden in een tas stopte voor haar dagje in Ildagaarde.

Alyssa kon de sfeer van snijdende jaloezie die er hing niet verdragen. 'Xantia, moet je niet in de studiezaal zijn?'

'Doe niet zo neerbuigend, Alyssa. Je bent nog geen ouder!' Ze gaf haar kussen een stomp. 'Je komt anders bijna nooit in Ildagaarde.'

'Jij ook niet, dus wat dat betreft staan we gelijk. Ik red me wel.'

Xantia ging rechtop zitten, kwaad. 'Waarom doet ouder Iris mij dit aan? Ze heeft me mijn taak afgenomen om me dwars te zitten en laat haar lieveling mijn plaats innemen. Nou smul jij natuurlijk van de gedachte dat je met hem de deur uit mag.'

'Hou op, Xantia! Je gedraagt je als een kind. Denk je dat ik dit vrijwillig doe? Denk je dat ik ouder Iris heb gevráágd of ik het mag doen? Klinkt dit jou in de oren als een uitje waar ik dol op ben?'

Xantia trok een scheve mond. 'Ik ken niet al jouw grillen, Alyssa. Je bent voor ons allemaal een gesloten boek,' zei ze op zure toon. 'Ik wil meer weten over jullie beiden.'

'Ik zeg dit maar één keer. Tor en ik zijn in hetzelfde district opgegroeid. We kwamen elkaar wel eens tegen. Dat is alles.'

'Ik kan er niets aan doen, Alyssa.' Xantia had dit de persoon die ze haatte liever niet willen bekennen. 'Ik hou van hem. Ik wil hem hebben. Ik moet bij hem zijn.'

Alyssa voelde zich misselijk worden, maar ze wist niet of het kwam door Xantia's verlangen naar Tor of door haar eigen geheime liefde.

'Xantia, je hebt op je voorhoofd een bleekblauw schijfje van archaliet. Dat is geen juweel ter versiering. Het is een merkteken. Je zult een Onaanraakbare blijven tot je door de dood wordt verlost. Je zult nooit worden bemind door een man. Je zult nooit de omarming van een man voelen.' Alyssa zei het allemaal op een ijzige toon.

Xantia had sinds Alyssa's hereniging met Sakson, na de overval, nooit meer emotie in haar waargenomen. Maar nu voelde ze achter deze kille woorden iets smeulen. Het was een feit dat ze in haar geheugen opborg.

'Alyssa, jij hebt geen archaliet nodig om je Onaanraakbaar te maken. Jij kunt dat gemakkelijk op eigen kracht, want je bent zo koud als de dood zelf, en misschien mag je alleen ooit op zíjn omhelzing hopen. Jij hebt geen idee wat het betekent om naar de aanraking door een man te verlangen. Ik vrees dat Goth je heel wat meer heeft aangedaan dan alleen je schoothond lam slaan en van zijn tong beroven.'

Deze woorden raakten Alyssa zo hard dat ze geen adem meer kreeg.

Xantia was nog niet uitgesproken. 'Ja, ik hoor je praten in je slaap. Ik ben niet achterlijk. Je bent aangeraakt door de monsterlijkste van alle mannen! Is dat geen heerlijke ironie?' Ze lachte bitter. 'Ga jij je plicht maar doen. Ren maar naar je vriendje. Wees de zelfverzekerde, hooghartige Alyssa die de Academie verwacht dat je zult zijn. En terwijl Tor zich afvraagt hoe hij met jou opgescheept is geraakt, denk ik terug aan de verlangende manier waarop hij mijn hand kuste en de begeerte waarmee hij me aankeek. Morgenavond, als op het feest alle regels versoepeld zijn, zal ik mijn moment hebben met je jeugdvriend, Alyssa, en terwijl hij me streelt tijdens de dans,' besloot ze, over haar wang strijkend, 'zal ik met vurige haat aan jou denken.'

Alyssa voelde jaren van wanhoop en gefrustreerde liefde omhoogkolken en overkoken.

'Xantia.'

Haar vriendin draaide zich om. Haar ogen glinsterden van napret over haar verbale zege.

'Ouder Iris heeft je niet van je taak ontheven. Ik geloof dat ik vergeten ben te zeggen dat de man van wie je zo zielsveel houdt en zonder wie je niet meer kunt leven, dezelfde man die jou kennelijk zo onstuitbaar begeert, persoonlijk aan haar is komen vragen of hij van je gezelschap verlost kon worden. Hij heeft een spelletje met je gespeeld, Xantia, en dat is omdat je zo onnozel bent. Je deed precies wat hij wíst dat je zou doen – namelijk vallen voor zijn charme. En nu lacht hij je uit. En tussen haakjes, Xantia, nog iets anders. Ouder Iris heeft mij niet uitgekozen en ik heb me niet aangeboden. Dokter Gynt heeft specifiek naar mij gevráágd.'

Het gezicht van het meisje tegenover haar voorspelde onweer. Alyssa wist dat ze naast haar beul, hoofdinquisiteur Goth, nu een tweede doodsvijand had.

'Ik haat je, Alyssa.' Meer wist Xantia niet te zeggen.

Alyssa keek niet eens haar kant op. 'Doe de deur achter je dicht, Xantia.'

21
Aczabba Veiszuit

Alyssa zag hem naast de wagen staan. Hij zei iets tegen Sakson en aan de beweging van diens schouders zag Alyssa dat hij voor het eerst sinds jaren lachte. Tor was in alle omstandigheden elegant en charmant, scheen het.

Ze bleef vanuit de schaduw naar het tweetal kijken en stak haar handen diep in haar zakken om hun trillen tegen te gaan. Daar voelden haar vingers het briefje dat Sakson haar had gegeven. Hoe had hij het met zijn lege oogholten kunnen schrijven? Ze vouwde het open en keek spiedend om zich heen of er niemand in de buurt was. Nee, ze was alleen. Alyssa begon te lezen.

Weet je nog dat ik zei dat ik niet de man voor jou was... dat er iemand anders was? Ik heb gezegd dat hij op een dag zou komen. Hij is nu hier. Volg hem. Geloof in hem. Hij is de Ene.

Alyssa las het briefje drie keer. Bij Licht, waar hád Sakson het over? Ze herinnerde zich die dag in het bos, ze wist nog heel goed dat hij haar kussen op een tedere manier had afgeweerd.

Ze stopte het briefje snel weg. Hier moest ze op een later moment over nadenken. Ze stapte in het zonlicht van de wintermorgen en zag twee mannen voor zich: de ene kreupel en vernederd, een oudere man, waar het leven bijna uit geslagen was, en de andere in de bloei van zijn jeugd, als een jonge god die aan de wereld was uitgeleend. Zelfverzekerd, iemand die gewend was door vrouwen geadoreerd te worden en joviaal om te gaan met mannen.

Hij keek haar kant op, richtte zich op in zijn volle glorieuze lengte en zwaaide naar haar, maar toen leek hij opeens verlegen door zijn vertoon van enthousiasme. Dat beviel haar wel. Misschien toch niet zó zelfverzekerd. Het was fijn om te weten dat ze Torkyn Gynt nog steeds uit zijn evenwicht kon brengen.

Ze liep naar hen toe, maar richtte zich eerst tot Sakson. 'Bedankt dat je dit voor ons doet, Sakson.'

Hij haalde zijn schouders op en zij richtte haar aandacht op Tor, hopend dat hij haar onderdrukte hijgen niet aanzag voor nervositeit – wat het wel wás.

'En ook u weer gegroet, dokter Gynt.'

Hij keek haar recht in de ogen, veel te recht naar haar zin. Ze wees naar de wagen. 'Zullen we?'

'Alleen als je me Tor noemt, en niet dokter Gynt.'

Alyssa knikte.

Beide mannen boden haar een helpende hand, maar ze koos voor de eeltige knuist van Sakson en stapte moeiteloos in. Tor kwam op de achterbank zitten. terwijl Sakson de paarden aanspoorde, waren twee ouderen zo vriendelijk de poort te openen. Spoedig hadden ze het terrein van de Academie verlaten en reden ze in een kalm gangetje naast de boomgaard.

Tor kon het niet laten. Hij stak zijn arm uit en pakte Alyssa bij een hand, maar zij rukte deze meteen los.

'Alsjeblieft, niet doen,' zei ze, bang voor de emoties die ze in zijn ogen las. Ze stopte haar hand voor alle zekerheid diep in haar zak en voelde daar het briefje weer.

Hij is de Ene, herhaalde ze in haar geest tijdens de onbehaaglijke stilte die viel.

Opeens keek Tor naar boven en even later dook er een majestueuze valk uit de hemel naar beneden, die naast Sakson op de houten koetsiersbok neerstreek, maar met zijn kop naar de passagiers toe. *Dit kan niet!* dacht Alyssa geschrokken en ze slaakte er een kreetje bij. Tot haar verbazing zat Tor breed te grijnzen.

Goede timing, Clout, zei hij via de link.

Een reddingsactie leek me gewenst. Dring haar niets op, Tor, raadde de valk hem aan. *Ze kent de man niet. Ze herinnert zich alleen de jongen.*

De vogel greep zich met zijn sterke klauwen steviger aan het bankje vast en hield zijn kop schuin. Alyssa had het gevoel dat hij haar indringend bestudeerde. Tor keek naar haar. Ze kon zijn stralende blauwe blik nu echt niet meer ontwijken, dacht ze. Hij sprak hardop.

'Clout, ik wil graag dat je kennismaakt met de vrouw over wie ik je heb verteld. Dit is Alyssa.'

De grote vogel verplaatste zijn gewicht van de ene poot naar de andere en keek haar met zijn gele ogen op een intense manier aan. Alyssa zag het met verwondering.

Tor gaf haar een zachte por. Hij schraapte zijn keel en knikte in de richting van de vogel. Alyssa begreep het. Waar waren haar goede manieren?

'Eh... hoe maak je het, Clout,' vroeg ze, diep onder de indruk. Toen richtte ze zich tot Tor. 'Is dit jouw havik?'

'Slechtvalk, als je het niet erg vindt,' corrigeerde hij haar. 'Clout is altijd zeer onaangenaam getroffen wanneer iemand hem een havik noemt.'

Haar ogen fonkelden. 'Echt waar? En hij verstaat zeker wat ik zeg?'

'Woord voor woord, dus wees aardig.'

Ze keek weer naar de vogel. 'In dat geval ben je de knapste valk die ik ooit heb gezien, Clout.' Tot haar grote vreugde reageerde de vogel met een knikje van zijn kop.

Tor vertaalde het gebaar. 'Hij complimenteert je met je bijzonder goede smaak.' En vond het heerlijk dat ze er hardop om lachte.

Sakson had amper gereageerd op de grote roofvogel naast hem, maar nu wees hij naar een beekje.

'Ja,' zei Tor. 'Waarom stoppen we hier niet even?'

Hij stak zijn wijsvinger op toen Alyssa wilde protesteren dat het te vroeg was. 'Het is jouw taak mijn gids te zijn. Hier wil ik graag halt houden om het prachtige landschap rond Ildagaarde te bewonderen.'

Sakson gebaarde dat hij bij de paarden bleef. Tor en Alyssa wandelden in een nu minder onbehaaglijke stilte naar de rand van de beek, terwijl Clout voor hen uit naar een bosje vloog. Ze verbaasde zich over zijn gracieuze bewegingen.

'Vertel me meer over Clout,' zei Alyssa, nadat ze op het zachte gras waren gaan zitten.

Ze zag dat Tors gezicht een hele reeks tegenstrijdige emoties achter elkaar uitbeeldde. Ten slotte zuchtte hij. 'Waar moet ik beginnen?'

'Bij de bloemendans misschien?' zei ze zacht. Uit elk woord klonk verdriet.

En dat deed hij. Alles vertelde hij haar. Dat Merkhud hun link had opgemerkt. Over de Stenen en dat zijn ouders niet zijn echte vader en moeder waren. En zijn gevoel dat hij Merkhud naar Tal moest volgen. Hij zei dat hij twee dagen later naar Moeras Mallee was gereden om haar te spreken en haar vergeving te vragen, en haar hand, en of ze met hem mee wilde. Maar ze was weg. Geen briefje, geen aanwijzing waarheen of waarom. Tor haalde zijn vingers door zijn haar – een gewoonte die ze zich goed van hem herinnerde. Toen vertelde hij hoe hij zich zonder haar had gevoeld. En dat hij al die jaren ontelbare keren had geprobeerd een link met haar te leggen, altijd tevergeefs, maar zonder de hoop ooit helemaal op te geven.

Op dat moment had ze zijn hand vastgepakt. Tor voelde dat er kracht uitging van haar aanraking.

Hij verhaalde dat hij een lieve reus van een man had ontmoet – maar wel kreupel – die met een oor aan een paal was gespijkerd en die een link met hem kon leggen en hem via die link had gesmeekt om bij hem te blijven. Toen hij zei dat die vreemdeling Clout heette, keek Alyssa met een nieuwsgierige blik naar de valk, die zich op een nabije tak mooi zat te maken. Tor wist dat de vogel dit ter wille van haar deed. Hij had Clout gezegd dat hij niet zo ijdel moest zijn, maar Clout trok er zich niets van aan en spreidde nu zijn machtige vleugels, zodat Alyssa zijn kleurige, brede borst goed kon bewonderen. Ze lachte, maar niet lang.

Tor vertelde in detail hoe ernstig gewond Clout was geweest en dat hij hulp had gekregen van primaat Cyrus en dokter Vrijberg. En over die mier die een kakkerlak sloopte. En hoe hij zijn nieuwe vriend had genezen. Hij vertelde haar ook het weinige dat hij wist over de Paladijn. Wat hij maar liever verzweeg was zijn kroning tot Koning van de Zee, en trouwens alles wat met Eryn te maken had. Dit was misschien niet het juiste moment – nu Alyssa was begonnen zijn hand te strelen – om over zijn amoureuze affaire met een andere vrouw te praten.

De historie die hij vertelde, kreeg steeds meer vaart. Hij sprak over de nachtelijke rit naar Brewis, waar Clout van gedaante was veranderd en valk was geworden, en waar Cyrus aan een boom was genageld en op het nippertje van de dood was gered. En over de koning en de koningin. En Merkhud. En zijn leven in het paleis. En zijn groeiende obsessie om naar haar op zoek te gaan.

Haar tranen druppelden op zijn hand, die ze nu stevig omklemd hield.

Daarna rondde Tor zijn verslag van zijn leven van de afgelopen vijf jaar snel af. Hij vertelde haar over zijn genezing van koningin Nyria en zijn aansluitende ruzie met Merkhud. En over zijn achterdocht tegenover de oude man en de verdwijning van de primaat in het Kernwoud en over Darmud Coril en Lys. Tor sprak echter niet over zijn dromen en wat hij daarin had aanschouwd. Dat wilde hij haar later vertellen.

Nu keek hij haar ernstig en vragend aan. 'Geloof je me?'

Alyssa keek hem diep in de ogen – en nog dieper dan dat. 'Elk woord, Tor. Sakson heeft tegenover mij over dezelfde droomvrouw gesproken, degene die jullie Lys noemen. Zij is degene die hem naar mij toe heeft gestuurd.'

Hij knikte. 'Logisch. Hij is je lijfwacht.'

Zelf vond ze het niet zo logisch, maar voordat ze daar iets over kon zeggen, praatte hij alweer.

'Wil je me vergeven voor Minstede?'

Ze legde haar koele hand op zijn lippen en belette hem zo het spreken. Ze knikte.

'En Xantia?' vroeg ze zacht.

'Xantia?' vroeg hij, alsof hij niet begreep wat ze bedoelde. 'Zij is niemand, Alyssa... een afleiding.'

'Echt? Nou, die afleiding is jarenlang mijn beste vriendin geweest. Pas onlangs heeft ze besloten me tot haar vijand te verklaren.'

'Wegens mij?'

'Nee. Het is ingewikkelder. Ze is in de greep van twee soorten jaloezie. Er wordt binnenkort een nieuwe ouder benoemd en Xantia gelooft dat zij de uitverkorene moet zijn. Er zijn vier kandidaten en omdat ik er één ben, voelt ze zich bedreigd door mij.' Alyssa zei er verder niets over, maar Tor vermoedde dat zij met kop en schouders boven de andere kandidaten uitstak. Hij hield die gedachte voor zich.

Alyssa praatte door. 'Nóg recenter is ze verliefd geworden op een man. Op jou. Ze luistert niet naar rede. En in mij – iemand die ze tóch al haat – ziet ze nu alleen nog maar een rivaal in de liefde voor de man die ze pas enkele uren kent, maar die ze beweert te aanbidden. Tor, Xantia denkt dat we minnaars zijn!'

Hij glimlachte. 'Laten we haar dan niet teleurstellen! Laten we jullie ruzie de moeite waard maken!' Hij meende het. Ze zag het aan de vurige gloed in zijn stralende blauwe ogen.

Misschien had de valk iets gezegd, want Tor keek pijnlijk getroffen – alsof iemand hem een verwijt had gemaakt.

'Tor, ik weet ook niet waarom, maar het schijnt vandaag mijn lot te zijn dat ik moet uitleggen wat die schijf op mijn voorhoofd te betekenen heeft.'

'Welke schijf – deze?'

Toen hij de schijf aanraakte, viel die geluidloos op de zachte stof van de geplooide kleren op haar schoot.

Alyssa was sprakeloos. Ook Tor zelf keek wat verwonderd toen hij het schijfje met zijn lange vingers oppakte. De groene edelsteen glinsterde fel in het zwakke zonlicht.

Hij legde een link met haar geest. *Welkom terug bij mij.* Hij schoof het schijfje in zijn jaszak en boog zich om haar te kussen.

Verbluft en verdoofd stond Alyssa de kus toe, maar zonder hem te beantwoorden. Het was alsof ze de wereld de afgelopen vijf jaar vanachter een waas had gezien en door een prop watten had gehoord. Meteen nadat ze was bevrijd van de archaliet, was elke kleur, elke geur, elk geluid – en waarschijnlijk ook alles wat ze zou proeven – feller en intenser.

Tor trok zijn mond terug van de hare. Hoe lang had hij hiervan gedroomd? Het kon hem niet eens veel schelen dat de affectie deze eerste keer nogal eenzijdig van zijn kant moest komen.

Sakson! riep Alyssa via de link.

Hij kwam zo snel zijn kreupele gang en blinde oogholten het hem toestonden. Zijn gezicht was een grimas van ontroering.

Je bent terug, zei hij met zijn lieve, diepe stem in haar geest, de stem die ze zo vreselijk had gemist. *Hoe?*

Door Tor!

Sakson glimlachte zijn scheve, misvormde grijns, die nog maar een schim van zijn vroegere verblindende kracht bezat. *Dat komt doordat hij de Ene is.*

❧

De rit naar Ildagaarde zelf zou tot het middaguur duren en Sakson liet de paarden een kalm gangetje aanhouden om het paar dat hij begeleidde alle tijd te gunnen om met elkaar te delen wat er gedeeld moest worden.

'En nu jouw verhaal.'

Alyssa keek Tor vragend aan om nog even tijd te winnen voordat ze moest herbeleven wat ze in al die jaren erna had proberen te verdringen.

'Dat is erg pijnlijk voor mij, Tor.' Ze keek naar de donkerrood gekleurde heuvels in de verte en de verschillende tinten groen van het gras op de vlakte voor hen uit. Ze meende helemaal vanaf de hellingen een geur van lavendel te ruiken.

Hij boog zich naar voren en kuste haar hand. *Vertel het me toch maar*, zei hij in haar geest.

En dat deed ze, zonder hem de gruwelijke details te besparen. Ze zag hem glimlachen toen ze vertelde hoe ze met Sakson Vos door de lucht had gezweefd en verdrietig kijken toen ze haar eerste confrontatie met Goth beschreef. En toen ze haar tweede ontmoeting met hem beschreef, waarin ze door hem werd verkracht, zag ze Tors blauwe ogen verduisterd worden door wanhoop en haat.

Haar stem haperde tijdens het relaas, maar ze voelde zich gesteund door zijn trillende hand en hield vol. Hij had misschien gedacht dat het niet erger kon worden, maar hoorde toen wat Goth had gedaan met Milt en Oris, en hoe hij Sakson had mishandeld, en dat hij had gezworen op haar te wachten.

Toen ze was uitgepraat, bleef het aanvankelijk stil in de smalle ruimte tussen hen beiden. Ten slotte knikte Tor.

'Ik begrijp nu waarom je voor de Academie hebt gekozen. Ik ben zelfs blij met de archaliet, want die heeft je beschermd. En ik niet.'

'Zeg dat nou niet, Tor. Je kon echt niet voorzien dat deze dingen zouden gebeuren. Vergeet niet dat het mijn eigen keuze was om met Sorrel mee te gaan. Ik ben baas over mijn leven, niet jij.'

Ze bedacht opeens dat ze Tor nog niets had gezegd over haar droom toen ze in het Groen zweefde, nadat Goth haar had overweldigd, maar er was nu geen tijd meer voor. Sakson liet haar via een link weten dat ze bijna op hun bestemming waren.

Alyssa nam zich voor Tor later ook te vertellen over het gestolen kind en de twee boeken die ze had gevonden. Misschien kende hij dat verhaal of wist hij een verband te leggen met dokter Merkhud.

Ze kneep hem in zijn hand. 'Kom, laat ons hier een fijne dag van maken.'

Gewoonlijk zou Tor ervan genoten hebben een nieuwe stad te verkennen, vooral een historisch oord als Ildagaarde, maar deze keer was zijn aandacht volledig op Alyssa gericht. Alleen al de manier waarop ze haar handen bewoog als ze sprak, was voor hem veel fascinerender dan alle architectuur om hem heen – die trouwens grotendeels uit ruïnes bestond.

Ildagaarde, zo verluidde het, was nooit helemaal hersteld van de verwoesting die tovenaar Orlac hier had aangericht. De ruïnes hadden een tragische schoonheid en zagen eruit alsof ze vanuit een andere, ondergrondse beschaving naar boven waren geduwd. Om het oude centrum heen was een nieuw stadje ontstaan.

De lokale bewoners hadden geen oog voor de fraaie marmeren zuilen, de mozaïekvloeren, waarvan vaak maar een hoek over was, en de oogstrelende beeldhouwwerken. In het oudste en meest tot de verbeelding sprekende deel van de stad was een nieuw centrum van handel en geleerdheid ontstaan, zij het deze keer van minder filantropische aard. Maar voor bezoekers was Ildagaarde een stad van ongekende pracht, waar de geest van eeuwen geleden uit tientallen lege, geruïneerde gebouwen naar je toe waaide.

Op deze dag vulde de stad zich ook in een hoog tempo met massa's levende mensen. Ze waren uit het hele koninkrijk Tallinor en daarbuiten gekomen om het beroemdste van alle festivals te komen vieren: Czabba. Letterlijk betekende dit 'dood', maar de aanleiding was allerminst plechtig van aard. Het festival dateerde nog uit de legendarische periode van Orlac en in de loop van de eeuwen was de precieze betekenis verloren gegaan. Wat dat betreft, had Merkhud gelijk. Het had zich ontwikkeld tot een grote verkleedpartij, waarin alle straten van de stad werden gevuld met het feestgedruis van de gasten.

Op de avond van het eigenlijke festival droeg iedereen een masker. Volgens het bijgeloof kon de Dood dan niet herkennen wie je was. Er liepen dus altijd mensen met doodsmaskers rond, maar ook met dierenmaskers, waaronder zeer bizarre en akelige. Van elf maskers was het echter traditioneel verplicht dat ze telkens aanwezig waren. Zij waren vervaardigd door de grootste kunstenaars en de kans om een van de elf te mogen dragen werd door elke bewoner van Ildagaarde beschouwd als een grote eer.

Een van deze maskers was dat van de Dood, deze keer in de gedaante van een knappe jongeman – en dat was natuurlijk Orlac zelf. De andere tien stelden de voornaamste oude rassen voor die destijds in het koninkrijk Tallinor woonden. Dat was tenminste wat de geleerden vermoedden. Echt of niet echt? Voor de hedendaagse feestvierders was het niet iets belangrijks, maar gewoon een onderdeel van de praal en geheimzinnigheid van het feest.

Alyssa besefte nu dat die tien rassen overeenkwamen met de samenstelling van de Paladijn. Weer een stukje van de legpuzzel dat op zijn plaats viel.

Ze leidde Tor rond door de straten die ze oppervlakkig kende van haar eigen schaarse bezoeken aan de stad. Hij zoog het geluid van haar kalme stem op, keek hoe haar lippen zich bewogen, herinnerde zich dat ze als kind al op deze manier met haar honingkleurige haren had gespeeld. Haar lange vingers met hun perfecte ovaaltjes van nagels verrukten hem aanzienlijk meer dan haar beschrijving van het leven in de oude stad, hoe beroemd die ook mocht wezen.

Zo kwamen ze al dwalende in een straat die bekend stond om zijn goede drenkplaatsen, zoals Alyssa ze noemde. Ze serveerden hier alle denkbare soorten thee en ook een drankje dat zabub heette, een koppige, zoete, stroperige vloeistof, die de plaatselijke lekkernij was. Daarom stelde Alyssa voor dat hij het eens proefde.

Tor hoorde hoe ze het bestelde in de taal van de straatventers ter plekke. Hij merkte meteen dat Alyssa aanleg had voor talen.

Hij praatte hardop. 'Ook voor jou is dit het eerste Czabbafeest.'

'Ja,' zei ze, maar toen vroeg ze bezorgd: 'Denk je dat alles goed is met Sakson? En Clout?'

Hij grijnsde. 'Clout kan voor zichzelf zorgen. Hij heeft niet veel op met drukte of steden. Hij blijft wel in de buurt en is altijd in mijn hoofd.'

Ze zuchtte. 'Zo was het met Sakson en mij ook, voor de archaliet.'

'Je hoeft je over Sakson geen zorgen te maken. Hij is verstandig en zal met de paarden bij de rand van de stad blijven.'

'Het speelt steeds door mijn hoofd dat Goth zich aan zijn belofte zal houden. Hij wil me vernietigen, omdat ik tot twee keer toe aan zijn klauwen ben ontkomen.'

Ze zag dat hij zijn kaken op elkaar beet bij het horen van die woorden.

'Hij zal je met geen vinger meer aanraken, Alyssa,' zei hij toen. 'Dat zweer ik je. De man is een monster. Hij moet betalen voor wat hij jou heeft aangedaan.'

Ze wilde iets zeggen, maar op dat moment kregen ze hun drankjes. Via de link fluisterde ze: *Het is verleden tijd. Laat het rusten.*

Ze bedankte de jonge serveerster en tikte toen met haar beker tegen die van Tor. 'Zabub wordt heet gedronken, dat is lekker warm op een winterse dag. Pas op dat je je mond niet verbrandt.'

Hij blies over de dampende vloeistof en nam een slokje. Hij proefde een volle smaak, met een exotische likeur erin.

'Hmm,' zei hij. Zo te zien vond hij het echt lekker. Ze moest erom lachen. 'Wat vind jij eigenlijk van dit feest?'

'Voor mij betekent het weinig, Tor. Ik vier liever het leven.'

'Of misschien het óverleven,' zei hij zacht. 'Czabba, is dat de lokale taal?'

'Ja, maar een oude vorm, die al meer dan een eeuw dood is.' Opeens bevroor Alyssa in haar beweging – ze had de beker bijna bij haar open mond – en verscheen er een frons op haar voorhoofd.

'Als je zo blijft staan, vang je een vlieg,' zei hij. Het was een favoriet grapje van zijn moeder.

'Tor...'

'Ik ben hier. Ik hang aan je lippen.'

'Het betekent niet Dood.'

'Behoor ik dit te snappen?'

'Czabba... het festival... het betekent niet Dood.'

'Nee?' Tor begreep er niets van en hij had ook geen belangstelling. Het enige wat hij wilde was een kus van die lieve lippen.

Maar Alyssa's stem klonk opgewonden. 'Luister, dit is echt belangrijk! Ik heb twee oude boeken gevonden in een geheime bergplaats onder de vloer. Daar lagen ze niet toevallig, maar zijn ze lang geleden doelbewust verstopt.'

Hij knikte. De verleiding om haar te plagen was groot, maar ze scheen dit heel serieus te nemen. Dus hij keek ook maar serieus.

'In deze boeken,' vervolgde Alyssa, 'heb ik iets gelezen wat naar mijn mening een feitelijk verslag is, geschreven door een van de meesters van Goudsteen zelf. Hij heette Nanak. Hij schreef een verhaal – te lang om het nu te vertellen – over een kind dat gestolen was. Geen gewoon kind, Tor, maar een godenkind.'

Ze zag dat hij moeizaam slikte. Hij zette zijn beker zachtjes op het tafeltje. 'Ga door,' zei hij op een dringende toon, nu zonder een spoortje van ironie.

'Hij was gestolen van de Kring en aan sterfelijke mensen verkocht door...'

'Vuilophalers,' vulde hij aan.

Nu was het Alyssa's beurt om haar beker neer te zetten. Hij zag dat ze verbleekte. 'Weet je dat?'

'Ga verder, alsjeblieft.' Hij vermeed oogcontact.

Ze voelde zich gedwongen. 'Ik... ik had je dit daarstraks al willen vertellen. Toen Goth me verkrachtte, ben ik in het Groen gevlucht om aan zijn aanraking, de pijn te ontkomen. In het Groen had ik een visioen. Ik zag hoe een baby werd gestolen van zijn ouders. Het waren prachtige mensen die zich op een lieflijke bergweide bevonden. Ze deden niets om het kind te helpen en keken passief toe toen de dieven ermee wegrenden.'

'Ga door,' drong hij aan.

'Dat was het hele visioen. Maar in het boek heb ik meer gelezen. Het kind groeide op tussen sterfelijke mensen, zonder te weten wie hij was. Zijn menselijke ouders, die begiftigden waren, kenden zijn afkomst evenmin. Hij was zelf zéér begiftigd, een supertalent onder de magiërs. Ze plaatsten hem op de Academie, waar zijn vermogens die van de meesters al spoedig overtroffen. Toen werden ze bang voor hem.'

Ze zweeg, maar nu was Tor degene die het verhaal voortzette. Zijn droom lag nog vers in zijn geheugen.

'Toen ze stiekem een plan hadden bedacht om zijn krachten te dempen, heeft die jongeman de hele stad Goudsteen in puin gelegd – daar bevond zich de oude Zetel van Geleerdheid – en tweeduizend mensen gedood. Die stad heet tegenwoordig Ildagaarde en de oude Academie is tegenwoordig Carembosch, een nieuwe Academie.'

Alyssa schudde ongelovig haar hoofd. 'Tor, je moet me zeggen hoe je dit weet.'

'Ik heb het gedroomd.' Hij wreef met zijn handen over zijn gezicht, opgewonden.

Alyssa stotterde bijna van opwinding. 'Ik heb pas het eerste boek uit. Het is in een oeroude taal geschreven en ik snap niet dat ik het begrijp. Niemand anders kon er een touw aan vastknopen. Ik ben die taal nooit tegengekomen. Hoe kan ik dan weten wat er staat? Hoe weet ik dat dit feest niet Czabba heet, maar Aczabba Veiszuit?'

Tor schudde zijn hoofd en keek haar vragend aan.

'Czabba is inderdaad het oude lokale woord voor dood, maar ik vermoed dat het in dit geval een verbastering is van het oudere woord uit die oudere taal waarin de boeken zijn geschreven. Aczabba Veiszuit betekent namelijk Dood van een God.' Ze klapte opgetogen in haar handen. 'Wat heb je nog meer gedroomd?'

Tor voelde koude rillingen over zijn rug gaan, maar hij vertelde Alyssa nu alles wat hij in zijn droom had gezien. Toen hij was uitgesproken, bleven ze elkaar een hele poos zwijgend aankijken.

'Deze Lys van jullie... Heeft zij gezegd dat hij nog leeft en dat hij zal terugkomen? Dat je hem moet tegenhouden? Tor, in wat voor waanzin zijn we terechtgekomen?'

'Geen waanzin. Hij heet Orlac.'

Ze voelde haar knieën knikken. Tor had gelijk.

'Het is nog erger.' Hij dronk zijn beker leeg. 'Wil je raden hoe zijn sterfelijke pleegvader heet?'

'Dat hoef ik niet te raden. Het staat in het boek. Zijn naam is Merkhud.'

'Een en dezelfde.'

'Maar dan zou jouw Merkhud eeuwenoud moeten zijn, Tor.' Ze wilde deze onwaarschijnlijkheid gebruiken om ook de rest op losse schroeven te zetten.

'Waarom niet? In mijn leven lijkt níéts meer onmogelijk, en in het jouwe trouwens ook niet. We worden omringd door krachtige magie, magie stroomt door ons lichaam. We kunnen niet ontdekt worden door de Inquisitie, maar Merkhud kon ons wél vinden. Hij lijkt me in het centrum van dit alles te staan. Alyssa, ik begin bijna te geloven dat hij het zo heeft gerégeld dat jij Moeras Mallee verliet. Hij zal hebben vermoed dat ik je wilde meenemen naar Tal.'

Tor fronste zijn voorhoofd en probeerde ideeën met elkaar in verband te brengen die al jaren in zijn onderbewustzijn hadden liggen rijpen.

'Hij wilde jou liever niet bij mij in de buurt hebben, maar hij wist dat je begiftigd bent en dat ook jij desalniettemin onopgemerkt was gebleven. Dat moet hij veel te waardevol hebben geacht om het te negeren. Ik weet dat het klinkt als een wilde gok, maar ik heb vaak geloofd dat híj de communicatie tussen ons beiden heeft geblokkeerd.' Dat bracht hem op een nieuwe gedachte. 'Alyssa, waarom ben je eigenlijk weggegaan? Wat gaf je in om op stap te gaan met een vrouw die je nog nooit eerder had gezien?'

Ze dacht diep na. 'Na de bloemendans verwachtte ik dat jij misschien... nou ja, dat weet je.'

Hij knikte. Dat wist hij maar al te goed.

Ze zuchtte. 'In plaats daarvan heb je me bang gemaakt met je bitse woorden en boze stem. Zij was heel lief voor mij, die eerste dag, toen ik me eenzaam, angstig en verdrietig voelde. Maar nu ik er als volwassene aan terugdenk, moet ik bekennen dat Sorrel me in haar conversatie fijntjes liet weten dat jij was vertrokken. Ik hoor vandaag dat je toen nog helemaal niet weg wás! Sorrel wilde misschien dat ik kwaad op je werd. Waarom zou ze anders gelogen hebben?'

'Precies! Ik durf om al het goud van Ildagaarde te wedden dat Sorrel een onderdeel is van het netwerk dat Merkhud om ons heen heeft geweven. Alyssa, als Merkhud de sterfelijke vader van Orlac is, waarom zou Sorrel dan niet...'

'Zeg het alsjeblieft niet, Tor. Ze is vijf jaar mijn toeverlaat geweest. Ze heeft me beschermd en verzorgd en bewaakt.'

'Allicht! Dat is haar taak! Ze kan best heel veel van je houden, Alyssa, maar ze voert de wensen uit van Merkhud, haar man. En waarom? Dat zal ik je zeggen. Omdat zij de sterfelijke moeder van Orlac was. Ze hebben ons vanaf het begin gedirigeerd en met opzet bij elkaar vandaan gehouden.' Er klonk geen blijdschap in zijn stem toen hij deze puzzelstukjes verbaal aan elkaar legde.

Alyssa had een hol gevoel vanbinnen. Ze besefte achteraf dat ze Sorrel al te gemakkelijk in haar leven had binnengelaten en dat de oude dame op een uitgekiend moment was komen opdagen om het jonge, gekwetste meisje houvast en een doel te bieden. Tors conclusie van daarnet was pijnlijk, maar waarschijnlijk helemaal wáár. Het klopte allemaal precies.

Merkhud en Sorrel, de sterfelijke ouders van Orlac, spanden samen om dingen te laten gebeuren.

'Ben je uit eigen keuze hierheen gekomen, nadat je had besloten uit Tal weg te gaan?' vroeg Alyssa behoedzaam, nadat ze even had gepiekerd.

'Nee. Het was een suggestie van Merkhud.'

'Dus als we jouw hypothese aannemen, hebben ze nu besloten ons weer bij elkaar te brengen. Ze wisten natuurlijk dat we elkaar hier zouden zien. Waarom?'

Alyssa zou Tors antwoord nooit horen, want juist op dat moment werd haar aandacht getrokken door een bekende gestalte. Opeens verkilde ze tot in haar botten. Boven Tors brede schouder uit had ze een glimp van een paarse kleur gezien. Het was een kleur waaraan ze een gruwelijke hekel had sinds ze in Fraggelham haar kostbaarste bezit was kwijtgeraakt aan de man die ze meer haatte dan wie ook. En die man slenterde hier over de straat, in Ildagaarde, terwijl zij zaten te praten over hypothesen en ondertussen zabub dronken!

Tor had de plotselinge doodsangst op haar gezicht zien verschijnen. Hij draaide zijn hoofd en begreep meteen wat de oorzaak was. Hij voelde zijn eigen bloed koken, maar dwong zich tot de zelfbeheersing die hij had geleerd toen hij Clouts leven uit zijn vingers had voelen wegglippen. Dat was de allereerste keer dat hij zijn angst had verjaagd en hem had vervangen door kracht – namelijk de vermogens waarover hijzelf beschikte. Nadien had Tor al vaak een beroep gedaan op deze afgedwongen kalmte en hij deed het nu weer, want hij wist dat angst hun vijand naar hen toe zou lokken.

Hij opende een link naar Alyssa en zei dat ze strak naar hém moest blijven kijken. Ze wendde haar blik met moeite van het paars af en staarde naar de blauwe ogen die ze vertrouwde.

Trek je hoofdkap over je haren, zei hij kalm, *en kijk niet zijn kant op.*

Toen opende hij een link naar Clout en informeerde zijn vriend over de nieuwe wending. De valk vloog meteen op, nog voordat Tor zich weer tot Alyssa wendde.

Leg een link met Sakson. Zeg hem dat je onderweg bent en dat hij klaar moet staan om jou zo snel mogelijk naar de Academie terug te brengen.

Ze deed wat hij opdroeg.

Goed. Nu, lieve schat, moet ik iets doen wat me erg spijt, maar het zal je ook deze keer redden. Hij stak zijn hand in zijn zak en haalde het bleekgroene schijfje archaliet tevoorschijn.

Clout, die hoog in de lucht rondjes draaide, liet een waarschuwing horen. *Hij is zowat veertig passen bij je vandaan, Tor, maar nu druk in gesprek met een winkelier. Hij kijkt niet jullie kant op.*

Tor drukte het schijfje op Alyssa's voorhoofd, waar het meteen bleef vastzitten. Ze keerde terug in haar doffe wereld, waarin ze bovendien van Sakson en Tor was afgesneden. Het zorgde voor een acuut en schrijnend gevoel van eenzaamheid en angst, maar Tor pakte haar elleboog vast en gaf haar zijn kracht. Hij draaide haar van Goth weg en sprak zacht, maar gedecideerd, nadat hij haar arm had losgelaten om zo weinig mogelijk aandacht te trekken.

'Loop snel, maar ga niet rennen. Je komt vlak langs Goth.' Hij zag hoe ze schrok. 'Het is de kortste weg naar Sakson. Goth zal je niet opmerken, want ik ga hem afleiden. Ik zweer je dat je veilig bent.'

Alyssa geloofde hem niet. Hij zag het aan de angst in haar ogen. Maar ze was een moedige meid en zou doen wat hij vroeg.

Clout?

Hij staat nog steeds te onderhandelen over een of andere snuisterij. Doe het nu of nooit, vrienden!

'Ik hou van je, Alyssa,' zei Tor teder, en daarna resoluut: 'En nu wegwezen!'

Alyssa had hem deze woorden eerder horen zeggen, op een zonnige dag op de brink van Minstede. Ook nu liet ze hem met tegenzin achter. Ze liep bij de man van wie ze hield vandaan en regelrecht naar de man die ze haatte.

Tor hield zich op de achtergrond en zag haar gaan. Hij wilde pas in actie komen als ze veilig voorbij Goth was, die hij ginds zag discussiëren met de winkelier.

❦

Goth had een rotdag. Hij had momenteel geen soldaten bij zich, maar hoewel hij zonder zijn mannen geen breideling kon afdwingen, belette hem dat niet om ruzie te zoeken met een smoezelige winkelier die mensen van hun zuurverdiende geld probeerde te beroven.

Vanuit zijn ooghoek zag de hoofdinquisiteur een acoliet van de Academie langs hem heen snellen. Zijn ervaren blik stelde vast dat er een klein en slank meisje in die kleren zat. Hij kon haar gezicht niet zien, want ze hield het afgewend. Toen verdween ze uit het gezicht en was hij weer uitgeleverd aan dat verhaal over acht monden die gevoed moesten worden, plus een stokoude moeder.

Op dat moment hield de winkelier op met klagen en keek hij verwonderd naar de hemel. Goth keek ook en zag daar een valk die kalme rondjes draaide. De winkelier en andere omstanders verbaasden zich hierover, want ze hadden in dit deel van het land al in geen jaren een valk gezien.

Het kostte Goth met zijn scherpe verstand maar één tel om het verband te zien. Hij volgde die namaaklijfarts nu al weken. In Zadelwaard was hij zijn spoor volledig kwijtgeraakt. Hij had gehoopt het terug te vinden in de zuidelijke uitloper van de Rotsselbergen – de enige route naar het noordwesten – maar dat was niet gelukt. Niettemin was die vogel daar hoog in de lucht vast en zeker die van Gynt. De dokter was dus hier. Goth liet het voorwerp dat hij had willen kopen uit zijn handen vallen en keek zoekend om zich heen.

Weer kwam zijn opmerkingsgave hem goed van pas. Nagenoeg iedereen keek naar boven om de vogel te zien, behalve die acoliet daarginds. Zij trok haar kleren strak om zich heen – alsof ze niet wilde opvallen – en had duidelijk haast.

Goth liet zich leiden door zijn instinct, want dat had hij heel zijn leven gedaan, en met succes. Nu dicteerde zijn instinct hem dat hij achter dat slanke figuurtje aan moest gaan. Hij wist al dat Gynt hier was. Maar zijn onderbuik maakte hem duidelijk dat hij eerst achter de vrouw aan moest, want de enige acoliet in Carembosch die voor hem zou vluchten, was Alyssandra Qyn. Niet dat hij verwacht had dat ze een acoliet was geworden, moest hij zichzelf bekennen. Ze was immers geen begiftigde. Misschien was het een vermomming. Of misschien wás ze het niet. Toch volgde hij de acoliet. Hij wist dat de vrouwen van de Academie beschermd werden krachtens koninklijke decreten, maar dat kon hem geen barst schelen. Daar wist hij wel een mouw aan te passen.

En ze zou hem ongetwijfeld naar Gynt leiden. Dan kreeg hij het doktertje ook spoedig te pakken... en daarna zou hij de van angst trillende Alyssa weer in zijn armen nemen.

❧

Tor rende de straat in en voelde dat zijn maag zich omdraaide: Goth kwam niet zijn kant op, zoals hij had gehoopt, maar ging achter Alyssa aan!

Ik heb het idee dat ik hier een bezienswaardigheid ben, Tor, liet Clout hem ondertussen weten. *Ik ga achter Alyssa aan om te kijken of ze veilig bij Sakson komt.*

Tor haalde Goth snel in, maar bleef uit het zicht door achter personen, pilaren of rijdieren weg te duiken. Hij kon niet communiceren met Alyssa, maar zag dat ze elke poging om onopvallend te zijn had opgegeven. Ze rende.

Alyssa durfde een keer om te kijken en zag toen het verwrongen gezicht van Goth op nog geen vijftig passen achter haar, dichtbij genoeg om de lelijke kwabben te onderscheiden. Hij was op jacht naar haar. Ze sloeg haar hoofdkap naar achteren en rende. Haar gouden haren wapperden vrijuit. Goth kraaide van plezier.

'Ha, je bént het, Alyssa! Dat wordt een leuke reünie!' Hij begon nu ook te rennen.

Goth was niet groot, maar hij was fit en sterk. Tor, die achter hem aan rende, zag dat de inquisiteur Alyssa binnen enkele tellen zou inhalen. Hij moest iets doen, maar kon Goth niet rechtstreeks aanvallen, want de man werd voortdurend beschermd door dezelfde stof, archaliet, als Alyssa. Tor dacht koortsachtig na. Het moest nú gebeuren.

Juist op dat moment verscheen er een man in de straat die twee paarden naar een stal leidde. Toen Goth langs die paarden rende, bezorgde Tor de dieren een vlijmscherpe pijn. Zoals hij had gehoopt, krijsten en steigerden ze allebei. Het ene rukte zich los van de stalknecht en het andere trapte wild om zich heen en raakte Goth tegen zijn schouder.

Het was maar een schampende schop, maar toch hard genoeg om Goth tegen de grond te werpen. Er snelden mensen toe om hem overeind te helpen. Hij rukte zich van hen los en trok een gekweld gezicht – niet omdat hij pijn had, maar omdat hij zijn prooi achter een straathoek uit zijn gezicht zag verdwijnen.

Alyssa hoorde de paarden, maar keek niet om. Ze rende vastberaden door naar de rand van de stad, waar Sakson met de kar op haar wachtte. Ze keek naar boven en zag tot haar opluchting dat Clout bij haar bleef. Ze waardeerde het zeer en durfde zelfs even naar hem te wuiven.

De valk richtte zich tot Tor. *Alyssa redt zich wel. Jij moet zelf ook snel terug naar de Academie. Hij weet dat je hier bent, want hij heeft mij gezien.*

Hij is op weg naar een stal, denk ik, om zijn paard te halen. Weet je zeker dat Alyssa in veiligheid is?

Ze is al bij Sakson en ze rijden in galop, kreeg hij te horen. *Hou Goth nog éven langer bezig!*

Denk na! spoorde Tor zichzelf aan. Hij rende zo hard mogelijk achter Goth aan.

Clout meldde zich weer. *Weet je nog dat Merkhud ooit heeft gezegd dat alle meesters de ogenschijnbetovering zo lastig vonden? Ik weet dat jij nooit de moeite hebt genomen, maar dit is misschien een geschikt moment.*

Het was alsof de zon door de wolken brak. *Je bent een genie, Clout!*

Wat moest je zonder mij beginnen? zei de vogel en hij sloot de link.

De kunst van de ogenschijn was een bijzonder moeilijke en scheen net als het schaduwlopen alleen in theorie mogelijk te zijn, want zelfs grootmeester Joromi had geen van beide trucs ooit voor elkaar gekregen. Maar nadat Tor inquisiteur Goth in zijn stal had zien verdwijnen, concentreerde hij zich en voelde hij hoe de Kleuren hem omhulden. Op zijn borst voelde hij het bonzen van de Stenen en terwijl hun kracht en die van hemzelf door zijn lichaam vibreerden, wenste hij voor de zoveelste keer dat hij hun ware bedoeling kende.

Maar op dit moment fixeerde hij zijn aandacht en magie op een man die rechts van hem stond en weefde toen zijn complexe ogenschijn. Goth kwam naar buiten en sloeg zich op zijn dij met de zweep waarmee hij zijn hengst zou aansporen tijdens een dollemansrit naar Carembosch. Hij keek om zich heen met zijn diepliggende varkensoogjes en nam alle omstanders scherp op. Zo kwam het dat zijn blik werd getroffen door een man die hij kende. En die lange gestalte zag hem kijken en draaide zich om en liep weg in de richting van een zijstraat.

Er verscheen een boosaardige glimlach op het pafferige gezicht van de inquisiteur. 'Nou heb ik je, Gynt!'

Het verbaasde hem dat hij de dokter nergens zag, toen hijzelf die zijstraat in was gelopen, maar het ging hier om een smalle straat in de befaamde bazaar van Ildagaarde. Er lagen overal marktspullen op geïmproviseerde tafeltjes en onder gammele luifels, en je kon er alles kopen, van schoenen tot kleren en snoepjes. Je raakte er snel iemand kwijt.

Hij nam er de tijd voor, het moest zorgvuldig gebeuren. Aha, daar stond hij. En praatte met iemand. En liep tussen de stalletjes door naar een volgende kraam. Goth volgde hem.

En raakte hem wéér kwijt. Goth sloeg met zijn zweep tegen zijn dij, deze keer uit frustratie. Die verdomde Gynt speelde een spelletje met hem! Ha, daar was hij weer, nu met een dienblad in zijn handen. Hij gaf het aan een vrouw. Waar was het doktertje mee bezig? Goth zag dat hij iets tegen de vrouw zei en toen in een winkel binnenging.

En toen Goth even later diezelfde winkel betrad, was hij leeg. Op de winkelier na. En die vrouw. Ze kocht rijst.

De aangezwollen woede ontaardde in onbeheerste drift. Goth kon niet meer helder nadenken. Hij wilde Gynt hebben. Hij wilde zich op hem wreken voor alle jaren waarin hij vrijuit was gegaan. Hij wilde hem straffen voor alle vrouwen die zich aan zijn voeten hadden laten vallen. En vooral wilde hij hem te grazen nemen nu hij de protectie van Merkhud, de koning en die arrogante primaat moest missen.

Hij beende met grote passen de winkel uit en zag Gynt toen tot zijn verrassing pal voor zijn neus staan. De dokter bood hem een partje van zijn sinaasappel aan. Het geduld van Goth was op.

'Het is uit met de spelletjes!' beet hij hem toe. Gynt deed alsof hij hem niet herkende en sprak hem aan in het lokale dialect. Wilde Goth zijn fruit niet proeven?

Het was de beroemde druppel. Goth sloeg Gynt met zijn zweep in het gezicht en stortte zich toen als een wildeman op hem. Hij had hem het liefste ter plekke in stukken gescheurd. Hij was Alyssa weer kwijt en dit was nu iemand op wie hij zijn woede kon koelen. Hij voelde dat handen hem wegtrokken, maar hij was sterk en hield zijn prooi vast, waarna hij het hoofd van de dokter verschillende keren hard tegen de straatstenen sloeg.

Hij hoorde zichzelf giechelen. Ai, ai! Hiervoor zou hij aan het hof met een goede smoes moeten komen. Maar dat was voor hem geen probleem.

Toen Goth eindelijk van zijn slachtoffer was losgerukt, zag hij dat het een jong meisje was, dat daar roerloos op de straat lag. Haar bloed mengde zich met het sap van verpletterde sinaasappelen. Daar klopte niets van. Wat was er met Gynt gebeurd? Goths razernij ebde weg.

Mensen om hem heen stonden te fluisteren, maar ze waren te geschokt om hardop iets te zeggen. Sommigen kenden het meisje al vanaf haar geboorte. Niemand had ooit vermoed dat ze een begiftigde was. Waarom sloeg de inquisiteur haar anders dood?

❧

Het was maar goed dat Tor de afloop van zijn laatste ogenschijn niet had gezien. Hij had geconstateerd dat de eerste twee vlekkeloos werkten en was toen weggedoken om in de straten van Ildagaarde zo ver mogelijk bij Goth vandaan te komen. Daarna begon hij door het open landschap in de richting van de Academie te rennen.

Maar Clout zag het allemaal gebeuren. Hij gaf er de voorkeur aan deze kennis niet met Tor te delen. De jongeman had een nieuw hoogtepunt in de magische kunsten gerealiseerd door het mechanisme van een ogenschijn overdraagbaar te maken via een simpele aanraking. Nee, hij zou deze kennis voor zich houden en de dood van dat kind als de schuld van hemzélf aanvaarden.

❧

Nanaks stem brak toen hij via de link tot hem sprak. *Priesteres Arabella is gevallen voor Orlac.*

Er verscheen een wanhoopsuitdrukking op het gezicht van Merkhud. *Te snel. Het kan niet waar zijn.*

Het is waar.

Heeft ze iets gezegd?

Ze riep alleen dat haar tijd was gekomen.

En ze verdween zoals de anderen?

Ja.

Merkhud liep heen en weer in zijn werkkamer. Nanak zei niets meer.

Dan zal ze zich ergens vertonen, vriend. Ze zal weer opduiken. We weten dat nu. Haar leven als bewaker van Orlac is ten einde. Haar leven als beschermer van de Triniteit is begonnen.

Hij kreeg geen antwoord. De link sloot zich.

22
Asiel

Tor keerde terug naar de Academie en nadat hij zich haastig had gewassen en omgekleed, ging hij op zoek naar Alyssa. Hij vond Xantia.

'Zo snel terug, dokter Gynt? Ik dacht dat zelfs Alyssa u wel iets langer had kunnen amuseren.'

Tor was niet in de stemming voor haar. 'Weet je waar ze is?'

'Nee, jammer genoeg niet.' Ze zette een paar stappen in zijn richting en durfde zelfs met haar vinger een streepje over zijn hand te trekken. 'Misschien kan ik u dingen laten zien waar zij nog niet aan toegekomen is?' De dubbelzinnigheid ontging Tor niet.

'Ik vind haar wel,' zei hij en hij liep weg.

'Ik verheug me op onze dans vanavond, Torkyn,' riep ze hem na. Hij negeerde haar en begaf zich naar de bibliotheek.

Dat had hij goed geraden: Alyssa was er. Ze leek kalm, maar had een vurige blos op haar wangen. Er waren andere acolieten in de bibliotheek en haar blik waarschuwde hem dat hij voorzichtig moest zijn.

'Alles goed?' vroeg hij fluisterend. Het liefste had hij haar in zijn armen gesloten.

Ze knikte. 'Bent u net terug uit de stad?' Haar stem klonk geforceerd. Deze keer was hij het die knikte. 'En onze gemeenschappelijke vriend?'

'Van je spoor gehaald,' fluisterde hij. Hij zag de aderen op haar slapen pulseren. Goths greep op haar was monsterlijk! 'We moeten praten.'

'Niet hier,' waarschuwde ze. 'Ik ontmoet u zo dadelijk bij de fontein. Ik zal u de tuinen laten zien. Ik kom meteen.'

Alyssa was in de greep van sombere voorgevoelens. Dat kwam niet alleen doordat Goth weer in haar leven verschenen was, hoewel zijn aanblik haar de stuipen op het lijf had gejaagd. Tors eigen terugkeer had emoties bij haar naar boven gehaald die ze lang begraven had gewaand. Ze had er zichzelf ten slotte van kunnen overtuigen dat een leven als lid van de Academie voldoende was. Maar dat was het niet. Ze begreep Xantia's gevoelens nu veel beter. Alles wat Alyssa nog wenste, was bij Tor te zijn. Maar het leven kon nooit meer worden zoals het gisteren nog was. Ze herinnerde zich haar boze woorden tegen Xantia. Hoe leeg klonken ze achteraf, nu ze zélf dat advies ter harte moest nemen!

Ze was een Onaanraakbare. Het schijfje archaliet was haar enige bescherming tegen Goth, maar tevens verdoemde dat schijfje haar liefde voor Tor. En toch had Sakson haar krachtig aangeraden om Tor te aanvaarden als de man die ze moest volgen. Ze liep in verwarring door de gangen van de Academie en pas toen ze Sakson op de binnenhof zag staan, wist ze weer dat ze naar hem op zoek was. Ze had de twee delen met Nanaks kroniek bij zich.

'Bewaar deze op een veilige plek voor mij,' zei ze, zonder precies te weten waarom ze dit deed. Net als Goth liet ook Alyssa zich vaak leiden door haar instinct. Dit dicteerde haar nu dat ze de boeken weer moest verstoppen, maar ergens onder handbereik. Sakson knikte. Hij pakte de boeken aan en legde ze onder een deken op de achterbak van de kar die hij aan het repareren was.

De onthullingen die Tor en zij vandaag met elkaar hadden gedeeld, waren evenzovele redenen voor haar bedrukte stemming. Hij wachtte naast de fontein op haar.

'We moeten erg voorzichtig zijn. De ouderen houden overal een wakend oogje in het zeil.'

Ze begonnen over de paden te drentelen en Alyssa stak een verhaal af over de planten, over de geschiedenis van de tuin, over de krachtige medicijnen die ze van de kruiden maakten en over nieuwe geneesmiddelen die ze hier in Carembosch hadden ontwikkeld. Maar tussen de regels door wisselden ze korte zinnetjes uit.

'Wat heb je gedaan?'

'Een truc.'

'Sallak is een van onze veelzijdigste kruiden... Hij zal terugkeren. Hij komt vanavond, als ik kwetsbaar ben.'

'Blijf dan binnen.'

'Een zalfje, dat we heet maken. Ik moet wel mee. Het is onderdeel van de ceremonie... maar niet ál te heet,' vervolgde ze.

Tor haalde zijn vingers door zijn haar. 'Luister. Er wordt vandaag in je kamer een masker afgeleverd. Zorg dat Xantia het ziet. En zorg ervoor dat jij dat masker draagt als je jullie kamer verlaat.'

'Helpt tegen bijna alle soorten pijn, maar vooral heel goed tegen maagkrampen. Deze roze bloempjes hier noemen we riempjes... Ik heb al een masker geregeld.'

Tor wees naar een bank. Ze gingen zitten. 'Je moet het masker dragen dat bij je wordt gebracht.'

'Wat is het?'

'Een vos,' antwoordde hij. 'Ik zal het varken zijn.'

'Dat lijkt me passend,' zei Alyssa, die ondanks alles een vluchtig glimlachje niet kon onderdrukken. Ze ging staan en hervatte haar lezing over kruiden.

'Alyssa, we hebben weinig tijd,' drong Tor aan.

Ze bleef staan om een paar woorden te wisselen met twee ouderen met wie Tor nog niet had kennisgemaakt.

'Vond u onze beroemde zabub lekker, dokter Gynt?' vroeg een van hen.

'Heerlijk,' zei hij enthousiast.

Ze knikten beleefd en liepen verder.

'Wat zei u?' vroeg ze. 'O ja, weinig tijd. Wanneer vertrekt u dan?'

'Vannacht.'

'Aha.' Alyssa wist niets anders te verzinnen wat ze kon zeggen om haar schrik te verbergen, maar Tor praatte al verder. 'Maar ik vertrek niet in mijn eentje, Alyssa. Deze keer kom je met me mee.'

Hij legde zijn vinger op zijn lippen toen zij zich gealarmeerd omdraaide. 'Het is hier niet meer veilig voor je. Onaanraakbaar of niet, we waren voorbestemd om samen te zijn. Zelfs Merkhud wil het nu. Laten we hem dus niet teleurstellen. Ik heb een plan.'

Er passeerde een groepje acolieten en een ervan zei hun geachte bezoeker goedendag. Tor en Alyssa forceerden een beleefd glimlachje.

'Draag maar gewoon dat vossenmasker en doe wat ik zeg, en wannéér ik het zeg.'

'Sakson?'

'Komt met ons mee, en Sorrel ook. Ze zijn even diep in deze mysterieuze zaken verwikkeld als wij. Ik spreek straks met Sorrel. Laat alles aan mij over. Doe bij alle vragen of je nergens enig benul van hebt, maar zorg dat Xantia ziet dat jij dat masker opzet.'

'Ik begrijp het.'

'Ik hou van je, Alyssa.'

Ze was in de wolken het weer hardop uit zijn mond te horen, al was het amper meer dan een fluistering.

'Ik ook van jou,' zei ze zachtjes, en toen gingen ze uit elkaar.

Goth moest zich met al zijn sluwheid in alle bochten wringen om zich uit de nesten te werken. Gelukkig hadden eindelijk een paar van zijn inquisiteurs hem ingehaald, en het feit dat ze met een groep naar Ildagaarde waren gekomen, gaf steun aan zijn bewering dat het zwerverskind begiftigd was gebleken. Hij zei tegen de stadsoudsten dat het meisje had gezinderd van magie en hem had aangevallen, en dat hij de omstanders had willen beschermen. Hij verontschuldigde zich voor de manier waarop hij haar had aangepakt.

De moeder was radeloos van verdriet en wilde zijn bloed zien. De autoriteiten wisten natuurlijk dat daar geen sprake van kon zijn, maar legden uit dat ze de vrouw toch een bepaalde genoegdoening wilden geven. Tenslotte had ze een kind verloren.

Goth had zelfs in de gunstigste omstandigheden geen genade voor het zwerversvolk. Terwijl hij hier in de raadzaal van het stadhuis zabub zat te drinken en naar het gezwam van de stadsoudsten luisterde, had hij er zichzelf al bijna van overtuigd dat hij eigenlijk iets heel nuttigs had gedaan. Een zwerverskind minder betekende immers een zakkenroller minder. Hij wist wel dat hij dit niet publiekelijk kon uitspreken, maar zijn verwrongen geest hield van de logica van zijn redenering en hij wist dat veel mensen het met hem eens waren.

'Ik zal het natuurlijk goedmaken met het gezin,' beloofde hij genereus. 'Is het groot?'

'Ik geloof dat ze zeven kinderen hebben, nou ja, nu zes,' zei een van de mannen onbehaaglijk. 'Geen vader, maar wel twee grootouders, meen ik.'

Precies wat hij dacht! Een heel nest vol van die vieze, stelende ratten! Maar hij onderdrukte de minachting die bijna automatisch op zijn lelijke gezicht was verschenen. Hij mocht zijn ware gevoelens niet laten blijken.

'Burgemeester Jory, ik zal er vanavond een paar van mijn mannen naar toe sturen met een gevulde beurs. Ze zullen mijn leedwezen uitspreken en mijn positie verhelderen. Dat is overigens zeer ongebruikelijk, gezien het feit dat het kind een begiftigde was en dus echt moest worden aangepakt, maar het spijt me dat we geen reguliere breideling hebben uitgevoerd.' Hij zei het allemaal op een hoffelijke en bescheiden toon.

Goth had al door dat de burgemeester weinig op had met dit minderwaardige volkje, waarvan het in Ildagaarde krioelde. Hij tolereerde ze tijdens het festival, wanneer ze met horden naar de stad kwamen om geld te verdienen aan de duizenden pelgrims en toeristen. In die dagen hadden ze een functie, maar daarna wilde de burgemeester ze zo snel mogelijk kwijt. Misschien dat dit incident hierbij zelfs een handje zou helpen.

'Dat lijkt me inderdaad toereikend,' zei de burgemeester. 'Hartelijk dank, hoofdinquisiteur Goth, voor uw geduld in deze affaire.'

Goth wuifde de dank weg, alsof hij wilde zeggen dat dit wel het minste was dat hij in deze omstandigheden kon doen. Hij riep zijn bediende bij zich en sprak zachtjes met hem.

'Stuur twee kisten Morriët naar het huis van de burgemeester,' fluisterde hij, terwijl hij de man tevens een volle beurs in de hand drukte. 'En geef hem deze.'

De man knikte. 'En roep Rhus, alsjeblieft,' zei Goth nog tegen de vertrekkende bediende.

Toen Rhus verschenen was ging Goth demonstratief staan om hem een grote en zichtbaar zware beurs met goudstukken te overhandigen.

'Breng deze naar het gezin van dit kind, Rhus,' zei hij, luid genoeg om door alle stadsoudsten verstaan te worden. Hij zag dat ze instemmend knikten en zich toen aan hun vergadertafel omdraaiden om over andere zaken te spreken. Rhus keek naar zijn baas. Hij wist dat er preciezere orders zouden volgen, maar nu op gedempte toon.

'Zes kinderen, een moeder, twee grootouders. Het schijnt dat ze momenteel aan de rand van de stad in tenten kamperen met de rest van dat zwerverstuig. Maar met wat geluk, Rhus, wachten ze buiten op de uitkomst van dit overleg.'

De inquisiteur draaide zich om en liep weg. Hij begreep de opdracht volkomen.

'O, Rhus... die moeder zag er niet onappetijtelijk uit. Jij en de jongens mogen je gang gaan, maar doe het discreet en ruim alle lijken goed op.'

De man grijnsde vals. 'Er zal geen spoor te zien zijn, heer Goth. Ik breng uw beurs straks terug.'

'Bedankt, Rhus.'

Alyssa was nerveus. Tor had geen tijd gehad om zijn plan uit te leggen, maar ze wist dat hij gelijk had. Het leven hier zou niet meer veilig voor haar zijn. Goth had haar in een hoek gedreven. Haar enige hoop was dat ze samen met Tor zou kunnen verdwijnen. Ze klampte zich aan dit vooruitzicht vast, want het leek wel een sprookje. Maar ze was door de archaliet duidelijk herkenbaar en Tor was welbekend in de hogere kringen, dus verdwijnen zou niet eenvoudig zijn.

Haar andere bevestiging was Saksons briefje. Hij was immers gestuurd om haar te beschermen en dat had hij geweldig goed gedaan. En nu zei hij dat ze Tor moest volgen. Ze nam dus het juiste besluit, hoe gevaarlijk dat ook leek. De boeken, die vreemde droom van Tor, zelfs haar eigen droom in het Groen – alles wees erop dat ze deel uitmaakte van een of ander groots patroon. Ze was ook gewoon te báng om niet bij Tor te blijven.

Het was Alyssa gelukt Xantia de hele middag te ontlopen, maar ze had wel, volgens de regels, verslag uitgebracht aan ouder Iris. Ze had verteld dat het in de stad al bijzonder druk was en dat je de mooie dingen dan niet rustig kon bekijken. De ouder had deze reden voor haar vroege thuiskomst voor zoete koek geslikt. Verder had Alyssa gerapporteerd dat ze dokter Gynt de kruidentuin had laten zien en dat hij nu bezig was brieven naar het paleis te sturen en dat hij zich voorbereidde om morgenvroeg te vertrekken. De rest van de dag zou hij het druk hebben.

'Heeft iemand eraan gedacht een masker voor hem te regelen, Alyssa, mijn kind?' vroeg de ouder bezorgd.

'Alles is in orde,' antwoordde Alyssa, waarna ze de ouder verliet en zich terugtrok in haar bibliotheek. Daar trof Sorrel haar aan. Ze waren alleen en konden vrijuit praten.

'Dokter Gynt is vanmiddag bij me geweest.'

Alyssa besloot dat het geen zin had eromheen te draaien. 'Heeft hij u verteld over Goth?'

'Ja. Hoe ben je weggekomen?'

'Door heel hard te rennen. Heeft de dokter u nog meer verteld?' vroeg ze bijna verlegen.

'Dat weet je best,' zei Sorrel. Ze ging zitten en keek Alyssa met een strakke blik aan. 'Weet je dit zeker?'

'Ja. Sorrel, weet u nog dat u me die dag hebt gevraagd waarom ik uit Moeras Mallee wegvluchtte?'

'Alsof het gisteren was,' zei de oude dame.

'Wel, híj is degene van wie ik wegrende.'

'Dat heb ik inmiddels begrepen,' zei Sorrel, die niet blij was met haar rol bij het tot stand brengen van hun reünie. 'Ik herinner me nu weer dat hij die jonge klerk was die Vlakke Weiden verliet om in het paleis opgeleid te worden.'

Alyssa knikte, maar eigenlijk had ze Sorrel van alles naar haar hoofd willen gooien. Toen Tor suggereerde dat zij de sterfelijke moeder van Orlac kon zijn, had haar dat zeer plausibel geleken. Ze dacht terug aan haar vele gesprekken met deze vrouw, die allemaal quasionschuldig leken, maar in feite sluwe manipulaties waren. Haar hele gedrag, vanaf haar aankloppen tot en met de subtiele manier waarop ze haar had meegelokt, was een toonbeeld van doortraptheid geweest. Alleen de tussenkomst van Sakson was onvoorzien. Daarom had ze zich in het begin zo agressief tegenover hem gedragen.

Maar ze had Sorrel nodig. Als Tor gelijk had, stond deze vrouw rechtstreeks in contact met Merkhud. Misschien was ze zijn vrouw. Misschien kon ze hun gids zijn. Sorrel had magische talenten, dus het was heel goed denkbaar dat ze alles wat sinds Vlakke Weiden was gebeurd aan Merkhud had doorverteld. En deze had vervolgens Tor precies op het juiste moment laten weggaan. Het maakte Alyssa ziek als ze eraan dacht.

'Voel je je niet goed, liefje?' vroeg Sorrel.

Speel het spelletje mee, droeg Alyssa zichzelf op. Doe alsof je geen benul hebt, zoals Tor je heeft voorgesteld. 'Het gaat wel... alleen als ik aan Goth denk... Tor heeft me nog niets verteld over zijn plan.'

Sorrel kende het wel. Ze lichtte Alyssa in. 'Hij wil vanavond tijdens het feest ontsnappen. Sakson zal een wagen voor ons regelen. De dokter houdt het zo simpel mogelijk. Onder de beschutting van de duisternis en het feestlawaai zal het niemand opvallen dat een wagen via de achterpoort vertrekt. Zo eenvoudig is het.'

Het klonk inderdaad als de eenvoud zelf, maar Alyssa was niet zó onnozel. 'Maar waar gaan we héén?'

'Tja...' Sorrel zuchtte. 'Hij schijnt zeker te weten dat we in veiligheid zijn als we de rand van het bos maar halen.' Ze probeerde haar eigen twijfel niet te laten doorklinken in die woorden.

Alyssa was het daarmee eens. 'Sorrel... kan het je eigenlijk iets schélen?'

'Moge Licht me vellen, meisje! Wat een rare vraag! Hoe kom je op het idee om mij dat te vragen?'

Sorrel zag er geschokt uit en Alyssa had spijt van haar botheid.

'Ach, ik weet het niet. Het spijt me. Het komt doordat ik me zo bedreigd voel.'

'Onthou dit, Alyssa,' zei Sorrel ernstig. 'Ik zal desnoods mijn leven voor je geven. Misschien al binnenkort.'

Op winterdagen in het noorden viel de duisternis altijd snel in. De ijzige lucht beloofde sneeuw, maar vanavond nog niet. Vanavond zou het droog blijven boven de feestvuren die van Ildagaarde tot Carembosch waren ontstoken en boven de toortsen die de weg verlichtten.

Hoofdinquisiteur Goth, wiens groep inmiddels was aangegroeid tot twintig man te paard, verkneukelde zich van voorpret. De gedachte dat hij Alyssa's lieve lijf weer tegen het zijne aan zou drukken, lokte hem bovenmatig, en eigenlijk verbaasde hem dat een beetje. Hij wist niet waarom ze zijn zinnen zo prikkelde. Kwam het misschien doordat ze nu een vrouw was en dat de welvingen van haar lichaam hem nieuwe manieren aan de hand deden om haar geraffineerd te pijnigen?

Alles was volgens plan verlopen. Met de zwervers was in alle stilte afgerekend en hij had zijn zware beurs weer in zijn zak. Goth voelde zich onoverwinnelijk, deze koude en heldere avond in Ildagaarde, dat al bruiste van de muziek en de feestvreugde.

Hij betastte het demonenmasker dat hij droeg. Met een zure glimlach bedacht hij dat het minder afschrikwekkend was dan zijn echte gezicht erachter. Ook dacht hij nog even aan de primaat. Waar was die soldaat toch gebleven? Maar die gedachte verdween meteen uit zijn hoofd toen hij een jong meisje met gouden haren zag dansen.

Ze droeg het masker van een kat. Ze leek wel iets op Alyssa, maar Alyssa zou hier niet zo openlijk rondlopen. Nee, zij zou zich zo lang mogelijk in het toevluchtsoord Carembosch verstopt houden. Maar op een gegeven moment zou ze tevoorschijn moeten komen. En dan zou hij haar hebben.

En misschien Gynt ook. Dát was nog eens een bevredigend vooruitzicht! De grote Torkyn Gynt aan zijn genade overgeleverd. Dan zou hij de arrogante grijns van dat doktertje eindelijk eens van zijn gezicht vegen. Wat een gelukkig toeval dat de persoon die hij het meest begeerde en de persoon die hij het meest haatte allebei tegelijk aanwezig waren. Hij mocht zichzelf gerust feliciteren met zijn goede timing.

Terwijl Goth al bijna huiverde van genot, huiverde Alyssa van onrust en angst. Het was alsof ze voelde dat Goth zich in gedachten al aan haar verlustigde. Ze raakte het schijfje op haar voorhoofd aan en ontleende troost aan de bescherming die het beloofde.

Toen keek ze weer naar het vossenmasker dat op haar bed lag. Ze was klaar. Ze had het traditionele vuurrode gewaad aan dat de vrouwen van de Academie elk decennium tijdens dit feest droegen. Het drong nu tot haar door dat deze kleur misschien herinnerde aan het vreselijke bloedbad op die dag in het verleden, toen ook tientallen meesters van Goudsteen door de razende god Orlac van het leven waren beroofd. Een paar dagen geleden zou die gedachte pure speculatie zijn geweest, maar nu kon ze gemakkelijk geloven dat deze rode gewaden perfect pasten bij het verhaal dat Nanak vertelde.

Alyssa's handpalmen voelden vochtig aan. Haar zenuwen lieten haar in de steek. Ze veegde haar handen droog aan de dikke stof van haar gewaad en smeekte zichzelf om toch vooral kalm te blijven. De andere meisjes waren allang naar het feest buiten gegaan. Ze wilden de kans om te dansen niet missen en zouden zelfs een beetje flirten met de mannen.

Toen Alyssa's gedachten afdwaalden naar Xantia, kwam het meisje juist de kamer binnen. De onbehaaglijke stilte tussen hen beiden werd verbroken doordat Alyssa resoluut naar haar vossenmasker greep.

'Nou, Alyssa, ik had echt verwacht dat je wel iets originelers had kunnen verzinnen. Dit is zo gewoontjes.'

'Mij bevalt het. Vossen zijn slim en mooi,' zei ze terug.

'Interessant. De meeste mensen vinden ze ongedierte. Veel te sluw. Het beste kun je ze dood aan een schutting hangen om andere vossen af te schrikken om te komen stelen. Dus eigenlijk past dat masker goed bij je,' besloot ze zoetsappig.

Zelf zette ze een masker op van een knap meisjesgezicht met roze wangen en volle rode lippen. De bijbehorende lange haren waren vlasblond.

Ze poseerde voor Alyssa. 'Nou, heb je geen commentaar op mijn masker?'

Alyssa liet zich niet provoceren, maar de gelijkenis van het masker met haarzelf ontging haar natuurlijk niet. Xantia gedroeg zich als een gek. Omdat ze geen zin had in een verdere confrontatie, was Alyssa blij met de komst van twee andere acolieten die kwamen vragen of ze klaar waren. Ze moesten beiden hard lachen om Xantia's masker.

'De Hoogverheven Maagd. O, Xantia, wat doortrapt van je! Perfect,' zei een van de meisjes.

Alyssa drong zich langs hen heen de kamer uit en trok haar masker stevig over haar hoofd. Ze probeerde haar stem effen en vriendelijk te houden. 'Kom mee, meisjes, anders missen we alle pret.'

Ze liepen naar buiten, de koude avondlucht in, en Alyssa keek instinctief om zich heen of ze Goth ergens zag. Xantia nam onmiddellijk aan dat ze met grote ogen uitkeek naar Tor.

'Hij staat daar,' zei ze, en ze wees naar een komfoor in een hoekje van de grote binnenhof, waar Tor, die ondanks zijn varkensmasker goed te herkennen was, met een groepje opgewonden jonge acolieten stond te praten.

'Ik zocht iemand anders,' zei Alyssa op koele toon.

'Mooi. Dan zul je het niet erg vinden dat ik me aan mijn belofte houd en naar je vriend ga.'

Alyssa's geduld was op, maar haar kalme stem liet niets blijken van irritatie. 'Doe wat je wilt, Xantia. Ik heb genoeg van jou.'

Ze had geen idee wat Xantia voelde na deze afwijzing. Het masker van de hoogverheven maagd bleef onbewogen. Alyssa liep met grote stappen bij haar weg, in de richting van de grote poort, die voor het eerst sedert tien jaar weer werd geopend voor gewone burgers, nieuwsgierige toeristen en pelgrims. Ze zag overal om zich heen komforen voor warmte en toortsen voor licht. Ook zag ze mensen de snelle opeenvolging van passen doen die bij de cleffyngo hoorden. Ze stampten daarbij hard en lomp met hun voeten en klapten mee in het ritme van de trommels en cimbalen.

Het zou nog even duren voordat haar deelname aan de ceremonie verplicht was, dus ze gedroeg zich nu zo onopvallend als ze maar kon en bleef attent of ze Goth en zijn mannen zag. Door zich bij een grote groep feestvierders te voegen wist ze aan de rand van het terrein te blijven, in de schaduw, en toch een goed zicht op het hele gewoel te behouden. Ze keek naar Tor.

Alleen al de aanblik van zijn lange, brede gestalte, die hoog boven de meeste andere mensen uitstak, deed haar hart sneller kloppen. Ze wilde hem vasthouden, naast hem liggen. Alyssa glimlachte weemoedig achter haar vossenmasker. Ze had nooit vermoed dat ze weer eens aangeraakt zou willen worden door een man. Nu ze ouder en wijzer was, wist ze dat haar benadering van Sakson destijds alleen een poging was geweest om liefde terug te ontvangen. Ze was toen nog jong, erg onervaren en doodsbang, doordat ze voor het eerst de lelijkheid van een ongewenste aanraking had gevoeld.

Zijn aanmoediging van haar relatie met Tor was wel curieus. Het was duidelijk dat Sakson wilde dat ze er werk van maakte, dat bleek uit zijn briefje. Ze bedacht achteraf dat hij het in Ildagaarde had moeten laten schrijven, misschien al een hele poos geleden. Wat wist Sakson dat zij niet wist?

Ze dacht nog eens goed na. Als Merkhud en Sorrel deze hereniging in scène hadden gezet, dan verwachtten ze kennelijk dat er tussen haar en Tor iets zou gebeuren. En als Merkhud en Sorrel op hun beurt werden gemanipuleerd door een hogere magie – zoals Sakson zijn hele leven was geleid door Lys – moest Alyssa dan ook maar gewoon Tor aanvaarden als háár lot?

En Clout? Alyssa had inmiddels begrepen dat de valk eenzelfde rol had als Sakson. Hij was gestuurd om Tor te beschermen. En hoe kon zijn transformatie anders verklaard worden dan door buitengewoon krachtige magie?

Haar mijmeringen werden opeens verbroken door een wolf, die haar grijnzend van oor tot oor ten dans vroeg. Niemand mocht op de avond van Czabba een dans weigeren, dus Alyssa liet zich naar een van de komforen leiden waar al verschillende mensen aan het dansen waren. Haar wolf riep boven de herrie uit dat hij een winkelier uit de bazaar was. Hij verkocht vooral snoep, liet hij nogal zelfingenomen weten. Ze glimlachte beleefd en was allang blij dat hij niet de echte wolf was – die met de paarse sjerp.

Daarvan was er trouwens nog steeds geen te zien, dus Alyssa danste nog twee keer, niet zonder angst, maar veilig. Toen keerde ze terug naar de schaduw in de nabijheid van de poort, waar ze bijna een gilletje slaakte toen iemand haar bij haar middel pakte. Ze draaide zich geschrokken om, maar zag het varkensmasker.

'Wat dacht je van een rondje om het vuur met mij?' vroeg Tor.

Ze lachte van opluchting, maar de komst van de Verheven Maagd bracht nieuwe spanning met zich mee.

'Jullie beiden schijnen elkaar vandaag continu in beslag te nemen, niet?' Xantia's stem klonk hatelijk, althans in de oren van Alyssa, die haar goed kende. Opnieuw vroeg ze zich af hoe hun oude vriendschap zó snel had kunnen ontsporen.

'Hallo, Xantia. Amuseer je je?' Tor was de beleefdheid zelf.

'U hebt me een dans beloofd, meneer Varken.' Xantia sprak het laatste woord zo uit, dat het als een belediging klonk.

'Ga gerust je gang. Ik ben doodmoe en wil wat water gaan drinken,' bood Alyssa aan.

Tot haar verrassing protesteerde Tor niet.

'Nou, als je ons wilt excuseren, Alyssa? Deze jeugdige schone kan ik niets weigeren,' zei hij, nu met de kraan van zijn charme wijd open.

Alyssa zag dat Xantia onder haar masker grote ogen opzette, alsof ze niet kon geloven wat ze had gehoord. Opeens was ze heel meisjesachtig en koket. Alyssa draaide zich om en moest zich verbijten om niet iets te zeggen waarvan ze spijt zou krijgen.

'Wat fijn, Tor,' kweelde Xantia. 'Dat zou heerlijk zijn.'

'Het genoegen is geheel aan mijn kant. Wacht bij dat vuur op me,' zei hij liefjes. Hij wees naar het grootste vreugdevuur buiten de poort. 'Ik moet eerst een beker water halen voor mijn trouwe gids, maar daarna kom ik meteen bij je. Wees snel en zoek alvast een goede plek. Ik ben het liefst aan de voorkant van de cleffyngo, jij niet?'

Xantia's masker verried natuurlijk niets, maar ze kneep haar ogen tot spleetjes. 'Ik ook. Dus je komt direct?'

'Dat beloof ik. Maar de hoffelijkheid roept. Mijn koning zou teleurgesteld in me zijn als ik die plicht tegenover Alyssa zou verzaken.'

Er zat nu voor Xantia niets anders op dan dat ze naar de poortopening begon te lopen. Meteen toen ze de smalle rug van haar lange lichaam die kant op zagen gaan, pakte Tor Alyssa bij haar arm en dwong haar op een oude boomstronk te gaan zitten, in een donker stukje schaduw.

'Wacht hier,' zei hij op dringende toon, en hij haastte zich naar de tafel waarop bekers stonden en karaffen met water, die regelmatig uit de bron van de Academie werden bijgevuld.

Hij was snel terug en gaf Alyssa een beker. Voordat ze wist wat hij deed, schoof hij haar masker omhoog en raakte hij haar voorhoofd aan. En onmiddellijk kwam er een bijna overweldigende vloedgolf van kleuren, geluiden en geuren op haar af. Hij had haar schijfje archaliet verwijderd en liet nu haar masker weer zakken, nog voordat ze iets had kunnen zeggen. Niemand kon het hebben opgemerkt, zo behendig en snel had hij het gedaan, achter de beschutting door zijn brede rug.

Meteen voelde Alyssa de vertrouwde, welkome warmte van de link die Tor met haar legde.

Wel, is dat niet veel beter? zei hij, terwijl hij van haar weg liep en niet omkeek. *Niemand kan iets vermoeden, want je masker verbergt de waarheid. Gedraag je normaal en hou onze link open. Ik moet vanaf nu contact met je kunnen houden.*

Ga dan maar gauw die dans afwerken, antwoordde ze. *En vergeet niet aan wie je je hart verpand hebt.*

Haar luchthartigheid duurde niet lang, want ze zag een eerste glimp van paarse zijde. Het was niet Goth zelf, maar dit betekende dat hij niet meer ver weg was.

Ik zie het, zei Tor, die haar probeerde te kalmeren. *Goth is niet hier. Je moet sterk blijven, schat. Als je niet normaal doet, trek je extra de aandacht.*

Alyssa zag hoe hij Xantia ginds in zijn armen nam en iets tegen haar zei waar ze erg om moest lachten, want ze boog haar maagdenkop flirterig naar achteren. Toen begon de oorverdovende ritmiek van een nieuwe cleffyngo. Alyssa constateerde met leedvermaak dat de herrie te luid was om een conversatie tussen de dansers toe te staan. Meteen hierna klonk Tors stem weer in haar hoofd.

Terwijl ik bezig ben Xantia gelukkig te maken, moet jij een smoesje verzinnen om naar de bibliotheek te gaan. Doe het snel. Onder de steen waar jij de boeken hebt gevonden, heb ik een ander masker gelegd. Schuif de steen opzij. Niemand weet hiervan. Ga nú!

Alyssa verspilde geen moment, maar toen ze zich naar de Academie haastte, liep ze ouder Iris tegen het lijf. Alyssa's gezicht achter het vossenmasker bevroor van schrik.

'Ben jij dat, Alyssa? Ja, je bent het. Waarom die haast, kind? De ceremonie begint over een paar minuten.'

Alyssa dacht snel na en forceerde haar stem tot kalmte. 'Dat weet ik, ouder Iris. Daarom haast ik me zo. Dit masker heeft vanbinnen iets wat me prikt. Ik wil even kijken of ik dat kan verhelpen, maar dat kan ik niet in het openbaar doen, natuurlijk. Daarom ga ik even naar binnen.'

De oude dame knikte. 'Doe het maar vlug.' De hoofdouder dacht nooit slecht over Alyssa en het kwam niet bij haar op dat deze acoliet kon jokken. Ze liep verder en Alyssa begon weer te rennen alsof de duivel op haar hielen zat.

In de kelder vond ze tot haar verrassing een masker dat een monster uitbeeldde, met een kunstig bevestigde pruik eraan vast. Ze vond het bijzonder intelligent van Tor dat deze niet van ravenzwart namaakhaar was, wat de voor de hand liggende vermomming was, maar blond, of eigenlijk lichtbruin, en bijzonder saai en onooglijk van kleur en snit. Een briefje instrueerde haar dat ze haar eigen haren strak moest opbinden en vastspelden. De haarspelden lagen erbij. Ook lag er een ander rood gewaad voor haar klaar. Het hing als een veel te wijde voddenzak om haar heen, maar dat was natuurlijk Tors opzet, en hij schreef dat ze de riem om haar middel vooral niet strak moest aantrekken. Om haar afschuwelijke uitdossing te voltooien had hij ook nog voor schoenen gezorgd die rare, torenhoge hakken hadden. Ze had zoiets nooit eerder gezien. Toen ze ze aantrok bleken ze onaangenaam te knellen en ze was bang dat ze er geen vijf stappen mee kon zetten.

Ben je klaar? schalde het in haar hoofd. *Ik word helemaal duizelig van de rondjes die ik hier met Xantia om dat verdomde vuur moet draaien!*

Wat had je voor ogen, Tor, bij de keuze van deze spullen?

Jouw mooie hoofdje, nog stevig op je ranke nekje, en rustend op mijn schouder, waar ik het straks zal kussen, dolblij dat je in veiligheid bent.

Ik kan niet lopen op deze krengen.

Toch zul je dat doen en je moet me beloven dat je het op een vanzelfsprekende manier doet. Vergeet niet dat Goth op zoek is naar een klein slank vrouwtje met goudblond haar. Maar jij bent nu een uitgezakt, te lang monster met strontkleurig haar, dat overigens echt is. Ik heb er een vermogen voor betaald!

Zijn humor hielp maar een beetje. Haar handpalmen waren niet gewoon vochtig meer, maar permanent kletsnat. Ze stopte alle overbodig geworden spullen in het gat en schoof er de steen weer over. Waar ze de kracht vandaan haalde, wist ze zelf niet. Waarschijnlijk uit haar doodsangst. Toen ze over de trap naar boven wankelde, vroeg ze zich somber af hoe lang ze deze bizarre vermomming kon volhouden.

❦

Tor had Xantia juist verteld hoe voortreffelijk ze de cleffyngo danste, toen Clout zich opeens meldde via een link.

Goth kan elk moment arriveren!

Tor hoorde dat Clout nerveus was. Zijn plan was simpel, maar vermetel, en zelfs zijn loyale valk vroeg zich af of hij wel goed bij zijn hoofd was.

Hij liep in gedachten alle aandachtspunten nog eens na. *Staat Sakson klaar?*

Zo klaar als maar kan. Sorrel is bij hem. En een ezel.

Tor wilde een beleefde conversatie beginnen om Xantia te vertellen dat hij een glas wijn voor haar zou halen, maar het laatste woord trok zijn aandacht.

Een ezel?

Ja, je weet wel, grote oren, raar beest, net geen paard, maakt vreemde geluiden.

Tor was geïrriteerd. Clout moest zijn sarcasme maar voor andere momenten bewaren.

'Xantia, als je het goed vindt haal ik een glas wijn voor je.' Hij wachtte haar antwoord niet af en liep meteen weg. *Ik weet wat een ezel is,* snauwde hij via de link. *Wat moet hij met een ezel? Die zal ons vertragen.*

Geen flauw idee. Ik weet niet of je het hebt gemerkt, Tor, maar Sakson is een merkwaardige vent. Misschien is deze ezel erg belangrijk voor hem. En in deze fase van je hachelijke, gevaarlijk slecht onderbouwde plan lijkt dit me voorlopig de minste van onze zorgen, dacht je ook niet? En meteen sloot hij de link op zijn demonstratieve manier.

Tor zag de valk omhoogvliegen vanuit een nabije boom. En vanuit zijn ooghoek zag hij tevens een monstermasker naderen, maar hij wilde niet rechtstreeks Alyssa's kant op kijken.

Je ziet er schattig uit, fluisterde hij via hun link. *De bond van oude vrijsters in Minstede zou trots op je zijn.*

Ze deed hem niet de lol hardop te reageren, maar hij voelde een scherpe por tussen zijn ribben – iets wat hij in jaren niet meer had meegemaakt. Het was de klassieke Alyssa-manier van wraak en hij moest zijn reactie camoufleren door te doen alsof hij een slokje van Xantia's wijn proefde en zich verslikte. Hij hoestte demonstratief.

Word je langzaam op je oude dag, Tor? Die had je moeten zien aankomen.

Dat was hij met haar eens. Hij trok een lelijk gezicht en liep toen verder naar de plek waar Xantia geduldig zat te wachten.

'Drink je geen glas met me mee, Tor?'

'Natuurlijk. Maar ik moet eerst met ouder Iris praten. Ze is naar mij op zoek. Wil je me even excuseren, Xantia? Ik kom zo terug.'

Hij knikte en liet haar alleen, vlak voordat Goth en zijn hoofdgroep van ruiters bij de poort arriveerden.

Tallinese paarden uit de koninklijke stallen waren grondig afgericht en hoefden meestal niet te worden vastgebonden. De inquisiteurs stapten af en lieten de teugels gewoon hangen, want ze wisten dat hun paarden kalm zouden grazen van de begroeiing naast de weg, zonder van hun plaats te gaan.

De vreugde van de vrolijke menigte werd evenwel hoorbaar minder na de aankomst van Goth. Verschillende mensen hadden gezien hoe hij vroeg op die middag had afgerekend met dat arme zwerversmeisje en de hele stad had ervan gehoord en vond het een walgelijke daad.

Goth glimlachte achter zijn demonenmasker. Hij vond het altijd heerlijk om spelbederver te zijn. Toen er weer muziek klonk en de mensen zich dwongen om door te gaan met dansen, drinken en converseren, kwam ouder Iris bij de poort naar Goth toe. Ze droeg het strenge masker van een stier en hoe die stier keek, paste precies bij haar gevoelens.

'Inquisiteur Goth, ik kan uw aanwezigheid op het feest niet weigeren, maar zou het graag hebben gewild.' Ze zweeg even.

Stomme heks, dacht de demon, hoewel hij een beleefde buiging maakte.

Nog steeds op bitse toon vervolgde de stier: 'Maar ik kan verhinderen dat u door deze poort naar binnen komt. De vorige keer dat u de Academie bezocht, hebt u het terrein hier bezaaid met lijken. Ik heb gehoord wat u met dat zwerverskind hebt gedaan. Het doet mijn ziel pijn dat ik in uw kille blik geen spoor van wroeging zie.'

Wat kan mij dat verrotten, oude hoer, dacht hij.

'Ouder,' zei hij, 'mijn mannen en ik zijn alleen gekomen om feest te vieren. Meteen na de ceremonie gaan we weer weg, dat beloof ik.'

'Goed,' antwoordde ouder Iris. 'Maar blijf alstublieft buiten de poort.'

'Maar er is iets waarmee u me misschien kunt helpen,' zei Goth, zonder zich afgeschrikt te tonen door haar houding.

'En dat is?' vroeg ze zuinig.

'Er is hier momenteel een vriend van me op bezoek. Dokter Gynt vertegenwoordigt het paleis, heb ik begrepen. Misschien wilt u hem vragen naar buiten te komen. Maar zeg hem niet dat ik hier ben, ouder Iris. Laat het een verrassing zijn.'

Er kwam een vrouw in het rood bij hen staan. Ze droeg het masker van de Verheven Maagd. 'Hij draagt de varkenskop, inquisiteur,' zei Xantia, verheugd dat een man die zo berucht was om zijn wreedheid, hier was, een man die bovendien een onduidelijke relatie met Alyssa had. 'Ik haal hem wel, als u dat wilt.'

Ouder Iris draaide haar hoofd naar haar. Als Xantia haar gezicht onder dat masker had kunnen zien, zou ze door de grond zijn gezakt. Nu kon ze niet meer terug. Dit was een kans om Alyssa pijn te doen.

'En als u Alyssa misschien zoekt, inquisiteur,' zei ze liefjes, 'zij draagt een vossenkop.'

'Xantia!' Ouder Iris ziedde van kwaadheid. 'Hou je gemene tong in bedwang, meisje!'

'Alyssa...' Goth proefde die naam met zijn rubberen lippen.

Als Xantia niet tegenover een woeste stier had gestaan, zou ze zichzelf omarmd hebben. Ze kon zich langzamerhand een beeld vormen van Alyssa's vroegere leven en wist dat ze voor het einde van de nacht het naadje van de kous zou weten. Ze verheugde zich over de ondergang van haar voormalige vriendin. Ze zou de verschillende lagen van leugens die Alyssa omhulden een voor een afpellen en daarna haar krampachtig verzwegen verleden blootleggen voor de ouderen. Ze zou ervoor zorgen dat Alyssa nóóit een ouder zou worden. Toen werd ze uit haar mijmering gerukt door ouder Iris, die haar aansprak.

'Ga weg, Xantia. Bereid je voor op de ceremonie. Daarna ga je regelrecht naar je kamer en wacht tot ik je laat roepen.' Ze wendde zich tot Goth. 'Neem ons niet kwalijk, meneer.'

'Natuurlijk,' zei Goth, weer met een buiging. Meteen nadat de vrouwen waren weggelopen, gaf hij zijn mannen opdracht uit te kijken naar varkens en vossen. Hij had al gezien dat er verschillende mensen met zulke maskers liepen, maar het nadere signalement van zijn prooien was duidelijk genoeg. Hij zou beiden vóór de ochtend in handen hebben.

Terwijl ouder Iris bezig was Xantia op haar nummer te zetten, was Tor weggeglipt. Nu keerde hij terug voor de ceremonie. Hij zag dat Alyssa zich aan de rand van een grote menigte ophield, waar ze voorlopig veilig leek. Zelf volgde hij haar voorbeeld. Hij zocht een plekje in de schaduw op, waar de spiedende ogen van Xantia hem niet konden zien. Het meisje had nu nog slechts een beperkte vrijheid, want ouder Iris had haar streng bevolen dat ze aan de zijde van een andere ouder moest blijven en deze was niet van plan de acoliet de kans te geven ongehoorzaam te zijn. Tor kon Xantia's frustratie bijna ruiken en veroorloofde zich een tevreden glimlachje. Ze hadden een kleine slag gewonnen, maar de oorlog zelf moest nog beginnen.

De ouderen en degenen die de ceremoniële maskers droegen, bereidden zich nu voor op het formele gedeelte van de festiviteiten. Er waren vele honderden mensen aanwezig, die Carembosch continu in en uit liepen. De overweldigende drukte zou Tor en Alyssa de kans geven om in het gewoel te verdwijnen.

Tot dan toe waren de mannen van Goth niets wijzer geworden. Ze bewogen zich in de menigte en trokken hier en daar het masker van een van de talrijke varkens en vossen omhoog. Tor had goed gekozen: dat waren de maskers die verreweg het meeste gedragen werden.

Goth deed niet mee aan dat vernederende gedoe. Zulke platvloerse bezigheden liet hij altijd over aan zijn mannen. Achter zijn demonenmasker stonden zijn scherpe ogen geen moment stil. Af en toe bleef zijn blik rusten op een lange man met donkere haren of een jonge vrouw met goudblond haar. Hij zou zijn prooien onmiddellijk herkennen. Hij vermoedde eigenlijk dat Alyssa haar blonde haar verborgen hield, dus hij keek ook kritisch naar alle vrouwen met donkere haren die in zijn blikveld verschenen, want Alyssa kon haar ranke lichaamsbouw niet verbergen. En dat lichaam kende hij intiem. Nu hij haar die ochtend had gezien, wist hij dat ze niet echt was gegroeid en hoogstens wat rondere vormen had gekregen.

De acolieten werd gevraagd hun plaatsen in te nemen in een opstelling die een aspect van een legende van eeuwen geleden moest uitbeelden, toen de begiftigde meesters van Goudsteen waren vermoord. Goth had weinig op met legenden en nog minder met mensen die bovennatuurlijke gaven bezaten, mythisch of niet mythisch. Hij dacht liever aan Alyssa. Hij zou maar heel kort met haar kunnen praten. Even vroeg hij zich af of hij haar kon ontvoeren, maar haar huidige status als Onaanraakbare schrikte zelfs hém af.

Hij moest zich tevredenstellen met één afgedwongen Dodendans met haar. Dan kon hij haar tenminste tegen zich aan houden. Ze kon dat natuurlijk niet weigeren. Zelfs dat oude wijf kon het niet weigeren, want dit was een deel van de oeroude traditie. Hij had graag gewild dat hij nog heel was en dat hij het lichaamsdeel dat zij het ergste vreesde tegen haar aan kon drukken. Hij verlangde er vurig naar haar ogen weer gevuld te zien met doodsangst.

Toen rukte Goth zich los van die gedachten. Bijna was hij het doktertje vergeten. Hij moest hem vinden en eindelijk met hem afrekenen. Hij riep Rhus en droeg hem op de speurtocht te verhaasten. Hij moest Gynt te pakken krijgen!

Inmiddels werd er langzaam een kar tot bij de rand van de menigte gereden. Het was maar een kleintje en er stonden twee kleine paarden voor. Eraan vastgebonden liep een ezel mee. De koetsier was een grote, brede man met lang zwart haar. Hij droeg een varkensmasker. Ondanks het onscherpe licht kwam de gestalte Rhus bekend voor, dus hij baande zich een weg door de menigte om zijn baas heel blij te gaan maken.

Toen klonken de plechtige klanken van klokgelui. De tien personages van Czabba kwamen langzaam naar voren en reciteerden woorden die geen mens begreep. Achter hen liep een knappe jongeman in de bloei van zijn leven: de tovenaar die verantwoordelijk was geweest voor de verwoesting van de stad.

Vrouwenstemmen begonnen te zingen in een welluidende harmonie. Alle leden van de Academie zongen mee. Xantia voelde dat ouder Li haar kneep. Zo werd ze gedwongen om mee te doen aan het lied waarop ze maanden hadden geoefend, maar niettemin bleef ze om zich heen kijken om Alyssa te zoeken. Ze vond haar niet. Nergens een vossenkop te zien, noch haar slanke figuurtje of haar goudblonde haren.

Volgens het oude gebruik moest elke acoliet zich op de avond van Czabba melden wanneer haar naam werd afgeroepen. De ouderen namen dit deel van de ceremonie zeer ernstig en het gebeurde dan ook volgens plan. Zowel Goth als Xantia hoorde duidelijk dat Alyssa 'present' riep. Goth glimlachte, maar Xantia had wel Alyssa's stem herkend, maar niet gezien waar het geluid vandaan kwam, hetgeen haar frustratie alleen maar vergrootte.

Ze greep haar kans toen de acolieten werd gevraagd tot buiten de poort te lopen. De menigte maakte ruim baan voor hen. Daar zouden ze de elf personages treffen en het gezang van de acolieten zou zich met hun recitatieven mengen in een groots crescendo. De finale zou dan de Dodendans zijn. Deze zou langzaam beginnen, maar steeds sneller en opwindender worden. Iedereen deed eraan mee. Xantia wist zeker dat Goth dán de gelegenheid zou aangrijpen zich met Alyssa te herenigen.

Op weg naar de poort liet Xantia zich steeds verder afzakken, tot ze al haar metgezellen voor zich zag. Alyssa was erbij, maar tegelijk ook niet. Waar had ze zich binnen deze groep verborgen? Iemand wankelde en liet daardoor een paar andere meisjes struikelen. Op dat verwarrende moment ving Xantia een glimp op van een schoen met een hak zoals ze er nooit eerder een had gezien. De aanblik verdween al een halve tel later achter een rode rok.

Xantia hield op met zingen en bekeek de gestalten voor haar met een nieuwe blik. En toen viel haar iemand op die een zeer los gewaad droeg. Haar slappe, doffe haren kwamen haar onbekend voor en het masker dat het meisje droeg was dat van een monster. Xantia had het tot dan toe geen van de acolieten zien dragen.

'Alyssa,' fluisterde ze, maar vervolgens gilde ze het zo hard als ze kon. 'Alyssa!'

Het monster keek om en maakte zich toen los uit het groepje vrouwen. En er ontstond een pandemonium.

Juist op het moment dat Xantia Alyssa's hoge hak zag, was Rhus eindelijk bij zijn baas aangekomen.

'Ik heb Gynt, meneer. Daar.'

Goth keek de aangewezen kant op en zag de dokter recht voor zich uit op een wagen staan. De man met het varkensmasker draaide zijn hoofd, alsof hij op dit teken had gewacht, en daarna gaf Gynt de geschrokken paarden met de zweep en renden de dieren meteen in galop weg. Terwijl Goth dit vol ongeloof zag gebeuren, hoorde hij iemand 'Alyssa' gillen. Vanachter een paar balen hooi op de laadbak van de kar zag hij een gestalte die een deken van zich af gooide, waardoor het masker van een vossenkop en golvend blond haar zichtbaar werden.

'Erachteraan!' brulde hij.

Het schrijnende besef dat hij haar op deze manier had laten wegglippen, en dat verdomde doktertje mét haar, zweepte zijn woede op tot ongekende hoogte. Hij was zelf de eerste die te paard zat en het dier genadeloos in de flanken schopte om het op te jagen.

Tor, die nog binnen de poort was, rende nu naar buiten, de weg op. Hij zette de paardenkop af – die zijn nieuwe masker was – en zag de inquisiteurs in een stofwolk wegrijden. Alyssa kwam uit de menigte en liep op haar hoge hakken onbeholpen tot naast hem. Xantia volgde haar en gilde van alles vanachter haar masker van Verheven Maagd. Ouder Iris kwam meteen hun kant op.

'Dokter Gynt... wat gebeurt hier? Alyssa, Xantia... wat heeft dit allemaal te betekenen?'

Niemand gaf antwoord. Xantia begon aan Alyssa's masker te trekken, maar Alyssa hield het stevig vast. Ze wilde haar gezicht nu aan niemand tonen.

Boven al die agitatie uit sprak Clout op kalme toon tegen Tor. *Als je de paarden stopt, stop je ook de ruiters.*

Tor had zijn arm om Alyssa geslagen en verzamelde de Kleuren in zijn binnenste. Hij wist dat zijn ogenschijn inmiddels was uitgewerkt, maar Sakson hoefde niet ver meer, dan had hij de rand van het Grote Woud bereikt. Daar zouden Sorrel en hij in veiligheid zijn. Clout had gelijk. Hij hoefde alleen de paarden van de achtervolgers af te remmen.

En dat deed hij.

❧

Sakson lachte uitgelaten. Hoewel hij niets zag, wist hij dat de twee kleine paarden en Kythay vanuit de lucht op magische manier geleid werden door Clout en precies wisten welke kant ze op moesten.

Het was een van de zeldzame keren na zijn verminking dat Sorrel dit geluid hoorde. Ze zette haar vossenmasker af en zag dat Sakson zijn varkenskop ook al had afgedaan. Ze kon haar ogen nauwelijks geloven toen ze zag dat Kythay – ondanks de verwilderde blik in zijn ezelsogen – in volle vaart galoppeerde en de paardjes de weg wees.

Zelf hield Sorrel zich stevig vast aan de opstaande rand van de laadbak, bang dat ze eraf zou vallen, en keek achterom. Ze hoefde Goth en zijn mannen niet te zien, want ze kon ze horen en wist dat ze snel naderbij kwamen. Toen draaide ze zich om en keek naar het Grote Woud in de verte. Een van zijn uitlopers wees als een vinger hun kant op. Tor had gezegd dat ze alleen maar hoefden te zorgen dat ze het bos haalden, want daar zouden ze asiel krijgen. Hij had ook gewaarschuwd dat Goth niet de kans mocht krijgen om Sakson te herkennen. Nadat de truc van de ogenschijn had gewerkt, moest Sakson goed verborgen blijven.

Sakson hield de teugels niet meer vast. Dat was niet nodig. De paarden renden als bezeten achter Kythay aan en de ezel leek niet van plan vaart te minderen voordat hij veilig in de beschutting van het bos was.

'Verstop je achter de hooibalen!' riep Sorrel naar Sakson, en ze duwde zelf zijn hoofd naar beneden. Toen keek ze weer om – geen moment te vroeg. Ze had kunnen zweren dat ze het wit van Goths ogen kon zien. En zonder erbij na te denken bespotte ze zijn dreiging door net als Sakson hysterisch te lachen.

De list was gelukt. Goth had zijn hele bende van geteisem bij zich. Sorrel hoorde de man vloeken toen hij zijn prooi van dichtbij zag. De inquisiteur begreep dat hij grandioos was belazerd en ze las moordzucht in zijn blik.

Sorrel voelde haar knieën knikken. Er was geen lach meer op haar gerimpelde gezicht, alleen angst.

'Dat zet ik je betaald!' Ze hoorde zijn onnatuurlijk hoge stem duidelijk boven het hoefgetrappel uit en bereidde zich voor op de dood. Maar toen ze haar ogen sloot, voelde Sorrel opeens het zinderen van machtige magische krachten.

De paarden van de inquisiteurs waren bijna tot bij de kar genaderd, maar opeens begonnen de dieren langzamer te lopen. De ruiters konden er niets aan doen. Het maakte niet uit hoe hard ze hun paarden schopten of met de zweep sloegen. Ze wilden gewoon niet meer rennen en gingen stapvoets. Allemaal tegelijk. Goth vermoedde dat er magie aan het werk was.

Sorrel lachte weer, deze keer nog harder dan daarnet, toen de kar even later de veiligheid van het Grote Woud bereikte en ze omringd werden door vrede.

Sakson kwam tevoorschijn vanachter de hooibalen en keek vol ontzag om zich heen. En het Kernwoud verleende opnieuw asiel aan een van zijn kostbare Paladijnen.

❧

In Carembosch was inmiddels de verwarring ten top. De ceremonie was afgebroken en het zag er niet naar uit dat de hoofdouder haar zou laten hervatten. Ze had het te druk met de drie van wie ze informatie probeerde te krijgen.

Tor hoorde de vragen van ouder Iris nauwelijks. Alyssa klampte zich aan hem vast. Xantia was hysterisch. Eerst beet ze het stel een aantal obsceniteiten toe en vervolgens richtte ze haar toorn op ouder Iris.

Wat Tor graag wilde horen werd hem eindelijk gemeld. *Ze zijn veilig in het bos! Sakson is onopgemerkt gebleven*, liet Clout hem weten.

Tor was opgewonden. *En Goth?*

Zit te briesen op een paard dat geen stap harder loopt dan een manke ezel. Veel succes met de volgende fase. Ik wacht op je, vriend.

Ik zal snel bij je zijn, Clout.

Tor sprak op behoedzame toon tot de anderen. 'Ouder Iris, het wordt tijd dat we vertrekken.'

De oude dame zette haar masker af, want ze besefte eindelijk dat het festival voor vandaag afgelopen was. Ze keek hem op een onheilspellende manier aan.

'Xantia, hou je mond, wil je?' zei ze, want ze was het getier van het meisje zat. 'Het is waarschijnlijk beter dat u vertrekt, dokter Gynt,' zei ze toen, 'maar wat bedoelt u met "we"?'

Tor had de Kleuren nog niet laten gaan. Wat hij wilde proberen was zeer riskant en zou kunnen mislukken. Hij trok Alyssa nog dichter tegen zich aan. Ze voelde in zijn armen aan als een lappenpop.

'Alyssandra Qyn werd wegens inquisiteur Goth gedwongen hierheen te vluchten, maar ze hoort hier niet thuis.'

Ouder Iris onderdrukte haar verontwaardiging. 'Voor ons heet ze Alyssa. Waar hoort een Onaanraakbare dan wél thuis, dokter?'

'Deze hoort bij mij en ik neem haar mee naar een geheime en veilige plaats.'

Na deze woorden begon Xantia aan een nieuwe scheldpartij, maar deze keer in een andere taal – een oude. Tor voelde dat Alyssa verstijfde en toen begon te trillen.

Wat gebeurt er? vroeg hij teder in haar geest.

Ze vervloekt ons. Ze doet het in een taal uit de oude boeken.

We gaan, zei hij, beseffend dat haar weerstand op het punt van knappen stond.

Iemand in het publiek gilde en toen Tor opkeek zag hij Goth die naar hen toe kwam rennen. Wegens de weigerachtige paarden gebruikte hij zijn eigen benen. Tor had heel even een flintertje respect voor de vasthoudendheid van de man en zag met verbazing hoe snel hij op zijn korte beentjes vooruit kon komen.

'Dokter Gynt, laat Alyssa onmiddellijk los!' commandeerde ouder Iris, die nog steeds geloofde dat zij daar de baas was.

Tor schudde zijn hoofd. 'Het spijt me, ouder.'

Hij verzamelde de Kleuren, intensiveerde hun felheid en concentreerde zich. De laatste geluiden die hij hoorde, waren kreten uit de menigte.

Maar het laatste geluid dat Alyssa hoorde, was de stem van Xantia, die een ijselijke vervloeking uitsprak, die te maken had met het vrijlaten van een duistere en wraakzuchtige god. Die woorden maakten haar banger dan alles wat ze tevoren had beleefd. Ze dacht meteen aan het verhaal over Orlac en aan Tors griezelige onthulling dat die god nog leefde en naar Tallinor zou terugkeren om wraak te nemen.

En toen voelde ze het. Het was erg ver weg. Iets opende zijn ogen en reageerde met een glimlach op de oude bezwering. Alyssa's hele lichaam werd ijskoud toen al haar zintuigen een zachte aanraking als door veren voelde.

Tor zou het ook hebben gevoeld, maar hij was te druk bezig om zich de exacte geur, kleurencombinatie en andere details van Darmud Corils verschijning en vermogens voor de geest te halen. De gevederde aanraking door de ene god ontsnapte aan zijn waarneming, omdat hij de macht van een andere god aanriep.

Hij vroeg die god zijn vermogen met Tors eigen magie te combineren en hij stelde zich open voor de god van het woud en smeekte hem om hulp. En hij voelde een machtige golf van energie toen Darmud Coril hem hoorde en ter wille was.

De omstanders zagen vol angst en ontzag dat het met elkaar verstrengelde paar opeens werd omvat door een fel oplichtende regenboog van kleuren, waarbinnen ze naar het Grote Woud in de verte werden getransporteerd. Zo fel was de gloed, dat iedereen enkele tellen verblind was, en even later was alles weer donker. Maar het paar was verdwenen.

Xantia was met stomheid geslagen. Ouder Iris liet zich op haar knieën vallen. Zij had in haar hele leven zelfs nog nooit een fráctie van dit magische geweld aanschouwd. Anderen volgden haar voorbeeld.

Hoofdinquisiteur Goth arriveerde hijgend en zwetend. Zijn lichaam wasemde in de koele avondlucht een zichtbare damp uit. Hij weigerde te geloven wat zijn ogen zojuist hadden gezien. Ook hij viel op zijn knieën, maar niet uit respect of zelfs maar angst, maar uit giftige, donkere woede.

En hij begon met zijn vuisten op de grond te beuken, tot bloedens toe, op de plek waar Alyssa had gestaan.

23
Verboden liefde

Stilte omringde hen. Tor opende zijn ogen en voelde een innerlijke triomf toen hij de schemering van het woud om zich heen zag. Het was hem gelukt! Hij had de magie van een god mogen benutten. Hij had de macht van Darmud Coril gebruikt om hen beiden hierheen te brengen.

Welkom, Alyssa, in Wijkplaats.

Alyssa draaide haar hoofd om en zag even verderop een grote zilveren wolvin staan. Haar mond viel open van verbazing.

Solyana, zei Tor zacht. *Dank je*, vervolgde hij op nederige toon.

De wolvin keek niet eens naar hem, maar fixeerde haar blik op zijn weifelachtige metgezel. Tor nam Alyssa bij de hand en bracht haar tot dichter bij de wolvin.

Lieve schat, maak kennis met een bijzondere vriendin van ons. Dit is Solyana. Zij is een betoverd wezen van het Kernwoud dat ons beschermt.

Eindelijk vertrouwend dat ze veilig was voor Goth, liet Alyssa zich langzaam op haar hurken zakken. Ze sloeg haar armen om de krachtige nek van de wolvin en huilde van opluchting. Noch Tor, noch de wolvin verroerde zich.

Solyana sprak sussende woorden in haar geest. Een boodschap, uitsluitend voor Alyssa. *We hebben zo lang op je gewacht, Alyssa. En nu zijn wij klaar om de Triniteit te dienen.*

Alyssa keek in de ondoorgrondelijke ogen van de wolvin. Haar wangen waren nog nat van de tranen. *Wie zijn 'wij'?* vroeg ze, nog steeds via de link die alleen zij beiden deelden.

Wij zijn de Paladijn.

Dat had Sakson dus niet verzonnen, concludeerde Alyssa. Ze voelde zich sterker en rustiger in de nabijheid van dit nobele schepsel. Ze keek de wolvin weer in de ogen.

Reken maar op mijn trouw, zei ze via de link.

Tor vroeg zich af wat er zich tussen die twee had afgespeeld.

Solyana kende zijn volgende vraag al voordat hij hem uitsprak.

Kort geleden zijn twee mensen in het bos aangekomen. Haar antwoord was voor hen beiden. *Sakson en Sorrel zijn in veiligheid. Wees niet bezorgd, het Kernwoud zorgt ervoor dat ze beschermd worden en genezing vinden. Volg me, alsjeblieft.*

Ze liepen aan weerszijden van Solyana, die hen naar een grote poel bracht, waarboven een lichte damp hing. Zelfs in het donker zagen ze hoe mooi deze plek was.

Jullie kunnen je wassen in het warme water van deze bron, zei ze. *Ginds liggen schone kleren klaar. Onder de boom vinden jullie voedsel. Ik ga nu weg. De Vlammen van het Firmament zullen voor verlichting zorgen en jullie straks de weg wijzen naar een rustplaats.* Toen liep Solyana kalmpjes weg, maar eerst zei ze nog: *Beleef plezier aan elkaar.*

Ze keken elkaar gegeneerd aan. Dit was de eerste keer dat ze echt onder vier ogen samen waren. Tor wist dat hij het initiatief moest nemen. Weg met alle verlegenheid en preutsheid en twijfel. Hij hield van Alyssa en hij wist dat zij van hem hield. Nu was hun tijd gekomen.

'Zullen we een duik nemen?' vroeg hij, huppelend op een been, omdat hij bezig was een laars uit te trekken.

Alyssa was bedeesd. 'Zijn we helemaal alleen?'

'Ja.' Hij liep op blote voeten naar haar toe en boog zich voorover. Zelfs nu ze die hoge hakken droeg, moest hij zich een beetje bukken om haar te kussen. 'Ik wed dat je die zotte schoenen graag uittrekt.'

'Ik wil ze nooit meer zien!' Ze ging op het zachte mos zitten en ontspande zich in de aangename warmte die hen omringde. 'Ik dacht dat het winter was.'

'In het Kernwoud is het nooit winter,' zei Tor. Hij trok zijn hemd uit, maar keek niet haar kant op. Hij wilde niets forceren. Alyssa's eerste ervaring met een man was pijnlijk en traumatisch geweest.

'Je bent mooi, Tor. Je hebt het lichaam van een god.' Ze keek zonder gêne naar zijn brede, sterke borst. 'In mijn herinnering was je mager.'

Hij lachte. 'Primaat Cyrus heeft zich jarenlang ingespannen om dat te veranderen.'

'Mis je hem?'

'Ja. Ik moest hem verliezen om jou te vinden.' Hij zag dat het haar pijnlijk trof. 'Dat zeg ik verkeerd. Wat ik bedoelde is – hij is een echte vriend, maar dat staat helemaal los van mijn liefde voor jou. Ik móést je vinden, al zou het mijn dood worden. Maar ik mis zijn advies, zijn onopgesmukte manier van doen, zijn kracht.'

'Is hij niet hier, Tor? Kun je Solyana niet vragen...'

'Ik geloof niet dat zij me meer over hem zal zeggen. Het Kernwoud schijnt hem te hebben geclaimd. Ik denk niet dat hij dood is. Ik vermoed dat ze met hem een bedoeling hebben. Maar wij zullen hem niet meer zien.' Het klonk zeer verdrietig.

Het kwam goed uit dat juist op dat moment Clout neerstreek, vlak naast Alyssa.

'Clout!' Ze was blij hem te zien en hij stond haar toe zijn kop te aaien.

Nou, nou, ik geloof dat ik maar eens wat vaker bij je liefje weg moet blijven.

Tor was blij dat hij Clout weer bij zich in de buurt had. *Waar ben je geweest, zwerver? Heb je nieuws over Sakson en Sorrel?*

Ze zijn bezig aan een feestmaal en zullen binnenkort ergens lekker liggen te snurken. Sakson straalt puur geluk uit en glimlacht de hele tijd. Sorrel maakt zich zorgen over jullie beiden.

Tor gaf deze mededelingen door aan Alyssa. Ze was blij te horen dat Sakson zo gelukkig was. 'Waarover?' vroeg ze.

'Tja... dat zie je wel,' antwoordde de vogel ontwijkend.

'Hoe komen ze te weten dat we veilig hier zijn?' wilde ze weten.

Clout begon zijn veren op te strijken. *Solyana weet vast wel een manier om hen gerust te stellen. De hele nacht is van jullie en er is geen reden om met je gedachten elders te zijn... ahem...'*

Wat bedoel je precies, vogel? vroeg Tor.

Ach... niets speciaals. Kom, het wordt tijd dat ik weer eens ga.

Je bent net hier!

Clout vloog naar zijn schouder. *Maar nu moet ik weg. Dat wil het Kernwoud.*

Het beviel Tor niets dat Clout zo geheimzinnig deed. De vorige keer was hij veranderd in een valk! Clout voelde die ongerustheid aan.

Niks om bezorgd over te zijn, vriend. Dit is een privéplekje voor Alyssa en jou. Ik zie jullie morgenvroeg weer.

Alyssa had ondertussen gezwegen. Zij vond het niet erg dat ze van de stille gedachtenwisseling werd buitengesloten. Ze had haar riem losgebonden en haar rode gewaad hing in ruime plooien om haar heen. Nu keek ze Tor aan.

'Kennelijk moeten we hier alleen gelaten worden,' zei hij, om uit te leggen waarom Clout was vertrokken. 'Nou, ik heb zin in een warm bad. Jij niet?'

Ze knikte. 'Ga jij maar eerst.'

Tor trok zijn laatste kleren uit en liep langzaam naar de poel. Hij voelde dat haar blik hem volgde. Toen hij aan de rand van het water even bleef staan, vonkten er honderden kleine vlammetjes op, die zacht voor hem tinkelden en hem welkom heetten. Hij waadde het water in en dompelde zich onder in een warm, koesterend bad.

Alyssa was bijna in trance. Ze stond rechtop en ook zij werd omhuld door vonkjes die vrolijk tinkelden en die haar stuk voor stuk welkom heetten, als ze haar hand uitstak en er een raakte. Ze zag nog voor zich hoe Tors prachtige lichaam daarnet was omlijnd door hun toverachtige geflonker en kon het niet laten nógmaals te concluderen dat hij eruitzag als een god.

Tor kwam boven water, bijna aan het andere einde van de poel. 'Het is heerlijk!' riep hij. 'Waar wacht je op?'

Hij dook weer onder en zij begreep dat hij het met opzet deed. Zo hoefde ze zich niet uit te kleden terwijl hij toekeek.

Alyssa trok haar te wijde jurk uit en daarna haar ondergoed. Haar huid tintelde. Niet van de koele nachtlucht, want de temperatuur voelde merkwaardig zwoel aan, maar van verwachting.

Opeens kwam Tor weer boven water. Hij schudde zijn hoofd en wierp zo de druppels alle kanten op. Ze glinsterden in het licht van de vlammetjes.

Alyssa zag dat hij haar naaktheid indronk met zijn ogen en ze wierp haar remmingen van zich af. Hij kwam gretig naar haar toe gezwommen en ging toen in het ondiepe water rechtop staan, zijn armen vragend uitgestoken. Alyssa stapte in zijn omarming en alle vonken om hen heen vlamden op en verenigden zich tot een vuurwerk van felle kleuren.

Later lagen ze innig verstrengeld op een zachte deken in een kom in de zachte bodem. Alyssa had haar ogen dicht, maar ze sliep niet. Tor trok met een vinger streepjes over haar gezicht en haar hele lichaam. Ze glimlachte op momenten dat het kietelde en drukte haar lippen weer op de zijne.

'Het is zo verrukkelijk je aan te raken, Alyssa,' zei hij na die kus. 'Ik wil je nooit meer laten gaan.'

'Doe het dan niet,' zei ze. En ze meende het.

Hij streelde haar borsten.

Ze draaide zich opzij. 'Ben je niet moe?'

'Nooit.'

'Nou, heb je dan tenminste geen hónger?' vroeg ze en ze draaide haar hoofd om hem aan te kijken.

De ondeugende blik in zijn ogen was als antwoord duidelijk genoeg, maar Alyssa was net snel genoeg om zich aan zijn greep te onttrekken.

Ze rolde zich bij hem vandaan en zei: 'Ik wil nu iets eten.'

Ze ging naar het voedsel dat voor hen was klaargelegd. Tor sloot zijn ogen en dacht glimlachend terug aan hun vrijpartij. Het was een nogal dringende bezigheid geweest, en de eerste keer zelfs wat onbeholpen. Maar na die acute aanvang had Tor de onbekende diepe lagen van genot ontdekt die alleen voor de ware liefde gereserveerd zijn. Al zijn lustbevrediging bij juffrouw Vylet werd hierdoor achteraf gerelativeerd. Hij wist dat hij nooit meer een andere vrouw zou begeren. Bij het eerste zonlicht morgen zouden ze met elkaar trouwen. Hij wilde het geen dag langer uitstellen.

Hij legde een link met Clout. De vogel was knorrig dat hij werd gestoord, maar Tor was zo opgewonden dat hij geen besef had van het late uur. Hij legde de valk uit wat hij van plan was en tot zijn verbazing maakte Clout geen bezwaar.

Wil jij het Solyana vragen? drong Tor aan.

Ja, maar laat me nu verder met rust. Over twee uur wordt het al dag.

'Kom je bij me?' riep Alyssa.

'Wil je met me trouwen?'

Alyssa legde de sappige bessen waarvan ze zat te genieten weg en veegde haar mond af. Toen liep ze naar Tor toe en kuste hem op zijn brede borst.

'Dat is verboden. Maar ik geloof dat we alle heilige wetten die gelden voor een Onaanraakbare van Carembosch tóch al hebben overtreden.'

❧

Je wilt me spreken, Tor? Het was Solyana's fluwelen stem die hem wekte. Alyssa sliep nog.

Fijn dat je gekomen bent, Solyana. Heeft Clout je gezegd wat we van plan zijn?

Ja, antwoordde ze, waarna ze een eindje bij de slapende Alyssa vandaan liepen. *Het is mogelijk. Er is een heilige vrouw, een kluizenares. Zij respecteert onze zeden.*

Tor ging naast de wolvin op de grond zitten.

Haar naam is Arabella.

Woont ze ver hiervandaan?

In zijn hoofd hoorde hij Solyana lachen. *Juist jij moest ondertussen toch weten dat niets ver weg is in het Kernwoud. Maar deze keer hebben we transport voor jullie. Jullie kunnen vertrekken zodra jullie gereed zijn.*

Ze wees met haar snuit in de richting van Alyssa. Tor keek die kant op en zag dat ze wakker was en zich lag uit te rekken. Solyana maakte aanstalten om weg te lopen. *Ik haal jullie vanavond en dan zal er een hereniging zijn met jullie vrienden.*

Solyana... mag ik iets vragen over Cyrus?

De wolvin dacht even na. *Ik kan je zeggen dat hij in goede gezondheid en vol moed is. Het bevalt hem uitstekend in het Kernwoud.*

Zal ik hem ooit weerzien?

Misschien.

Tor begreep dat het onderwerp was afgesloten, want de wolvin liep weg.

Toen hoorde hij een snuivend geluid. Hij draaide zich om. 'Kythay?'

Alyssa was nu helemaal wakker en toonde zich erg blij haar oude vriend terug te zien. Ze omhelsde het dier – een actie die de ezel van niemand anders duldde.

'En ik dan?' vroeg Tor quasi-pruilerig, terwijl hij haar in zijn armen trok.

'Vooruit dan maar.' Ze gaf hem een kusje. 'Dit is een mooie plek. Hier zou ik altijd wel willen wonen.'

'Misschien kan dat wel. Ben je gelukkig, Alyssa?'

'In ondraaglijke mate,' zei ze fluisterend en ze drukte haar wang tegen de zijne.

'Laat ons dan vandaag de belofte inlossen die we na de bloemendans hebben afgelegd. Kleed je aan, geliefde, want we gaan naar een priesteres.'

'Wat?'

'Vlug, vlug. Je ezel wacht en je verloofde popelt van verlangen.'

Alyssa kleedde zich aan. Ze was blij dat er een simpel, maar leuk jurkje voor haar bruiloft klaar lag. Een vuurrood gewaad of de kleding van een Onaanraakbare wilde ze nooit meer dragen. Wel vond ze het jammer dat ze geen bloemen had die ze in haar haren kon steken, en ze zag er ook geen staan, maar juist toen ze die gedachte als kinderachtig van zich af zette, kwam Clout aanvliegen. Alsof hij haar gedachten had opgevangen! Hij had een kransje van woudbloemen in zijn snavel.

Jullie gids is hier, zei hij, terwijl hij vlak voor haar op de grond neerstreek. *Tor, deze zijn voor Alyssa.*

Onderweg vertelde Alyssa over haar gesprek met Solyana. Tor had geen idee waar ze het over had. *Clout, heb jij ooit gehoord van een Triniteit?*

De valk aarzelde opvallend lang voordat hij antwoord gaf. *Ja*, zei hij toen.

Nou, vertel op dan, zei Tor ongeduldig.

De Triniteit zal het land voor sterven behoeden.

En?

Er volgde stilte.

Tor herhaalde tegenover Alyssa geërgerd wat Clout had gezegd. 'Dit flikt hij me vaak,' zei hij.

'Sakson ook,' bekende ze. 'Misschien weten ze het zelf ook niet echt.'

Tor knikte. Clout kon er niets aan doen. *Leg me dan nog eens uit wat de Paladijn is*, vroeg hij.

Deze keer kreeg hij van Clout onmiddellijk antwoord. *Die heeft tien leden. Twee ervan zijn aan jou verbonden, twee aan Alyssa. Ze beschermen jullie desnoods ten koste van hun leven.*

Jij bent de ene. Wie is de andere?

Dat is aan jou om te ontdekken, zei Clout.

Tor gaf dit door aan Alyssa. Zij dacht hardop na. 'Sakson heeft die band met mij. En Solyana is ook een van de tien – met wie is zij verbonden? Niet met ons, kennelijk. En waarom zijn er tien, als alleen wij beiden beschermd hoeven te worden? En wie is mijn andere lijfwacht? En tegen wie of wat moeten we worden beveiligd?'

Tor haalde zijn schouders op. Hij gaf de vragen door aan Clout, maar verwachtte alleen het gebruikelijke vage of ontwijkende antwoord.

Tegen Orlac, zei de vogel.

Tor bleef staan. Dat antwoord had hem compleet verrast. Alyssa keek naar hem om.

'Hij zegt dat we beschermd worden tegen Orlac.'

Alyssa kreeg meteen een droge keel. 'Wat heeft hij nog meer gezegd?'

'Misschien is dát al te veel geweest,' zei Tor. Zijn stem klonk verwonderd.

Clout keerde terug in zijn hoofd. *Arabella wacht*, zei hij alleen.

Ze roken bakluchtjes en kwamen op een open plek, waar een kleine hut stond. Ervóór zagen ze een knappe, lange vrouw. Haar donkere haar, doorschoten met grijs, was achter haar hoofd bijeengebonden en verzachtte de wat hoekige lijnen van haar gezicht, dat een olijfkleurige tint had. Ze richtte de blik van haar donkere ogen op hem en Tor had het merkwaardige gevoel dat zij hem al zijn hele leven kende.

'Torkyn Gynt en Alyssandra Qyn, ik verwachtte jullie al. Wees welkom, beiden.'

Toen stak ze een hand op naar Clout, die was neergestreken op de hoogste tak die hij kon vinden. 'Jij ziet er prachtig uit,' riep ze hem toe. Kennelijk voelde ze zich volkomen op haar gemak in het gezelschap van deze bezoekers.

Tor verbaasde zich. Solyana had deze vrouw toch een kluizenaar genoemd? Daar was weinig van te merken.

'Bent u de heilige vrouw Arabella?'

'Een andere is er niet,' antwoordde ze. 'Kom, laten we samen wat brood eten.'

Ze deelden een lichte maaltijd. Het voedsel was lekker en het gesprek kwam op het voorgenomen huwelijk.

'We hebben geen ring,' zei Alyssa op verontschuldigende toon.

'Die hebben we niet nodig, kind,' zei Arabella vriendelijk. 'Een ring is een symbool, meer niet. Maar als het je een beter gevoel geeft...' Ze stak haar hand in een verborgen zakje onder haar kleren. 'Misschien is deze geschikt?'

Ze gaf Alyssa een smal ringetje van gevlochten gras. Het zag er prachtig uit.

'Perfect!' zei Alyssa verrukt.

Ze omarmden elkaar alsof ze oude vriendinnen waren. Toen Alyssa zich losmaakte en naar Tor draaide, legde Arabella haar hand op de buik van het meisje.

'Schrik niet,' zei de heilige vrouw geruststellend. Langzaam en zacht, zeer geconcentreerd, betastte ze Alyssa's buik.

Het leek alsof het woud zijn adem inhield. Clout streek op Tors schouder neer. Dat verbrak de spanning even.

Opeens liet Arabella zich op haar knieën vallen. 'Het is gebeurd! We zijn gered!' riep ze naar de boomkruinen. 'Alyssa is zwanger!'

❧

Alyssa kreeg die middag nog een andere verrassing te verwerken.

Kythay droeg de bruid op zijn rug, terwijl de bruidegom naast hem liep, met zijn valk op zijn schouder. De schepsels van het Kernwoud kwamen hen begroeten en vormden een haag van publiek aan weerszijden van het pad dat zich op miraculeuze manier voor hen vormde en achter hen sloot. De zon was begonnen onder te gaan, maar het steeds dichtere bladerdak had al eerder voor schemering gezorgd. De Vlammen van het Firmament met hun veelheid van felle kleuren verlichtten hun weg door de donkere omgeving. Ze dansten en tinkelden voor het jonge bruidspaar.

Tor en Alyssa zagen dat Solyana een eindje verderop stond te wachten. Toen de vonken tot daar waren gekomen en haar omhulden, zagen ze dat de wolvin twee personen bij zich had. Alyssa's hart begon sneller te kloppen. Het moesten Sakson en Sorrel zijn, maar kón dat wel? De mannelijke gestalte leek haar te groot om Sakson te kunnen zijn.

Bereid je maar voor op een scène, zei Clout op een licht ironische toon tegen Tor.

Tor had geen tijd om opheldering te vragen. Hij draaide zich om en zag nog juist dat Alyssa zich van de ezel liet zakken en met opgenomen rok aan het rennen was.

Het leek onmogelijk, maar degene die naar haar toe kwam sprinten, was Sakson. Zijn glanzende gouden haar hing trots, op de Klookse manier, tot op zijn schouders. Hij had weer zijn volle lengte, kon zijn armen vrijelijk bewegen en rende met rechte benen. Maar Tor keek vooral met verbijstering naar Saksons tot dan toe lege oogkassen, want die waren nu gevuld met bleke, gezonde ogen, die straalden van blijdschap.

'Alyssa!' riep Sakson telkens weer, tot ze dichtbij genoeg was gekomen om zich in zijn armen te werpen. Hij tilde haar hoog in de lucht, alsof ze nog een jong meisje was dat een circustruc moest oefenen.

Tor voelde zich klein. Hij voelde dat Solyana stilletjes naast hem kwam staan en begroef zijn handen diep in haar vacht. Hij was te overweldigd door blijdschap voor Alyssa en haar trouwe, dappere Sakson om een woord te kunnen spreken.

Het Kernwoud geneest de zijnen, legde Solyana uit.

Sakson, Alyssa en Sorrel gingen bij elkaar zitten. Alyssa vertelde de anderen opgewonden over het grote nieuws van die dag – dat ze getrouwd waren, dat ze zwanger was. Sakson legde uit dat hij was geroepen door een god, Darmud Coril, en dat die hem genezing had geschonken.

Tor bleef bij de wolvin. Hij wilde Alyssa alle tijd geven voor haar vrienden. *Solyana, behoort Arabella tot de Paladijn?*

Ja.

Het vervulde hem met vreugde. Hij waagde nog een gok. *En Cyrus ook?*

Ja, Tor. Het scheen haar genoegen te doen dat hij het op eigen houtje had ontdekt.

Mooi, dan zoek ik er nog maar vijf. Ik zal niet bij je aandringen, Solyana.

Daarvoor bedank ik je, vriend. Je zult het begrijpen zodra het moment gekomen is, dat beloof ik je. Ze draaide haar grote, nobele kop naar hem toe. *Lys zal je niet in de steek laten*, besloot ze.

Hij knikte. Hij vertrouwde het hele stel. *Zal de gehele Paladijn zich in het Kernwoud verzamelen?*

Uiteindelijk wel. Maar het duurt nog even voordat we compleet zijn.

Tor had dolgraag willen vragen wat hun eigen rol was tot het moment van dat verzamelen, maar Sakson en Alyssa, die nog wat huilerig van blijdschap was, kwamen zijn kant op. De kans was verkeken. Hij had zich nooit gerealiseerd hoe groot en sterk de Klook was. Nu zag hij er stralend en gezond uit.

'Gegroet, Tor,' zei Sakson met zijn schallende stem, want hij kon nu weer spreken.

'Jij ook, vriend.' Tor legde zijn handpalm tegen die van Sakson aan, op de Klookse manier. Sakson waardeerde het gebaar.

Sorrel voegde zich nu ook bij hen. Tor kon haar gezichtsuitdrukking niet goed interpreteren, maar daar stond hij niet lang bij stil. Ze was nu eenmaal een gesloten oude dame. Waarschijnlijk onthield ze alles om het zo snel mogelijk aan Merkhud door te vertellen. Tor vond dat niet meer zo erg als hij verwacht zou hebben. Hij had sterk het gevoel, voor het eerst sinds jaren, dat hij zijn leven stevig in de hand had. Hij was niet bang voor intriges van Merkhuds kant.

Sakson gaf hem een ferme klap op zijn rug. 'Wel, Tor, ik dacht dat mijn nieuws de verrassing van de dag zou zijn, maar het schijnt dat jij en Alyssa niet hebben stilgezeten.'

Zijn glimlach was zo dubbelzinnig als maar zijn kon, en Tor grijnsde mee.

Tijd om het te vieren!

❧

Sorrel was uitgeput. Het was een lange nacht van feesten geweest en ze kon het haar metgezellen niet kwalijk nemen dat ze de kans aangrepen om zich eens lekker te laten gaan. En Licht wist wat ze allemaal hadden moeten doorstaan voordat ze hier veilig waren aangekomen! Helaas kon ze niet delen in hun blijdschap, hoewel ze de schijn had opgehouden.

Alyssa in verwachting.

Ze huiverde bij de gedachte wat de ouderen van de Academie daar wel van zouden zeggen. Maar anderzijds – dat leven leek opeens érg lang geleden.

Ze wist dat ze dit nieuws snel met Merkhud moest delen. Hij wist alleen nog maar dat ze aan Goth waren ontsnapt en nu in het Kernwoud verbleven. Meer niet.

De anderen sliepen. Het Kernwoud was stil. Ze legde een link, want ze wist dat de oude man nu niet sliep. Hij reageerde meteen.

Is er nieuws, geliefde? Ik heb je gemist.

Het kikkerde haar op dat hij zo sprak.

Er zijn verbazingwekkende dingen gebeurd sinds we elkaar voor het laatst spraken, Merkhud. Sakson is op magische manier weer geheel en al de oude gemaakt.

Door Tor? vroeg hij snel.

Nee. De Klook verdween tijdens onze eerste nacht hier in het woud. Helaas sliep ik toen, maar hij heeft me gezegd dat de grote zilveren wolvin hem naar de plek heeft gebracht waar de magische genezing plaatsvond. Meer weet ik er niet van.

Heb je deze wolvin gezien?

Heel even, toen we in het bos arriveerden. Daardoor wist ik dat hij de waarheid sprak, maar ik heb pas deze nacht echt kennis gemaakt met Solyana.

Solyana? Ze hoorde een van Merkhuds zeldzame lachjes.

Wat is er zo grappig aan, geliefde?

Je nieuws maakt me blij, Sorrel, meer niet.

Ik heb nog meer dramatisch nieuws. Ik zal niet uitweiden over de details, maar je moet weten dat Tor en Alyssa met elkaar zijn getrouwd.

Hoe is dat mogelijk?

Hoezo, mogelijk? Ze hebben trouwbeloften uitgewisseld. Ze draagt een ringetje van gevlochten gras om het te bewijzen.

Zwerven er in het Grote Woud dan priesters rond die paartjes op afroep even in het huwelijk komen verbinden? vroeg hij geprikkeld.

Sorrel onderdrukte de hatelijke repliek die bij haar opkwam en hield haar stem effen. *Nee. Maar er is hier ergens een heilige vrouw, naar het schijnt. Een priesteres, die aan Solyana bekend was.*

Zeg me dat ze Arabella heet, Sorrel. Bevestig het! beval hij haar. Nooit eerder in hun lange leven samen had ze hem zó opgewonden gehoord.

Het is waar. Ik heb gehoord dat ze over haar spraken als Arabella.

Er volgde stilte, maar ze voelde dat de link open bleef. Zelf bleef ze zwijgen tot ze de oude man hoorde zuchten.

Dank je, geliefde. Je brengt me vannacht groot nieuws. Deze berichten zullen Nanak zeer gelukkig maken.

Ze nam niet de moeite om hem te vragen wie Nanak was. *Er is nog meer te melden, Merkhud. Zit je ergens rustig?* Ze hoorde hem brommen. *Volgens het verhaal dat Tor en Alyssa ons vertelden, bespeurde deze Arabella iets bijzonders toen zij en Alyssa elkaar omhelsden. De heilige vrouw vroeg of ze Alyssa mocht onderzoeken, en dat deed ze toen. En volgens Arabella is Alyssa in verwachting.*

Dat is het! riep hij, en opnieuw, nog harder. *Dat is het, Sorrel!*

Dat is wát, Merkhud? Leg eens uit.

De Triniteit, vrouw! Het doel van onze lange queeste. Tor, Alyssa en een kind. Samen drie. De Triniteit. Waarom heb ik daar niet eerder aan gedacht? Het ligt zo voor de hand!

Daarna sloeg hij wartaal uit en leek hij hardop na te denken over scenario's en ideeën. In zijn opwinding leek hij het bestaan van Sorrel vergeten te zijn.

Ze wachtte geduldig tot hij weer redelijk bij zinnen leek te zijn. *Wat wil je dat ik doe?* vroeg ze ten slotte.

Wat zeggen ze er zelf van?

Ze geloven dat een leven in het Kernwoud goed bij hen past. Tor zegt dat ze voorlopig in deze Wijkplaats moeten blijven, in elk geval tot het kind geboren is. Daarna – wel, dat is nog open.

Nou, blijf dan gewoon in hun buurt. Volg de twee. Zoals ik al eerder heb gezegd – voorlopig onttrekken de gebeurtenissen zich aan onze invloed. Misschien is onze rol na de aanstaande geboorte voorbij, geliefde, en kunnen we onszelf eindelijk ter ruste leggen.

Het was eigenlijk een droef vooruitzicht, maar toch voelde ze een vreemde blijdschap toen ze het hem hoorde zeggen. Sorrel had genoeg van hun queeste.

24
De bevalling

Ze hadden acht manen geteld sedert de dag van hun huwelijk.

Het leven in het Kernwoud was een vreugde. Na alles wat ze in hun vorige bestaan hadden meegemaakt, stemden de generositeit van het bos en de vrede die het bood tot nederigheid. Allen raakten ze gewend aan dit leven en niemand, zeker de aanstaande ouders niet, wilde dat het ooit zou veranderen.

Tor en Alyssa leefden als man en vrouw in een hut die was gemaakt van gevallen takken. Hun bestaan was simpel en zonder zorgen. Sorrel had haar oude bestaan van kruidenvrouw weer opgepakt en ze zagen haar weinig, want ze zwierf vaak door het bos en genoot van een nomadisch, onbelast leven. Sakson woonde in een ander bescheiden hutje dat ze van afvalproducten van het Kernwoud hadden gebouwd, maar ook hij was dikwijls aan het rondzwerven en verkennen.

Hoewel het leek alsof de tijd stilstond en de ene dag identiek was aan de andere, zag Tor aan de groeiende buik van Alyssa dat er wel degelijk maanden voorbijgingen. De zwangerschap verliep voorspoedig. Alyssa straalde al bij voorbaat haar moederlijke status uit en iedereen verwachtte dat de bevalling probleemloos zou verlopen.

Arabella kwam vaak op bezoek en haar vriendschap met Sakson en Clout bloeide op. Hoewel ze alle drie Paladijnen waren, kenden ze elkaar niet van vroeger. Er waren misschien wat vage herinneringen in een ver hoekje van hun geheugen, maar ze hadden al jaren geleden hun frustrerende pogingen opgegeven om ze naar boven te halen. Het was Tor die met de suggestie kwam dat ze pas tot nieuwe inzet werden geroepen wanneer dat nodig was en dat hetzelfde misschien voor hun herinneringen gold. Als ze van belang werden, dan zouden ze alsnog naar boven komen. Met die veronderstelling waren ze het eens en ze lieten er hun rusteloosheid door sussen.

Het Grote Woud was zo uitgestrekt dat het geen wonder was dat Sakson pas na lange tijd op de kar stuitte waarmee ze manen geleden naar dit toevluchtsoord waren gekomen. Bij die overhaaste vlucht had hij een paar benodigdheden meegenomen, waaronder een oude ketel die nu elke dag bij het koken werd gebruikt. Alles wat geen praktische waarde meer had, was achtergelaten en vergeten.

Na een andere afwezigheid van een achtdag keerde Sakson terug met een zak. Alyssa herkende hem onmiddellijk. Haar baby schopte in haar buik. Het was alsof hij schrok van de schrik van zijn moeder, nu deze werd herinnerd aan Orlac.

'Hallo, Sakson!' riep Tor. Hij maakte een ruimte tussen twee jonge boompjes vrij, want daar wilde hij een hangmat voor de baby van Alyssa hangen. Het was werk waar je dorst van kreeg en hij was blij met de onderbreking. 'Fijn dat je terug bent. Ik kom zo bij jullie.'

Sakson knikte naar hem en liep verder naar Alyssa. Hij zwaaide met de zak. 'Herken je deze?'

'Ik had liever dat je hem niet gevonden had.'

Hij zette de zak op de grond. 'Kijk er dan niet naar.'

Alyssa negeerde het advies en streek over haar buik. 'Zie ik er dikker uit?'

'Zeg maar gerust ópgeblazen. Het lijkt alsof je een hele circustroep bij je draagt.'

Ze glimlachten bij de herinnering aan dat vorige leven, dat een eeuw geleden scheen.

Ze kreunde. 'Ik ben voortdurend moe.' Ze schonk hem een beker water in. 'Kom even bij me zitten.'

'Twee dagen geleden ben ik Sorrel tegengekomen.'

'Alles goed met haar?'

'Ach, het bekende gemopper. Ze zei dat ze snel komt, voor het geval dat het kind iets te vroeg zou zijn.'

'Mooi. Ik heb Tor niets gezegd, maar ik ben bang, Sakson.'

Hij reikte haar zijn beker aan voor een tweede portie. 'Waarvoor?'

'Ach, ik weet het niet precies. Voor het onbekende, denk ik. Een baby, hier midden in het bos.'

'Wees nu maar nergens bang voor. Om te beginnen is Sorrel een ervaren vroedvrouw. Ten tweede ben je op de veiligste van alle plekken. Het Kernwoud geneest de zijnen, weet je nog?' Tot zijn genoegen zag hij een glimlachje op haar gezicht komen. 'En ten derde krijg je hier alle hulp die je maar wenst.'

'Dat weet ik.'

Tor voegde zich bij hen. Hij keek naar de zak. 'Wat heb je daar, Sakson?'

'Alyssa vroeg me om ze veilig op te bergen, al voordat we de Academie verlieten.'

Tor keek naar Alyssa. Zij trok een lelijk gezicht. 'Het zijn de kronieken van Nanak.'

'Aha.' Tor dacht daar niet graag aan terug, dus hij veranderde van onderwerp. 'De hangmat voor baby Gynt is klaar.' Hij wees trots naar zijn staaltje van ambachtelijk handwerk.

'We hebben hem misschien eerder nodig dan we dachten.' Alyssa ging omstandig verzitten. 'Ik voel al de hele dag vage pijn.'

Beide mannen keken geschrokken en daar moest ze om glimlachen. 'Niet nu meteen, hoor, maar toch vroeger dan ik dacht,' zei ze geruststellend.

Maar later die middag lachten ze geen van drieën meer.

Binnen enkele uren had Alyssa steeds meer pijn gekregen. Ze was heen en weer gaan lopen om de krampen te verzachten. Tor en Sakson ondersteunden haar om de beurt. Bij het invallen van de schemering liep ze nog steeds heen en weer, maar ze werd vermoeid. De mannen moesten haar helpen om rechtop te blijven.

Iedereen was opgelucht toen ze bij het vallen van de duisternis Sorrel zagen verschijnen. Alyssa had een link met haar gelegd toen haar pijn nog draaglijk was, dus de oude dame was al onderweg geweest toen Solyana, gealarmeerd door Tor, haar vond. Nu zat ze op Kythays rug, na een wonderbaarlijk kort reisje.

Sorrel stuurde de mannen weg en beloofde dat ze hen spoedig zou terugroepen. Haar vaardigheid als vroedvrouw zou vannacht hard nodig zijn, constateerde ze, want het kind lag ongelukkig. Het zou voor deze moeder een zware eerste bevalling worden. Ze gaf Alyssa iets te drinken dat ze uit haar befaamde oude tas haalde. Het drankje leek Alyssa enigszins te kalmeren en ze zakte weg in een onrustige slaap.

Daarna gaf Sorrel de mannen werk te doen. Ze hadden vanaf de rand van de open plek staan toekijken en waren blij dat ze iets konden doen. Tor begon linnen in repen te scheuren om er verband van te maken en Sakson legde een vuur aan en hing er een ketel water boven.

Solyana bleef als een schaduw in de buurt en hield nieuwsgierige bosbewoners op een afstand, terwijl Clout vanuit de hoogte de wacht hield.

Zelfs vanaf de hoogste boomtop kon hij met zijn scherpe blik goed zien wat zijn vrienden deden. Hij wilde niet te dicht bij Tor komen, want al de hele dag voelde hij een angst voor onheil en hij wilde niet dat Tor hierdoor zou worden besmet. Clouts angst gold niet Alyssa en haar kind – dat was een nieuwe bron van bezorgdheid. Nee, de onbestemde angst had betrekking op Goth, want die had zijn speurtocht nog niet opgegeven. Keer op keer was hij teruggekomen naar de plek waar Sakson en Sorrel in het Grote Bos waren verdwenen.

Als hij die kar kon vinden, of degenen die erop hadden gezeten, zo zou Goth wel redeneren, volgens Clout, dan had hij Alyssa weer in een hoek gedreven. En in de maanden na het huwelijk tussen Tor en Alyssa had de valk vanuit de hoogte precies bekeken hoe de inquisiteur zijn zoektocht aanpakte. Vier opeenvolgende expedities hadden niets anders opgeleverd dan evenzovele woede-uitbarstingen van Goth. Nu was hij terug, deze keer met mannen van de Koninklijke Garde in zijn gevolg. Kennelijk werd Goth in zijn streven gesteund door koning Lorys, concludeerde Clout. En verbeeldde hij het zich, of mocht Goth deze keer inderdáád dieper in het Grote Woud binnendringen dan de vorige keren?

Tot dan toe had Clout met leedvermaak aangezien hoe de smeerlap door het woud voor de gek werd gehouden. Er kwamen dan opeens paden tevoorschijn die nergens naar toe leidden, of andere, die in een zuivere cirkel terugkeerden naar de plaats van herkomst. Weer andere routes leidden naar watervallen of dichte begroeiing, waar niemand door of langs kon. Een bijzonder geslaagde dwaalweg had zelfs naar een loodrechte rotswand geleid. Clout had al die trucs van het bos geamuseerd bekeken en bewonderd. Maar deze keer was het anders. Goth had werkelijk de rand van het Kernwoud weten te bereiken. En dát was wat Clout al de hele dag hinderde.

Arabella liet niet lang op zich wachten. Sorrel was blij dat een andere vrouw haar kwam helpen. Samen liepen ze met Alyssa rond wanneer haar pijn te erg werd.

Het was midden in de nacht en ze had nu tien uur weeën achter de rug, maar er was nog geen vooruitgang. Sorrel legde de anderen uit dat een bevalling drie stadia kent en dat Alyssa in de eerste helft van het tweede stadium was, maar niet vorderde. Het baringsproces was tot stilstand gekomen, terwijl het nu eigenlijk in een versnelling behoorde te geraken.

'We gaan een lange nacht tegemoet,' waarschuwde Sorrel, maar ze liet niemand merken dat ze zich zorgen maakte. Het ging niet goed en ze vreesde voor de gezondheid van de baby. Alyssa was nog bij lange na niet aan het persen en dat betekende dat het kind nog minstens tien uur op eigen kracht moest volhouden, en misschien nog langer. Moeder en baby zouden tegen die tijd vechten voor hun leven. Sorrel troostte zich echter met de gedachte dat ze aan alle kanten door magie werden omringd.

Tor, die al heel lang geen klusje meer had kunnen verzinnen om zich mee bezig te houden, stond nu nerveus in de schaduwen. Hij vond het jammer dat Clout een boomtop had verkozen, want het gewicht van zijn vriend op zijn schouder zou hem hebben gerustgesteld. Tor en Clout maakten zich ongerust om het gekreun van Alyssa. Zelfs hun onervaren oren hoorden wel dat ze langzaam zwakker werd.

Tor probeerde zijn zenuwen onder controle te krijgen door met de valk te praten.

Is er van buiten het Kernwoud nog nieuws te melden?

Dat wil je niet weten, antwoordde Clout, die meteen spijt had van zijn ondoordachte antwoord.

Tors gedachten werden afgeleid van de barensweeën van zijn vrouw. *Wat bedoel je?*

Het ontglipte me. Je hebt nu andere dingen aan je hoofd, Tor. We zullen er later over praten. De valk zocht koortsachtig naar een ander onderwerp. *Zullen we Sorrel nog eens vragen hoe het gaat?*

Nee, Clout. Ik zie zo wel dat Alyssa's toestand niet is verbeterd. Zeg me liever wat het is dat je voor mij probeert verborgen te houden.

Clout zat klem. Tor hoorde via de link hoe hij zuchtte. *Goth doorzoekt het Grote Woud. Hij heeft een eenheid van de Koninklijke Garde bij zich.*

Hoe lang doet hij dat al? Tor voelde een knoop in zijn maag. Hij was niet bang voor Goth, maar hij wist hoe panisch Alyssa op de inquisiteur reageerde.

Vijf manen, antwoordde de vogel zacht.

Tor vergat de link. 'Wát?' brulde hij.

Iedereen keek zijn kant op, zelfs Alyssa, tussen twee weeën door. Hij wuifde verontschuldigend en trok zich dieper in de schaduwen terug.

In Lichts naam, Clout, waar héb je het over?

Laat het me niet nog eens moeten herhalen, antwoordde Clout schuldbewust.

Wanneer had je het me willen vertellen?

Als het kind geboren is.

Ja, áls er een kind geboren wordt. Goth zal het dan trouwens wel doden.

Alsjeblieft, Tor! Goth zal je kind niet vinden. Het Kernwoud beschermt jullie allen. Het heeft hem al deze tijd in kringetjes laten rondlopen. Maar wie had kunnen denken dat hij zó fanatiek blijft zoeken? De man is bezeten!

En wat doen we nu?

Voorlopig niets. Concentreer je op je vrouw.

Alyssa gilde en dat maakte een eind aan hun gesprek. Tor rende naar haar toe. Sakson kwam nu ook tevoorschijn uit het donker, waar hij in stilte had staan lijden.

Onder Alyssa's hemd was een hevige bloeding ontstaan. Sorrel zag bleek en zelfs de altijd zo onverstoorbare Arabella had groeven van bezorgdheid in haar gezicht.

'Dit is een slecht teken,' zei Sorrel. Ze deed geen moeite meer om haar ongerustheid voor de anderen te verbergen. Het bloed beduidde dat de dood niet ver weg was. Het was echter ontoelaatbaar dat ze Alyssa of haar kostbare kind op deze manier zou verliezen.

Alyssa opende haar ogen toen de pijn een moment wegebde. Ze keek naar Tor en wist een flauw glimlachje om haar gekloofde lippen te toveren. 'Ik hou van je,' fluisterde ze, maar toen volgde er een nieuwe pijnscheut en vloeide er nieuw bloed over de grond, vlak voor Tor, die op zijn knieën naast haar zat.

Hij begon te huilen. Dit kon toch niet waar zijn? Alyssa lag hier pal onder zijn neus te sterven bij het baren van hun kind!

'Meer kan ik niet doen,' zei Sorrel hulpeloos. 'Alleen een wonder kan de baby redden. Alyssa is misschien al te ver heen.' Zij bracht onder woorden wat iedereen al vreesde.

'Nee!' schreeuwde Sakson, tegen beter weten in.

Tor vermande zich. Hij keek om zich heen en dacht koortsachtig na. Solyana was gekomen en stond naast Sakson. Tor keek weer naar zijn vrouw. Ze was bleek, levenloos. Ze lag te bloeden. Zo was haar eigen moeder gestorven – toen ze Alyssa baarde. Die geschiedenis mocht zich niet herhalen! Er was geen tijd meer om na te denken. Hij moest iets dóén.

Solyana, kunnen we Darmud Coril roepen?

'Ik ben er.' Allen hoorden ze de galmende stem. 'Geef haar aan mij,' beval hij.

Tor en Sakson bukten zich onmiddellijk om Alyssa op te tillen, maar niet tot hen had de god van het woud gesproken. Er kwamen tentakels en lianen uit de ondergroei van het woud en zij wikkelden zich om Alyssa heen. Onder haar hoopten zich twijgen en bladeren op en een grote, majestueuze boom boog zich naar voren en tilde het aldus van de bodem verheven lichaam van Alyssa op naar de armen van Darmud Coril.

Zijn enorme, ontzagwekkende gestalte, die werd omringd door de vonkende kleuren van het woud, nam Alyssa in zijn armen alsof ze een baby was. En meteen werd ook zij omhuld door de Vlammen van het Firmament, die zacht tinkelden. En nog steeds hielden ranken en lianen haar omvat. Zo nam de woudgod Alyssa onder zijn hoede, met alle vermogens waarover hij beschikte.

En in stil ontzag zagen ze Darmud Coril het wonder verrichten waarover Sorrel had gesproken. Hij begon een lied te zingen. Zijn donkere stem produceerde een reeks welluidende klanken, die geen herkenbare melodie vormden, maar de vlammen om Alyssa's lichaam heen vonkten stralend op in het ritme van Darmud Corils tonen en de nabije bomen bogen zich zacht ruisend haar kant op.

Pas later zouden ze in stilte erkennen dat ze de god niet alleen aan het werk zágen, maar ook vóélden. En van hen allen werd alleen Sorrel daardoor veranderd, hoewel ze er hoe dan ook geen weet van had.

De anderen moesten hun ogen bedekken tegen de felle gloed, maar Tor keek onverschrokken naar het lichtschijnsel en zag tot in detail hoe zijn vrouw werd begoten en gevuld met machtige magie. En ook deze keer prentte hij de combinaties en de geuren in zijn geheugen.

Pas een eeuwigheid later, zo leek het wel, doofden de vlammetjes tot hun aanvankelijke niveau van flonkering. De bomen richtten zich op en de blik van de woudgod richtte zich op degenen die voor hem stonden.

Hij tilde Alyssa op tot bij zijn mond en kuste haar zacht op het voorhoofd, waarna hij haar aan de boomtakken gaf, die haar voorzichtig weer op de deken van haar kraambed legden.

'Ze bloedt niet meer en ik heb haar in de diepst denkbare slaap gebracht. In die slaap zal ze genezen, maar ze zal zich niets van deze gebeurtenis herinneren. Verlos nu het kind, vroedvrouw, dat onderweg is!'

Het duurde even voordat Sorrel besefte dat de god van het woud zich tot háár had gericht. Ze haastte zich naar Alyssa's zijde en keek onder haar bebloede nachthemd.

'Het is waar!' riep ze uit. 'Het kind komt!'

Tor liet zich aan de voeten van de god op zijn knieën zakken. 'Hoe kan ik u bedanken?' mompelde hij, zijn hoofd deemoedig gebogen.

Tor, antwoordde de donkere, vriendelijke stem van Darmud Coril hem in zijn hoofd, *jij bent de Ene die ons allen zal redden. Op een dag zijn wij het die jou bedanken. Maar eerst moet je veel doorstaan en grote smart verduren. Niet jij moet mij bedanken, maar ik moet aan jou vergiffenis vragen voor wat het Kernwoud moet doen.*

Tor keek in de droeve ogen van Darmud Coril en in hun diepte zag hij de kleuren van het woud en ook een mateloos medeleven. Hij kon zich niet voorstellen waarom het Kernwoud ooit zijn vergiffenis zou moeten vragen.

Hij fronste zijn voorhoofd. *Ik begrijp het niet.*

Dat komt wel, zoon, zei de god met groot verdriet in zijn stem. Toen doofden alle vlammetjes en was Darmud Coril verdwenen.

'Tor!' riep Arabella. 'Je kind is er bijna!'

Tor draaide zich om en zag dat de heilige vrouw en Sakson elkaar stevig vasthielden en dat er tranen over hun wangen rolden. En toen hoorde hij daar in het Kernwoud het mooiste geluid dat er bestond.

Het eerste kreetje van een kind.

'Een jongen,' zei Sorrel. Haar stem was dik van emotie. Ze zat tussen Alyssa's opgetrokken knieën en hield een baby in de hoogte.

Arabella gaf Tor een lap stof. Hij nam het jongetje van Sorrel over en huilde nu openlijk. 'O, Gidyon,' fluisterde hij, 'je moeder zal érg trots op je zijn!'

Op dat moment van emotionele ontlading verschenen er opeens allerlei dieren uit het bos, die alle kanten op stoven.

Solyana sprak. *Ze zijn geschrokken*, waarschuwde ze, en rende toen in de tegenovergestelde richting.

Sakson had opeens een grimmige uitdrukking op zijn gezicht en Tor begreep wat de Paladijn voor hem verborgen had gehouden.

Goth was hier.

'Wacht hier met Alyssa en Sorrel!' riep Sakson naar Tor, waarna hij Solyana volgde. Arabella rende achter hem aan.

Clout! riep Tor via een link. *Wat gebeurt er?*

De nachtmerrie is begonnen. Je moet Alyssa en het kind in veiligheid brengen.

Tor had geen tijd om na te denken. Sorrel schreeuwde iets naar hem. 'Er is er nóg een!'

Hij meende dat hij haar in zijn paniek verkeerd had verstaan, dat ze had geroepen dat er een tweede baby was. Hij liep haar kant op, maar bleef stokstijf staan toen ze een tweede huilend kindje in de hoogte hield. Hij was met stomheid geslagen.

'Een zusje. Het is een tweeling,' zei Sorrel met hese stem. Ook zij was geschokt. Alyssa was bewusteloos.

Tors stem klonk even kil als zijn vraag. 'Is ze dood?'

'Ze leeft,' zei Sorrel, die niet meer naar hem keek. 'Pak je dochter aan. Ik moet je vrouw verzorgen.'

Tor nam de boreling teder in zijn handen. Het meisje had een rood, gerimpeld gezichtje en een zachte donslaag van rossig haar, dat door het vruchtwater aan haar hoofd plakte. Ze was precies het tegenovergestelde van haar broertje, die stevige toefjes zwart haar had. En terwijl zij een fijnbesneden gezichtje had, net als haar moeder, had de jongen een donkere tint en hoekige trekken.

'Gidyon... we heten je zusje welkom,' zei Tor. Zijn stem trilde. Hij zag dat Sorrel probeerde Alyssa bij kennis te brengen. 'Haar naam is Lauryn.'

Clout eiste zijn aandacht op. *Luister, Tor, je moet de kinderen in veiligheid brengen!*

Hoe dichtbij zijn ze?

Té dichtbij. De anderen proberen ze weg te lokken. Je moet met de kinderen vluchten.

Nee! riep Tor. *Goth hoeft maar een glimp van mij op te vangen, dan komt hij achter me aan. Dat is de beste afleiding! Arabella en Sakson kunnen hem niets schelen. Mij wil hij hebben. Want zo denkt hij Alyssa te vinden.*

Clout sprak het niet tegen. *Wat wil je dan doen?*

Hoeveel tijd hebben we nog?

Een paar minuten misschien. Sakson heeft ze de verkeerde kant op gelokt.

Hou de link open. Licht me in.

Tor hoefde Sorrel maar weinig te zeggen. Het leek alsof ze al wist dat Goth was gekomen.

'Je moet gaan,' zei ze.

'En mijn gezin?'

'Luister naar mij, Tor, en luister goed. Ik neem de kinderen mee naar een veilige plek. Maar je moet me de tijd geven, door Goth hier vandaan te houden. Zo ver bij het Kernwoud vandaan als maar mogelijk is.'

'En Alyssa?' fluisterde hij, gebroken door deze wending in zijn leven.

'Ik breng haar naar een veilige plaats in het bos. Ik kan niet iedereen meedragen. Vergeet niet wat Darmud Coril heeft gezegd – ze zal blijven leven. Ze zal immers genezen en zich niets hiervan herinneren. Tor, hoor je wel wat ik zeg? Als Goth deze kinderen vindt, zal hij ze genadeloos afmaken en hij zal ervoor zorgen dat jij en hun moeder het moeten aanzien. Daarna zal hij jullie beiden kruisigen. Hij heeft de oude wet aan zijn kant en de koning moet hem toestemming geven. In de ogen van de buitenwereld is Alyssa nog altijd een Onaanraakbare. Voor mensen als Goth zijn deze kinderen dus monstruositeiten.'

'Waarom vertel je me dit alles, Sorrel? Denk je dat ik het niet weet?' schreeuwde hij naar de oude vrouw.

Ze sprak nu zacht, bijna fluisterend. 'Zeg dit tegen niemand. Alleen jij en Clout en ik weten dat er nog een meisje is geboren. We zullen zeggen dat de jongen gestorven is, dus volgens ieders beste weten hebben Tor en Alyssa Gynt géén kind.' Ze keek hem dwingend en indringend aan. 'Zelfs hun moeder zal het niet weten,' besloot ze.

Tor keek haar verbijsterd aan. Hij voelde een bonkende pijn in zijn hoofd toen de ware betekenis van haar woorden tot hem doordrong.

'Moet ik haar voorliegen?' fluisterde hij.

'Je moet haar rédden!' snauwde ze. 'Red je vrouw, red je kinderen, red misschien zelfs je eigen huid!'

Tors gedachten tolden door zijn hoofd. Ergens in dit verschrikkelijke plan van Sorrel zag hij de kern van waarheid die het bevatte. Haar ogen schoten vuur.

'Wegwezen!' riep ze. 'Red je gezin! Hou ons die Goth van het lijf!'

Tor deed geschokt een paar stappen achteruit. De link met Clout was open, dus de vogel had alles gehoord. Ook hij was verbluft. De kinderen begonnen weer te huilen. Sorrel kon Tors gedachtengang heel goed volgen door naar zijn gezicht te kijken, want daarop zag ze geschoktheid en toen wanhoop en ten slotte aanvaarding.

'Hoe vind ik jullie?'

'Je vindt ons wel.' Ze draaide zich om, nu met twee huilende pakketjes in haar handen. 'Je moet gaan, Tor, en snel, anders zullen we allemaal sterven en dan is alles voor niets geweest. Als je doet wat ik zeg, hoeven er geen doden te vallen. Ik weet dat je magie hebt, ik weet dat je ze allemaal kunt doden, als je wilt. Maar dat wil je niet. Je kunt het bestaan van deze kinderen geheim houden en we kunnen jou en Alyssa redden. Alsjeblieft, Tor, laat me ze in veiligheid brengen.'

'Wacht!' riep hij, waarna hij het leren zakje pakte dat hij onder zijn hemd droeg. Hij schudde er de drie kleurige knikkers uit. 'Pak aan. Een voor elk van mijn kinderen en een voor jou. Waar jullie ook heen gaan, pas er goed op en hou ze dicht bij je.'

'Waartoe dienen ze?' vroeg ze. Toen ze ze aannam, doofden de felle kleuren en werden de knikkers gewone doffe stenen.

'Ik begrijp het ook nog niet helemaal, maar ik geloof dat ze jullie beschermen. En...' Er kwam wanhoop in zijn stem. 'Misschien helpen ze mij om jullie te vinden.'

Sorrel glimlachte bijzonder lief en zonnig naar hem. Tor had nooit geweten dat ze tot zoveel warmte in staat was. Het leek bijna misplåätst in alle ellende van dat moment!

'Ik wacht op je, Tor. Ik zal goed op je kinderen passen.'

Ze ging op haar tenen staan en gaf hem een kus. Daarna omhelsde ze hem. 'Nu moet je gaan, jongen,' zei ze kalm.

Tor knielde naast zijn bewusteloze vrouw en haalde iets uit een binnenzakje in zijn kleren. Nadat hij Alyssa een afscheidskus had gegeven drukte hij het schijfje van archaliet op haar voorhoofd. Mocht Goth haar vinden, dan bood dit misschien een beetje bescherming. Daarna gaf hij zijn zoon en dochter een snelle kus. Er was niets meer dat gezegd moest worden. Hij zag de zak met Nanaks boeken staan en graaide hem mee, waarna hij zonder nog om te kijken in de donkerte van het Kernwoud verdween. Zijn trouwe valk zou hem naar de vijand leiden.

Toen Sorrel alleen was met de baby's en hun bewusteloze moeder, nam ze onmiddellijk contact op met Merkhud. Dit was een ijzingwekkende verandering in de situatie en het was essentieel dat hij het meteen te horen kreeg.

Maar er kwam geen reactie.

Ze fronste haar voorhoofd en probeerde opnieuw een link te leggen. Deze keer besefte ze tot haar ontzetting dat het méér was dan geen reactie ontvangen. Ze kwam terecht in een leegte! Ook haar derde poging stierf in een doodse stilte. Ze tastte in een vacuüm.

Haar schrik veranderde in paniek toen de bomen om haar heen zich naar haar toe bogen en ze zich bewust werd van de zinderende, almachtige aanwezigheid van Darmud Coril.

'Je zult doen wat ik beveel,' zei hij.

Twee dagen hielden ze in het Grote Woud een spel van kat en muis vol. Met hulp van Clout koos Tor af en toe een moment om zich te laten zien en dan ging Goth telkens gretig achter hem aan. Zo wist hij Goth en de eenheid van het leger ver bij het Kernwoud vandaan te lokken.

Al die tijd zag Tor noch Sakson, noch Arabella, en zelfs Solyana niet. Hij en Clout stonden er weer helemaal alleen voor. Ze spraken zo weinig met elkaar, dat dit op zichzelf al een bron van neerslachtigheid werd, maar ze moesten hun link openhouden – dus ook voor een ongewenste uitwisseling van emoties en stemmingen.

Op de derde dag van honger en kou – want het Grote Woud was niet zorgzaam, zoals het Kernwoud, en het was er winter – nam Tor een gedurfd besluit.

Het verraste Clout volledig toen hij het uitsprak. *Ik ga terug.*

Nee, Tor!

Ja. Je kunt meegaan of niet, het maakt me niets uit. Ik moet Alyssa vinden. Ze is misschien wel dood. Zonder dat ik het ooit zal weten.

Ze is zeker niet dood, Tor. Dat laat Darmud Coril niet gebeuren.

Tor keek omhoog naar de tak waarop Clout zat en wees met een priemende vinger naar hem. *O nee? Hij heeft die slagers binnengelaten, die achter haar aan zitten. Dan kan hij ze toch ook helpen om haar te doden?*

Stop! commandeerde de valk. *Je praat nu onzin. Goed, ik ga met je mee, al is het maar om te bewijzen dat je ongelijk hebt.*

Hij sloot de link abrupt.

Tor bleef verslagen staan en begon toen aan de terugkeer. Vreemd genoeg kostte deze hem minder tijd – slechts anderhalve dag. Maar eigenlijk was álles aan het Kernwoud een beetje anders geworden. Geen van beiden gaf er commentaar op.

Het was al schemerig toen ze bij de open plek aankwamen. Wat Tor daar zag verbaasde hem zeer. Niet alleen was er geen spoor van Alyssa te zien, maar ook helemaal niets van hun lange verblijf daar. Hij keek naar de plek waar zijn hutje had gestaan en zag er nu nog alleen een boom. Het terrein dat ze hadden vrijgemaakt, was opgevuld met ondergroei en gebladerte. En waar Alyssa had gelegen toen ze haar twee kinderen baarde, groeiden nu prachtige witte bloemen, van een soort die in het Kernwoud nooit eerder was gezien.

Tors vastbeslotenheid wankelde, net als zijn lange lichaam, dat hij vermoeid op de grond liet zakken, naast de witte bloemen, overmand door verdriet om zijn gezin.

❧

De stilte werd verstoord door een ongehaast geritsel in het bos. Clout wist al wie het was voordat Tor Kythay tussen de bomen vandaan zag komen. Hij was blij het beest terug te zien. Hij wist hoe dol Alyssa op deze oude ezel was en hij streelde nu Kythays nek. Gewoonlijk liet het dier zich dit van niemand welgevallen, behalve van Alyssa, maar misschien miste hij haar ook.

Kythay deed een paar stappen naar voren. Tor bleef staan en probeerde zijn gedachten te ordenen. Wat moet hij nu doen? Misschien naar Arabella op zoek gaan? Of zou Sakson ergens in de buurt zijn?

De ezel balkte, deed weer een paar stappen en kwam toen terug.

'Wat bedoel je, oude makker?' vroeg Tor vriendelijk.

Volgens mij wil de ezel dat jij hem volgt, opperde Clout voorzichtig.

Waarheen?

Clout maakte zijn misprijzende klakkende geluid. *Zullen we dat even afwachten?* Hij dook naar beneden en streek neer op de rug van de ezel. *Vort, Kythay!*

Het leek alsof de ezel dat verstond, want hij kwam in beweging en samen gingen ze op weg, het Kernwoud uit, maar nu een andere kant op. Deze keer gingen ze naar een van de uitlopers van het Grote Woud.

Een dag later verlieten ze het bos en stonden ze aan de rand van een smalle, snelstromende rivier. Er was een gammele brug en aan de overkant zagen ze een hut. Er kwam rook uit de schoorsteen. Tor was verkild tot op zijn botten en genoot van het vooruitzicht zijn handen te kunnen warmen en misschien iets heets te eten of te drinken te krijgen. Hij vroeg zich af waarmee hij kon betalen, maar vond in zijn zakken nog wat muntgeld. Sinds zijn komst naar Ildagaarde had hij geen geld meer nodig gehad.

Wel moest hij hierdoor even aan Alyssa denken, maar die associatie kapte hij meteen af. Het ging nu om overleven. Hij moest zijn stappen zorgvuldig plannen. Eten was een prioriteit. En slapen ook.

Zijn volgende gedachte werd ook door Clout onder woorden gebracht. *Waarom heeft Kythay ons hierheen gebracht?*

Er kwam een man uit de hut die een plas deed en toen opeens de vreemdeling aan de rand van de rivier zag staan.

'Hallo,' zei Tor. 'Ik ben een eenzame reiziger en verlang naar een warme maaltijd en de kans me te warmen.' Hij blies zich in de handen, die inderdaad steenkoud waren. Toen tastte hij in zijn zak en haalde de munten tevoorschijn. 'Ik kan ervoor betalen,' bood hij aan.

De man zei niets en staarde hem alleen maar aan. Toen zag Tor iets bewegen in de deuropening van de hut. Alyssa stapte naar buiten. Ze liep alsof ze in trance was. Tor kon zijn ogen niet geloven. Hij rende naar haar toe, maar zijn opluchting veranderde in een verstikkende paniek.

Pal achter haar, met zijn hand lichtjes tegen haar elleboog gedrukt, stond hoofdinquisiteur Goth.

25

Gevangen

Alyssa keek dwars door Tor heen. Het was alsof ze hem helemaal niet zag.

Goths lelijke stem eiste zijn aandacht op. 'Doe niets stoms, Gynt. Er staan vijfentwintig man klaar om pijlen af te schieten op jou, je hoer en trouwens ook je klote-ezel.'

Hij giechelde. Het was geen prettige klank.

'Wat wil je, Goth?'

'Neem me niet kwalijk, weet je dat niet? Waar zijn mijn goede manieren gebleven. Kapitein Herek, als u zo goed wilt zijn...'

Nu kwam kapitein Herek van de Koninklijke Garde naar buiten. Tor herkende hem.

Heeft het hele leger zich in die hut verstopt? vroeg Clout zich af.

Waar ben je? vroeg Tor, zonder zijn blik af te wenden van Alyssa, die gedwee naast Goth stond. Hij zag dat de inquisiteur de kapitein iets in het oor fluisterde.

Niet ver weg.

Blijf uit het gezicht. Jij moet mijn ogen zijn.

Hij liet zijn Kleuren opkomen. Ze voelden veilig aan.

Kapitein Herek kwam naar hem toe. Het was een fatsoenlijke man, een goede soldaat. Cyrus had altijd vol lof over hem gesproken. Hij ging vlak voor Tor staan, zodat Goth Tors gezicht niet kon zien, noch kon horen wat hij zei. Hij verspilde geen woorden.

'Ik ben hier om ervoor te zorgen dat je veilig naar Tal wordt gebracht. Dit is het bevel van onze soeverein. Werk alsjeblieft mee en geef dat rottende vlees achter mij geen excuus om jou of de vrouw kwaad te doen.'

Tor dacht snel na. Als de soldaten voor bescherming zorgden, kon het de moeite waard zijn om ongedeerd in Tal aan te komen en misschien een kans te krijgen om met Lorys te spreken. Er gingen binnen enkele tellen verschillende wilde ideeën door zijn hoofd, van wegvluchten tot en met het vragen om genade. Ten slotte knikte hij. De soldaat deed een stap opzij.

Er verschenen nu meer soldaten vanuit hun schuilplaatsen in de omgeving van de hut. Tor was kwaad op zichzelf. Waarom had hij niemand opgemerkt? Kapitein Herek verkondigde inmiddels officieel dat Tor gevangen werd genomen in naam van de koning van Tallinor, maar Tor luisterde niet. Het kon hem niets meer schelen.

Kythay vertrekt, zei Clout zacht. *Hij sjokt weg in de richting vanwaar we zijn gekomen.*

En ze laten hem gaan?

Niemand let op hem.

Heeft hij de boeken? vroeg Tor bezorgd.

Ja.

Tor zag nu dat Goth met Alyssa zijn kant op kwam lopen. De soldaten leken aanstalten te maken om te vertrekken. Hij hoorde Herek iets zeggen over de paarden halen en keek toen recht in het gezicht van de duivel.

'Willen jullie elkaar niet goedendag zeggen?' vroeg Goth spottend. 'Het is alleen zo – en corrigeer me als ik me vergis – maar het lijkt alsof Alyssa onlangs een kind heeft gebaard. Zou dat niet een gegarandeerd doodsvonnis betekenen, Gynt? Onaanraakbaar, weggelopen met een koninklijke lijfarts, zwanger? Prachtig materiaal. Benieuwd wat Lorys ermee doet.'

Tor kookte. De Kleuren vlamden op.

Niet doen, Tor, waarschuwde de valk. *Herek heeft gelijk. In Tal heb je misschien een kans.*

Tors keel werd kurkdroog toen Alyssa hem aankeek. Haar blik was op hem geconcentreerd, maar haar ogen misten de helderheid die hij zich herinnerde.

'Waar is mijn kind?'

Hij slikte. Op dit levensgevaarlijke moment kwam de leugen vlot over zijn lippen. 'Onze zoon is gestorven. Het gebeurde enkele tellen na zijn moeizame geboorte.'

'Ach, Alyssa, wat jammer nou. Ik heb je toch gezegd dat we een dood kindje hebben gevonden? Maar je wilde niet luisteren.' Goth sprak op een misselijkmakend slijmerig toontje tegen haar. 'Echt erg, hoor, maar het schijnt dus dat jij boft dat je nog wél leeft.'

Ze had geen spier van haar gezicht vertrokken. 'Was dat maar niet zo,' zei ze, terwijl ze naar Tor keek.

Het waren de laatste woorden die ze tegen hem zei voordat hij stierf.

De lange terugreis naar de hoofdstad kostte zes dagen. Al die tijd spraken alleen de soldaten op een beleefde manier met Tor. Ze hadden een goed geheugen en wisten nog dat primaat Cyrus in geuren en kleuren had verteld dat Torkyn Gynt zijn leven had gered. Alleen al om die reden werd Tor met egards behandeld, als dat mogelijk was.

Alyssa reed stijfjes voorop bij de mannen van Goth. Enkele keren dwong de hoofdinquisiteur haar met hem mee te rijden. Dat was vermoeiend voor zijn paard, maar het gaf hem de kans, zo realiseerde Tor zich met afschuw, haar te betasten en smerige woorden in het oor te fluisteren. Niet dat ze ook maar op iets reageerde. Tor zag haar geen enkel woord wisselen met wie ook. Ze wist door haar ijzige zwijgen een soort adeldom uit te stralen, ondanks haar met bloed bevlekte kleren en verfomfaaide uiterlijk.

Er was één ding dat Tor weerhield van het inzetten van zijn Kleuren, en dat was de verrassende terugkeer van Lys in zijn dromen. Ze had hem de strikte belofte afgedwongen dat hij onder geen enkele voorwaarde zou laten blijken dat hij begiftigd was. Niemand in dit gezelschap – op Alyssa na – was op de hoogte van zijn vermogens. Tot die dag toe geloofde Goth dat het Alyssa was geweest die verantwoordelijk was voor de bizarre gebeurtenissen op de avond van het Czabbafeest.

De inquisiteur had daarvoor natuurlijk geen echte verklaring, maar hij haatte alle Onaanraakbaren en was al snel bereid geweest te geloven dat iemand met machtige magie het voor Alyssa had opgenomen. Dat het Gynt kon zijn, was nooit in zijn hoofd opgekomen. Weliswaar had hij zich verbaasd dat hij met zijn schouwende steen geen schuldige had kunnen opsporen, maar nog steeds geloofde hij onwrikbaar in zijn eigen onoverwinnelijkheid. In zijn dromen zag Tor zichzelf door het Kernwoud lopen. Lys was bij hem, maar zoals altijd kon hij haar niet zien.

Wat bedoelde hij met dat dode kindje dat hij gevonden zou hebben? wilde hij meteen weten.

Een truc. Het spijt me dat ik je aan het schrikken heb gemaakt.

Hij was blij dat het kennelijk een of ander bedrog was geweest. Dat zou zijn verdediging in het paleis misschien wat gemakkelijker maken. Er begon zich in zijn geest een schim van een plan te vormen.

Tor, weet je nog dat Darmud Coril je heeft gewaarschuwd dat je veel moet doorstaan en grote smart moet verduren?

Hij zuchtte. Dat was een bevestigend antwoord.

Dit is het begin van wat voor jou een zeer lange reis zal zijn. En je moet me vertrouwen. Ik zal je niet in de steek laten. Wil je me volgen? Wil je doen wat ik vraag?

Heb ik dan een keuze? vroeg hij kwaad.

Natuurlijk.

En als ik u afwijs?

Dan zullen onschuldigen worden gedood. Het land zal te gronde gaan. Het Kernwoud zal sterven. En de Paladijn, die het eeuwenlang heeft volgehouden, zal alsnog falen.

En dat allemaal wegens mij, zei hij schamper

Lys bleef op een effen toon praten. Het lukte hem niet haar te provoceren, hoe graag hij dat ook wilde. *Alles wat we doen is wegens jou en voor jou. Jij bent de Ene.*

Is Goth de reden waarom Darmud Coril mij vergiffenis vroeg? Hij veranderde van onderwerp, want de richting waarin het vorige onderwerp had geleid beviel hem totaal niet.

Dat weet je allang, antwoordde ze geduldig.

Dus hij stond toe dat Goth ons vond?

Zo zou je het kunnen zien.

Waarom, Lys? Waarom keerde het Kernwoud zich tegen ons?

Het deed wat noodzakelijk was om je kinderen te beschermen. Dit was de juiste beslissing. Je moet vertrouwen hebben. Ze sprak haar woorden nu nadrukkelijk uit. *Bepaalde gebeurtenissen moeten plaatsvinden opdat de Triniteit slaagt.*

Hij bleef tegensputteren. *Wanneer hoor ik eens wat die befaamde Triniteit inhoudt?*

Dat zul je ontdekken tijdens je reis, Tor.

Lys kwam elke nacht bij hem op bezoek. Steeds maakten ze dezelfde wandeling door het bos en herhaalde ze hetzelfde. Ze was onverbiddelijk in haar eis. Hij mocht zijn vermogens niet inzetten, wát er ook gebeurde. Tegen de tijd dat ze aankwamen bij de dorpen die om Tal heen lagen was Tor doodmoe van haar aandrang. 's Nachts kon hij niet slapen en overdag vond hij nergens troost.

Aan de rand van de stad werden ze opgewacht door een nieuwe afdeling van de garde, die de gevangenen naar het paleis moest escorteren. Goth zorgde ervoor dat de vangst door de stad werd geleid alsof ze zíjn trofeeën waren en Tor zag de schok op de gezichten van de mensen die hem zagen. Hij was bekend in de stad en het bericht zou zich als een lopend vuurtje verspreiden. Al meteen vormde zich een opgewonden menigte die tot het paleis bij hem bleef.

Toen ze door de poort waren en Goth triomfantelijk de voorhof op reed, stonden koning Lorys en koningin Nyria in vol ornaat op de paleistrappen. Evenals bij hun afscheid, vond Lorys het moeilijk Tor recht in de ogen te kijken. Nyria probeerde haar gevoelens verborgen te houden, maar onder de beschutting van haar lange mouwen wrong ze haar handen en Tor zag hoe ongelukkig ze zich voelde. Daar wilde hij gebruik van maken.

Na een eerste vluchtige blik op Alyssa beval Nyria onmiddellijk dat het meisje naar een kamer moest worden gebracht. Voordat hij naar een cel werd afgevoerd om te wachten tot hij door de koning ontboden werd, keek Tor in de richting van de westertoren. Met zijn scherpe blik zag hij Merkhud achter een raam op de hoogste verdieping staan. De meesten zouden het van zo ver weg niet hebben opgemerkt, maar Tor zag dat de man een uitdrukking van wanhoop op zijn gezicht had.

❧

Tor was verrast toen de koningin het torentje binnenkwam waarin hij werd vastgehouden. Hem was toegestaan om zich te wassen en schone kleren aan te trekken. Een kleine gunst. Ze stuurde de cipiers weg en richtte zich daarna tot hem.

'Stommeling!'

'Mijn koningin, ik...'

'Elke vrouw die je ooit hebt gewild in je leven lag aan je voeten, en dan kies jij een Onaanraakbare!' tierde ze.

Hij boog zijn hoofd en liet haar uitrazen.

'Lorys heeft geprobeerd me tegen te houden, maar ik móét horen waarom jij je leven vergooit voor een avontuurtje met een meisje, al is ze erg mooi, moet ik toegeven.'

Hij opende zijn mond om iets te zeggen, maar zij was nog niet klaar.

'Mijn dames fluisteren dat het bloed op haar rok geboortebloed moet zijn. Zeg me dat het niet waar is! Mijn hart zou het niet verdragen.'

'Waar is Merkhud, majesteit?' Zijn stem klonk schor.

'Geef me verdomme antwoord, Tor!' Haar ogen vulden zich met tranen, maar ze vocht ertegen en bleef hem aankijken.

Hij sloeg zijn blik niet neer en wees toen naar de harde stoel. Nadat ze was gaan zitten, vertelde hij haar alles over zijn geliefde Alyssa. Hoe ze als kinderen al vriendjes waren, hoe ze als jonge geliefden hadden gedroomd van een leven samen. En hoe hij door zijn benoeming in het paleis opeens van haar gescheiden was en hij haar niet meer had kunnen bereiken. Hij zag dat de koningin een zachtere uitdrukking op haar gezicht kreeg, toen hij vertelde dat hij haar spoor kwijt was en jarenlang gekweld was door het verlies, hoe fijn hij zijn werk ook vond en hoe hij ook hield van de mensen hier. Steeds had hij getreurd om het kwijtraken van zijn grote liefde.

Nyria zette grote ogen op toen hij sprak over hun weerzien, na al die jaren, en de vreemde omstandigheden in Carembosch. Dat hij had vernomen dat Alyssa had moeten vluchten voor de inquisiteurs en daarom eerst de anonimiteit van een circustroep had gezocht en daarna de beschutte afzondering in de Academie, allemaal uit angst voor Goth. Toen hij vertelde dat Alyssa door Goth was verkracht, kreeg de koningin weer een hardere uitdrukking op haar gezicht, want Nyria haatte Goth tóch al.

Tor ging staan en begon te ijsberen, terwijl hij vertelde over zijn gevoelens na hun weerzien. Hij had zich de consequenties van zijn liefde voor een Onaanraakbare ten volle gerealiseerd, maar weigerde om van haar gescheiden te worden. Ze waren helemaal niet van plan geweest om samen te vluchten. Dát was veroorzaakt door het opduiken van Goth, die haar opnieuw kwam belagen.

'Wat had ik dan moeten doen, majesteit?'

'Misschien onze hulp vragen, Tor?' antwoordde ze.

'Daar was geen tijd voor. Ze was doodsbang. We zijn het bos in gevlucht en daar bleek het aangenaam vertoeven te zijn. We werden er door iedereen met rust gelaten en hadden een nederig bestaan, vol liefde.'

Om dat laatste moest ze glimlachen. Ze meende het, maar tegelijk was het een valstrik, want juist toen hij zich begon te ontspannen kwam haar volgende vraag als een dolksteek.

'Ik heb gehoord dat er krachtige magie is toegepast om jullie daar weg te toveren, Tor.' Ze keek hem indringend aan. De koningin was niet vergeten dat hij haar op miraculeuze manier van de dood had gered.

Tor dacht even na over de opties die hij tot zijn beschikking had. Hij kon een mooi opgetuigde leugen verzinnen óf een deel van de waarheid onthullen, waardoor hij de koningin misschien tot medestander en bondgenoot kon maken. Hij had het gevoel dat hij haar kon vertrouwen. Het was trouwens hoe dan ook een situatie van alles of niets, dus hij besloot het risico te nemen.

'Hoogheid,' zei hij, terwijl hij zich op een knie liet zakken, 'ik wil tegenover u niet liegen. Ik ben inderdaad iemand die begiftigd is.' Hij zag haar ogen oplichten bij deze bevestiging.

Ze wilde iets zeggen, maar Tor stak zijn hand op. Hij was nog niet uitgepraat.

'Wat de straf ook moge zijn, die komt alleen mij toe. Ik heb Alyssa vanaf het begin verleid. Ze heeft zich verzet. Ouder Iris zal dit ongetwijfeld bevestigen. We hadden elkaar in geen jaren gezien. Ze was gaan houden van haar leven bij de ouderen en ze had groot respect voor de Academie. Haar enige zonde, majesteit, was dat ze vanaf haar kinderjaren van mij heeft gehouden. Ze heeft me niet achtervolgd. De enige reden waarom ze met me mee wilde was haar angst voor de inquisiteurs!'

Ziezo, nu had hij zijn kaarten op tafel gelegd. Hij rekende op haar vriendschap om Alyssa te redden.

Nyria legde haar hand op zijn gebogen hoofd. 'Ik weet wat het is om een man met je hele hart te beminnen. Anders dan Lorys ben ik niet bang voor de vermogens van mensen die begiftigd zijn zoals jij. Hoe zou ik dat kunnen? Ik heb aan jou mijn leven te danken. Ik heb de aanraking door die magie gevoeld en ze was wonderbaarlijk.'

Ze ging staan. 'Ik zal je geheim bewaren, Tor. En ik zal een goed woordje doen voor je vrouw. Maar jouw eigen lot ligt in de handen van de koning.'

Nog steeds geknield, nam hij haar smalle hand in de zijne en drukte er een kus op. 'Meer vraag ik niet. Mijn koningin is me genadig.'

'Er is een voorwaarde.'

'Ik doe alles wat u vraagt, als het Alyssa redt.'

'Je mag je vermogens niet inzetten tegen Tal. Ik zal een van mijn eigen trouwe volgelingen instrueren om Alyssa snel te laten doden, als jij je hand opheft tegen Lorys of het volk van Tal. Dat geldt niet voor de hoofdinquisiteur. Wat hem betreft mag je je gruwelijkste fantasieën uitleven, als je zin hebt,' besloot ze grimmig.

'U bent onbuigzaam, majesteit,' zei hij, met respect in zijn stem.

'Vergeet niet, Tor, dat ik de koningin ben. Ik dien mijn koning en ons koninkrijk. En vergeet ook nooit dat ik van Lorys houd zoals jij van Alyssa. Ik zou hem beschermen met álles wat binnen mijn beperkte vermogens ligt. Ik waarschuw alvast dat jij niet zou weten aan wie ik mijn instructies heb gegeven. Je zou ons allen moeten doden om zeker te weten dat Alyssa geen kwaad overkomt.'

'Ik geef u mijn woord,' zei hij.

Dat was voor Nyria voldoende. Haar stem kreeg een zachtere klank. 'En jullie kind?'

'Dood, hoogheid.' De leugen klonk nu zo waarachtig, dat hij er zelf in kon geloven.

Nyria omvatte de genezende hand die de hare vasthield. 'Dat is misschien maar beter ook.'

Ze vertrok stilletjes.

De uren kropen traag voorbij. Het leven binnen het paleiscomplex was niet veranderd. Hij zag het wisselen van de wacht, en pages die als nijvere bijen door elkaar liepen, en keukenhulpen die bij de grote ovens vandaan kwamen om van het koele bronwater te drinken. Een keer zag hij zelfs Goth over de binnenhof paraderen – één en al opgeblazen arrogantie. De hoofdinquisiteur keek in de richting van de toren en hun blikken ontmoetten elkaar. Tors gezicht bevroor, dat van Goth grijnsde hatelijk.

Ten slotte hoorde hij in zijn geest de stem die hij al vanaf zijn aankomst had verwacht te horen. Hij herkende de specifieke aard van deze link: Merkhud. Geen hartelijke groet, zelfs geen aarzeling. Meteen ter zake.

Ik mag niet bij je.

We hebben tenminste dit kanaal nog.

Er volgde een stilte. Tor besloot het initiatief te nemen.

We hebben Sorrel achtergelaten in het bos. Ik weet niet hoe het haar is vergaan na aankomst van de inquisiteurs.

Hij gaf het nieuws met een effen stem door, maar hij wist dat het Merkhud moest raken. En dat was ook Tors bedoeling. Hij verwachtte een glibberig antwoord of misschien zelfs een openlijke ontkenning van zijn insinuatie dat Merkhud en Sorrel elkaar kenden.

Ik begrijp het niet. Ik kan haar al een achtdag lang niet meer bereiken, antwoordde de oude man op trieste toon.

Tor telde in gedachten terug. Dat was de dag van zijn afscheid van Sorrel en zijn kinderen.

Wat zei Nyria?

Aha, dus Merkhud hield nog steeds bij wat er gebeurde, ook al kwam hij nu niet tussenbeide, zoals vroeger.

Dat ze bij de koning zal pleiten ten gunste van Alyssa. U wist natuurlijk al voor mijn vertrek dat ze in Carembosch was. Hij liet het niet als een vraag klinken.

Ja. Ik hoopte dat jullie weer samen zouden zijn. Merkhuds stem verried niets.

Ik weet alles over Orlac, Merkhud. Ik verkeer op voet van vriendschap met vijf leden van de Paladijn. Vertel me over de Triniteit, zei Tor op botte toon.

De schrik in de stem van de oude man was tastbaar. *Wie heeft je dat verteld?*

Maakt niet uit! De tijd is nu onze vijand. Zeg het me.

Merkhud was er niet klaar voor, maar zijn eigen bouwwerk van plannen lag nu echt in puin. Hij had geen contact meer met Sorrel, die in het niets verdwenen was. Tor zat gevangen. Van de Paladijn waren alleen Themesius en Figgis nog over om de god opgesloten te houden. Orlac zou zich spoedig kunnen bevrijden en ze waren nog niet dichter bij de oplossing van het raadsel van de Triniteit. Hij móést Tor nu wel zeggen wat hij wist.

Dus hij begon zijn historie te verhalen, die eeuwen tevoren was begonnen. Tor hoorde haar in stilte aan, met zijn hoofd in zijn handen. Merkhud sprak over een baby die aan een jonge man werd verkocht, die zelf begiftigd was en treurde over het verlies van zijn eigen pasgeboren zoontje.

26

Een afrekening

Zes leden van de Koninklijke Garde escorteerden Tor. Kapitein Herek liep aan zijn zijde. 'Kijk niet naar Goth, hij huichelt tot hij erbij neervalt,' fluisterde de soldaat hem vanachter zijn tanden toe. Goth had geen vrienden in de Koninklijke Garde.

Toen de dubbele deur van de troonzaal was geopend, voelde Tor, die hier vaak had gelopen, opeens angst. Hij had de moed gevonden om zijn soeverein onder ogen te komen en zich tegenover hem te verantwoorden. Hij had met geheven hoofd gelopen en zelfs een beetje stoer gedaan tegenover de soldaten, want hij wist dat hij welbespraakt was en goede argumenten kon laten horen. Maar nu hij in die grote zaal allemaal bekende gezichten zag, die stuk voor stuk bedrukt keken, begon hij voor het eerst te vrezen voor zijn leven. Was dát wat Lys met hem voorhad? Hij klampte zich aan die gedachte vast en ging ervan uit dat ze grotere plannen met hem had. Tor keek naar de mensen die hij kende, maar de meesten ontweken zijn blik. En eigenlijk zocht hij alleen naar Alyssa.

Zij zat met rechte rug en ogenschijnlijk onaangedaan bij een venster, waar de zon een helft van haar zeer roerloze, zeer blanke en zeer mooie gezicht bescheen. Zijn hart sprong op toen hij haar zag en zijn lichaam brandde van verlangen om haar vast te pakken en haar te zeggen dat hij van haar hield. En te zeggen dat het hem speet. Hij probeerde het met een link, maar dat leidde natuurlijk tot niets. Ze droeg de archaliet op haar voorhoofd. Toch keek ze zijn kant op. Ze had kennelijk iets gevoeld, een zacht duwtje in haar geest misschien.

De dromerige blik verdween uit haar ogen en ze merkten nu zijn aanwezigheid op. Hij kon zichzelf niet wijsmaken dat ze hem liefdevol aankeek. Veeleer zag hij een gedeelde wanhoop. Ook zij voelde het gebrek aan hoop in deze zaal aan.

Herek raakte zijn elleboog aan om zijn aandacht te trekken. Hem werd gevraagd om voor de troon te gaan staan. Hunne majesteiten waren er nog niet, maar er was een geroezemoes ontstaan dat het gefluister van de mannen om hem heen overstemde. Hij zag een paarse sjerp. Dat was Goth. Naast hem stond zijn beul, Rhus, die even monsterlijk was. En ginds in de schaduw zat Merkhud. Deze keek hem niet aan, maar opende snel een link.

Voel je je dapper?

Daarnet nog wel, zei Tor. *Niet meer sinds ik haar heb gezien.*

De oude man fronste zijn voorhoofd. *Als dit theater voorbij is, moeten we met elkaar praten. Wat er ook gebeurt of besloten wordt, zeg niets wat we niet besproken hebben.*

Bent u weer plannetjes aan het smeden, Merkhud? Tor verbaasde zichzelf over de luchtigheid van zijn vraag, want eigenlijk was hij doodzenuwachtig en wilde hij dat dit alles snel afgelopen zou zijn.

Ik heb vannacht een rare droom gehad, Tor, zei Merkhud, zonder op de ironische vraag te reageren. *Er kwam een vrouw bij me.*

Haar naam is Lys.

Is dat zo? De oude man haalde zijn schouders op. *Ik zou het niet weten. Ze fluisterde me gedachten in. Weet jij wat Bezieling is, Tor?*

Nee.

Dat is de reden waarom we met elkaar moeten praten.

Verder kwamen ze nu niet, want er werd op een trompet geblazen en iedereen moest gaan staan. Het koninklijk paar verscheen uit een deuropening achter het podium en liep naar hun tronen. Nyria wierp Tor een snelle blik toe, waarmee ze hem aanspoorde om sterk te zijn.

Lorys liet zich stijf op de kolossale troon van zijn voorouders zakken. Daarna gingen ook de hoge edelen en hoffunctionarissen weer zitten. Toen het gezamenlijke geluid van geschuif, gehoest en gefluister was verstomd, draaide de koning zijn hoofd en knikte hij naar Goth.

In dit stadium kwam de ultieme droom van Goth tot leven. Gewoonlijk had hij een publiek van boeren en arbeiders, met hoogstens wat kooplieden, winkeliers, herbergiers of rijke bordeelhouders erbij. Nu had hij aandacht op hoog niveau. Hij moest niet vergeten daar Gynt later op passende manier voor te bedanken.

Hij had zijn toespraak grondig gerepeteerd, maar toch treuzelde hij lang en keek naar het vergulde plafond van de troonzaal alsof hij de juiste woorden zocht. En toen sprak hij alsof hij weerzin voelde voor de onsmakelijke taak die op hem rustte, namelijk dat hij zijn toehoorders absoluut duidelijk moest maken welke onzegbare misdaden deze aangeklaagde had bedreven.

'Mijn vorst,' begon hij, met een buiging voor Lorys. 'Majesteit.' Ook een beleefde buiging voor Nyria, maar de toon waarop hij haar aansprak was verre van beleefd. 'We zijn hier vandaag bij elkaar voor de droeve plicht dat we een van de onzen voor het gerecht moeten brengen. Het is een onthutsend en onthullend verhaal over geschonden vertrouwen, misbruik van gedelegeerde koninklijke macht en onbeteugelde wellust.'

Het gehoor kreeg de gelegenheid deze openingswoorden goed tot zich te laten doordringen, want Goth nam een slok water.

Toen praatte hij verder. 'Torkyn Gynt is meer dan zes jaarcycli geleden in ons paleismilieu geaccepteerd als leerling van onze gewaardeerde koninklijke lijfarts Merkhud.' Hij knikte naar de oude man, die hem negeerde.

'Dat de jongen getalenteerd was, staat buiten kijf, mijn heer. Torkyn Gynt was en is een zeer bekwame geneesheer en een snelle leerling. Onze koningin zelf heeft geprofiteerd van zijn heelkunde, nog niet zo lang geleden, in omstandigheden waarin de meeste andere dokters mij in mijn functie van priester geroepen zouden hebben.' Hij glimlachte, maar zoals altijd deed maar één helft van zijn misvormde gezicht mee aan die groteske vertoning.

'Gynt heeft in die jaren privileges en aanzien genoten, en ook de welwillendheid van uwe majesteiten.' Goth zag dat Lorys knikte, en dat beviel hem. 'Omdat de koningin ziek was en dokter Merkhud zelf nog te zwak was om te reizen, heeft hij voorgesteld in zijn plaats assistent-lijfarts Gynt naar het tienjaarlijkse Czabbafeest te sturen om de koninklijke familie te vertegenwoordigen. Gynt is tevoren gewaarschuwd, mijn heer, en zijn meester heeft hem nadrukkelijk verboden om betrokken te raken bij een van de leden van de Academie.'

Goth nam weer een slok water en keek toen Tor aan.

'Uwe majesteiten, ik moet dus concluderen dat dokter Gynt moedwillig, actief en zonder rekening te houden met de onaantastbaarheid van deze vrouwen een heilige en oeroude wet heeft genegeerd. Hij moet de straf daarvoor betalen.'

Hij richtte zich nog wat hoger op en wendde zich tot zijn koning. Het was stil in de zaal, afgezien van het gefladder van een valk achter een van de hoge vensters.

Na een uitgekiende pauze sprak Lorys. 'En wat moet er gebeuren met de vrouw die we kennen als Alyssa Qyn, heer Goth? Welke straf moet zij betalen voor haar aandeel?'

'Zij moet worden gebreideld, mijn heer, zoals elke begiftigde vrouw. Ik vrees dat ze niet meer de status van Onaantastbare geniet, nadat ze het bed heeft gedeeld met een man.'

Goth kon niet wachten tot Alyssa op haar knieën voor hem zat, met

die lelijke breidel vol archaliet om haar hoofd.
'En als dat tegen haar wil is gebeurd, hoofdinquisiteur?'
'Ze is vele manen bij hem in het bos gebleven, majesteit. Het lijkt me dus niet dat ze wanhopig heeft geprobeerd om te ontsnappen.' Goth giechelde en keek vol verwachting om zich heen of anderen zijn geestigheid konden waarderen. Alleen Rhus lachte met hem mee.
Merkhud ging staan. Ieders blik werd op hem gericht.
'Uwe majesteiten.' Hij maakte de voorgeschreven buiging. 'Mag ik naar voren komen?'
'Natuurlijk, dokter Merkhud. Graag verneem ik uw mening over deze zaak,' antwoordde Lorys, met kennelijke opluchting.
Merkhud knikte en liep naar voren. Goth maakte onwillig plaats voor hem.
Vertrouw me hierin, Tor. Beheers je vermogens. Ik weet wat ik doe, liet de lijfarts hem via hun link weten, voordat hij de zaal toesprak.
Vertrouw hem, fluisterde Clout. *Lys maakt gebruik van hem*, voegde hij er cryptisch aan toe.
Merkhud trok peinzend aan zijn bakkebaarden en begon toen te praten.
'Het is waar dat ik mijn vervanger nadrukkelijk heb gewaarschuwd met betrekking tot zijn gedrag in Carembosch. En hij heeft het begrepen. Dat heeft hij me tot twee keer toe hardop bevestigd.'
Nyria keek geschrokken. Ze had van Merkhud een verdediging van Tor verwacht, geen aanval op hem.
'Ik concludeer dat het meisje is verleid door een bekwame en slimme vrouwenverleider. Zijn succes bij de dames is in de hele stad legendarisch, en geen wonder. Ik weet zeker dat er geen man in deze zaal is die niet gevoelig is voor zijn uiterlijk en charme, en geen vrouw die niet stiekem denkt: als ik tien jaar jonger was...' Hij maakte de gedachtengang niet af en haalde zijn schouders op, maar oogstte enig onderdrukt gegrinnik, en dat was wat hij wilde horen.
Goths gezicht betrok. Hij had zich deze procedure anders voorgesteld.
'Alyssandra Qyn is jong en kwetsbaar, volstrekt niet opgewassen tegen de verleidingskunst van een zo charmante jongeman, die bovendien hun hooggewaardeerde gast was, een bezoeker namens het koninklijk paar en tevens iemand die ze van haar ouderen op een genereuze en aangename manier bezig moest houden. Als het dokter Gynt wordt gevraagd, zal hij zeker toegeven dat hij het meisje heeft verleid en dat zij het slachtoffer is, en geen dader.'
Nyria had wel willen klappen! De oude schavuit had zijn tactiek schitterend uitgespeeld. Ze was aanvankelijk bezorgd geweest, maar zag nu

tot haar blijdschap dat Lorys knikte.

De koning gaf Herek een teken, waarna Alyssa voor hem werd geleid.

Het was de eerste keer dat Lorys haar goed kon bekijken, want toen ze was afgeleverd had hij slechts heel even een vuil, ontdaan meisje gezien, dat in trance leek te zijn. Nu stond ze in een trotse houding voor hem. Haar haren glommen en ze droeg een sober, maar fraai gewaad van een lichtgroene stof, dat haar door een goede ziel in het paleis geleend moest zijn. Ze deed het alle eer aan. Alyssa was een uitzonderlijke schoonheid en Lorys kreeg meteen een droge keel toen hij de uitdagende fonkeling in haar ogen zag.

Tor zag het aan zijn gezicht en Nyria ook. Het was een van de weinige keren in zijn leven dat koning Lorys zich verrast wist door een vrouw. Zijn gezonde verstand was meteen beneveld nu hij iemand tegenover zich zag staan die hij acuut begeerde.

Herek schraapte discreet zijn keel en de koning besefte dat hij het meisje had aangestaard.

'Wat zeg jij van dit alles, dame,' vroeg hij vriendelijk, nadat ook hij even zijn keel had geschraapt.

Alyssa aarzelde geen moment. 'Ik heb niets te zeggen tegen een zo machtige man, die hulpeloze mensen – zijn eigen trouwe onderdanen nog wel – onderdrukt, en die aanmoedigt dat ze worden gemarteld en afgemaakt, enkel en alleen omdat ze begiftigd zijn. Doe met ons maar wat u wilt. Het lijkt trouwens alsof uw hoofdinquisiteur hier de baas is, mijn heer, niet u.'

Dat leidde tot geroezemoes in de zaal. Het was majesteitsschennis om zo te praten. Lorys was even met stomheid geslagen, niet alleen door haar beschuldiging, maar nog meer door haar moed. Hij was nu enigszins gewend aan haar oogverblindende schoonheid – waarvan hij besefte dat ze mannen tot gevaarlijke dingen kon verlokken – maar werd betoverd door haar geesteskracht. Hij kon niet toestaan dat deze vrouw gebreideld werd en dan afgevoerd naar een veilige plaats, ergens ver weg.

Hij stak zijn hand op en het werd meteen stil.

'Je spreekt gevaarlijke beschuldigingen uit.'

'Ik heb niets te verliezen, majesteit. Als u denkt dat ik vrees voor mijn leven, hou er dan mee op. Ik zal de dood welkom heten, na het verlies van de man van wie ik houd en mijn kind. En als u denkt dat ik vrees voor mijn vrijheid, die is me al lang geleden afgepakt door uw smeerlap in toga daar.'

Het was een toespeling. Alleen degenen die van de verkrachting wisten konden dit begrijpen.

'Spreek duidelijke taal, jongedame,' zei de koning.

'Ik heb verder niets te zeggen.' Alyssa maakte een buiging voor het koninklijke paar en liep doodgemoedereerd terug naar haar plek bij het venster.

Dat leidde opnieuw tot gemompel in de zaal, nu omdat zij het waagde Lorys te trotseren.

De koning krabde aan zijn baard. Dit was een lastige situatie. Als het meisje niet openlijk wilde toelichten wat ze had geïnsinueerd, hoe kon hij haar dan bestraffing besparen?

Terwijl Lorys hierover nadacht, legde Clout een link met Tor. *Ze hebben Sakson!*

Gevangengenomen? Tor had vurig gehoopt dat Sakson aan dat lot zou ontkomen.

Nee. Herek had wat mannen achtergelaten om hem te zoeken. Ik denk dat het in Alyssa's voordeel werkt. De kapitein wil iets uithalen waardoor hij kan voorkomen dat Alyssa aan de genade van Goth wordt overgeleverd.

Goth voelde aan dat de koning besluiteloos was en kwam in beweging om de balans weer naar zijn kant te laten doorslaan. Hij wist dat hij in de afgelopen minuten terrein had verloren. Maar nu was het Tor die plotseling opstond.

'Koning Lorys, ik heb iets te zeggen dat het voor u misschien gemakkelijker maakt Alyssa's rol te begrijpen. Ik zal u ook uitleggen waaróm ze in de Academie was!'

'Ga je gang,' zei de koning. Hij ging verzitten op zijn troon en schudde zijn hoofd naar Goth, wiens gezicht nu op onweer stond.

'De situatie waarin zij zich nu bevindt is ten volle mijn verantwoordelijkheid, mijn heer. Ik beken zonder voorbehoud dat ik Alyssandra Qyn heb verleid, ondanks alle waarschuwingen. Dat zij van me houdt en ik van haar, is verder irrelevant.'

Men had in die zaal een naald kunnen laten vallen en iedereen zou het hebben gehoord.

'Ze heeft me een geheim toevertrouwd, waarvan ze zeker niet wenst dat ik het nu voor geheel dit goede gezelschap doorvertel. Maar u hebt allen kunnen vaststellen dat ik geen eerbaar mens ben, dus ik ga toch mijn gang. Voordat Alyssa een lid van de Academie werd, was ze gewoon een plattelandsmeisje dat toevallig in lichte mate begiftigd was. Hoofdinquisiteur Goth, die bronstig was, ontmoette haar in het dorp Fraggelham.'

Goth wilde hieraan onmiddellijk een einde maken. Hij zei iets, maar de koning wilde Tors verhaal horen en verbood Goth verdere interrupties. Lorys gebaarde dat Tor moest doorgaan.

'In Fraggelham liet Goth Alyssa ontvoeren. Ze werd meegenomen naar een huis buiten het dorp, waar hij haar ontkleed heeft, gemarteld en verkracht.'

Er ontstond tumult in de troonzaal. Velen sprongen overeind. De koning en de koningin werden meteen omringd door soldaten, voor alle zekerheid.

'Dit is belachelijk!' protesteerde Goth. 'De man is een schurk. Hoe kunt u zijn woord tegenover het mijne stellen, mijn heer? Het meisje wil niets zeggen. Er zijn geen getuigen. Dit is gewoon een misdadiger die in het gevlij probeert te komen om minder straf te krijgen.'

Tor sprak zacht en keek Lorys recht aan. 'En als er een getuige was, majesteit? Een onafhankelijke getuige, die niet alleen mijn verhaal bevestigt, maar ook dat van een doodsbange jonge vrouw?'

'Laat hem maar komen!' Goth maakte er een theatraal gebaar bij. Hij wist dat er niemand in leven was die tegen hem kon getuigen. Rhus was hem trouw en de man Drell, die Alyssa destijds had ontvoerd, was inmiddels vergaan in zijn graf. Rhus had ervoor gezorgd dat hij werd opgeruimd, zoals ook de anderen die bij de ontvoering betrokken waren geweest.

Tor keek naar Herek. De kapitein trok een soort gezicht dat Tor aan primaat Cyrus herinnerde: een wrange glimlach, een opgetrokken wenkbrauw. Hoe kon Tor weten dat hij de Klook had gezocht en gevonden? Het was een heksentoer geweest om hem op te sporen, maar het had geen moeite gekost om hem over te halen om mee te gaan naar Tal, waar het meisje was. Herek had geen idee wat hun connectie was. Hij wist alleen dat de man Goths bloed wel kon drinken. Laat hem maar komen dus. Herek knikte.

'Er is een getuige, majesteit!' riep Tor boven het tumult uit.

Het werd stiller in de zaal. De mensen hielden hun adem in. Hoe zou deze vreemde geschiedenis aflopen? De koning gaf een teken dat de getuige moest worden gepresenteerd, wie het ook zijn mocht. Herek gebaarde naar zijn soldaten bij de deur.

En toen deze geopend werd verscheen daar een grote man met gouden haren en van Klookse afkomst. Alyssa sprong op, maar Tors blik smeekte haar om haar emoties te beheersen. Ze zouden hun betoog kunnen ondermijnen. Ze ving zijn blik op en hield zich in.

'Wie is dit?' vroeg de koning aan Goth, die met open mond naar de Klook stond te staren. De spiertrekkingen in het gezicht van de hoofdinquisiteur kwamen dubbel zo snel en zijn ongezonde huid was asgrauw geworden. Hij braakte zijn ongeloof uit.

'Maar je was kreupel! Ik heb je de ogen uitgestoken! Ik heb je tong aan de honden gevoerd! Ik heb je laten doden! Je bent dood!' krijste hij.

Rhus voelde een eerste tinteling van angst. Merkhud, Tor en Herek moesten een glimlach onderdrukken. Dit ging beter dan ze hadden gehoopt – Goth was bezig zijn eigen graf te graven.

Sakson negeerde de inquisiteur. Hij boog diep voor de koning en vervolgens hoffelijk voor de koningin.

Nyria's geheugen was aan het werk geweest en tegen alle protocol in nam ze nu het woord. 'Wacht eens, ben je niet Sakson Vos van het circus Zorros?'

Sakson glunderde. 'Die ben ik, majesteit.' Toen keek hij naar Lorys. 'Hier sta ik, mijn heer, klaar om getuigenis af te leggen.'

'Spreek!' commandeerde de koning.

'Goth liet Alyssa Qyn ontvoeren naar een huis dat hij had uitgekozen, waar hij haar sloeg en schopte en genadeloos verkrachtte. Ik weet dit omdat ik hen beiden in dat huis heb aangetroffen. Het was in de nacht van onze circusbrand. Toen ik hem op heterdaad had betrapt bij het misbruiken van deze jonge vrouw, heb ik met hem afgerekend.'

'Hou je smerige bek, Klookvarken!' gilde Goth.

De koning negeerde zijn hoofdinquisiteur. 'Wat had je buiten het dorp te zoeken?' vroeg hij de Klook.

'Het vuur verjoeg velen van ons, allerlei kanten op. Ik had kort tevoren een trapezenummer gedaan met deze jonge vrouw, die toen nog maar een meisje was. Herinnert u zich het deel van onze voorstelling waarin we een vrijwilliger uit het publiek vragen? Die avond hadden wij haar gekozen. En toen we voor het vuur vluchtten, zag ik in de verte dat ze zich verzette tegen een man te paard die haar optilde. Ik voelde me geroepen om haar te helpen. Maar ik was te voet, dus het kostte wat tijd.' Sakson zweeg abrupt.

'Hoe heb je met hem afgerekend?' wilde de koning weten.

'Neem me niet kwalijk, majesteit, als ik in dit edele gezelschap simpele woorden gebruik. Ik sloeg hem verrot en heb daarna dit zwaard hier gebruikt om ervoor te zorgen dat hij nooit meer iemand zou verkrachten.' Sakson haalde zijn schouders op. 'Misschien moet u de hoofdinquisiteur vragen om te laten zien dat ik lieg.'

De koning ging staan. Hij was nu kwaad. Hij was voor gek gezet. Goth had zijn vertrouwen beschaamd. Hij draaide zich om en wees naar Alyssa.

'Bevestig dit, dan ben je vrij.'

Ook zij ging staan. 'En Torkyn Gynt, majesteit?'

'Geef me antwoord!' brulde hij. Tot zijn afschuw moest hij zichzelf bekennen dat hij deze vrouw begeerde. Hij was diep onder de indruk van haar lef en haar ongevoeligheid voor autoriteit.

Sakson, Tor en zelfs de koningin staarden Alyssa aan. Ze hielden hun adem in. Hun blikken smeekten Alyssa om zichzelf nu te redden.

Ze voelde het gewicht van die aandrang. En dacht aan het lijkje van haar kind, dat nu ergens in het woud lag te rotten. En herinnerde zich de kroniek van Nanak en dat haar kind zich in haar schoot had bewogen toen de naam Orlac was gevallen. Ze was ergens voor nódig, en dat was niet om nu te sterven of om als een gewone begiftigde gebreideld te worden. Ze keek naar Tor en zag hoe hij zijn liefde naar haar uitstraalde. Ze voelde haar afschuw verharden van Goth en van de koning die hem zo lang zijn gang had laten gaan. Haar getuigenis zou de macht van Goth breken, dat stond vast. Ze had geen keus.

'Het is waar,' zei ze. Ze sprak rechtstreeks tot de koning.

Herek had zijn soldaten al opdracht gegeven om de twee inquisiteurs te bewaken. Nu werd Goth in een stevige greep genomen.

'Koning Lorys!' riep hij boven het pandemonium van stemmen uit. 'Ze moet een verdediger hebben. Ze is nog steeds een begiftigde die beschuldigd is en ontdekt door de Inquisitie. Iemand van hogere rang moet haar voorspraak zijn.'

Goth wist dat zijn eigen lot bezegeld was, maar wilde deze kans op een nieuwe spijker door Gynts hart niet laten lopen. Niemand kon Alyssa's voorspraak zijn.

Dat wist ook de koning. De moed zonk hem in de schoenen. Goth was verdomd sluw! Zelfs in dit benarde moment had hij een truc weten te verzinnen om deze vrouw alsnog te laten opsluiten en martelen, en haar te laten verminken door een brandmerk. Hij wist zich geen raad.

'Hoofdinquisiteur Goth heeft gelijk. De oude wet schrijft voor dat een begiftigde de voorspraak moet hebben van iemand die hoger in rang is dan de inquisiteur die haar beschuldigt. Behalve mijzelf is Goth de hoveling van de hoogste rang onder de aanwezigen. Ik kan haar voorspraak niet zijn, dus er is niemand.'

Goths verminkte gezicht drukte een perverse triomf uit.

'Is er niemand?' vroeg koningin Nyria met een heldere stem. 'Ik zal de voorspraak zijn voor deze vrouw. Ik ben van hogere rang dan de zak drek die ik aan onze voeten zie liggen, mijn heer.'

De troonzaal ontplofte bijna. Alyssa had het hart van de aanwezigen gewonnen door haar waardigheid en moed, en dat ze nu zegevierde dankzij koningin Nyria was een zege voor iedereen. Sommige aanwezigen begonnen zelfs te klappen.

Koningin Nyria was nog niet uitgesproken. 'Lorys, ik meen me te herinneren dat die oude wet tevens bepaalt dat de beschuldigde, nadat ze een voorspraak heeft gevonden, het recht heeft om de straf te bepalen van degene die haar valselijk heeft aangeklaagd? Dat klopt toch?' vroeg ze op een onschuldig toontje.

De koning knikte. 'Alyssandra Qyn, je bent vrijgesproken van alle beschuldigingen. Deze man heeft tegenover jou een onvergeeflijke zonde begaan en het is jouw recht om over zijn lot te beslissen.'

Iedereen staarde nu naar Alyssa. Goth werd gedwongen op zijn knieën te blijven zitten, met gebogen hoofd. Hij had haar graag in de ogen willen kijken om haar weer te intimideren en hij trilde van woede nu hem dat niet werd toegestaan.

'Hij moet branden,' zei ze kalm en zonder aarzeling. 'Misschien dat de vlammen die hem als kind vormden nu kunnen zorgen voor een zuivering van zijn rotte ziel.'

'Het zal geschieden,' zei de koning. 'Breng hem weg.'

'Wacht!' krijste Goth. Hij had nog een laatste troefkaart om uit te spelen. 'Koning Lorys, wat gebeurt er met Gynt? Wat is zijn straf voor het hebben van vleselijke gemeenschap met dezelfde vrouw die ik zou hebben aangerand? Ik eis de straf die in de oude wetten staat. Hij is schuldig, iedereen heeft gehoord dat hij het bekent. Hij moet gekruisigd en gestenigd worden.'

Lorys zat opnieuw klem. Als hij Goth ter plekke de keel had kunnen doorsnijden, had hij het met genoegen gedaan. Meer dan twee decennia had hij een barbaarse wet doen uitvoeren, welke door zijn voorouders was afgekondigd. Nu moest hij de bijbehorende barbaarse straf dus opleggen aan Torkyn Gynt, anders zou zijn beleid met terugwerkende kracht waardeloos zijn. Dan zouden zijn tegenstanders hem als een slappeling zien. Erger nog, als een hypocriet!

'Breng hem weg,' herhaalde hij.

Goth verzette zich, maar werd naar de deur gesleept. Over zijn schouder krijste hij naar Tor: 'Ik zie je nog aan het kruis, Gynt.'

'Dan ben jij allang afgefikt, Goth!' riep Tor terug. Het klonk stoer, maar hij was bang en hij voelde dat zijn Kleuren in heftige beroering waren. Merkhud moest die aanstormende magie eveneens hebben gevoeld, want hij meldde zich meteen in Tors geest en smeekte hem om zich te beheersen.

Denk aan de vrouw in mijn droom, jongen.

Maar het was niet aan Lys dat Tor dacht. Hij herinnerde zich wat hij Nyria had beloofd. Haar had hij zijn woord gegeven.

Toen de deuren zich hadden gesloten achter de hoofdinquisiteur en zijn beul, ontstond er in de zaal een groot kabaal. Iedereen praatte door elkaar heen, iedereen scheen een mening te hebben.

Lorys zat in stilte voor zich uit te kijken, voor de tweede keer die middag ten einde raad. Nyria beroerde behoedzaam zijn arm en keek hem indringend aan.

'Je kunt dit, mág dit niet doen, Lorys, ik smeek het je.'

'Ik heb geen andere keuze, Nyria.'

'Je schenkt de vrouw vergeving, die een vreemde is, maar je laat de man executeren die je zo lang kent en zo sympathiek vond! En hij heeft mijn leven gered, Lorys.' Haar ogen smeekten hem.

'Ik moet me houden aan de wet die ik in Tallinor tijdens mijn hele regeerperiode heb gehandhaafd. Goth heeft gelijk. Ik maak een karikatuur van die wet en mijn soevereiniteit als ik nu doe alsof mijn neus bloedt. Het is spijtig.'

Hij keek hulpeloos naar de mooie vrouw bij het venster. Haar blik was op hem gericht en hij zag er alleen maar haat in.

'Spijtig? Lorys, het gaat om het leven van een goede man!'

Nyria was bang. Ze zag de stand van zijn kaken en herkende de vastberadenheid die op zijn gezicht verscheen. Hij had zijn besluit genomen. Er was niets meer aan te veranderen.

Ze wendde haar hoofd af. 'Mogen de goden medelijden hebben met je ziel, Lorys.'

Niemand anders dan de gevangene zelf kon hem in de ogen kijken toen de koning Torkyn Gynt ter dood veroordeelde.

27
Bezoeksters

Dit is vermoedelijk de laatste keer dat we elkaar spreken, zei Merkhud op kalme toon tegen Nanak.

Dat klinkt erg definitief, vriend.

Is het ook. Althans, als ik erin slaag de machtige Bezielingsmagie toe te passen.

Ik heb ervan gehoord, zei Nanak peinzend. *Maar niet dat het ooit iemand gelukt is*, voegde hij eraan toe.

Ik moet het proberen. Het is onze laatste hoop. Merkhud probeerde zijn stem opgewekter te laten klinken. *Hoe gaat het nu met ze?*

Ze houden vol voor jou, Merkhud. Themesius en Figgis zijn nog even sterk als altijd.

En jijzelf?

Van streek sinds het begin van dit gesprek, maar tot dan toe optimistisch.

Zo? Leg eens uit, ik kan een opkikker goed gebruiken. Merkhud zuchtte.

Ik heb bezoek gehad van de Hoedster. Een hele eer. Ik tril nog na.

Merkhud verbaasde zich over Nanaks onmiskenbare vreugde. Hoedster? Hoezo?

Wie is de Hoedster?

Nou, Lys natuurlijk!

Merkhud hoorde voetstappen. *Nanak, ik moet afsluiten. Ik krijg misschien geen kans meer om met je te praten.*

Ja, dat zei je al.

Je moet weten, zei Merkhud gehaast, want hij verwachtte elk moment een klop op de deur, *dat ze ook mij heeft bezocht.*

Er volgde een korte stilte. *Dan mag ook jij je vereerd voelen en moet je haar gehoorzamen.*

De klop klonk en meteen daarna een stem. 'Ik weet dat je binnen bent, oude man. Doe open.'

De koningin. Ze had een bevel uitgesproken, maar haar stem klonk onzeker.

Vaarwel, vriend Nanak, zei Merkhus op droeve toon. Hij sloot de link.

Hij had veel meer willen zeggen, maar de tijd drong. Hij verhief zijn vermoeide botten van zijn stoel en slofte naar de deur. Hare majesteit zou al ongeduldig zijn. Toen hij de deur had geopend, wierp zij zich snikkend in zijn armen.

'Wat gaan we doen, Merkhud?' fluisterde ze. 'Morgen zullen ze onze Tor kruisigen.'

Voor het eerst in twee decennia omhelsde Merkhud de vrouw die hij al die tijd had geadoreerd en hij dankte alle goden die maar wilden luisteren voor deze ene kans om haar vast te houden voordat hij stierf.

Wat gaan we doen? herhaalde hij stil in zijn geest, terwijl hij haar zachte haren streelde. *We gaan de Hoedster gehoorzamen.*

❧

Toen de cipier de deur van de cel had geopend om naar de hoofdinquisiteur te kijken, zag hij tot zijn genoegen dat Goth ineengedoken in het donkerste hoekje lag... precies zoals hij daar had gelegen toen de bezoeksters vertrokken. Hij zette een bord slappe pap op de morsige vloer en schoof het met zijn voet naar voren, blij met deze kans om zijn verachting voor dit monster te demonstreren.

Deze controle was niet standaard, maar de cipier was achterdochtig. Een van de bezoeksters was ongewoon attractief geweest. Van alle mensen die de moeite wilden nemen om dit secreet te bezoeken, was zij wel de onwaarschijnlijkste, had hij gedacht. Zelfs haar sluier had niet kunnen verbergen hoe knap ze was. En hij had het ook heel vreemd gevonden dat ze had beweerd – net als het oude wijf dat ze bij zich had – dat ze het recht had om haar familielid te bezoeken.

De cipier krabde op zijn hoofd toen hij nog eens wat beter keek naar het zacht heen en weer deinende lichaam van Goth, die een hoofdkap droeg. Morgenvroeg mocht hij zijn gruwelijke dood tegemoetzien, voorafgaand aan de executie van de arme dokter, die een eind verderop in de kerker zat. Ze hadden opdracht om de mannen ver bij elkaar vandaan te houden. De cipier huiverde bij de gedachte aan het vuur, dat deze gevangene op de pijnlijkste manier zou verslinden.

'Je vreten,' zei hij grof. Terwijl hij bezig was de deur weer te sluiten, hoorde hij de wachters komen die hem zouden aflossen.

'Hoe is hij?' vroeg een van hen.

'Hetzelfde,' zei de cipier, schouderophalend.

De nieuwe cipier keek door de kier van de deur naar binnen. 'Hé, Goth, eet maar gauw, anders moeten we je pap morgen warmen op de vlammen van je brandstapel.'

Alle wachters grinnikten. Behalve Rhus zou morgen iedereen juichen als het vuur werd aangestoken. Maar wat de tweede terechtstelling betrof lagen de zaken heel anders.

'Weet je wat,' vervolgde de nieuwe cipier, 'dan brengen we ook wat vers brood mee en kunnen we samen met jou ontbijten.'

Goth keek zijn bespotters nu eindelijk aan. Alleen wás het Goth niet. Ze keken naar de debiele glimlach van een oude heks, Heggie, die ze allemaal kenden als een bedelares.

De cipier strompelde geschrokken achteruit en zijn collega sloot de deur, maar eigenlijk wist hij niet waarom. Heggie was geen gevangene.

Kapitein Herek arriveerde om de procedures van de volgende dag met hen door te nemen.

'Wat is er aan de hand?' vroeg hij.

'Goth, kapitein,' stamelde de cipier.

'En wat is er met Goth?' snauwde Herek.

De cipier stond in de houding, maar eigenlijk was hij geheel verlamd.

'Nou?' De kapitein was nu echt geïrriteerd.

'Kapitein Herek,' zei de soldaat, 'daar binnen zit Heggie. Goth is weg.'

'Weg? Heb je gedronken, man?' Herek liep naar hem toe, pakte de sleutel en opende de deur.

Hij kwam vrijwel meteen weer naar buiten. Hij sprak tot een van de andere wachters. 'Stuur haar weg.'

Herek vocht tegen een onduidelijke angst die hij voelde en probeerde er in zijn stem niets van te laten blijken. 'Cipier, leg dit eens uit!'

De cipier liet zich op een kruk zakken.

'Hij had vandaag een bezoekster – twee, eigenlijk. Alleen de ene praatte. Ze droeg een sluier en was jong. Heel erg mooi. Ze zei dat ze een nicht was en ik dacht, ach, het kan geen kwaad. Niet dat Goth geen kwaad mocht overkomen, wat mij betreft. De andere vrouw heeft geen woord gezegd, kapitein. En ze vertrokken al na een paar minuten.'

'Wie was ze? Heeft ze een naam genoemd?'

'Ze zei dat ze...' De cipier moest diep nadenken, want als hij nu in het bezoekersregister moest gaan kijken maakte hij een nóg slechtere beurt. Tot zijn zichtbare opluchting wist hij de naam uit zijn geheugen op te vissen. 'Xantia. Ze zei dat ze Xantia heette.'

28

De steniging

Tor keerde terug naar het rumoerige hier en nu van zijn executie. Het had geen zin om over het verleden te mijmeren.

Hij besefte dat hij weer met samengeknepen ogen tegen de zon in stond te kijken. Hij knipperde met zijn ogen en zag een man die niet veel ouder was dan hijzelf naar hem toe komen en zijn arm aanraken. Er was iets in zijn zoekende blik dat Tor dwong om hem aan te kijken. Soldaten waren meteen in de weer om hem terug te trekken tot in de menigte, maar Tor had een scherp gehoor en verstond duidelijk wat de man tegen hem zei. 'Ik ben Sallementro, de muzikant. Ik ben haar beschermer.'

Tors hart sloeg een slag over. De man had het natuurlijk over Alyssa! Weer een lid van de Paladijn? Hij knikte naar de muzikant, die werd weggetrokken door figuren met bredere schouders en een grotere lichaamslengte.

Het rumoer van de mensen die hem moed toeriepen of om zijn vrijlating schreeuwden was overweldigend. Zou hij dat laatste kúnnen afdwingen, zonder zijn beloften aan Merkhud en Lys te verbreken? Maar de korte ontmoeting met Sallementro gaf hem een sprankje hoop. Misschien moest hij er zichzelf van overtuigen dat dit niet het einde was. Alleen een nieuw begin. Hij voelde zich nu iets beter.

Clout streek op zijn schouder neer. Tor stak zijn hand uit en streelde de valk.

De vogel sprak met gesmoorde stem. *Tor...*

Ik weet het. Ik moet op Lys vertrouwen.

Clout was even bang als iedereen dat dit echt een executie zou worden. Hij had in de loop van de jaren nooit vraagtekens gezet bij de wijsheid van Lys, maar het tafereel dat zich nu voor zijn ogen ontvouwde stelde die trouw zwaar op de proef. Hij wist ook niet wat er verder zou gebeuren. Clout wilde Tor zeggen dat hij de Kleuren moest gebruiken en ontsnappen, maar ondanks zijn angst wist hij zich te beheersen.

Er klonk een treurig tromgeroffel. Tor besefte opeens dat hij al op een geïmproviseerd schavot stond, waar de beul gereed was om zichzelf te introduceren.

Het was een man die Jod heette. Plechtig en zakelijk tegelijk nam hij Tor bij zijn hand om hem op de Tallinese manier te begroeten. Het gaf een merkwaardige geruststelling. Even later stond Herek naast hem. De kapitein kneep hem in zijn arm. Nog meer geruststelling.

Jod sprak langzaam en met verrassende welsprekendheid. Hij had een diepe, grove stem.

'Ik ben niet dol op mijn werk, maar ik ben er goed in. De beste in de Vier Koninkrijken, als u me die hoogmoed vergeeft. Ik hoor van kapitein Herek dat deze terechtstelling niet veel steun heeft, dokter Gynt. Ik heb geen oordeel over uw zonden, maar omdat ik heb vernomen over uw goede daden in ons koninkrijk, beloof ik u het volgende: ik zal uw dood zo snel en pijnloos maken als ik kan. Ik zal nat leer gebruiken om u vast te binden, dus niet de traditionele twijndraad. En alleen zware, eersteklas stenen.

Tor leidde hieruit af dat er ook wel eens lichte steentjes werden gebruikt om het stervensproces te rekken en het volk lang te laten genieten van de terechtstelling van een bruut. Hij had een licht gevoel in zijn hoofd. Hij hoorde dat Herek de beul namens hem bedankte voor zijn medeleven.

Jod gromde iets ten antwoord en wees toen beleefd naar het kruis dat midden op het schavot lag. 'Als u het niet erg vindt?' vroeg hij.

Tor keek naar Herek. Hij was even de kluts kwijt.

De kapitein legde het uit. 'Hij wil dat je op het kruis gaat liggen, Tor, dan kan hij je vastbinden.'

Tor vertrouwde zijn stem niet meer. Hij knikte. Al die tijd was het volk luidruchtig blijven protesteren tegen zijn dood. Kennelijk was de overgrote meerderheid ertegen en waren ze alleen gekomen om hem hun respect te betuigen.

Clout! Tor werd bevangen door paniek, toen Herek hem hielp op het kruis te gaan liggen.

Ik ben hier bij Alyssa, Tor. Clout was erin geslaagd zijn kalmte te hervinden en straalde deze nu via de link uit naar de man die hij had gezworen desnoods ten koste van zijn eigen leven te beschermen. *Kijk naar haar, Tor. Alsjeblieft.*

Tor had het tot dan toe vermeden, bang dat haar aanblik hem het laatste restje van zijn zelfbeheersing zou benemen, maar toen Jod behendig bezig was zijn polsen en enkels aan het latwerk vast te binden, draaide Tor zijn hoofd in de richting van Clouts stem en zag hij Alyssa. Zij forceerde een trillend glimlachje en maakte haar liefde voor de enige man van wie ze ooit had gehouden kenbaar door haar handen naar hem uit te steken.

Dit eenvoudige blijk van liefde riep verschillende emoties op. De meeste vrouwen in de menigte begonnen nog harder te huilen. De mannen sloegen beschaamd hun ogen neer.

Koningin Nyria weigerde aan te zien hoe Tor aan het kruis werd gebonden. In plaats daarvan wendde ze zich tot de lijfarts van de koning, die was bevolen om aanwezig te zijn. Ze voelde een onpeilbaar verdriet voor Merkhud. Ze zag dat hij zijn uiterste best moest doen om zich goed te houden.

Toen Lorys zag hoe Alyssa haar liefde kenbaar maakte, wakkerde dat zijn begeerte naar haar nog verder aan, als dat mogelijk was. Zal ik het nu stoppen? Hij vroeg het zich heel even af. Kan mijn koningschap dat overleven?

Ondertussen bewogen ex-grootinquisiteur Goth en zijn nieuwe medeplichtige Xantia zich vermomd en wel door de menigte en zwolgen ze in alle verdriet om hen heen. Het enige wat aan hun vreugde ontbrak was dat ze eigenhandig konden meedoen aan het doden van de jongeman die ze beiden zo haatten.

❧

Nyria had de gezichtsuitdrukking van Merkhud niet geheel juist geïnterpreteerd. Hij vond het inderdaad verschrikkelijk te moeten aanschouwen hoe zijn leerling op zijn dood werd voorbereid, maar de onbeheerste emotie die hij toonde, had nog meer te maken met zijn bezorgdheid of het hem zou lukken een uitzonderlijk staaltje oude magie te volbrengen. Hij zat nerveus bevend op zijn stoel en verzamelde alle vermogens waarover hij beschikte, wachtend op het juiste moment voor de voorgenomen Bezieling.

Toen leek het alsof er een deken van stilte over de menigte werd gelegd. Merkhud leidde eruit af dat het kruis van Tor nu werd opgericht.

Hij had gelijk. Het kruis, met Tor erop vastgebonden, werd door leden van de Koninklijke Garde rechtop gezet. Tor kende deze drie mannen. Hij had vaak genoeg met ze geoefend en in de kroeg gezeten. Herek voerde het bevel. Hij gaf scherpe, snelle orders en probeerde deze afschuwelijke vertoning zo snel mogelijk tot een einde te brengen.

Tor voelde dat de verticale paal van het kruis vlot in zijn schacht zakte en hij wist dat zijn lichaam nu voor iedereen zielig te kijk hing. Hij zag uit over honderden gezichten, waarvan hij er vele kende – ook dat van Sakson, niet ver bij hem vandaan. De mensen wezen en stootten elkaar aan toen een schitterende slechtvalk stilletjes op de top van het kruis neerstreek. Ze wisten dat het Tors vogel was.

Clout sloeg zijn vleugels agressief open en keek het volk onheilspellend aan. Dat deed hij instinctief. Het was niet zijn aard om zich zo te gedragen, maar deze keer was hij kwaad.

Ik ben bij je, Tor.

Pas op voor de stenen, antwoordde Tor. Zijn stem klonk onvast.

Ik ben er niet bang voor. En jij ook niet. We doen dit samen.

Tor kon het niet helpen dat er nu tranen over zijn wangen rolden. Het kon hem ook niets meer schelen of iedereen hem dapper vond.

Sterf niet met mij, Clout. Alsjeblieft!

Ik zweer je dat ik alleen zal sterven als jij sterft.

Herek was begonnen Tors straf formeel af te kondigen. Hij was geen man met theatrale neigingen en Goth ergerde zich dat dit schitterende moment werd verknald door een zuurpruim als Herek. De kapitein rolde het perkament bijna even snel weer dicht als hij het had geopend.

Tor realiseerde zich opeens dat hem was gevraagd of hij iets wilde zeggen. De menigte was onmiddellijk muisstil. Hij hoorde zijn eigen ademhaling.

'Allen die van me hielden of me hun vriend noemden zeg ik: het spijt me.' Hij keek naar Alyssa toen hij dit zei. Daarna richtte hij de blik van zijn felblauwe ogen op Lorys. 'Ik vergeef u, mijn heer.'

De stilte hield aan, maar was nu gemengd met ontzag voor zijn nobele woorden.

Jod verbrak die ban. Hij gebaarde dat de menigte achteruit moest, tot er voor hem ruimte was gemaakt, ongeveer dertig passen van het schavot, recht voor het kruis. Hij droeg een grote mand met daarin de wrede, zware stenen des doods.

Tor voelde dat er een link werd geopend. Merkhud drong binnen in zijn geest.

Ben je er klaar voor?

Lukt ons dit?

We gaan het proberen. Niemand is het ooit gelukt. Je begrijpt de bedoeling: onze geesten wisselen van lichaam. Jij zult kortstondig mijn vleselijke gedaante bewonen tot we in staat zijn je in je eigen lichaam terug te brengen. En mijn geest zal in jouw lichaam huizen.

Merkhud, vroeg Tor zacht, terwijl hij zag dat Jod de mand op de grond zette, *waarom moet u in mijn lichaam sterven?*

Het is de enige manier. Mijn tijd is gekomen. Ik heb je gevonden en jij moet nu je lotsbestemming volgen. Jij moet leven en ik moet sterven. Gebruik mijn lichaam om de veiligheid van het Kernwoud te bereiken. Er is geen tijd meer. Ondanks alles wat ik in jouw ogen misschien heb misdaan, mijn jongen, hou ik van je. Stel nu jouw vermogens voor mij open. Ik zal ze hard nodig hebben.

Tor, doodsbang, liet alle sluiers en afweerschermen zakken en gaf zijn Kleuren vrij spel om te razen. Merkhud werd een moment verrast en verdoofd door de laaiende vermogens die hem ter beschikking werden gesteld, maar hij wist dat hij slechts enkele tellen tijd had en dat er geen tweede kans zou komen.

Jod sprak voor het laatst. In zijn handen had hij twee rotsblokken, die hij tot gladde ronde ballen had gekapt.

'Sluit je ogen, jongen. Ik zal op je hoofd mikken. Dat is de snelste manier.' Geroutineerd woog hij de bal in zijn rechterhand. 'En ik mis nooit,' vervolgde hij, waarna hij zijn arm naar achteren bracht.

Xantia glimlachte en Goth had moeite om zijn blijdschap niet uit te schreeuwen toen Tor zijn ogen sloot in een aanvaarding van zijn dood. Zij konden niet weten dat hij ze sloot om zijn vermogens des te geconcentreerder op Merkhud te richten. Zo stelde hij de oude dokter in staat om hen beiden aan een van de geheimzinnigste en moeilijkste toepassingen van magie te onderwerpen.

Merkhud bundelde alle magische krachten en vormde zo een zinderende link, die hij slechts met moeite in bedwang kon houden. *Nu!* riep hij met zijn geestelijke stem.

En de menigte zag dat Jod elk onsje van zijn kolossale kracht bundelde om de zware kei te werpen. En dat deze zo hard tegen Tors voorhoofd sloeg, dat zijn schedel spleet. Er gutste bloed uit. Jod liet nog twee worpen volgen. Met de eerste raakte hij Tor doeltreffend op zijn slaap en ook de tweede, die bedoeld was om Tors hart te laten ophouden met kloppen, was precies raak.

De geschokte, nu ijzig stille menigte zag hoe het licht in die blauwste van alle blauwe ogen doofde en hoe er bloed naar beneden stroomde over Torkyn Gynts witte hemd.

De valk krijste zijn wanhoop uit en vloog toen omhoog en wiekte met krachtige slagen weg van het tafereel des doods.

En ergens diep in het Kernwoud van het Grote Woud huilde een zilveren wolvin.

Lorys keek naar Alyssa. Haar frêle lichaam rilde van angst en de blik van haar betraande ogen was gefixeerd op het ineengezakte lichaam van haar geliefde, van wie het gezicht nu bijna onherkenbaar was.

De koning kreeg onmiddellijk nóg meer spijt. Het executeren van Torkyn Gynt paste zeker binnen het kader van de wet. Die eiste zijn dood. Maar hij bezat de macht om dat naast zich neer te leggen. Hij had het gekund.

Als hij het gewild zou hebben.

Vanaf die dramatische dag in de troonzaal had koning Lorys een onbeheerste jaloezie ten opzichte van de plaatsvervangende lijfarts gehad. Waarom mocht Tor deze vrouw hebben? Zeker nu dat bovendien verboden was! En met die verwrongen logica rechtvaardigde hij de wet en voerde hij deze naar de letter uit.

Nu had hij spijt van dat besluit. En van zijn afgunst, zijn zwakte. Hij verfoeide zichzelf. Hij verfoeide zijn ontrouw – in zijn gedachten – aan Nyria. En zijn verraad tegenover Tor. En trouwens ook tegenover deze jonge vrouw, die hij als Onaanraakbare had behoren te beschermen – nee, verplícht was te beschermen, eveneens volgens de wet.

'Geliefde,' begon Nyria door haar tranen heen, maar hij stak zijn hand omhoog, want hij zag dat het meisje haar aandacht verplaatste van het lichaam aan het kruis naar de verrader op het balkon.

Hij zag walging gegrift staan in het trotse gezicht dat naar koning Lorys staarde. Alyssa bracht haar hand naar haar hoofd en veegde een losse streng van haar gouden haren naar achteren. Ze keek naar de koningin, die een vriendelijk knikje kreeg, en verdween toen met haar bewakers in de schaduwen.

'Ze zal het me nooit vergeven,' liet Lorys zich ontvallen.

'U hoeft haar vergiffenis nooit te vragen, mijn heer, als u geen zonde hebt begaan,' zei Nyria op een veelzeggende toon. Ze wilde weg hier, vluchten naar haar eigen kamer, maar de nachtmerrie bleek nog lang niet over. Ze zag dat Merkhud moeite had om op te staan uit de stoel waarin hij tijdens de executie had gezeten. Het leek alsof hij gedesoriënteerd was.

Ze haastte zich naar hem toe en riep Lorys.

'Merkhud!'

Hij leunde tegen de muur. Zijn knieën knikten en hij had een vreemde, afwezige blik in zijn grijze ogen. Lorys pakte hem bij zijn arm en keek om zich heen om hulp te vragen, maar de oude man begon te praten. 'Nee, het komt wel goed. Geef me nog even de tijd.' Zijn stem klonk anders dan anders. Krakerig.

Ze zagen dat hij enkele keren diep ademhaalde en dat zijn blik weer wat helderder werd. De schok van Tors dood was te veel voor hem geweest, dacht Nyria. Even verscheen er een scheve glimlach op het gezicht van de dokter, maar die was bijna meteen ook weer vervlogen.

'Ik heb werk te doen,' zei Tor met de hese, piepende stem van Merkhud.

'Laat ons hulp roepen, dan brengen we je naar je kamers.'

'Nee, Lorys!' De oude man klonk vastberaden. 'Het lichaam! Ik heb daarvoor al een regeling afgesproken. Alstublieft, ik moet er naar toe.'

Hij duwde hun armen van zich af.

'Waar ga je heen?' Ook Nyria klonk vastberaden.

'Weg, mevrouw,' zei Tor. Het klonk zeer definitief.

Lorys had iets dergelijks al verwacht. 'Verlaat je ons, oude man?'

'Ik kan niet blijven, Lorys. Ik ben het niet eens met wat u vandaag hebt gedaan. Ik heb de ouders van de jongen beloofd dat ik hem zou beschermen, verzorgen, opvoeden.' De oude man zuchtte diep. 'Ik heb gefaald, tegenover hen, tegenover hem.'

Nyria begon te huilen.

'Dus nu moet ik de jongen toch ten minste de begrafenis geven die hij verdient.' Tor keek de koning aan met de koelste blik waarover Merkhud beschikte.

De koning draaide zijn handpalmen naar boven. Op zijn gezicht stond verwarring te lezen. 'Maar, Merkhud, kunnen we niet...'

'Ik zeg bij voorbaat nee, Lorys. Ik breng Torkyn Gynt naar een specifieke laatste rustplaats. Vergeef me mijn haastige vertrek.'

Nyria omhelsde hem en zag tot haar schrik dat hij nog steeds wankel liep. Hij leek erg zwak.

'Alsjeblieft, Merkhud, laat ons dan in elk geval een paar gardisten met je mee sturen,' smeekte ze.

'Dank u, Nyria, maar ik heb al maatregelen getroffen.'

Meer was er niet te zeggen. Het overdonderde koninklijk paar zag de oude man, die sinds langer dan mensenheugenis koningen en koninginnen had behandeld, met enigszins wankele schreden naar de deur lopen en uit hun leven verdwijnen.

En het geluid van de dichtslaande deur was als een dolksteek door Nyria's zwakke hart.

❧

Terwijl Tor voorzichtig over de trap naar beneden liep, nog lang niet gewend aan het gebruik van Merkhuds armen en benen, zag hij Alyssa, die naar haar kamer werd begeleid. Ze had soldaten bij zich en kapitein Herek had de leiding. Hij praatte zacht tegen haar. Omdat Merkhud in zijn eentje was mocht hij erlangs.

Tor bleef voor Alyssa staan en staarde haar aan. Hij kon Merkhuds blik niet van haar losrukken, maar zei niets. De bewakers keken elkaar vragend aan. Ze hadden geen idee wat deze confrontatie te betekenen had.

Het was Alyssa die als eerste sprak. 'Dit is allemaal uw schuld.' Haar stem klonk onbuigzaam en wreed.

Tor voelde een duizeling in zijn hoofd. Hij had zijn volle kracht nodig om niet om te vallen en kon zich slechts met moeite concentreren. De oude man had hem gewaarschuwd dat hij niet mocht treuzelen. De tijd was kort. Hij vermoedde dat zijn woorden als gebrabbel zouden klinken, maar hij wilde beslist iets troostends tegen haar zeggen. Wel moest hij voorzichtig zijn en niet te veel verraden. Herek keek hem tóch al met enige achterdocht aan.

Tor sprak ten slotte met de zachte stem van Merkhud. 'Zie uit naar Sallementro, Alyssa. Hij is een Paladijn.'

De bewakers namen Alyssa mee. Ze keek om, over hun brede schouders heen, en Tor wierp haar een kushandje na.

Herek, die naast hem stond, vond dat een raar gebaar van de oude man. 'Voelt u zich wel goed, meneer?' vroeg hij.

Er verscheen een slim glimlachje bij de mondhoeken van de oude lijfarts. 'Nee, Herek, ik voel me vandaag totaal niet mezelf. Maar bedankt voor je bezorgdheid. Staat de kar klaar?'

'Jawel, dokter Merkhud. Alles wat u hebt gevraagd.'

'Ik ben je dankbaar. Je bent een goede man, Herek.'

'Ik moet u nog iets vertellen, dokter Merkhud. We hebben het de koning tot nu toe niet gezegd, maar ik ben op weg om hem het slechte nieuws te brengen.'

'Zeg het maar.'

'Goth is gisteravond ontsnapt. Ik heb zoekpatrouilles aan het werk gezet. We vinden hem wel.'

Tor voelde zich alsof hij was geraakt door nóg een steen van Jod. Hij was doodsbang dat Alyssa iets zou overkomen. Hij hoestte van frustratie en woede en voelde wanhoop in het lijf van de oude man – maar wist, dat al die gevoelens van hemzélf waren.

'Weet het meisje dit?' vroeg hij op scherpe toon.

'Nog niet, dokter Merkhud. Ik moet het eerst aan de koning melden. Ik heb het u alleen gezegd omdat ik weet hoe betrokken u bent en omdat u ons nu verlaat.'

Herek zag dat de oude man steun zocht bij de muur. Hij had sterk de indruk dat de dokter niet zou terugkeren van zijn reis met het lichaam van Tor.

'Beloof me dat je haar zult beschermen, Herek. En zorg ondertussen dat je hem te pakken krijgt!'

Herek knikte. 'Op beide punten, meneer, geef ik u mijn woord.'

Tor vervolgde zijn moeizame tocht tot hij buiten het paleis was. Het was een spookachtige, doodstille plek geworden. In de afgelopen uren was het normale leven geheel tot stilstand gekomen. Er hing zelfs geen geurtje in de lucht van eten dat in de keuken gebakken of gekookt werd. Maar op dat moment was hij blij dat er nergens iemand te zien was.

Hij zag de kar en wat erop lag: zijn eigen lichaam, omwikkeld met een katoenen doek, waar hier en daar al bloed doorheen sijpelde. Hij bekeek het van dichtbij, want hij moest zekerheid hebben. Toen hees hij zich met veel inspanning op de bok en nam de teugels van de paarden in zijn handen. De dieren hadden geduldig staan wachten. Hij hoorde een geluid boven zijn hoofd en keek omhoog. Zoals hij had verwacht, bleek het Clout te zijn. Die zou hem de weg wijzen.

Ben jij het? vroeg Clout aarzelend.

Ik ben bij je, Clout, antwoordde Tor.

De oude man maakte een klakkend geluid met zijn tong en begon aan zijn langzame reis met het lichaam van Torkyn Gynt, op weg naar het Kernwoud, waar Merkhud zijn laatste rustplaats zou vinden.

29

De laatste misleiding

Het Grote Woud had zijn bijzondere magie toegepast om de reis van de kostbare last naar het Kernwoud slechts uren te laten duren, geen dagen.

Arabella zag dat de oude man die Merkhud heette bijna van de bok viel.

'Hier ben ik, zoals me bevolen is,' kreunde Tor met de stem van Merkhud. 'Zijn... mijn lichaam ligt in de bak.'

'Je hebt het snel gedaan.'

'De tijd is onze vijand, werd me gezegd.'

'We zullen geen moment verspillen,' zei Arabella. 'Help me om je lichaam naar de open plek te brengen.'

'Ik vrees dat dit het laatste wordt wat Merkhuds lichaam op deze aarde zal verrichten,' zei Tor vermoeid.

Samen sleepten ze het afkoelende lichaam van Tor naar de open plek in het bos, waar ze het zwijgend ontdeden van zijn katoenen lijkwade. Arabella keek pijnlijk getroffen toen ze de gapende, nog bloedende hoofdwond zag die een leven had beëindigd. Ze legde haar hand op Merkhuds pols om Tor in dat lichaam te sussen. Ze kon zich voorstellen hoe afschuwelijk deze aanblik voor hem moest zijn. De oude man stond zwaar te hijgen.

'Het is tijd,' zei ze.

'Ik weet het.' Hij nam haar hand en drukte er een kus op. 'Dank je,' fluisterde hij.

Arabella zag dat Merkhud zich met veel pijn en moeite op de grond uitstrekte, vlak naast het lijk van zijn leerling.

'Vaarwel,' was alles wat hij nog zei voordat hij zijn ogen sloot. Zoals

Tor dat eerder die dag had gedaan, liet hij al zijn sluiers en afweerschermen zakken en gaf hij zijn enorme vermogens vrij baan. Er vonkten kleine vlammen op die zacht tinkelden en het drietal omhulden. Darmud Coril was gearriveerd. Zijn macht was angstaanjagend.

Arabella keek nu niet meer naar Merkhud. Ze tuurde naar het gemaltraiteerde hoofd van Tors lijk en zocht in zijn ooit zo prachtige ogen naar het teken. Ze was geduldig, maar nerveus. Het was vanaf het begin een gevaarlijk plan geweest. Er waren complicaties mogelijk waaraan ze niet eens durfde te denken. Nu was het moment gekomen. Ze drukte haar vingernagels hard in de handpalmen van haar gebalde vuisten om zichzelf tot kalmte te dwingen en bleef naar het gewonde gezicht staren.

En toen hoorde ze naast zich een zacht geluidje, als van een zucht. Ze wist dat het van Merkhud was gekomen. Het was voltooid. Hij had de laatste daad verricht die de Kring van hem had gevraagd in zijn queeste om de Triniteit veilig te stellen. Ze keek zijn kant op en voelde een lichte schok toen ze alleen verfomfaaide kleren en een hoopje stof zag liggen op de plek waar zich daarnet Merkhuds eeuwenoude lichaam had bevonden. En het stof begon al weg te waaien in het zachte briesje.

De grote Merkhud wás niet meer. In haar hart wist ze echter dat hij al uren eerder was gestorven, namelijk toen zijn geest in Tors lichaam was binnengetreden om diens straf op zich te nemen. Hij had zijn laatste adem al in die andere gedaante uitgeblazen.

En toen keek Arabella weer naar Tor.

En al bijna meteen sloot ze haar ogen in een gebed tot de goden en in stille uitzinnigheid van vreugde, want ze had in Torkyn Gynts stralende blauwe ogen nieuw leven zien opvlammen.

Ranken kronkelden zich al naar Tor toe en omwikkelden hem behoedzaam. En toen boog een boom zich naar voren en tilde het zwakjes levende lichaam op tot in de armen van zijn god. En de Vlammen van het Firmament fonkelden en schitterden glorieus, in alle kleuren van de regenboog.

Clout, die ergens hoog in de fluisterende boomkruinen zat, begon te huilen. Torkyn Gynt leefde weer en het volgende deel van de reis was begonnen.

Dankwoord

Hartelijk dank aan al mijn familieleden en vrienden. Enkelen verdienen een speciale vermelding. Pip Klimentou, die vreesde dat mijn nachten en ochtenden door elkaar zouden lopen en me daarom achttien maanden lang elke dag telefonisch gewekt heeft. Anne Maddox, mijn kladlezer, van wie het enthousiasme zo aanstekelijk is dat ik wou dat ik het in een flesje kon bewaren. Paul Meehan, mijn lachtovenaar en klankbord voor alles wat magisch is. Mijn ouders, Monnica en Fred Richards, voor hun onbegrensde steun. Bryce Courtenay, voor zijn adviezen en aansporingen. Mijn uitgever, Nicola O'Shea, voor haar hulp en vriendschap, en Stephanie Smith, omdat ze de potentie van *Het verraad* heeft gezien toen het verhaal nog maar een zoveelste onevenwichtig manuscript was.

En natuurlijk Ian.